24,95

D0653182

ROBERT HOUGH

De laatste bekentenis van *Mabel Stark*

Uit het Engels vertaald door Regina Willemse

DE GEUS

De vertaalster ontving voor deze vertaling een werkbeurs van de Stichting
Fonds voor de Letteren en werkte drie weken in het Banff International
Translation Centre, onderdeel van The Banff Centre in Banff, Canada, een
verblijf dat mogelijk werd gemaakt door de Stichting Fonds voor de Letteren
en The Banff Centre

Deze uitgave is totstandgekomen met een bijdrage van The Canada Council
for the Arts (Ottawa) en de Canadian Department of Foreign Affairs and
International Trade

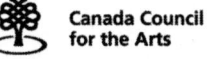

Canada Council
for the Arts

Oorspronkelijke titel *The Final Confession of Mabel Stark*, verschenen bij
Random House Canada
Oorspronkelijke tekst © Robert Hough, 2001
Nederlandse vertaling © Regina Willemse en De Geus BV, Breda 2005
Omslagontwerp De Geus BV
Omslagillustratie © Circus World Museum, Baraboo, Wisconsin
Foto auteur © Westwood
Druk Koninklijke Wöhrmann BV, Zutphen
ISBN 90 445 0412 6
NUR 302

Verspreiding in België via Libridis NV, Industriepark-Noord 5a, 9100 Sint-Niklaas

Voor Soozie, Sally en Ella

Inhoud

Deel een

Het circus van Barnes

I

De Atheense kleermaker

Hij is: lang, mager als een tentpaal, heeft knobbelknieën en zit gebogen over zijn kleermakerstafel in zijn winkel op Seventh Street witte biezen op een vest te naaien als de zeurende pijn rechts onder in zijn buik opeens een brandende, vlijmende kwelling wordt. Kreunend grijpt hij naar zijn buik en valt dwars over zijn werktafel. Dat heeft tot gevolg dat meneer Billetti, de groente- en fruitverkoper van de marktkraam naast hem, komt aanrennen. Na een moment van paniek (waarin hij met wapperende armen op één plek op en neer springt onder het uitroepen van 'koeie kod, koeie 'emel'), gooit meneer Billetti zijn kermende vriend op een lege houten kar waarop normaal gesproken koolrapen en aubergines liggen. Hij riksjaat Dimitri helemaal naar het Sint-Mariaziekenhuis, stormt naar binnen onder het roepen van: ''Elp! Ik 'eppe 'ulp nodik!' en valt dan neer aan de tenen van de Maagd Maria.

Tien minuten later werd Dimitri open gescalpeld en werd wat er van zijn blindedarm over was verwijderd, wat tegen die tijd niet veel meer was, een sponzig, gebarsten paars ding zo groot als een in de lengte opengesneden pruimedant. Daarna werd hij slapend en gekleed in een witflanellen ziekenhuishemd naar Zaal 4 gereden, waar hij halverwege het rechterpad werd geparkeerd. Na een halfuur of zo drentelde ik erheen om op mijn gemak een kijkje te nemen. Hij was magertjes, met geprononceerde botten, wat de andere leerling-verpleegsters knap noemden, met zijn dunne neus, golvende haar en olijfkleurige huid. Zelfs buiten bewustzijn grijnsde hij; later kwam ik erachter dat hij overdag zo vaak grijnsde dat zijn gezicht geleerd had om vanzelf in die plooi te vallen als hij sliep.

Toen het gif zich door zijn lichaam verspreidde, zwol hij op en kreeg de kleur van een wortel. Zijn handen zagen eruit alsof ze zouden openbarsten als je erin prikte. Hij sliep de klok rond, aangezien de enige pijnstillers in 1907 van het soort waren waarvan je als een nachtkaars uitging. Op dag drie hoorde ik toevallig twee dokters bespreken wat al dat spul dat in zijn lichaam circuleerde waarschijnlijk voor effect zou hebben. 'Of hij gaat er-aan dood,' zei de oudste, 'of niet. Het is afwachten, denk ik.'

Na drie of vier dagen werd duidelijk dat Dimitri voor de tweede optie had gekozen, want zijn zwellingen verminderden, zijn huid kreeg weer een kleur die meer op slaolie dan op wortel leek en hij zag er niet meer zo doodstil uit als hij sliep. Toen ik op een ochtend vlak bij zijn bed een po leegde, nam ik een ogenblik de tijd om hem op te nemen, gefascineerd als ik was door de manier waarop zijn borstharen als babyvingertjes over de kraag van zijn hemd krulden. Plotseling deed hij zijn ogen open en zei zonder de moeite te nemen zijn blik op me te richten: 'Wat is het jouw naam, mooie meisje?'

Dit had een heel verwarrend effect op me, want niet alleen was hij de eerste die me sinds de dood van mijn vader een compliment maakte, maar hij was daarvoor ook nog eens uit een praktisch steenkoud coma geko-men. Ik keek hem aan, stomverbaasd over hoe hij dat voor elkaar had ge-kregen, aangezien de meeste mensen zo duf en verward wakker worden dat het een uur duurt voordat ze zich herinneren wat boven en onder is. Uiteindelijk schreef ik het toe aan instinct, zoals je met je ogen knippert als je een uiengeur opsnuift. Toen ik me omdraaide en wegliep, voelde ik dat zijn ogen moeite deden een glimp op te vangen van mijn gehoepelrok-te achterste.

'Misschien jij blijven de volgende keer wat langer,' kraste hij, 'misschien de volgende keer, mooie meisje...'

's Middags vroeg hij om een schaar, een kom warm water, een scheer-mes, een handdoek en een spiegel, die ik hem allemaal bezorgde toen ik helemaal klaar was. Het daaropvolgende halfuur hakte, knipte en schoor hij de baard af, die hij in de afgelopen zes dagen had gekweekt. Toen hij klaar was, bekeek hij zichzelf nauwkeurig in de spiegel, die hij in wel hon-derd verschillende standen hield om ieder hoekje en gaatje te kunnen in-specteren, inclusief de op een diep konijnenhol lijkende kuil midden op zijn kin. 'Aaaaaaah,' riep hij uit, 'nu voel ik me als nieuwe man!' Alleen zijn snor had hij nog, potlooddun en donker als inktvisinkt.

Weldra was hij uit bed, liep hij rond en knoopte gesprekken aan met andere patiënten. Dat zijn gesprekspartners zwak en bleek waren en totaal niet in staat om te antwoorden, deed er niet toe; Dimitri ging zitten en gaf zijn mening over zijn land, de kleermakerij, het ziekenhuiseten, allemaal zaken die naar zijn idee beter konden. (Hij was het soort man dat glimlachte als hij klaagde.) Als hij niet zat te kletsen, flirtte hij met de verpleegsters, zowel de leerlingen als de gediplomeerde. Toen ik een keer wat water stond te drinken bij de kraan aan het einde van de zaal voelde ik een hand op mijn rechterheup neerdalen en er even zachtjes langs strijken. Het was uiteraard Dimitri. Ik draaide me vliegensvlug om, gaf hem een klap en zei dat hij zijn poten beter thuis kon houden als hij ze niet kwijt wilde. Vanaf dat moment keek hij me steeds als hij langs me liep aan alsof we een geheim deelden, een geheim dat hij me zou vertellen wanneer en als het hem uitkwam.

Al dat gefoezel maakte onze hoofdverpleegster, de rijkelijk met onderkinnen bedeelde, voortijdig oud geworden juffrouw Weatherspoon, razend, ongetwijfeld omdat zij de enige was die hij niet tot blozens toe overlaadde met aandacht. Als ze hem terug naar bed stuurde, grinnikte hij slechts, haalde zijn smalle schouders op en deed net of hij geen Engels sprak. Hij spreidde een schaamteloosheid tentoon waar ik rode oortjes van kreeg, want ook ik was meteen in aanvaring gekomen met juffrouw Weatherspoon, aangezien ik niet 's werelds grootste aanbidder ben van mensen die verliefd zijn op hun eigen gezag. Op een dag, toen Dimitri op was en rondliep en in het Grieks op haar bazigheid reageerde, wond ze zich zo op dat ze besloot haar beklag te doen bij een van de doktoren. Ik liep toevallig langs en zag haar grauw van woede haar gekromde vinger schudden, terwijl de spieren van haar gezicht zo strak stonden als ijzerdraad. 'Maar u zei volledige bedrust', was het stukje dat ik hoorde. Hierop rolde de dokter, een oudere man die Jeffries heette, met zijn ogen en zei: 'O, oké, Beatrice, regelmatige bedrust dan, als je dat liever hebt.' Dit bracht juffrouw Weatherspoon in een nog slechter humeur, en dat wilde wat zeggen.

Plotseling moest alles tegelijk gebeuren. Afgebeuld werden we. Ik kreeg pijn in mijn gewrichten van het schrobben van lichaamsdelen. Twee andere verpleegsters – geluksvogels, bedoel ik, meisjes met keuzemogelijkheden – zegden diezelfde middag nog hun baan op. Vlak voor onze dienst erop zat, besloot juffrouw Weatherspoon dat Dimitri gewassen moest worden, dus gaf ze Victoria Richmond, een andere leerlingverpleegster, daartoe opdracht. Nou was het in die tijd bij meisjes uit de betere kringen populair om zich ook een poosje op het verplegen te storten, vooral omdat het ze iets te doen gaf tot ze een goede echtgenoot in de wacht konden slepen. Victoria was zo'n meisje: met haar zestien jaren, haar huid als albast, haar blonde krulletjes en een tabaksbaron van de goede kant van Louisville als vader had ze een eigen huis waar ze 's avonds heen kon in plaats van de slaapzaal voor inwonende verpleegsters. Met andere woorden, ze was het soort meisje met wie ik maar moeilijk kon opschieten, want telkens als juffrouw Weatherspoon haar opdracht gaf iets te doen, sloeg ze haar blik neer, maakte een knixje en zei: 'Zeker, juffrouw. Onmiddellijk.'

Dat deed ze ditmaal ook, waarna ze zich op haar hakken omdraaide – het was praktisch een pirouette – om een kom en haar favoriete roze badspons te gaan halen. Toen ze bij Dimitri's bed kwam, trok ze het gordijn opzij en stapte naar binnen, op welk punt ik mijn belangstelling verloor en aan iets anders begon. Er ging ongeveer een minuut voorbij voordat ik en alle anderen op de zaal weer belangstelling kregen. En dan bedoel ik échte belangstelling, want er klonk een gil alsof er iemand aan het ijzerzagen was, waarna juffrouw Richmond als een klein meisje naar de deur sprintte, met haar ellebogen strak tegen het lichaam, haar knieën samengedrukt en haar onderbenen zijdelings malend als wieken. Haar spons hield ze nog steeds stevig vast, zodat ze een hele rits waterdruppels op de vloer achterliet. Toen ze weg was, leek het wel of er een bovenmaatse slak was langsgekomen.

Toen de opschudding voorbij was, liep juffrouw Weatherspoon vastberaden naar Dimitri's bed en stak haar hoofd als een schildpad door de kier in de gordijnen. We keken allemaal toe. Ze trok haar hoofd terug en bleef staan met een gezicht zo uitdrukkingsloos als een plank. Er kwam een idee bij haar op; je kon het praktisch zien opkomen, want haar ogen vernauwden zich, haar gelaatstrekken werden scherper en haar mondhoeken bogen heel lichtjes in de richting van het plafond.

'Juffrouw Haynie!' loeide ze.

Ik liep net snel genoeg om niet ongehoorzaam te lijken, maar ik rende absoluut niet, zoals Victoria Richmond gedaan zou hebben.

'Ja, juffrouw Weatherspoon?'

'Het schijnt dat juffrouw Richmond ontslag genomen heeft. Ik zou graag willen dat u de patiënt verder wast.'

'Jazeker, juffrouw Weatherspoon.'

'O… en Mary?' Ze aarzelde, genietend van het moment. 'Als je je baan hier prettig vindt, zou ik je willen aanraden zo grondig mogelijk te werk te gaan. Want tenzij ik me vergis, is deze patiënt niet de… hoe zal ik het zeggen? Deze patiënt is niet de schoonste, met name waar het zijn dagelijkse toilet betreft. Zijn persóónlijke dagelijkse toilet. Ben ik duidelijk? Als je klaar bent, zal ik hem controleren.'

'Jazeker, júffrouw Weatherspoon', zei ik weer, waarbij ik ditmaal de nadruk legde op dat deel van haar naam dat aangaf dat ze ongetrouwd was, dikke enkels had en er in de nabije toekomst niet bepaald jonger op zou worden. Om eerlijk te zijn, had ik de pest in en behoorlijk ook, want ik snapte amper waar ze op doelde. Juffrouw Weatherspoon was namelijk het soort vrouw dat nooit zei wat ze bedoelde, uit angst een sociale regel te overtreden die nog maar zo kortgeleden was ingesteld dat ze er nog niet van gehoord had. In plaats daarvan benaderde ze alles met omtrekkende bewegingen, zodat ze haar sporen uitwiste met woorden die alleen maar tijd kostten. Gelukkig worden de meeste vaagheden bij dergelijke mensen gecompenseerd met lichaamstaal; door de kwaadaardige grijns die op haar gezicht gepleisterd zat, wist ik dat het een onkuise, onsmakelijke taak betrof, die enkel diende om te laten zien wie hier de baas was. Mijn enige verweer was net doen of het me helemaal niet raakte, dus draaide ik me zo kalm als ik maar kon om en ging op zoek naar mijn spons.

Bij het bed van de patiënt gekomen, deed ik de gordijnen opzij en stapte naar binnen. Victoria's kom met warm water stond nog op de ijzeren beddentafel, die aan de muur vastzat. Dimitri keek intussen als een kind dat op een leugen betrapt was. 'Het spijt me,' zei hij, 'ik kon niet helpen…'

Ik knikte alsof ik het begreep, ook al was dat niet het geval; het kwam erop neer dat zijn spijtbetuiging me niet in het minst geruststelde, mocht dat al de bedoeling geweest zijn. 'Goedemorgen, meneer Aganosticus', zei ik heel professioneel. Daarna trok ik het beddenlaken weg en wierp een eerste blik op het lichaam van mijn toekomstige eerste man. Althans, dat zou ik gedaan hebben als hij niet van zijn nek tot aan zijn spichtige enkels en alle plekken daartussen zwaar behaard was geweest. Boven op zijn vacht lag zijn kruis, waarvan de ketting geheel schuilging in de ondergroei. Aan de grond genageld en vol ontzag verwonderde ik me erover hoe het haar zich als een krullerig bos, op sommige plekken lichter en op andere zwaarder begroeid, over zijn lichaam uitstrekte en hoe het middelpunt van die jungle precies in de buurt van zijn geslachtsdelen lag. Als hij al een penis en testikels had, lagen ze verscholen onder het dak van die jungle, wat mij een zucht van verlichting ontlokte. Mijn plan was als volgt: als ik bij het kritieke deel van het bad kwam, zou ik mijn hand net onder de bovenste takken steken, de spons er snel één keer langs halen en hem schoon verklaren.

Ik begon bij zijn nek, waar het in de huidplooien nogal sterk kan gaan ruiken. Dimitri sloot zijn ogen. Toen ik zijn borst afsponsde, zuchtte hij, wat ik als een aanmoediging opvatte. Ik bewoog mijn spons over het gebied direct onder de ribbenkast, waar je de ademhaling kunt voelen. Dimitri zuchtte nog eens, waardoor ik me weer aangemoedigd voelde; ik liet mijn hand een stukje zakken, zodat het gebied bevochtigd werd waar bij een minder behaard exemplaar de maag zou ophouden en het haar zou beginnen. Ik hoorde zijn adem stokken. Ik keek op en zag dat op zijn gezicht dezelfde schaapachtige uitdrukking lag als toen ik met het sponsbad was begonnen. Een tel later zag ik waaróm hij zo schaapachtig keek, want daar begon het, de levitatie van zijn mannelijkheid, langzaam maar niet te stuiten rees zijn lid op uit de plooien van de jungle als een totempaal die door inboorlingen overeind wordt gehesen. Ik kon het bijbehorende getrommel zowat horen. Hoewel mijn hart als een razende tekeerging en ik een licht gevoel in mijn ingewanden kreeg, kon ik mezelf er niet toe brengen mijn blik af te wenden: hij leek op een lange paal, overdekt met een knoestig netwerk van grijsgroene aderen, dat omhoog leek te leiden om voedsel te leveren aan een dikke kastanjebruine kop.

Ik vermande me en ontdekte dat ik nergens anders naar kon kijken; telkens als mijn blik ergens op viel, bleek hij dáárop te vallen, een verschijnsel dat het moeilijk maakte om na te denken of iets voor elkaar te krijgen. Uiteindelijk fluisterde ik: 'Luister eens, meneer Aganosticus, mijn opdracht is u zo goed als ik kan te wassen en hoewel ik daar niet bepaald blij mee ben, heb ik niet veel keus in deze. Bovendien zou ik graag zien dat degenen aan de andere kant van dit gordijn niet weten wat hier gaande is. Dus als u één kik geeft, als u één onnatuurlijk geluid maakt, is het feest voorbij. Begrijpt u?'

Hij knikte en ik ging door met mijn werk, ik zeepte mijn handen in tot ze nauwelijks nog herkenbaar waren als handen. Blijven ademen, hield ik mezelf voor, rustig blijven ademen, want ik begon me een beetje licht in het hoofd te voelen, aangezien de maatschappij destijds nou eenmaal de gewoonte had achttienjarige meisjes in een soort maagdelijk aspic te conserveren. Na enige ogenblikken stak ik mijn hand uit en maakte contact, zoals je contact maakt als je niet zeker weet of je wel contact wil. Voorzichtig is het woord, denk ik. Of aarzelend. Het probleem was dat ik nog zo jong was dat ik niet eens wist dat een lichte aanraking het meeste effect heeft, waar het zekere lichaamsdelen betreft. Zo ging ik door. Ik had er niet bepaald lol in, maar vond het ook niet heel erg. Ik herinner me dat ik me nogal wereldwijs voelde, omdat ik de bewuste vormen en dat bepaalde gevoel van hardheid leerde kennen. Na een ogenblik keek ik naar Dimitri's gezicht en zag dat hij zijn hand voor zijn mond had geslagen en dat er dikke tranen in zijn ooghoeken waren opgeweld. Hij beefde en was zo rood als een brandweerwagen. Zijn verwrongen trekken fascineerden me zodanig dat ik vergat op te houden met datgene waardoor het hoofdzakelijk veroorzaakt werd, met als gevolg dat ik enkele tellen later ontdekte wat een volwassen man doet als hij getrakteerd wordt op een buitensporige inzeping.

Ik stond er geschokt bij. Ik overwoog serieus de patiënt een klap in zijn schaapachtige gezicht te geven en zou dat ook zeker gedaan hebben, ware het niet dat juist mijn slaghand bevuild was. En toen hoorde ik ze. Schoenen, gemakkelijke schoenen, die vlak voor het gordijn piepend halt hielden. Ik bevroor, wat een vergissing was, omdat het plotselinge ontbreken van beweging me verraadde. Ze rukte het gordijn open en betrapte me: ik stond stil als een beeld, met mijn rechterhand uitgestoken en druipend van het zaad.

Geruime tijd bleef ze daar alleen maar staan, zonder iets te zeggen, met haar armen over elkaar geslagen en één heup gekanteld, glimlachend als een krokodil.

De daaropvolgende week was het Tehuis voor Christelijke Vrouwen aan Portland Street mijn thuis. In het weekend trouwden Dimitri en ik in de Grieks-orthodoxe kerk op de hoek van Seventh en Main op aandringen van Dimitri, omdat hij vond dat het aan hem was om mijn eer te beschermen en ik bovendien zijn reddende engel was. Het was een warme dag, de bloemen bloeiden, de lucht geurde naar kamperfoelie, alles was volmaakt.

Nadat mijn ouders gestorven waren, heb ik vijf jaar bij mijn tante gewoond in haar met terriërs bevolkte appartement in het centrum van Louisville, een dusdanig slechte ervaring dat ik niet bepaald sta te popelen om erover te vertellen. Maar hoe dan ook, het blijft je familie en ze had me voor de hongerdood behoed, dus slikte ik mijn trots in en stuurde haar een uitnodiging. Ze reageerde niet en naderhand hoorde ik dat ik onterfd was, omdat ik beneden mijn stand getrouwd was, wat helemaal klonk als die tante van me. Dimitri had ook geen familie, die zat allemaal in Griekenland; toch was de dag verre van eenzaam. Het leek alsof heel Seventh Street was komen opdagen: de visboer, de slager, de voorzanger van de buurt, beide bakkers, een stuk of zes wasvrouwen, een briefschrijver, de tarotkaarten lezende zigeuner, een leerlooier, een hoedenmaker, een worstenmaker, de verdomde Arabier (die een winkel had waar hij tapijten verkocht en, als je erom vroeg, pikante Parijse foto's), een hoedenvormmaker, een schoenlapper, een banketbakker, de man die de loterij runde, de ijscoman en meneer Wong, de Chinese kruidengenezer, die me op een bepaald moment alleen trof en me grinnikend en buigend een brouwseltje gaf waarop stond 'Voor huwelijkse belemmeringen'. Onder aan de gastenlijst stond meneer Billetti, die er keurig en groter dan normaal uitzag in een duffels jasje en een broek met brede omslagen (die Dimitri bij wijze van dank voor hem gemaakt had). Ze hadden allemaal hun gezin meegenomen en na de eed dromden alle mannen, vrouwen en ruziënde kinderen samen in het driekamerappartement, dat boven Dimitri's winkel lag. Er waren bergen eten, er werd in een zestal talen gekwekt en zoveel gedanst als in de beschikbare ruimte mogelijk was.

De laatste gast vertrok om ongeveer drie uur 's ochtends. Het appartement viel stil, als iemand die moe was geworden van het praten. Dimitri liep, plechtig kijkend als een priester, op me af. Met een licht gegrom tilde hij me op en droeg me over de drempel van onze slaapkamer, waarbij zijn dunne armspieren zich als touwen om mijn achterste klemden. Ik zag dat een paar van de echtgenotes in de slaapkamer waren geweest, want er waren kaarsen ontstoken, ramen geopend en bloemen neergezet. Nadat hij me even de gelegenheid had gegeven alles in me op te nemen, legde hij me zo zachtjes als hij kon op bed en fluisterde: 'Je mag je nu klaar gaan maken...'

Hij draaide zich om en liep de kamer uit, terwijl ik, achttienjarige Mary

Haynie uit Princeton, Kentucky, op bed lag en uit alle macht probeerde niet te huilen. God, wat was ik kwaad op mijn moeder; zij had me apart moeten nemen en me moeten vertellen hoe het er op momenten als deze aan toeging. (Het was een boosheid die uiteraard gemengd was met verdriet, want zelfs als ze nog geleefd had, had ik waarschijnlijk niet op haar kunnen rekenen voor dit soort informatie, aangezien ze niet veel op had gehad met openhartige gesprekken.) Ik voelde me zo erbarmelijk onwetend dat ik er een dikke keel van kreeg en wat volgde, was dat ik woedend op mezelf werd, omdat ik van wat het meest schitterende moment van mijn leven had moeten worden een van de treurigste maakte. Ik denk dat ik nog niet oud genoeg was om te weten dat mensen er bekend om staan dit soort trucs met zichzelf uit te halen.

Opeens bedacht ik dat hij met klaarmaken misschien bedoelde dat ik mijn trouwplunje uit moest trekken, dus wurmde ik me uit mijn jurk, sloeg het laken terug en trof een donkere handdoek aan op de plek waar mijn bekken zou komen te liggen; zijnde een ex-verpleegster met kennis van lichamelijkheden wist ik in ieder geval waar díé voor was. Aan de andere kant van de kamerdeur hoorde ik het geluid van een gesp die werd losgemaakt en een broek die werd uitgetrokken.

Dimitri neuriede zachtjes toen hij de deur opendeed. In het licht van de huiskamer zag ik dat de inboorlingen de totempaal al op zijn plaats hadden gehesen. Ik trok de lakens op tot aan mijn kin en probeerde ondanks alles enigszins een slaapkamerblik in mijn ogen te leggen.

Nou, ik hoef niet te vertellen dat sommige dingen in andere dingen passen en dat sommige dingen gewoonweg niet passen. Dingen die te groot zijn, zijn te groot, meer kun je er niet van zeggen. Daarnaast krijgt een man op zijn huwelijksnacht last van een soort koorts die hem berooft van het nodige benul om dit hoogst simpele mechanisme te begrijpen. Dimitri slenterde naderbij en liet zich in bed glijden. Hij kuste me op de lippen en de kin alvorens op te schuiven naar plaatsen die normaal met kleren bedekt zijn, maar dat duurde niet bijzonder lang, omdat mijn kersverse echtgenoot zeer gebrand leek te zijn op het volgende onderdeel van het programma, het wrijven, overhalen en porren.

Zinloos. Ik denk dat het geholpen zou hebben als ik enigszins geïnteresseerd was geweest, maar het was een simpel feit dat ik met Dimitri getrouwd was omdat het zo veel problemen in één enkele klap leek op te lossen. Jammer genoeg had ik mijn huwelijksnacht gekozen om daar achter te komen; had ik het een dag eerder bedacht, dan had ik er nog iets aan kunnen doen. Ik voelde mijn wangen branden, zo stom voelde ik me, en mijn enige hoop was dat Dimitri mijn blos zou aanzien voor vrouwelijk verlangen. Om de pijnlijke situatie nog wat te verergeren, zei ik dingen als: 'Ja, schat, nog een klein beetje, nog een klein beetje', wat voorbijging aan het feit dat die kleine beetjes zo klein waren dat we er de hele nacht mee bezig hadden kunnen zijn en tegen de ochtend nog een heel eind te gaan zouden hebben.

Ten slotte ging hij rechtop zitten en probeerde begripvol te kijken. Hij streek met zijn hand over zijn kin en zei: 'Hmmmmmmmmmmmm.' Maar zijn lichaamstaal was een en al gepruil, hij had elk sprankje hoop verloren. Ik wilde net op de bank gaan slapen toen zijn gezicht opklaarde.

'Wacht eens!' zei hij. 'Meneer Wong... heeft die je niet iets gegeven voor dit soort problemen?'

'Ja,' zei ik, 'inderdaad.'

De mogelijkheid dat er een uitweg was uit deze impasse vrolijkte me bijzonder op, dus ik sprong uit bed en haalde het kleine bruine glazen flesje, dat ik op de vensterbank in de woonkamer had laten staan. Nadat ik de stop eraf had gehaald, goot ik de inhoud in mijn mond. Het smaakte bitter, maar niet heel smerig.

Aangezien ik tijdens het feest niet veel gegeten had (van de zenuwen), sorteerde het brouwsel snel effect; binnen enkele minuten werd mijn onderlijf gevoelloos en begon mijn hoofd te draaien. Toen Dimitri me terug op bed wierp, midden op de handdoek, moest ik me verzetten tegen de neiging om te gaan giechelen als een schoolmeisje, want wat wij vrouwen allemaal pikten, leek me plotseling zo absurd. Plus dat ik hallucineerde, dat was nieuw voor me. En wat me afleidde van het feit dat Dimitri boven op me lag met zijn ogen dicht en zijn mond slap en rubberachtig als van een koe, was het plafond van onze slaapkamer, waar plotseling allemaal marcherende rood-zwarte speelgoedsoldaatjes tot leven waren gekomen. Vrolijk en sprankelend waren ze, en ze marcheerden er ongevoelig voor uitputting op los, terwijl het mijn man eindelijk lukte in me te komen; dat alles leek me een gigantische hoop moeite voor het vier of vijf tellen durende gestamp dat erop volgde.

Het volgende moment deed ik mijn ogen open en kon ik aan de kleur van het daglicht dat door de kier tussen de gordijnen viel, zien dat ik tot bijna twaalf uur 's middags geslapen had. Nadat ik volledig wakker was geworden, wat enige tijd kostte, trok ik de deken van me af; iemand had de handdoek weggehaald en me een witte flanellen nachtpon aangetrokken. Ik tilde de zoom op en bekeek mezelf, half verbaasd en half niet verbaasd dat alles er nog net zo uitzag als de dag ervoor. Toen ik mijn eerste stap zette, herinnerde ik me de ontmaagding van de afgelopen nacht in alle hevigheid, want het deed zeer als een duim waar met een hamer op geslagen was. Ik strompelde naar de slaapkamerdeur. Onderweg ontdekte ik dat het niet hielp om de ene kant te ontzien ten gunste van de andere als de pijn pal in het midden zit.

Eerlijk gezegd was het enige wat ik wilde een kop hete thee en misschien een lekker potje janken, wat er geen van tweeën van kwam, omdat er een vrouw, die ik slechts vaag herkende, op de bank in de kamer zat te breien. Ik dacht dat ik haar herkende van de vorige avond, maar door mijn duffe hoofd wist ik het niet zeker.

'O!' riep ze, 'ze is wakker! Jij ziet zo mooi uit gisteravond! Jij ziet zo mooi uit dat ik wil wel huilen!' Terwijl ze dit zei, legde ze haar breiwerk opzij en rende op me af, zodat ze me kon omarmen en zoenen en alle emoties kon uiten die de glans van afgelopen nacht klaarblijkelijk had opgeroepen. Toen ze klaar was, nam ze me bij de hand en leidde me naar de bank. Ze liet me plaatsnemen. Terwijl ze haar tranen afveegde, zei ze: 'O, mijn kind. Dimitri vertelde me dat jij bent wees? Dat je moeder en je vader doodgaan toen jij nog kleine meisje was?'

Ik knikte.

'Och... wat een tragedie. Wat hebben we veel verdriet. Maar jij geen zorgen maken. Dimitri, hij vraagt mij jou te leren hoe voor huis te zorgen. Is goed dat ik jou help?'

Ik knikte opnieuw, wat een nieuwe aanval van tranen, omhelzingen en zoenen opriep van de kant van deze vreemd te werk gaande vrouw. 'Och, wat een gelukkige tijd, dit. Binnenkort jij hebt kleintjes en ik weet dat het gek klinkt, maar dan jij wordt nog véél meer gelukkig.'

Pas later, op de markt, toen ze me voordeed hoe je op een aubergine moest kloppen om te zien of hij rijp was en meneer Billetti goedemorgen tegen haar riep, besefte ik waar ik haar van kende; ze was getrouwd met meneer Nickolokaukus, de bakker van verderop, wat verklaarde waarom ze zo naar warme gist rook. Vijf minuten later en twee kramen verder, toen ze me het verschil uitlegde tussen goede spinazie en spinazie die op het punt stond te verleppen, vroeg ik: 'Gebruik je de steeltjes ook bij het koken, mevrouw Nickolokaukus?', alleen maar om haar te bewijzen dat ik wist wie ze was.

'O, alsjeblieft,' antwoordde ze, 'waarom mevrouw Nickolokaukus? Georgina! Alsjeblieft. Ik heet Georgina.'

In de dagen daarop kwam Georgina tot de slotsom dat ik redelijk sterk was in het onderdeel schoonmaken, aangezien ik dat in het Sint-Mariaziekenhuis meer gedaan had dan me lief was, en vrijwel hopeloos in dingen die met de keuken te maken hadden; ik had slechts de allervaagste herinnering aan de keer dat mijn vader *tortière* en netelbes-taart had gemaakt. (Heb ik verteld dat hij Frans-Canadees was? Dat mijn moeder Engels was? Dat ze een vreemd stel waren, dat zij ondoorgrondelijk was en superhumeurig kon zijn en dat hij hartstochtelijk en heel openhartig was? Dat ik een mengeling van die twee ben, wat mijn karakter betreft?) Die week leerde Georgina me hoe je jonge krulvarens moest smoren, hoe je aardappelen in knoflook en braadvet moest bakken, hoe je een paniekerig en blatend lammetje met samengebonden hoefjes mee naar huis moest nemen en neergedrukt moest houden, voordat je hem op zo'n manier de hals afsneed dat het bloed niet op je kleren spatte. ('Zie je, Mary? Je moet mes zó vasthouden...') Ze stond erbij toen ik me door mijn eerste moussaka heen worstelde, toen ik mijn eerste piklikia verbrandde, toen ik mijn eerste schaal tzatziki al te ruim van knoflook voorzag, toen ik veel te veel uien in mijn eerste portie spanakopita deed, en al die tijd bracht ze een geduld op dat ik niet verdiende, aangezien ik nog steeds leed onder de somberheid die me in mijn huwelijksnacht zo stevig in de greep had gekregen.

Bijvoorbeeld: toen ik een of andere kleverige monstruositeit, die baklava heette, probeerde te bakken en het bakblik in brand vloog, begon ik te gillen, waarop Georgina snel twee pollepels door de grepen stak, naar het raam rende en 'van onderen' riep, om het bakblik vervolgens op straat te gooien. Ze leunde uit het raam, haar heupen zo breed als een bakkersoven, met een gloeiende lepel in iedere hand, bezorgd dat de vlammen zich zouden verspreiden naar de houten kramen op Seventh Street, en zei uiteindelijk: 'O, het blik, dat is niet kapot, misschien een beetje gedeukt, niks om je zorgen te maken, het vuur is uit...' Toen ze zich omdraaide, was ik beschaamd neergezonken op een keukenstoel, met mijn gezicht in mijn handen en overal pijn. Ze kwam naar me toe en legde haar arm om mijn schouder met een vriendelijkheid die mijn verdediging slechtte, waardoor ik me nog honderd keer beroerder voelde.

'O, niet zorgen maken!' zei ze. 'Alsjeblieft niet zorgen... Is heel moeilijk baklava maken. Niet huilen, volgende keer gaat beter.'

Dus zat ik daar met mijn gezicht in mijn handen en liet haar denken dat het de angst was mijn man teleur te stellen, wat me dwarszat, terwijl ik in werkelijkheid dacht: waarom heeft niemand me verteld dat het huwelijk gewoon een andere vorm van zwoegen is? Waarom heeft niemand me verteld dat een naamsverandering niets verandert aan wat al gebeurd is?

Zo zagen mijn dagen eruit. Iedere avond om zes uur kwam Dimitri fluitend de trap op. Ik stopte zijn handen in warm water en masseerde ze om de kramp eruit te halen. Als dat gebeurd was, zette ik hem de creatie voor waarmee Georgina me die middag had geholpen. Zoals alle slungels van mannen at hij genoeg voor een heel peloton en hoe verbrand, droog of zout het eten ook was, hij at alles met verrukt grommende geluidjes op. Het leek een beetje of je naar een Engelse dwergkees luisterde, die probeerde te ademen.

'Is lekker,' zei hij dan, 'is héél lekker', waarbij het probleem natuurlijk was dat hij dat altijd zei, hoe slecht het eten ook was (en vaak was het behóórlijk slecht), zodat hij na verloop van tijd meer begon te klinken als een vader die geduld betrachtte met zijn kind dan als een man die dingen besprak met zijn vrouw. Ik at in het algemeen weinig.

Daarna kwam het recreatieve gedeelte van de avond. Dimitri vond het heerlijk om kranten te lezen, naar met een fonograaf opgenomen *oud*-muziek te luisteren of mensen op bezoek te hebben om te kaarten. Ik zou dit allemaal leuk gevonden hebben, want ik hou van muziek en ik heb me nooit verzet tegen een geanimeerd spelletje whist, ware het niet dat ik me gedurende dit deel van de avond zorgen begon te maken over ons nachtelijk samenzijn, dat nog steeds niet verliep op een manier die, dacht ik, maar enigszins in de buurt kwam van wat normaal was. Let wel, ik wist het niet zeker, want ik had niet het lef het onderwerp aan te kaarten bij Georgina. Misschien moesten alle vrouwen zich wel eerst volgieten met brouwseltjes voor ze werk maakten van de geilheid van hun echtgenoot. Ik kon dat niet weten en mijn eigen moeder kon ik het niet meer vragen, die was dood, en ik denk dat ik het daarom zo lang tolereerde: voorzover ik wist, was ík degene die onredelijk was.

Dimitri wilde kinderen, snap je. Hij wilde kinderen zoals een man die in de Kalahari verdwaald is water wil. Hij snakte ernaar, hunkerde ernaar. Hij had zo veel tijd verspild met zich in Amerika te vestigen dat hij bang was dat hij ze nooit zou krijgen, wat voor een Griek even pijnlijk is als een puist op het voorhoofd. Wat ik bedoel is, hij wilde iedere avond. En hoewel we het niet iedere avond deden – hij was heel netjes als ik hoofd- pijn of mijn maandstonde aanvoerde – scheelde het weinig. Er ontstond een vast patroon. Ik verkrampte, hij kreeg zijn lange paalding niet waar het volgens God in moest, er was sprake van buitensporig gepor tot hij me ten slotte voorstelde een Chinees flesje te pakken. Na een paar maan- den leerden we de eerste twee stappen over te slaan en direct over te gaan op stap drie, zodat ik binnen een kwartier plat op mijn rug en giechelend naar die verdomde tinnen soldaatjes lag te kijken, die op expeditie gingen over ons flakkerende slaapkamerplafond. Ik werd ergens halverwege de volgende dag wakker met een duf, kloppend hoofd en het steeds sterker wordende gevoel dat ik mijn greep op de dingen aan het verliezen was.

Begrijp me goed, er waren ook dingen die ik leuk vond aan Dimitri. Hij bracht vaak bloemen voor me mee, met één arm gebogen achter zijn rug als hij fluitend de trap op kwam. Hij was niet het soort man waar je voortdurend achteraan moest rennen om op te ruimen, hij was al zo lang vrijgezel, en hij dronk niet, alleen een glaasje retsina af en toe. Plus het feit dat hij me een plek om te wonen had gegeven en dat je op je achttiende dankbaarheid en genegenheid makkelijk door elkaar haalt. Het was alleen dat ik zijn motieven een beetje begon te wantrouwen.

Op een avond opperde hij dat het maken van een baby ons misschien makkelijker af zou gaan met een andere manier van vrijen. 'Geen zorgen maken', zei hij. 'Ik heb gelezen in boek.'

Wat volgde, was dat hij voorstelde dat ík boven op hem zou gaan lig- gen, wat zoiets was als vragen of ik een bedstijl wilde inslikken. Omdat ik hem niet teleur wilde stellen, zei ik dat ik wel een poging wilde wagen. Dat bleek een fout, want het gaf Dimitri het groene licht om nog weer andere manieren van copulatie voor te stellen, sommige meer geschikt voor vee dan voor mensen. De weken daarop zag ik die verdomde tinnen soldaatjes niet alleen langs het plafond marcheren, maar ook over het hoofdeinde, de muur tegenover het voeteneinde van het bed, het kussen waar mijn kin op steunde en op een avond, toen ik op de een of andere manier meer naast het bed dan erin was beland, over de splinterige grenen vloer. Wat het nog erger maakte, was dat Georgina niet meer kwam en hoewel ik haar zoetsappigheid altijd irritant had gevonden, miste ik haar verschrikkelijk. Nu ik alleen was, zat ik vaak te snotteren en me af te vragen hoe alles in 's hemelsnaam weer op zijn pootjes terecht moest komen.

Het antwoord kwam op een dag in het nieuwe jaar. We waren net naar de slaapkamer gegaan en ik stond op het punt de stop van een klein bruin flesje te halen toen Dimitri een hand op mijn arm legde en zei: 'Wacht, ik heb ander idee om dingen makkelijker te maken.'

Hierop pakte hij het flesje uit mijn handen en liep naar de commode. Hij bukte en opende de la die bestemd was voor sokken en zakdoeken. Hij trok er een groot pak uit, wat me verbaasde, omdat er tot die ochtend niets anders in zijn sokken-en-zakdoekenla had gelegen dan sokken en zakdoeken (die ik daar zelf opgevouwen en ontpluisd had neergelegd). Hij ging naast me zitten en maakte het touwtje los dat om het pak zat. 'Dit zal helpen,' mompelde hij steeds, 'ik weet zeker', hoewel hij moeite had het papier te verwijderen, doordat zijn handen helemaal waren gaan trillen en niet erg meewerkten. Ten slotte trok hij er iets uit wat leek op een foto zo groot als een broodplank, al kon ik dat niet met zekerheid stellen, aangezien hij de voorkant van me weggedraaid hield.

Er viel een stilte tussen ons. Dimitri twijfelde, zag ik, en zou het ding misschien weer weggelegd hebben als ik niet zo hels nieuwsgierig was geweest. 'Laat zien', zei ik, trekkend aan zijn arm. 'Laat me eens kijken.' Ten slotte haalde hij diep adem en draaide de sepiakleurige foto om, zodat ik kon zien wat erop stond. En dat was: een vrouw – misschien mooi, misschien niet – gekleed in jarretelkousen en parelsnoer, die in haar blootje voor een naakte man knielde.

Ik bleef stokstijf zitten, kreeg geen woord uit mijn strot, vergat zelfs adem te halen; ik kon alleen nog maar naar die bruinbronzen afbeelding kijken en me afvragen wat die vrouw in godsnaam bezielde om te doen wat ze deed. Extreme dorst, was het enige wat in me opkwam. Ik was zo verbijsterd dat het enige tellen duurde voordat tot me doordrong waarom

Dimitri het me waarschijnlijk had laten zien. Het was een verschrikkelijk moment, want ik had aldoor gedacht dat ik dat nachtelijke gewroet tolereerde om een baby te kunnen krijgen. En hoewel ik absoluut geen naam kon bedenken voor wat die vrouw aan het doen was, was ik er stellig van overtuigd dat er geen baby van kon komen.

Ik neem aan dat het pijn en frustratie was, die opborrelden, want het volgende moment sloeg ik hem, ik timmerde erop los en noemde hem een in de hel geboren geile ouwe bok, waarop Dimitri me op mijn rug moest gooien en mijn handen boven mijn hoofd moest vastklemmen om zichzelf te beschermen. Hij probeerde me te bedaren door excuses te maken en te zeggen dat hij van me hield en te beloven dat hij de foto meteen zou wegdoen. Zou iemand in het appartement ernaast meegeluisterd hebben (wat zeer waarschijnlijk was, met muren zo dun als uienschillen), dan had hij woorden gehoord als: 'Och, mijn mooie bloempje', overschreeuwd door woorden als: 'Laat mijn handen los, smerige Griekse klootzak!' Uiteindelijk had hij geen andere keus dan van het bed te springen en naar de andere kant van de kamer te rennen om het Chinese flesje te pakken. Toen hij terugkwam, was mijn vechtlust al aardig bedaard en hoefde hij het slijkerige bruine spul niet eens met geweld door mijn strot te duwen, maar enkel het flesje schuin te houden, terwijl ik dronk.

De volgende dag, toen duidelijk werd dat ik niet van plan was op korte termijn op te staan, kwam Georgina. Ze duwde zachtjes de deur open en sloop naar mijn bed, waar ik me beroerd als een aardworm lag te voelen. Ondertussen huilde ze, sloeg kruisjes en zei: 'Och, mijn liefje, dit gebeurt, dit gebeurt, is zo moeilijk aanpassen in eerste tijd van huwelijk. Is zó moeilijk.' Daarna zette ze me overeind, sloeg haar warme, naar gist ruikende armen om me heen, knuffelde me en zei telkens weer dat alles goed zou komen, wacht maar af, wacht maar af.

Georgina verzorgde me de daaropvolgende dagen, ze bracht me kopjes sarsaparillathee en warme ossenstaartbouillon, legde koude kompressen op mijn voorhoofd en beurde me op door te vertellen hoe normaal dit allemaal was, al was het volstrekt duidelijk dat dit allerminst zo was. Hoe dan ook, als ik me niet zo smerig had gevoeld, had ik misschien nog kunnen genieten van mijn herstelperiode, want het was de eerste keer sinds de dood van mijn ouders dat ik niet het gevoel had dat ik iets moest doen om te compenseren wie ik was. Ik was ingestort en dat was de persoon die ik was, iemand die de bodem had bereikt en niets anders meer wilde dan daar te blijven. Wat Dimitri betrof, ik had geen idee waar hij heen was en ik was te moe om het te vragen. Het enige wat ik wist, was dat we niet langer het huwelijksbed deelden, iets wat een opluchting had moeten zijn, maar dat gezien mijn toestand niet was.

Op dag vier kwam dokter Michaels. Hij nam mijn temperatuur op, controleerde mijn hartslag, legde de rug van zijn hand op mijn voorhoofd, draaide me vervolgens om, knoopte mijn nachtpon los en klopte op mijn rug alsof ik een van Georgina's aubergines was.

'Hmmmmmmmmmm,' zei hij tegen Georgina, 'dit lijkt me niet al te ernstig. Een verminderde weerstand als gevolg van lichte stress. Ik begrijp dat ze een wees is? Dat ze pas getrouwd is? Niks ongewoons dus. Helemaal niks ongewoons. Ik denk dat we dat ter plekke kunnen behandelen.'

Hij gaf haar een potje Carter's Kleine Zenuwtabletjes en zei dat ze erop moest toezien dat ik er precies om de twaalf uur een innam. Toen zei hij dat hij nog naar andere patiënten moest, maar voordat hij wegging, gaf hij haar een zwarte doos, ongeveer zo groot als een brood, met een hendel aan de voorkant en aan beide zijkanten een lang zwart dun koord. Aan iedere draad hing een zwart kussentje, elk gevormd als een schoenzool. Georgina hield hem een beetje angstig vast en kantelde hem van links naar rechts, alsof ze hem wilde onderzoeken.

Toen de dokter dat zag, zei hij: 'Ik begrijp dat u er nog nooit een gezien hebt?'

Georgina bracht een hand naar haar mond en draaide het ding helemaal ondersteboven om de onderkant te bekijken. Haar ogen waren zo groot als nieuwe aardappelen.

'Het heet een faradizer. Laat de patiënt op bed zitten, zet haar voeten op de kussentjes en geef een stuk of zes stevige slingers aan de hendel. Zo simpel als wat. Doet u maar drie keer per dag een halfuur tot ze zich beter voelt. Begrijpt u?'

Georgina zei ja, maar haar lippen trilden er een beetje bij.

'Goed. Dan ga ik nu. Goedendag.'

Zodra dokter Michaels weg was, zei Georgina: 'Oké, Mary, je hebt gehoord wat de dokter gezegd heeft.' Daarbij rukte ze aan mijn handen tot ik me in zitstand bevond. Daarna draaide ze mijn benen een kwartslag, waardoor mijn hielen op de vloer belandden. Een paar tellen later zaten de zwarte kussentjes zoemend en trillend tegen mijn voetzolen op hun plek. Het was ontspannend en ik geef toe dat ik geen enkel bezwaar had tegen mijn faradisatie-sessies, hoewel ik na afloop een tintelend en willoos gevoel in mijn onderbenen had.

De zenuwtabletten waren een andere zaak; ik zwoer dat ik ze niet zou innemen, want ik had besloten dat ik helemaal klaar was met elk soort gebottelde remedie. Telkens als Georgina me er een gaf – om acht uur 's ochtends en om acht uur 's avonds op de klok af, zelfs als ze me ervoor wakker moest maken – hield ik hem achter in mijn mond verborgen, tussen mijn tanden en mijn wang. Als ze wegging, spuugde ik hem uit en stopte hem in de aarde van een van de peperplanten die in onze slaapkamer op de vensterbank stonden. Dat kan natuurlijk de reden geweest zijn dat alle bedrust en faradisatie niet hielpen, want ik wilde nog steeds niets anders dan slapen en af en toe een potje janken; het enige wat ik wist, was dat ik vijf jaar geleden, toen het had gemoeten, niet lang genoeg had uitgerust en dat de moeheid zich laag na laag in me had opgestapeld tot ik geen andere keus meer had dan mezelf erdoorheen te maffen, wat allemaal prima geweest zou zijn als het geen 1906 geweest was, een gevaarlijke tijd om lekker lang te slapen voor een vrouw. Half slapend hoorde ik hoe ze voor mijn deur bij elkaar stonden en mijn toestand bespraken. Ze praatten zachtjes, hoewel sommige woorden in het lage, dragende geroezemoes van diep bezorgde stemmen er uitsprongen. Hysterie. Neurasthenie. Dementia praecox. Parafrenia hebetica. Ongedifferentieerde psychose. Altijd werden ze uitgesproken alsof er een vraagteken achter stond. Ondertussen stond Georgina op de achtergrond te huilen.

Hoe lang ik uit de roulatie was? Moeilijk te zeggen, maar afgaande op het onrecht dat in de kamer ernaast werd uitgedokterd, moet het een flink tijdje geweest zijn, want dat soort boosaardigheid verzin je niet van de ene op de andere dag. Zeg maar twee weken. Misschien iets langer. Op een dag ging de deur open en kwam dokter Michaels binnen, ditmaal gevolgd door Dimitri, die het niet kon opbrengen me aan te kijken. Afgaande op de ernstige beulsblik in hun beider ogen wist ik dat ik zo goed als afgeschreven was. De enige vraag in mijn hoofd was wanneer.

Dokter Michaels trok een stoel bij het bed en ging zitten. Dimitri hield zich afzijdig en bleef bij de deur staan. Terwijl de goede dokter de gebruikelijke batterij tests deed – hartslag, temperatuur, op de rug kloppen, aaaaa zeggen – vuurde hij een gestage reeks vragen op Dimitri af.

'Is ze aldoor zo nerveus en prikkelbaar geweest?'

'Ja, dokter.'

'En de behandeling heeft niet geholpen?'

'Nee, dokter, ik vrees van nee.'

'En ze heeft u aangevallen, zegt u? Ze heeft u geslagen en geschopt?'

'Het was vreselijk, dokter.'

'Hmmmmmm.'

(Een lange pauze, waarin dokter Michaels zat na te denken, Dimitri wat heen en weer schuifelde bij de deur en ik mezelf ervan probeerde te overtuigen dat dit gewoon weer zo'n droom was als die ik de afgelopen tijd steeds had gehad.)

'En', zei de dokter ten slotte, 'u zegt dat het haar niet gelukt is zwanger te worden?'

'Ja, dokter.'

'Hmmmmmm. Nou, dat kunnen we maar op één manier vaststellen…'

Daarop trok dokter Michaels de dekens omlaag en met een tweede snelle ruk mijn nachtpon omhoog. Dimitri, die nooit echt had gekeken naar wat daar te zien was, draaide zich om alsof het iets was wat ten doel had af te schrikken. De dokter beval me mijn knieën op te trekken en te spreiden, terwijl hij een tube slijmerig spul uit zijn zwarte tas haalde, waarmee hij de wijs- en middelvinger van zijn rechterhand helemaal insmeerde. 'Haal eens diep adem', zei hij en een tel later zat hij in me rond te graaien als een man die een kwartje tussen de kussens van de bank heeft laten vallen. Hoewel het niet echt pijn deed, was het koud en vernederend en wilde ik hem zeggen zijn handen thuis te houden. Gedurende het onderzoek staarde hij peinzend naar het plafond. Na een halve minuut of zo trok hij zijn hand terug en stond op. Hij bleef nog even zwijgen. Toen liep hij achteruit en knikte ernstig naar Dimitri, die zich half omgedraaid had, zodat alleen zijn schouders duidelijk in beeld waren. De stem van de dokter was zacht en somber en heel even dacht ik dat hij Dimitri ging vertellen dat ik iets onder de leden had waaraan ik dood zou kunnen gaan.

In plaats daarvan mompelde hij: 'Het spijt me, Dimitri… het is precies waar ik bang voor was. Er zit absoluut iets scheef daar. Het is geen wonder dat ze zo gereageerd heeft.'

Hij vertrok, met medeneming van zijn slinger-faradizer, wat me zorgen baarde, omdat het suggereerde dat ik zelfs met een faradizer niet meer te helpen was. Toen deed Dimitri iets waar ik de rest van mijn leven over heb nagedacht. Hij kwam naar me toe, viel op zijn knieën en drukte zijn gezicht in mijn hals. 'Ik zal je nooit laten gaan, meisje, nooit, nooit, nooit.'

Dat stelde me gerust, hoewel hij later die dag van gedachten veranderd moest zijn, want toen tekende hij toch de opnamepapieren.

De volgende ochtend werden de paar spullen die ik had, ingepakt en bracht Dimitri me op een van de kruidenier geleende kar helemaal naar het ziekenhuis. De tocht duurde vier uur en tegen de tijd dat we er aankwamen, had ik het warm en rook ik naar paarden en stof. Na een lange tranenrijke omhelzing (de tranen waren van hem, want ik was verbijsterd, verstijfd en afstandelijk) stapte hij op de kar en reed weg. Ik keek om me heen. De gazons waren dik en groen, de bloemperken stonden in bloei en de fruitbomen in de knop. Vreemd, hoe mooi alles was, hoe betekenisvol alles leek, alsof het ontworpen was om je waakzaamheid te doen verslappen. Ik ging een marmeren trap op en liep tussen pilaren door tot ik bij een hoge houten deur kwam. Daar gebruikte ik een deurklopper met leeuwenkop, zo zwaar als een zak jonge poesjes, om mijn komst aan te kondigen. Toen de deur openzwaaide, keek ik recht in de ogen van een verpleegster, die net zo gekleed ging als ik in het Sint-Mariaziekenhuis: als een non, met een zwarte rok tot op de grond en een kraag zo hoog dat hij langs de onderkant van haar kin schuurde.

'Ja?' zei ze, hoewel ze geweten moest hebben waarom ik daar was, aangezien ik mijn koffertje zo stevig met beide handen om het hengsel geklemd voor me hield dat mijn knokkels wit zagen.

'Ik heet Aganosticus', piepte ik. 'Mary Aganosticus.'

'Kom binnen', zei ze met een brede lach. 'Kom maar gauw binnen, je zult wel doodmoe zijn.'

Ze nam mijn koffer van me over en zette hem naast de balie. Toen liet ze me in een wachtkamer plaatsnemen en bracht me een kop thee met citroen. Ik was alleen en bang, hoewel niet zo bang als voorheen, want ik had dwangbuizen en grote mannen in witte pakken en gillende mensen verwacht, maar daar was helemaal geen sprake van. Na een paar minuten keek ik om en zag dat mijn koffer was verdwenen. Dit wekte een zekere onrust in me, het soort dat pas ophoudt als je er iets aan doet, dus liep ik naar de receptioniste en zei dat mijn tas ervandoor was gegaan. Ze keek op en schonk me dezelfde glimlach als die ze vijf minuten geleden gebruikt had. Toen zei ze dat alles perfect in orde was en dat ik maar rustig moest afwachten en dat ze nog een kop thee voor me zou halen. Dat deed ze, en terwijl ik van het slappe brouwsel nipte, hield ik mijn zorgen binnen de perken door me te concentreren op het stukje vloer waar mijn tas had gestaan en mezelf voor te houden dat, als ik die terug zou krijgen, alles zou gaan zoals ze zei.

Alles zou in orde komen.

2

De jonge psychiater

Na een kwartier waarin ik er niet in slaagde mijn tas weer te voorschijn te toveren, kwam er een andere verpleegster naar me toe, die glimlachte, mijn hand schudde en zei: 'Hallo, mevrouw Aganosticus, ik hoor dat u een tijdje bij ons komt uitrusten?'

Ik zei ja, als u het zo wilt noemen, maar damde mijn natuurlijke neiging om te babbelen grotendeels in. Ze zei dat ze juffrouw Galt heette en vroeg me haar te volgen. Wat ik deed, al hield ik steeds zoveel mogelijk mijn waardigheid op, zoveel als mogelijk is als je er niet bepaald zeker van bent of je het daglicht ooit nog zal zien. (Was ik bang? Draaide mijn maag om? Hoopte ik dat dit in godsnaam een soort droom was, waaruit ik zwetend en jammerend en grijpend naar de lakens wakker zou worden? Tuurlijk. Maar als ik telkens als er iets engs gebeurde precies zou beschrijven hoe bang ik was, zitten we hier over tien jaar nog. Dus doe me een lol. Bedenk bij dit soort fragmenten hoe jij je gevoeld zou hebben, dan zitten we allebei goed.)

We gingen door een dubbele deur en liepen een van de gangen in die vanaf de entree uitwaaierden. Hij was helemaal leeg en alleen al om die reden onheilspellend. Het enige wat ik hoorde, waren juffrouw Galts voeten en de mijne, onze hakken die op de vloer tikten. Om te voorkomen dat ik van angst zou gaan trillen verzon ik een spelletje: proberen mijn voeten tegelijk met de hare neer te zetten. Ons getik smolt samen. Het was één geluid, terwijl het er twee moesten zijn. Na een poosje merkte ze het, draaide zich om en glimlachte, maar het was zo'n glimlach die je een kind schenkt dat net geleerd heeft een lepel te gebruiken.

Toen we aan het eind van die lange gang kwamen, begon ik een zacht gemurmel op te vangen, als stemmen heel in de verte. Het werd luider – niet direct luid, maar wel luider, en begon steeds meer te klinken als het geroezemoes in een theater voordat het toneelstuk begint. We kwamen weer bij dubbele deuren, precies eender als de eerste waar we doorheen gegaan waren, alleen waren deze dikker en afgezet met stroken rubber. Juffrouw Galt bleef staan en legde een hand op een van de deuren. 'Dit is de zaal voor ongeneeslijk zieken. Het is er een beetje rommelig. Maar maak je geen zorgen. Jij komt niet op deze zaal. Is het goed als ik je Mary noem?'

Ik knikte, ze duwde en o, wat een herrie.

Het was geen gepraat, wat ik door die geluiddichte deur heen had gehoord, maar het gejammer en geschreeuw van hologige dubbelgevouwen vrouwen, die balkten als ezels en steeds 'o, god, o, god, o, god' riepen. Ze waren zonder uitzondering gekleed in een lang grijs hemd, hadden een warrige woeste haarbos en hadden hun gezicht en onderarmen met hun nagels opengekrabd. Degenen die niet onsamenhangend babbelend rondliepen, lagen óf vastgebonden óf buiten bewustzijn op bed. Enkelen sloegen met hun voorhoofd tegen de betonnen muur of tegen bedspijlen. Er waren geen ramen, de lucht was niet om te harden en langs de muren kropen allerlei beesten. Ook ratten; je zag ze langs de buitenmuren rennen, gore ratten met hun bek vol gekaapte etenswaar. Terwijl ik met kleine snelle stapjes achter juffrouw Galt aan liep, zag ik voortdurend dingen die zich als smerige fotootjes op mijn netvlies brandden en weigerden weg te gaan: een vrouw met grote gaten tussen haar tanden, die toen ze me zag haar hemd optilde en haar geslachtsdelen toonde. Een andere vrouw, net zo jong als ik, uit wier neusgat bloed stroomde en die breed lachte toen ze me zag, een lach die me in combinatie met al dat bloed kippenvel gaf. Of: een frêle oude vrouw met de kleur van as, die gehurkt tussen twee bedden zat en hard haar best deed om poep uit haar achterste te trekken en daarmee een boodschap op de muur te schrijven, maar omdat haar poep zo korrelig was, lukte het niet, waarna ze nog harder haar best ging doen en uiteindelijk uit frustratie begon te schreeuwen, met haar handen gekromd en vol poep. Dit drong allemaal tot me door in de tijd die ik nodig had om mijn hoofd af te wenden. Wonderlijk hoe angst de tijd verdraait en er van alles in perst.

We liepen er dwars doorheen, waarbij juffrouw Galt over haar schouder schreeuwde dat alleen Gods genade deze arme zielen nog kon helpen. We liepen door een andere korte gang en door net zo'n zaal als de eerste, maar dan iets rustiger en zonder die taferelen van absolute waanzin. Ten slotte gingen we een zaal binnen die veel rustiger was dan de eerste twee, een zaal waar de patiënten vooral sliepen of lazen of op bed naar het plafond lagen te staren of in kleine groepjes zaten te praten. Er stonden veertien bedden, zeven aan elke kant van het gangpad. Geen van de bedden had riemen, wat een enorme opluchting voor me was, al had ik wel gezien dat er op de deuren aan beide zijden van de zaal sloten zaten. Mijn ogen schoten heen en weer als die van een fret en inspecteerden alles; ik was te bang om ze op één plek te richten. Juffrouw Galt leidde me naar het laatste bed aan de linkerkant van het vertrek. Een grijs hemd lag opgevouwen op de deken. Ze vroeg me het aan te trekken, waarbij ze een rare beweging maakte met haar rechterhand, alsof ze met haar wijsvinger melk door de thee roerde. Ik aarzelde en vroeg me af of ze echt bedoelde dat ik me daar ten overstaan van iedereen moest uitkleden, maar het werd gauw duidelijk dat dat precies was wat ze in gedachten had. Na een paar tellen getreuzel van mijn kant verflauwde haar glimlach, haar mondhoeken begonnen te trillen en bogen vervolgens een beetje naar beneden.

Ik draaide me om, kleedde me uit en liet het hemd over mijn hoofd glijden.

'Mooi', zei ze, terwijl ze haar armen ophield om mijn eigen kleren aan te pakken.

Ik bleef zittend op mijn bed achter, helemaal in mijn eentje. Ik haalde diep adem en testte het matras door mijn handpalmen er plat op te zetten en te drukken. Om de een of andere reden keek ik onder het kussen en was teleurgesteld dat er niks anders onder lag dan beddengoed. Ik zat daar eigenlijk vooral te kniezen en me af te vragen wat ik precies geacht werd te doen toen er twee vrouwen op me af kwamen. De ene was ongeveer vijfenveertig, de andere misschien dertig, en we hoefden elkaar maar aan te kijken of ik wist dat hun verhaal niet veel verschilde van het mijne.

Ik duwde mezelf naar het hoofdeinde om plaats te maken. Zij gingen aan weerszijden van het voeteneind zitten. We namen niet de moeite bijzonderheden uit te wisselen of ons voor te stellen, al kwam ik er later achter dat de oudere vrouw Joan heette en de jongste Linda.

'Hoe kom ik hier weg?' vroeg ik op luide fluistertoon.

Linda antwoordde, ook op luide fluistertoon: 'Het eerste wat je moet onthouden, is dat je hier weg kúnt. Echt. Zo simpel als dat. Er zijn tegenwoordig zo veel mannen die hun vrouw laten opsluiten dat ze er vroeg of laat wel een paar moeten laten gaan. Er komen inspecteurs langs, die de beslissing nemen. Het kan een maand duren, maar je kómt hier uit.'

'Ja,' echode Joan, 'je komt hier uit.'

'Geloof me, het probleem is niet hier uit te komen, maar hier uit te komen zonder dat je wordt geopereerd.'

'Ja,' zei Joan, 'de operatie.'

'Doe dus gewoon wat ze je opdragen. Wees vriendelijk. Maak je beursjes. Neem niet de benen als je buiten mag wandelen. Spreek niemand tegen en wees niet koppig. En wat je ook doet, sla nooit iemand, want dan ga je naar de afdeling voor gewelddadigen, waar ze mensen aan de muur ketenen. Daar heb je gecapitonneerde cellen en oppassers met de zelfbeheersing van een bok. Dus mijn advies is: blijf in het gareel, dan kom je hier heelhuids vandaan.'

We hebben misschien wel een uur zitten praten. Nadat we het over onze echtgenoten hadden gehad (klootzakken, alledrie), vertelden ze me hoe je je er het beste doorheen kon slaan: welke verplegers je niet dwars moest zitten, welke patiënten gevaarlijk waren en hoe je de cafetariabedienden te vriend moest houden, omdat zij je lieten verhongeren als je gezicht hun niet aanstond.

'En nog iets', zei Linda. 'Er is hier een dokter die beter is dan de anderen. Jonger, met nieuwere ideeën. Hij heet Levine. Dokter Levine. Probeer met hem aan te pappen.'

In gedachten herhaalde ik de naam snel vijf keer, zodat ik hem niet zou vergeten. Mijn gedachten tolden maar rond, snap je, dat doen gedachten als ze wanhopig op zoek zijn naar iets waaruit ze een plan kunnen smeden. Zo zag ik hem voor het eerst, door naar het beeld in mijn hoofd te kijken. Wat ik zag, was jong. Nieuwe ideeën. Een vriendelijke stem. Misschien knap, misschien niet. Waarschijnlijk een idealist, die de wereld wilde veranderen en zat te springen om iemand die het bewijs kon leveren voor zijn manier van denken.

Die met een beetje geluk van blonde krullen hield.

De volgende twee weken ging ik uit wandelen, naaide mijn beursjes en at taaie, doorgebakken pannenkoeken (zonder boter of stroop, alleen met blokken zout, waar je met je duimnagel wat afschraapte) en verzette me in het algemeen tegen de neiging om Dimitri op zijn bek te rammen als hij op bezoek kwam voor zijn wekelijkse portie vergeving. En dat viel niet mee, hoor.

's Ochtends op de vijftiende dag kwam juffrouw Galt me halen. Ze bracht me naar een onderzoekskamer in de gang aan het einde van onze zaal. Toen maakte ze het vingergebaartje dat betekende dat ik mijn kleren moest uittrekken; ik was er inmiddels aan gewend geraakt me uit te kleden ten overstaan van anderen.

Ik zat naakt op een met een wit laken bedekte tafel. Het was een tikje koud in de kamer, maar niet zo koud dat je er kippenvel van kreeg. Ik beet op mijn onderlip en sloeg mijn armen om mijn lijf. Na een paar minuten kwam er een man in een witte doktersjas binnen. Hij was van middelbare leeftijd en lelijk, met dikke, vertrokken lippen, die er een beetje als joods brood uitzagen.

'Hallo,' zei hij zonder me aan te kijken, 'mijn naam is dokter Sights.'

'Ik ben Mary Aganosticus.'

Hij knikte, opnieuw zonder me aan te kijken, hoewel hij wel zijn blik op mijn tanden richtte en zei: 'Open.' Hij tuurde in mijn keel, keek onder mijn tong, klopte op mijn rug, scheen met een lampje in mijn ogen en testte mijn reflexen. Hij trok er voortdurend een bars gezicht bij. Toen legde hij om mijn hartslag te beluisteren een dik grijs oor op mijn linkerborst, vervolgens op mijn rechterborst en daarna voor de zekerheid nog een keer op mijn linkerborst, wat, zo wist ik uit mijn verpleegsterstijd, absoluut niet de manier was om iemands hartslag te controleren. Uiteindelijk trok hij zijn hoofd terug, schreef iets op een klembord en gaf dat iets aan juffrouw Galt.

'Het komt wel goed met haar', was alles wat hij zei.

Die middag kwam juffrouw Galt opnieuw. Ze trof me aan in het dagverblijf, waar ik een vier weken oude *Louisville Examiner* zat te lezen. Een en al glimlach was ze, al is het verbazingwekkend hoe in een oord als Hopkinsville dingen als een glimlach een totaal andere betekenis krijgen dan in de buitenwereld. Ik stond op en toen bracht ze me via de afdeling voor halve gekken en de afdeling voor volslagen gekken naar de entree, waar de receptioniste twee weken eerder mijn tas had ingepikt. Hier gingen we linksaf en vervolgens liepen we door een gang die tegenover de vrouwenvleugel lag; hij was lang en hel verlicht, met om de meter een deur. Nadat we er een stuk of zes gepasseerd waren, hield juffrouw Galt stil en draaide er een van het slot met een sleutel van de ijzeren ring die ze altijd in haar rechterhand droeg. Binnen was het donker, maar toen ze de deur opendeed, waaierde er een strook licht over het grootste deel van de kamer, die breed genoeg was om te kunnen zien dat de muur grijs en de vloer van beton was en dat er in het midden, op een verhoging, een grote kuip stond. Juffrouw Galt sloot de deur en ontstak de gaslamp. Ze liep naar de kuip en gebaarde mij hetzelfde te doen. Ze draaide met haar vinger en vouwde, nadat ik me had uitgekleed, mijn hemd op en legde het naast het bad op de grond.

De kuip was bedekt met een leren laken en in het midden van het laken zat een zware metalen rits, die eruitzag als een flesopener. Toen ze de rits opentrok, ontsnapten er stoomwolken. Daarna pakte ze mijn hand, niet zozeer om me te ondersteunen als wel om me de drie treden op te leiden die naar een platformpje rond de rand van de kuip voerden. Hier deed ik wat ik dacht dat ik doen moest, namelijk eerst het ene en vervolgens het andere been door de kier in het leer steken. Weldra zat ik in een warm zoutwaterbad. Juffrouw Galt ondersteunde mijn hoofd tot het op de achterkant van de kuip rustte. Daarna trok ze de rits dicht, zodat de bovenkant van het leren laken als een strakke boord om mijn nek zat.

Op dat moment drong het tot me door dat het lipje van de rits aan de buitenkant van het laken zat, terwijl mijn armen, mijn handen om precies te zijn, ónder het laken zaten, wat betekende dat de rits, als hij al opengetrokken werd, niet door mij opengetrokken zou worden. Om het nog erger te maken, zat er een dwarsstangetje op, dat door oogjes aan weerszijden van de rits ging, zodat ik niet eens kon spartelen in de hoop dat het rotding vanzelf open zou gaan.

Nou, gevangen is gevangen, hoe comfortabel je er ook bij ligt, en als je daarbij optelt dat de kuip de vorm had van een doodskist kan je hoofd aardig op hol slaan. Mijn hart nam dat tempo over en ik keek op naar juffrouw Galt met een blik die alleen maar afschuw kon inhouden. Daarvan werd haar glimlach nog breder en ze zei: 'Zo. Een lekker warm bad. Ik wou dat ík er tijd voor had. Ik kom je over vier uur weer ophalen.'

Daarbij klopte ze op de leren deksel, draaide zich om en liet me alleen; het laatste wat ze deed, was het licht uitdraaien, zodat het helemaal donker werd in de kamer. Op het moment dat de deur dichtging, begon ik uiteraard meteen te kronkelen, te schoppen en te slaan en in principe alles te doen waardoor ik mogelijkerwijs vrij kon komen, behalve om hulp schreeuwen, want dat zou me als koppig en dus hysterisch gebrandmerkt hebben. Na een paar tellen van deze zinloosheid rustte ik even uit. Daarna kronkelde ik nog wat, rustte weer uit en sloeg nog een laatste keer met mijn armen en benen, maar al veel minder enthousiast dan de eerste keer. Het begon tot me door te dringen dat het leren laken op zijn plaats zou blijven en dat geen enkele mate van wringen of kronkelen daar verandering in zou brengen.

Dit leidde tot een nog erger soort paniek. Ik kon de bloeddruk in mijn oren horen suizen, ik zag dreigende kleurenflitsen door het donker snijden en ik moest me verzetten tegen de neiging om te kotsen. En mijn hart... och, wat riep ik Jezus aan. Terwijl het eerst alleen maar op hol was geslagen, was het nu op hol geslagen én keihard aan het bonken, en dat is iets wat een hart niet kan volhouden, zodat het om de paar tellen oversloeg. Telkens als dat gebeurde, dacht ik dat ik doodging van angst, maar bleef ik in leven om het proces te herkauwen. Een wreed stel danspartners was dat, want zodra ik mijn dood als een genadige opluchting begon te zien, vond er zo'n harde botsing plaats in mijn borst dat mijn ribben kraakten en mijn maag omdraaide, waarna mijn hart weer begon te racen tot het oversloeg, en dan begon het hele circus opnieuw.

Het is moeilijk te zeggen hoe lang deze marteling duurde. In een volkomen donkere ruimte heeft de tijd de gewoonte om rondjes te draaien en zich te verdubbelen en trucs uit te halen. Dus ik weet het niet. Misschien was het tien minuten, misschien langer. Het voelde langer. Het voelde eindeloos lang, als je het per se wilt weten, en dat is traumatisch: erachter komen hoe een eeuwigheid voelt. Wat er gebeurt, is dat het lichaam zichzelf uitput, dat je volkomen stil wordt, dat je het koud krijgt en je vingers gaan tintelen, dat je blaas leegloopt en je geest het laat afweten. Terwijl ik daar lag, bedacht ik dat dit het kalmerende effect was dat juffrouw Galt beloofd had, al was het het soort kalmte waar je later nachtmerries van krijgt.

Daar lag ik dus, vegeterend en verkild, misschien dood, misschien niet; ik hield niet eens meer rekening met de mogelijkheid dat ik ooit nog uit die kuip zou komen. De deur van het vertrek ging open. Juffrouw Galt draaide de gaslamp aan. Ik kneep mijn ogen dicht tegen het felle licht.

'Hoe voelen we ons?'

Weerloos en zwakjes als een oude vrouw mompelde ik: 'Goed.' Ze liet me eruit en ik probeerde me aan te kleden, maar ik stond zo te trillen dat ze me moest helpen. We liepen terug door de hydrotherapievleugel, zij lopend en ik schuifelend, langs de receptie en door de zalen van de vrouwenvleugel. Ze bracht me naar mijn bed en ik had de indruk dat het rustiger was dan anders op zaal. Misschien kregen andere vrouwen ook een kuipbeurt, ik weet het niet. Linda en Joan waren er en kwamen snel naar me toe; ze gingen naast me zitten, maar geen van beiden raakte me aan.

Linda zei: 'Maak je geen zorgen, Mary, de eerste keer is het het ergst.'

Joan voegde er op zachtere toon aan toe: 'Ja... de eerste keer... het ergst.' En ik zat daar maar, trillend van de zenuwen, blij dat ze bij me waren.

De volgende dag, drie dagen later en de dag daarna kreeg ik weer een kuipbeurt, volgens een hydrotherapieschema dat alleen bij de staf bekend was.

De dag daarna ontmoette ik mijn psychiater.

Laat op een wandelochtend kwam hij langs, vlak nadat we weer naar binnen gebracht waren. Ik zat in het dagverblijf naast de zaal en wou dat ik iets te breien had, ik voelde me somber en een beetje nerveus.

'Goedemorgen,' zei hij, 'ik ben dokter Levine.'

Ik glimlachte verlegen en nam hem schattend op.

'Ik vond dat we maar eens kennis met elkaar moesten maken. Is dat goed, mevrouw Aganosticus?'

Het was een kleine pafferige man, achter in de twintig, met dun donker haar, dat naar één kant van zijn voorhoofd was gekamd. Wat zijn gezicht betrof, was de neus het grootste obstakel, want die was vreemd bol van vorm en liep aan de zijkanten uit, als een radijs die was opengesneden ter garnering van een salade. Hij was niet de knapste, maar compenseerde dat door warmte, mededogen en een algehele vriendelijkheid uit te stralen. Ik kreeg meteen het idee dat hij eenzaam was, omdat vriendelijkheid in het algemeen nou eenmaal niet iets is dat vrouwen in mannen aantrekt, en mijn eerste gedachte was: mooi.

'Ja,' zei ik, 'dat is prima.'

Hij zat me alleen maar aan te kijken, waardoor ik niet zeker wist of de kennismaking in de toekomst zou gaan plaatsvinden of dat die nu op stapel stond. Aangezien dokter Levine niets anders deed dan zitten, nam ik aan dat het laatste het geval was en dat ik beter iets interessants kon zeggen om hem op gang te helpen. Het probleem was dat ik mezelf zo goed had aangeleerd voorzichtig te zijn dat ik niks kon bedenken. Omdat de stilte zo lang duurde dat ik bang was dat hij zich zou gaan vervelen en zou opstappen, bedacht ik dat ik er maar beter mee voor de draad kon komen.

'Ik vind het niet prettig om in de kuip te moeten.'

Hij glimlachte flauwtjes en ik was bang dat ik met mijn klacht een vergissing begaan had. Mijn zorg verdween toen hij zei: 'Komt het door het donker? Het gevoel dat u gevangenzit? De verveling? Het is een veel voorkomende klacht, mevrouw Aganosticus. Zelf zet ik ook soms vraagtekens bij het belang van hydrotherapie. Vooral in het licht van de progressievere behandelingen die nu uit Europa komen. Ik kan misschien wat rondvragen, zien wat ik doen kan. Vindt u dat goed?'

Ik was verbijsterd.

'Ja,' piepte ik, 'dat is prima.'

We praatten die dag nog wat na, grotendeels over het ziekenhuis en of ik met de andere patiënten kon opschieten. Vrij snel daarna vertrok hij, maar niet voordat hij me beloofd had te kijken of hij iets aan mijn probleem kon doen. Ik probeerde niet al te veel hoop te koesteren.

Die middag kreeg ik mijn vijfde kuipbeurt; zoals Linda en Joan beloofd hadden, werd het makkelijker, al bleef het verre van makkelijk. Ik bracht de vier uur nu in een staat van trillerige verveling door, niet zozeer in paniek als wel op het randje ervan. Linda had het idee geopperd denkspelletjes te verzinnen om de tijd te helpen doden; zij bleek net te doen alsof de kuip een magisch tapijt was waarop ze door de ruimte zweefde en waarmee ze plaatsen bezocht die ze kende en die ze zich voor de geest kon halen, zoals New York City of de oceaan of het lichaam van de man met wie ze had moeten trouwen. Dat probeerde ik ook, maar omdat verbeelding nooit mijn sterkste kant was geweest, lukte het me niet. In plaats daarvan deed ik oefeningen met mijn armen en benen; ik zwaaide ze heen en weer in het water en spande en ontspande mijn polsen en enkels, want ik wilde niet dat mijn spieren slap zouden worden, voor het geval ik ze nodig zou hebben.

Nadat ik een halfuur of zo met mijn armen en benen had zitten zwaaien, ging de kamerdeur open. Ik schrok, want de oppassers hadden de reputatie dat ze tijdens een kuipbeurt naar binnen slopen, het leren dek openritsten en zich aan patiënten vergrepen. Ik tuurde tegen het binnenvallende licht in en was opgelucht toen ik zag dat het Levine was. Hij zei hallo en draaide de gaslamp zo ver open dat er een gedempt zacht licht over de kamer viel.

'Is dat beter?'

Ik zei van wel. Hij vroeg of ik het nog lichter wilde, dat dat ook mocht, en ik zei dat het een prettig rustgevend licht was, voorzover je bij een kuip-beurt van rustgevend kon spreken. Daar moest hij godzijdank om lachen. Hij pakte een kruk en zette hem achter de kuip. In zijn andere hand hield hij een notitieblok en een pen.

'Ik vrees dat ik niets aan de beperking van je bewegingsvrijheid kan doen', zei hij. 'Ziekenhuisbeleid. Maar ik dacht dat je je misschien minder zou vervelen als je iemand had om mee te praten. Denk je dat dat zou hel-pen?'

Ik zei dat ik dacht van wel. Hij ging op de kruk zitten en na een paar tel-len geritsel zei hij plotseling, plompverloren en zonder enige inleiding: 'Hoe zijn uw ouders gestorven, mevrouw Aganosticus?'

Ik was zo verrast door deze vraag dat mijn eerste reactie was: dat is per-soonlijk, meneertje. Maar aangezien hij me al een beetje geholpen had en het iets was wat ik sowieso wel kwijt wilde, besloot ik het spel mee te spelen. Dus vertelde ik hem hoe de tbc-golf van 1902 mijn vader te pakken had gekregen, hoe de lucht in een periode van vier maanden uit hem gesij-peld was, hoe zijn gezicht met de dag magerder en bleker was geworden en de wallen onder zijn ogen donkerder en dieper naarmate de ziekte voortschreed. Hoe je het, als hij hoestte, diep van binnen hoorde komen, rommelend als de trage donderslagen die je bij warm weer in de verte hoorde. Hoe hij op een zondagochtend was gestorven, een passende dag, aangezien hij een man was die in God geloofde. Ik herinner me dat ik aan de deur van zijn kamer stond te luisteren en de dokter tegen mijn moeder hoorde zeggen: 'Hij heeft een mooie dag gekozen om heen te gaan, Lela. Hij is nu in de hemel.' Hoe ik huilde nadat de dokter was ver-trokken en mijn moeder daar maar zat, stil als een boomstam, wat de En-gelse manier is om met heftige emoties om te gaan.

Gedurende mijn verhaaltje zat Levine op zijn kruk te schrijven en zei steeds: 'Ja, ja, ga door, ga door.' Dus vertelde ik hem dat er een kar voor-reed en er twee mannen in overall en werkhemd binnenkwamen, die mijn vader in een jutezak naar buiten droegen. Naderhand bedankte en betaalde mijn moeder hen, wat me allebei heel idioot leek als je bedacht wat ze weghaalden. Het nieuws moest zich verspreid hebben, want het huis zat binnen de kortste keren vol met buren die eten kwamen brengen, van wie sommigen van zo ver kwamen dat ze niet in hetzelfde district belasting betaalden. Velen van hen boden uiteraard de hulp van hun tienerzonen aan bij het werk op de akkers, aanbiedingen die mijn moeder afsloeg, omdat ze niet afhankelijk wilde zijn van de vriendelijkheid van anderen dan familieleden. Als gevolg daarvan moest ze er steeds vaker zelf opuit om de akkers te bewerken voor de tabak van volgend jaar, zodat het mijn taak werd om de bezoekers te ontvangen. En dat was geen geringe taak. Ze bleven maar komen, beladen met manden en kruiken en potten, allemaal vastbesloten het gezin te helpen van de man die, na van Quebec naar het zuiden te zijn getrokken, zijn achternaam had veranderd in een naam die ouderwets Amerikaans klonk, geïnspireerd door, geloof het of niet, de aanblik van gedorst hooi. Dit ging maanden zo door, zodat mijn sterkste herinnering aan die periode van rouw, los van de pure ellende ervan, gevormd werd door de lange ongemakkelijke, met kopjes thee gelardeerde gesprekken die ik had met mensen die ik amper kende. (En door het feit dat mensen me de ene dag nog als een dertienjarige behandelden en de andere dag als een volwassen vrouw.) Als we geen door de buren meegebrachte jam, augurken en pasteitjes aten, aten we wortelen en in eendenvet ingelegde vleesbouten uit kleipotten.

'En uw moeder?' vroeg Levine. 'Wat is er met haar gebeurd?'

Tja.

Hierop vertelde ik dat ze in de war raakte door al dat opgekropte verdriet, dat ze soms het huis uit ging met maar één schoen aan of me aankeek met een blik waaruit bleek dat ze iemand anders zag dan ondergetekende, tot ze haar hoofd schudde en bij haar positieven kwam. Dat ze op een dag, toen we vijf maanden alleen geweest waren, besloot een oude paard-en-wagen voor een zacht prijsje op de kop te tikken van een vent die een tijdje in de Appalachen geboerd had. Het paard, dat Tom heette, vond de overgang naar de wijdopen vlakten van West-Kentucky maar niks. Hij stond altijd te snuiven en te stampen en probeerde zijn kont altijd zo te draaien dat hij een hoef op je voorhoofd kon planten, wat vermoedelijk sowieso de reden was dat hij voor die prijs verkocht was. Een week later besloot mijn moeder Tom in te zetten bij het eggen van de noordwestelijke akker, omdat ze dacht dat het nukkige paard goed van pas zou komen aan het eind van een lange dag. Haar tweede fout was dat ze tussen paard en eg in ging staan bij het vastmaken van de streng. Tom schrok ergens van, waarschijnlijk alleen een briesje of een langs fladderende mot; hij ging ervandoor en trok de eg over zijn toch al zo zwaar getroffen eigenares heen. Ik was uiteraard degene die het resultaat vond. Omdat de zon al laag stond, het eten klaar was en ze nog niet thuis was van het land, ging ik een kijkje nemen. Ik liep naar de noordwestelijke akker en zag uit de verte het paard gewoon voor de eg staan kauwen en denken aan wat het ook zijn moge waar paarden aan denken. Zeven meter verderop lag een donkere hoop, die ik niet kon thuisbrengen. Dichterbij gekomen, zag ik al tamelijk gauw wat het was, maar de geest is een optimistisch ding, dat je per se moet laten zien dat het ergste gebeurd is, anders blijft hij het tegendeel geloven. Ik liep erheen en nam alles in me op. Ze zag eruit alsof ze door wilde dieren verscheurd was.

Levine zat nog steeds driftig te schrijven, in een poging alles wat ik gezegd had op papier te krijgen, alsof ik een remedie tegen de pokken had opgedreund in plaats van akelige en alleen voor mij van belang zijnde details. Na een paar tellen stopte het geluid van zijn krassende pen en verschoof hij de kruk, zodat hij me kon aankijken.

'Mevrouw Aganosticus, ik zou graag iets proberen waarover ik gelezen heb. Ik vroeg me af of u morgen nog een poosje zou willen praten.'

'Bedoelt u zoals vandaag?'

'Ja, precies zo.'

'Tijdens mijn kuipbeurt?'

'Als u wilt.'

'Dan zeker, dokter. Natuurlijk.'

Zo begon ik aan de eerste praatkuur die ooit in de staat Kentucky werd uitgevoerd. Ik wist niet dat hij omstreden was en ik had geen idee dat hij haaks op het gangbare ziekenhuisbeleid stond. Ik wist niet eens dat het een behándeling was, want wat mij betrof, was er bij een kuur sprake van iets tastbaars, zoals pillen of badkuipen of slinger-faradizers. Ik dacht dat Levine gewoon graag wilde praten en vragen wilde stellen die begonnen met: 'Vertel eens iets over...'

En dan vertelde ik iets. Niet alles. Maar het meeste. Ook verzinsels, om het een beetje spannend te houden. Eerlijk gezegd deed het me goed om te verwoorden wat er in mijn hoofd omging, vooral als het betrekking had op hoe erg ik mijn moeder miste. Op een dag, nadat ik een halfuur lang had doorgeleuterd over hoe pissig ik op haar was, onderbrak Levine me. 'Hoe komt het', zei hij, 'dat je het zo zelden over je vader hebt, Mary? Je had duidelijk een goede band met hem. Denk je dat dat significant is, Mary?'

'Wat is significant?'

'Belangrijk. De sleutel. Relevant.'

'Zegt u het maar, dokter.'

'Kan het zijn dat er iets in de aard van de relatie met je vader was waarvoor je je schaamt? Iets wat je een schuldgevoel geeft en waardoor je minder geneigd bent te praten over hoe pijnlijk zijn dood was? Iets in de aard van jouw liefde voor hem?'

'Zoals?'

Hier vertelde hij me wat hij dacht, wat ik vanwege volstrekte belachelijkheid niet zal herhalen; ik vertel het alleen om te illustreren wat een raar gedoe psychiatrie eigenlijk is. Het is ook bedoeld om je er een idee van te geven hoe wanhopig ík was, want in plaats van te zeggen dat hij onzin uitkraamde, schudde ik mijn hoofd en zei: 'Hm, daar zit misschien iets in, dokter.'

Hier werd Levine helemaal opgewonden en enthousiast van en hij zei: 'Vertel eens wat meer, Mary, vertel eens wat meer.'

Met andere woorden: hij begon me leuk te vinden. Echt waar. Als van al dat geleuter mijn lippen droog werden, hield hij me een kopje water voor om uit te drinken. Of hij koelde mijn voorhoofd als ik het te warm kreeg van de stoom die uit het bad oprees. Soms raakte hij helemaal opgewonden en zei: 'Ja, ja, ja?' waarbij hij zijn stem gebruikte als een veedrijversstok, maar andere keren, als ik iets vertelde wat hem duidelijk niet interesseerde, leidde hij het gesprek terug naar een onderwerp waarover hij wel iets wilde horen. Na een tijdje begon ik te onderscheiden wat hij wel en wat hij niet wilde horen. Grappen, ondoordachte opmerkingen, sarcastisch geklaag… niets daarvan interesseerde hem. Zijn pen stopte met schrijven en in plaats van 'ja, ja, ja?' te zeggen, zei hij: 'Ik begrijp het', op meer beroepsmatige, ingetogen toon. En vervolgens probeerde hij me op een somberder en onthullender spoor te zetten.

Naarmate de dagen voortschreden, gaf ik hem meer ja-ja-ja?-materiaal, waarmee ik opmerkingen bedoel in de trant van toen zus-en-zo gebeurde, voelde ik me zus-en-zo. In gedachten noemde ik ze gevoelsopmerkingen. Dokter Levine lustte er wel pap van. Als het eten was geweest, zou hij er dik van zijn geworden. Soms kwamen de traantjes, vooral als ik vertelde wat een lamstraal Dimitri was gebleken, en hoewel ik aanvankelijk dacht dat dit hem zou ergeren, bleek het tegendeel het geval, want na zulke bezoekjes zei hij altijd: 'Ik denk dat we vandaag vooruitgang hebben geboekt, mevrouw Aganosticus. Ik denk dat we vooruitgang hebben geboekt.'

Ja, ja.

Moet je je voorstellen. Het water in de kuip is heet en door de stoom die naar mijn gezicht opstijgt, plakt een van mijn krullen aan mijn voorhoofd vast, zodat de haarpunt mijn ooglid irriteert. Ik blaas ertegen om hem los te krijgen, maar dat lukt niet, omdat mijn gezicht druipt en de krul nat is en blijft kleven als een blad dat tegen een raam is gewaaid. Levine pakt hem beet en veegt hem uit mijn oog. Nou zijn er twee manieren om dat te doen. Met de ene doe je iemand een plezier en met de tweede vertel je iemand iets wat je niet kunt zeggen. De snelheid waarmee je het doet, zegt een heleboel. En het feit dat hij drie licht gebogen vingers gebruikte, terwijl het net zo goed met één gestrekte wijsvinger had gekund.

Er zou een woord moeten zijn voor het gevoel dat opkomt als je negentig procent van de weg hebt afgelegd en je beseft dat het allemaal voor niets is als je de laatste tien procent niet haalt. Nerveus met uitbarstingen van doodsangst en euforie. Ik kon die avond de slaap niet vatten. Om mezelf iets te doen te geven nadat het licht was uitgegaan, haalde ik me steeds Levine voor de geest, die met zijn pen mijn ontslagpapieren tekende en namens de staat Kentucky verontschuldigingen aanbood voor de gemene manier waarop ik was behandeld. Natuurlijk tuigde ik de fantasie op met details. De lucht zou helderblauw zijn. Vol kwelende vogels. Ik zou naar het beste restaurant in Hopkinsville gaan en biefstuk bestellen.

Stom.

Gelijk de volgende dag al kwam Levine me op zijn gebruikelijke tijd opzoeken. Ik wist meteen dat hij zichzelf niet was, want zijn 'Goedemiddag, mevrouw Aganosticus' klonk futloos en hij bewoog zich alsof hij totaal uit het veld geslagen was. Hij ging achter me zitten, maar toen ik begon te praten, hoorde ik zijn pen niet zoals gewoonlijk fel over het

papier krassen. Ik zat midden in een beschrijving van iets wat me overkomen was toen ik klein was (wat weet ik niet meer; een of ander klein kin-
derleed, ingebeeld of echt, neem ik aan) toen ik werd onderbroken door
het geluid van over de vloer schuivende stoelpoten. Hij was gaan verzitten,
zodat hij me recht kon aankijken. Of liever gezegd niet aankijken, want
hij staarde vooral naar de zijkant van de kuip en wierp slechts af en toe
een blik in mijn richting. Zijn lichaamstaal beangstigde me. Van z'n stuk
gebracht, is de beschrijving die bij me opkomt.

Met verslagen stem legde hij het uit.

Daarna veranderde alles. Stafleden die voorheen geen aandacht aan me
schonken, schonken me nu enorm veel aandacht en stafleden die voorheen in me geïnteresseerd waren, meden me nu alsof ik getekend was door
de pest. In zekere zin was dat ook zo, denk ik. Opeens was ik het domein
van een verpleegster die Rowlands heette en van de oppassers die ze tot
haar beschikking had. (Het engste wat ze ooit tegen me zei? 'U mag gauw
naar huis, mevrouw Aganosticus.') Ze was ouder en veel strenger dan juffrouw Galt en had altijd haast. Ik kreeg een andere behandeling. Mijn
kuipbeurt werd verminderd naar twee uur per dag, maar mijn ochtenden
waren nu gevuld met andere vormen van hydrotherapie: koude kompressen, warme kompressen, voetenbaden, onderdompelingen in een koud
bad, natte-wantfrictie, zoutmassages, harde waterstralen, prikdouches, op-
wekkende baden, noem maar op. Ik werd zo vaak ondergedompeld, inge-
zwachteld, besproeid en afgespoten dat ik me begon te voelen als een stuk
vlees dat op weg naar de barbecue op de grond was gevallen. Ik werd nat-
gespoten met zulk heet water dat ik bijna verbrandde en met zulk koud
water dat het me deed klappertanden. Een van Rowlands' favoriete trucs
was me in een stoombad zetten tot ik het zo heet kreeg dat mijn slapen begonnen te kloppen, waarna haar oppassers – grote mannen met sterke armen en een kaalgeschoren hoofd – me eruit tilden, waarbij ze altijd de gelegenheid te baat namen om hun handen over mijn geslachtsdelen te
laten glijden, en me in handdoeken wikkelden die zo koud waren dat ik
onbeheerst begon te trillen. Geloof het of niet, maar juist dat getril zou
me beter moeten maken.

En: vaginale irrigatie. Waaierbaden, Schotse baden, sproeibaden, irrigatie met natte kompressen, zitbaden, afwisselend hete en koude sponsba-

den. Dat deel van mij werd zo vaak gewassen dat ik het begon te beschouwen als een lichamelijke afwijking, enkel geschikt om ziektes mee op te lopen. Tot op heden begrijp ik niet waarom ze zo gefixeerd waren op dat deel van mijn anatomie. Ik weet alleen dat het zo was en na een tijdje kreeg ik het gevoel dat ik alleen al straf verdiende omdat ik het lef had een vrouw te zijn. Misschien was dat het punt wel. Na negen dagen van continue hydrotherapie – zuster Rowlands noemde het mijn 'voorbereiding' – werd ik onderzocht door dokter Sights, die naar mijn idee achter deze hele toestand zat, aangezien Levine eens had gezegd dat Sights alle dagelijkse besluiten nam in Hopkinsville.

In een fel verlichte kamer – alleen wij tweeën; zuster Rowlands was de kamer uit gestuurd – gaf hij me dezelfde twee-vingers-met-slijmerig-spulbehandeling die dokter Michaels me in Louisville had gegeven. Het enige verschil was dat Sights ruwer was en geen enkele haast scheen te hebben. Dit maakte me uiteraard ziedend en ik zou hem een nektrap gegeven hebben als twee dingen me niet weerhouden hadden. Ten eerste had ik niks voor hem in petto, geen troef achter de hand – alle pokeruitdrukkingen gingen op – dus hield ik me strikt aan het advies van Joan en Linda, dat alles in orde zou komen als ik het spelletje maar meespeelde en beleefd was. (Dit was een logica voor sukkels, waar ik me daarna nooit meer door heb laten leiden.) Ten tweede hingen mijn voeten in beugels.

Toen hij eindelijk klaar was, liep hij de gang op. Toen hij weer binnenkwam, had hij zuster Rowlands bij zich. Ze keken me allebei een paar tellen aan.

'Het komt wel goed met haar', was wat hij zei.

Naderhand kwam ik op adem in het dagverblijf. Elk deel van mijn lichaam tintelde van alle baden, wat lekker klinkt, maar het niet was; het was een extreem getintel, nog net geen verkramping. Hoe vaak ik ook diep ademhaalde met mijn ogen dicht, ik kon de spanning in mijn armen, benen, lichaam, voeten, handen en vooral mijn vrouwelijkheid niet tot bedaren brengen. Alleen mijn gezicht tintelde niet.

Na een tijdje voelde ik dat ik niet alleen was en deed mijn ogen open. Dokter Levine zat naast me op de bank. Het duurde een hele tijd voor hij iets zei. Ik zweeg ook, want ik was kwaad op hem; valse hoop geven is tenslotte een van de ergste dingen die je iemand kunt aandoen.

Ten slotte: 'Kan ik nog iets voor je doen, Mary?'

Ik nam ruim de tijd voor mijn antwoord, want ik wilde hem zo diep mogelijk kwetsen. Waar ik uiteindelijk mee kwam, was zoiets als: 'Zeker. U kunt me helpen mezelf van kant te maken. U kunt me een hele zooi van die slaappillen geven die u de hele dag loopt uit te delen. Ik neem ze in nadat de lichten zijn uitgedraaid en het enige wat iedereen zal denken, is dat ik ze op de een of andere manier gestolen heb. Ik meen het. Ik ben een wees en het enige wat ik op deze wereld wil, is een nieuwe familie voor mezelf vinden, omdat iemand zonder familie niemand is, niet echt iemand, als je erover nadenkt, en als ze me die mogelijkheid afpakken, kan ik geen enkele reden bedenken om te blijven. Snapt u?'

Hij zat met gebogen hoofd naast me en zag er beroerd uit. Hij durfde me niet eens aan te kijken.

'Ja', zei hij zwakjes.

Ik werd weggehouden van het eten die avond, wat ik prima vond. Na het avondeten bleef ik grotendeels in bed, terwijl Linda en Joan me gezelschap hielden, niet door iets te zeggen, maar enkel door in de buurt te blijven. Nadat de lichten waren uitgedraaid, duurde het heel lang voor ik kon slapen, hoewel ik uiteindelijk in een lichte sluimer viel, zo licht dat ik de voetstappen hoorde toen er iemand naar mijn bed sloop. Ik deed mijn ogen open. Levine gebaarde dat ik op moest staan.

Geruisloos slopen we samen door de zaal voor tijdelijke patiënten. Hij maakte de deur open en wees naar een oppasser, die op de bank lag te slapen. Ik gaf aan dat ik het begreep, waarna we op onze tenen langs hem liepen, de deur door naar de gang die de zalen van elkaar scheidde. Vlak voor de zaal voor gemiddeld-gekken was een deur met een bordje waarop conciërge stond; hier stopte Levine en duwde de klink omlaag. We kwamen in een donkere kamer. Levine sloot de deur achter ons en draaide de gaslamp ietsje open, waardoor stokdweilen, bezems en emmers zacht oranje werden.

Ik voelde een bries en door dit luchtstroompje viel mijn blik op de reden waarom Levine me hier gebracht had. In de tegenoverliggende muur zat een raam. Hij had het tralierooster al losgeschroefd, eraf gehaald en tegen een blik vloerreiniger gezet. Hij had het raam ook al zo ver opengezet dat een klein persoon zich erdoorheen kon wurmen. Met mijn één meter vijftig kwam ik in aanmerking.

Opnieuw legde Levine zijn vinger op zijn lippen, alsof ik zo stom zou zijn om te gillen van vreugde. Opnieuw knikte ik dat ik het had begrepen. Hij gebaarde naar een keurig gevouwen stapeltje kleren dat op een van de rekken lag. Daarna draaide hij zich om, zodat ik me kon omkleden.

Ik trok een eenvoudige lichtblauwe jurk en onderbroek aan en grijze laarsjes met drukknopen opzij. Ik tikte op zijn schouder om aan te geven dat ik klaar was. Toen hij zich omdraaide en me aangekleed zag als een normale vrouw kreeg hij een glazige blik in zijn ogen. Hij wilde me zoenen, zag ik, en als hij het gedaan had, zou ik teruggezoend hebben en hem misschien even tegen me aan hebben laten wrijven, enkel om te laten zien hoe dankbaar ik was.

Maar nee, hij pinkte zijn ware verlangens weg, nam een zakelijker houding aan en fluisterde: 'Tennessee is zestien kilometer naar het zuiden.'

Met zijn hulp – zijn hand was zacht, vlezig en vochtig – stak ik eerst mijn rechter- en toen mijn linkerbeen door het raam, zodat ik op de vensterbank zat. Ik draaide me om, zodat ik op mijn voorkant leunde, en duwde mezelf naar buiten. Ik viel een meter of zo naar beneden, maar wel zo hard dat ik met mijn achterste op de grond terechtkwam. Ik stond op en klopte de aarde af, maar aangezien ik niet wist wat ik nu moest doen, keek ik op naar Levine, die met een blikken trommeltje uit het raam leunde.

Ik nam het aan, opende het en bekeek de inhoud: boterhammen, twintig dollar en een kompas. Toen ik weer opkeek om hem te bedanken, wees hij in de richting waar ik heen moest, namelijk dwars over het gazon een bos in. Om eerlijk te zijn, was ik doodsbang, bang voor het bos, bang om te worden gepakt en bang voor de hele operatie van het ontsnappen. Snap je, het is een belangrijk moment, de dag waarop je door omstandigheden gedwongen een doener wordt. Het verandert je manier van kijken en je gevoel voor wat mogelijk is en het is in geen enkel opzicht zacht.

Ik bleef maar naar Levine opkijken. Het liefst wilde ik dat hij naar beneden zou komen en me helemaal naar Tennessee zou dragen. In plaats daarvan deed hij het enige wat hij kon doen: voor de tweede keer in de richting van het bos wijzen.

En luid een woord fluisteren.

'Ga.'

Het voelde goed om mijn armen, benen en hart te gebruiken en zuurstof naar alle hoeken en gaten te pompen die in een inrichting voor geesteszieken niet behandeld worden. Ik bereikte het lage hekje rond het terrein, sprong eroverheen en rende er als de bliksem vandoor, hoewel rennen niet bepaald een accurate omschrijving is voor wat een voortvluchtige in een bos doet; ze schuifelt meer en bukt en ontwijkt takken, ze springt over greppels en neemt heel kleine stapjes gevolgd door krachtige lange sprongen. Iets aan deze zigzag-stop-startgang gaf me het gevoel dat ik meer in paniek was dan in feite het geval was, met als gevolg dat ik het warm kreeg en begon te zweten en dat ik me voortdurend inbeeldde dat ik het schorre geblaf van honden in de verte hoorde, een geluid waarvan ik stokstijf bleef staan en het plotseling heel koud kreeg. Als ik probeerde heel goed te luisteren, hoorde ik krekels en ruisende bomen en de golven-op-een-strand-geluiden die door bezorgde oren worden voortgebracht. En als ik weer in beweging kwam, begon na een paar stappen dat ingebeelde helse geblaf weer.

Bij de eerste open plek stopte ik om op adem te komen en het kompas te raadplegen. Op dat moment ontdekte ik iets. Een kompas vertelt je weliswaar waar het noorden is, waaruit je kunt afleiden waar het zuiden is, maar het zorgt er niet voor dat je de eenmaal ingeslagen richting blijft volgen. Door al dat gespring en al dat ontwijken en omzeilen van plekken waar het struikgewas te dicht was, raakte ik steeds uit de koers. Als ik stopte en mijn kompas raadpleegde, kwam ik erachter dat ik meer naar het westen dan naar het zuiden was gesjokt en bij één gelegenheid, toen ik lange tijd was doorgelopen zonder te kijken, bleek ik regelrecht te zijn teruggegaan naar waar ik vandaan kwam. Plus dat ik de lucht niet als een soort gids kon gebruiken, omdat het midden in de nacht was en de maan op dezelfde plek stond als de zon om twaalf uur 's middags, dus waar ik ook heen ging, hij bleef op precies dezelfde plaats staan: recht boven me en glanzend als een lantaarn. Om de paar minuten moest ik mezelf terug op koers zetten en opnieuw beginnen, in het besef dat ik al heel gauw weer de verkeerde kant op zou stormen. Na een tijdje voelde ik me net zo in de val zitten in dat rotbos als in die rotinrichting.

Eindelijk bereikte ik de rand van het bos. Ik zette voet op een braakliggende akker. Hij rook stoffig en uitgeput, alsof hij rust nodig had. Nu kwam ik sneller vooruit. Even later kwam ik bij een lichter bos, meer een open plek eigenlijk, waar ik op een snel stromende beek stuitte. Hier schrokte ik een van de boterhammen met kaas naar binnen die ik van Levine had gekregen en riskeerde een infectieziekte door een paar slokken water te drinken. Daarna trok ik verder over een vlakte met boerderijen, van elkaar gescheiden door stroken licht struikgewas, en kwam om een uur of twee, drie in de ochtend bij een weg.

Ik kwam even op adem en wilde net de weg oversteken en doorlopen toen ik het geklos van hoeven op aangestampte aarde hoorde. Het was een boer, iemands opa, die een lading tarwebruine kisten, ongetwijfeld gevuld met sourmash[1], vervoerde. Hij keek me nieuwsgierig aan en zei: 'Heb je hulp nodig, meissie?'

'Ik ben op weg naar Clarksville.'

'Lópend? Midden in de nacht?'

Ik knikte zo overtuigend mogelijk, wat niet meeviel met mijn gekreukelde jurk, mijn door takken geschramde gezicht en mijn haar vol bladeren. Aan het onrustig bewegen van zijn gezicht zag ik dat hij één en één bij elkaar optelde en ik vervloekte zowel de volle maan als mezelf, omdat ik niet weggerend was zodra ik hem zag. Het was een vreemd moment, waarop we allebei probeerden uit te knobbelen wat we van de ander moesten denken, en mijn enige hoop was dat hij geen transportvergunning voor whisky had en dus niet in een positie was om te oordelen.

Uiteindelijk zei hij: 'Nou, wil je een lift of niet?'

De rest van de tocht naar Tennessee reed ik met hem mee. Ik kende de wet niet, dus ik wist niet zeker of ik daar veiliger was, maar ik kan je wel vertellen dat ik me een stuk veiliger vóélde toen ik het bord zag met 'Welkom in…' Wat de dranksmokkelaar betrof, die zei de hele weg geen boe of bah en ik volgde zijn voorbeeld. Toen we aankwamen, was het ochtend, een koele ochtend, die zeker warmer zou worden. Dat wist ik, omdat de zon er nevelig en wittig uitzag en omdat je gonzende insecten op de grasstengels kon zien zitten.

Wacht even, ik vergis me. Voordat hij me op het dorpsplein afzette, nota bene pal voor het gerechtsgebouw, zei hij één ding.

'Het is kermis in het dorp.'

3

Jungleland

En dan ben je opeens oud. Zomaar. Daar kun je niet omheen. De ene dag ben je jong en fris en is je huid zo glad als teakhout en de volgende ben je je littekens aan het invetten, zodat ze 's nachts niet hard worden. Geloof me. Je denkt dat een verloren liefde een aanval van melodrama kan oproepen, maar wacht maar tot je je eigen veters niet meer kunt knopen zonder een symfonie van gegrom, gekreun en schor gehijg. Hoe dan ook, ik ben nooit een klager geweest en zal het ook nooit worden, dus ik sla de nadelen over en ga gelijk door met wat ik leuk vind aan ouder worden. De geest wordt soepel. Echt waar, geloof het of niet. Je krijgt een bredere blik. Je gaat zien wat er achter je ligt zonder over je schouder te hoeven kijken (wat je toch al niet lukt doordat je nek met de dag stijver wordt). Het is het enige tegenwicht voor het feit dat je oud, stijf en rimpelig bent: je leert de truc om op twee plaatsen tegelijk te zijn. Als ik bijvoorbeeld zes blikjes Hamm's ga kopen, dan is mijn lichaam in 1968 bij de kruidenier, maar de rest van me ergens anders, bij het vier pistes grote circus van Al G. Barnes in 1915 bijvoorbeeld. Dat is een hele prestatie. Als je een jaartje ouder wordt, kan in je verbeelding – als je het toelaat tenminste – alles net zo echt worden als wat ook. Misschien nog wel echter.

Waar het in grote lijnen op neerkomt, is tijd. De manier waarop de tijd veranderingen bewerkstelligt. Vroeger stelde ik me de tijd voor zoals alle jonge mensen zich die voorstellen, als een constante stroom, als zand in een zandloper. Maar toen ik eenmaal orthopedisch schoeisel ging dragen, begon ik tijd als iets anders te zien, meer als een opeenhoping dan als een gang naar voren. Als ik zou moeten omschrijven hoe ik tijd nu zie, zou ik zeggen dat het zoiets is als een kauwgumballenautomaat waarin alle kauwgumballen door elkaar liggen en zo tegen elkaar aan schuren dat de kleuren slijten. Bijvoorbeeld. Wat ik in 1927 heb gedaan. Jezus. Dat is het ergste wat je iemand kan aandoen en het allerergste is dat ik het niet opzettelijk deed. Nog jaren daarna bestond mijn leven uit twee delen. Je had de tijd ervóór, toen ik in 's hemelsnaam hoopte dat ik een goed mens was, en die erná, toen ik absoluut zeker wist dat ik dat niet was en desondanks gewoon door moest gaan. (Probeer de dagen maar eens blij te begroeten als er zoiets op je drukt. Vermoeiend, is het woord dat in me opkomt.) Toen werd ik op een dag wakker en was ik oud; de kluisters van mijn zwaarste zonde waren gaandeweg losgeraakt. Mijn zonde was met me op de loop gegaan. Plotseling was het iets wat ik altijd had gedaan, iets waartoe ik altijd in staat was geweest.

Plotseling was het een deel van me geworden.

Nog een voorbeeld. Mijn mannen. Pff. Ik heb er heel wat gehad. Naar het precieze aantal mag je raden, maar ik weet absoluut zeker dat ze niet op de vingers van één hand te tellen zijn. Als ik vroeger terugkeek, zag ik ze als een reeks. Ik zag ze als een stoet. Nu stel ik ze me voor als mensen die opeengepakt in een lift staan, met hun gezicht naar de deur. Maar aangezien ik zelfs nu op twee plaatsen tegelijk kan zijn, kan ik ze me stuk voor stuk voor de geest halen alsof ze tegenover me zitten. De langste? Dat is Dimitri, die ruim dertig centimeter langer is dan Louis, die de kleinste is. De rijkste? Dat is James, daarom is hij zo mooi gekleed en kijkt hij zo verdomde streng. De lelijkste? Dat is dokter Levine, die toevallig ook de slimste is. De oudste? Dat is Art, degene van wie ik hield, en Albert, door wie ik uit de gratie raakte bij de Ringlings, is de jongste. De knapste? Radja natuurlijk, hoewel Radja een tijger was, die alleen maar dácht dat hij een man was, dus die telt denk ik niet mee. Na hem is Al G. met afstand de knapste; moet je die ogen zien, zo doordringend, zo blauw, en laat ik maar niet over zijn kaaklijn beginnen, jezus, wat had die een succes bij de dames. Degene met het spleetje in zijn kin? Dimitri. Met de enorme cowboyhoed? James. Met de naar achteren getrokken schouders en de stokstijve rug? Louis. Degene met de zorgelijke gezichtsuitdrukking? Albert. Degene met het zelfvoldane air? Al G. Degene met de begripvolle blik? Met de blik van genegenheid? Met de bereidheid om een handje te helpen?

Art.

Wat allemaal een omslachtige manier is om te zeggen dat ik er de voorkeur aan geef mijn bekentenissen af te leggen zoals een bejaarde dat doet, op de kauwgumballenmanier, waarbij alle stukjes en beetjes door elkaar gehusseld worden en een mengelmoes vormen waaruit duidelijk wordt waarom dat wat er gebeurde door het hele verhaal heen gebeurde in plaats van alleen aan het eind. Op die manier is het een heel stuk nauwkeuriger en geeft het beter weer hoe ik me de afgelopen tijd heb gevoeld. Maar ja, zo worden verhalen nu eenmaal niet verteld en ik loop het risico dat ik word afgeschreven als een oude vrouw die maar wat raaskalt en... nou ja. Laten we maar zeggen dat ik dat er niet bij kan hebben. Kijk, alles valt of staat met een zuiver en helder begrip van de situatie, daarom zal ik het op de standaardmanier moeten vertellen, zoals ik het gedaan zou hebben voordat de ouderdom intrad, voordat de ouderdom het zich gemakkelijk maakte en een langzaam brandende sigaar opstak. Niettemin zal ik me af en toe vrijheden veroorloven met wat we volgorde noemen, met wat we als tijd bestempelen, al was het alleen maar omdat het op mijn leeftijd verdomd moeilijk is om dat niet te doen.

Zoals nu bijvoorbeeld.

Het probleem is dat ik gisteravond niet goed geslapen heb, waarmee ik bedoel dat ik nog slechter geslapen heb dan voor oude mensen gebruikelijk is en geloof me, dat is al slecht genoeg. Ik lag me te ergeren, zorgen te maken, te malen. Lag urenlang te woelen en te draaien voor ik eindelijk indutte, enkel om midden in de nacht – zeven over halfdrie was het – weer wakker te worden; mijn ogen schoten open alsof ze op springveren zaten. Ik lag zo hard na te denken dat ik gezworen zou hebben dat er iets of iemand bij me in de kamer liep te zoemen. Heb jij dat ook wel eens? Dat je je mentaal zo opgefokt hebt dat je gedachten beginnen waar de rust ophoudt, tot het zo erg is dat je door al het lawaai niet meer kunt nadenken? Ik had net zo goed naast de snelweg kunnen liggen. Dan had ik de herrie tenminste nog met oordoppen kunnen buitensluiten.

Ik kon uiteraard amper mijn bed uitkomen toen de wekker om kwart voor vijf afging. Voelde me de hele dag suf. Zelfs Goldie merkte het; toen ik bijna klaar was met het wegharken van de botten uit haar kooi, wierp ze me een lange blik toe, waarbij ze met haar ogen rolde en een loom hoog gegrom liet horen, wat tijgertaal is voor: Ik weet het, ik weet het. De overigen waren inmiddels in slaap gevallen en hadden allemaal die ontspannen huiskattengrijns die tijgers hebben als ze hun buik rond hebben gegeten. Weet je dat een tijger zijn lippen likt als hij slaapt? Kleine dromerige tongbewegingen, waarmee hij zijn tanden en tandvlees bevochtigt, zodat die niet uitdrogen. Weet je dat sommige tijgers snurken? En praten in hun slaap? Met hun staart zwiepen als ze dromen?

Doodeng, verdomme, het idee dat ik zonder ze moet. Zesendertig jaar lang hebben zij ervoor gezorgd dat ik niet hoefde na te denken over de dingen die ik op het punt sta te vertellen. Zij hebben mijn tollende gedachten iets gegeven om zich op te concentreren.

Ga er maar eens lekker voor zitten.

Leuk huisje, hè? Gezellig, verharde oprit, een klein tuintje aan de achterkant, winkels in de buurt. Ik ben het type dat niet veel nodig heeft, maar wel graag een band opbouwt met de dingen die ze heeft. Een lievelingskoffiebeker, gemakkelijke schoenen, een revolver met parelmoeren greep, jaren geleden gekocht in Wichita, een goudgerande poster van de circusvoorstelling van Barnes, een beenderhark, die ik al zo lang heb dat hij helemaal glad en afgesleten is op de plek waar ik – en ik alleen – hem vasthoud. Na bijna tachtig jaar op planeet aarde zijn dat de dingen die me resten.

In het begin van de jaren dertig stopte ik met het circusleven – ik had er gewoon genoeg van, denk ik – en begon ik als dompteur bij Jungleland. Daar ben ik al die tijd gebleven, zodat ik de langst dienstdoende werknemer van Jungleland ben en de oudste tijgerdompteuse ter wereld. Niet dat dat wat voorstelt, hoor. Welnee. Er waait soms een gemene wind buiten en ik wil niet dat iemand onze openhartige gesprekken afluistert. Plus dat we hier in mijn huis prettiger zitten dan in die zogenaamde strohutten, die in werkelijkheid van plastic zijn. De afgelopen paar middagen waren niet al te beroerd, maar zodra er zo'n warme wind opsteekt, wordt het in die krengen zo heet als in een houtkachel. Louis, de vorige eigenaar, heeft een jaar of zo geleden geprobeerd airconditioners te installeren, maar die veroorzaakten een hoop ellende met de stoppen. Ze vonkten en we hadden stroomstoringen en toen er op een dag brand uitbrak in het dromedarishok, haalde hij de apparaten weg en verkocht ze voor een kwart van wat hij ervoor betaald had. Zo deed Louis natuurlijk altijd zaken: duur inkopen en goedkoop verkopen en het allemaal reuze grappig vinden. Geen wonder dat ik hem zo graag mocht.

Een maand of zes geleden trof hij me aan in de snackbar. Het was lunchtijd en ik zat aan hetzelfde dat ik elke dag eet: een hamburger, waar Annie
met behulp van twee stukken keukenpapier het vet uit had gedrukt, weggespoeld met mijn tweede Hamm's van de dag.

'Mag ik erbij komen zitten, Mabel?'

'Tuurlijk, Louis.'

Hij gaf een klein rukje aan zijn geruite broek en nam plaats. Hij was zo
lang dat hij zijdelings moest gaan zitten om zijn benen ergens te kunnen
laten. Hij draaide zijn bovenlichaam een kwartslag, zodat hij me aankeek,
en toen hij sprak, deed hij dat met zachte stem. Zijn voorhoofd was zo lang
als een eierspatel.

'Mabel, je bent hier nu hoeveel jaar?'

'Zesendertig jaar, of in ieder geval iets in die buurt, Louis. Ik kwam hier
toen Barnes ermee ophield, zoals je weet.'

'Hm, dat betekent dat jij hier langer bent dan wie ook. Daarom wil ik dat
jij de eerste bent die het weet. Ik verkoop de boel. Ik ga met pensioen. Ik
ga de rest van mijn dagen bij de rodeo's in Santa Rosa slijten. Morgen deel
ik het officieel mede. Er zit gewoon geen geld in deze business, Mabel.'

'Daar heb je je vroeger ook nooit zorgen om gemaakt, Louis.'

'Dat was toen en dit is nu. Zelfs het Ringling Circus van Feld gaat failliet; wie had dat ooit voor mogelijk gehouden? Ik word een dagje ouder
en problemen matten je af als je niet meer zo jong bent. Het wordt hoog
tijd dat ik wat rust neem.'

'Je meent het?'

'Ja.'

'Louis Goebbel, die de beestenbusiness vaarwel zegt?'

'Ontvlucht is een beter woord.'

Ik begon te geloven dat het hem ernst was.

'Wie gaat het bedrijf kopen?'

Op dat punt begon hij te lachen. 'Een stel snoepverkopers als je henzelf
mag geloven. Ze noemen zich Jeb en Ida Ritter. Plus nog een partner,
Ray Labatt. Die schijnt een rijke vrouw te hebben, die om belastingtech-
nische redenen van wat geld af wil. Jeb en Ida gaan de tent grotendeels
runnen.'

'Hebben ze een beetje kaas gegeten van het runnen van een dierenpark?'

'Genoeg, denk ik.'

'Zijn het goeie mensen, Louis?'

Hier zweeg hij even, maar wel zo lang dat zijn antwoord me nou niet direct vertrouwen inboezemde.

'Goed genoeg, Mabel.'

Drie weken gingen voorbij, misschien iets meer, tot de dag kwam dat Louis voorgoed wegging en natuurlijk een afscheidspicknick gaf. Er liepen clowns op stelten rond en er waren vaten gratis bier en een grote tafel beladen met eten. Het nieuws lekte uit, zodat Jungleland die dag volstroomde met ouwe circusartiesten, ruziemakers en kermisklanten, waarvan de ene helft Louis het beste kwam wensen en de andere helft op het gratis eten af kwam. Er waren zeker drie- à vierhonderd mensen, denk ik. Toen ik halverwege de middag bij de tafel ter hoogte van de rolletjes kaas met augurk stond te wachten tot ik bij de schaal met gevulde eieren kon, rook ik opeens iets raars: menthol en parfum, met een vleugje spearmintkauwgum om het compleet te maken. Ik draaide me om en zag een vrouw in een strakke roze broek en een bloemetjesblouse, die ze rond haar middel had vastgeknoopt. Haar enkels waren bloot en haar haar was met lak tot een bijenkorf gevormd; zelfs in een wervelstorm zou het zijn blijven zitten. Met kapsel en hoge hakken meegerekend zal ze bijna twee meter geweest zijn. Haar armbanden en grote oorringen rinkelden. Toen ze zich vooroverboog om een beboterd broodje van achter op de tafel te pakken, schampte haar navel rakelings langs de rolletjes.

Dit kon me niet eens zoveel schelen, al hou ik er inderdaad niet van als een vrouw zich zodanig kleedt dat mannelijke oogballen van kijkrichting veranderen. Wat me dwarszat, was dat ze een brandende Pall Mall tussen de wijs- en middelvinger van haar uitgestoken hand geklemd hield. De askegel was wel anderhalve centimeter lang en als hij afbrak, zou de as op de beboterde broodjes, de rolletjes kaas met augurk, de worstenbroodjes, de met tonijn gevulde kerstomaatjes en, het allerbelangrijkste, de gevulde eieren waaien, welke laatste naar mijn idee sowieso het enige excuus zijn om een picknick te houden.

Ze merkte dat ik naar haar keek.

'O, hallo', zei ze, terwijl ze overeind kwam. Ik moest mijn hoofd in mijn nek leggen om haar aan te kunnen kijken.

'Hallo', antwoordde ik en ik wou dat ik kon zeggen dat er geen spoortje onvriendelijkheid in mijn stem lag. Als ze het al gehoord had, liet ze daar in haar gedrag niks van merken. In plaats daarvan schoof ze haar bord, haar sigaret en haar glas rosé zo ineen dat alles in haar linkerhand paste en ze haar rechterhand vrij had voor het schudden. Ze stak hem uit en zei: 'Ik ben Ida Ritter. Hoe maak je het?'

De moed zonk me volledig in de schoenen.

'Mabel Stark. Met mij gaat het prima.'

Dit antwoord had tot gevolg dat ze harder ging kauwen en in de verte begon te staren. 'Wacht eens even', zei ze ten slotte. 'Ben jij niet die tijgerdame?'

Hierop keek ik haar aan en ik probeerde de dolken uit mijn ogen te houden, al was dat allejezus moeilijk. Zoals je weet, stond ik in de jaren twintig bij de Ringlings in de middelste piste, dus tegen mij iets zeggen als 'ben jij niet die tijgerdame', is net zoiets als op een van de Codona's af stappen en zeggen: 'Ben jij niet van die trapezefamilie?', of een van de Wallenda's vragen of hij wel eens op een koord gedanst had. Het was puur een gebrek aan respect, niet eens zozeer voor mij als wel voor de hele geschiedenis van het circus. Als het iemand anders geweest was, had ik die de waarheid gezegd en was ik weggelopen, gevulde eieren of geen gevulde eieren.

In plaats daarvan zei ik: 'Ja, dat klopt', en ik was blij dat er iemand die haar herkende naar haar toe kwam en haar vertelde hoe geweldig ze eruitzag.

Nou, die kennismaking stond natuurlijk garant voor problemen en die kwamen er dus ook. Op een ochtend was ik bij mijn tijgers zaagsel aan het strooien en wie komt er aan lopen? Ida, ditmaal uitgedost in een strakke luipaardbroek, een belediging voor de luipaardwereld als je het mij vraagt, met een op kattenogen lijkende zonnebril en een net boven de navel dichtgeknoopte roze blouse. Ze had een kop koffie in de ene hand en een mentholsigaret in de andere.

'Prachtig', zei ze met een gebaar naar mijn schatjes, 'prachtige dieren.'

Ik stopte met werken en gaf haar wat aandacht, want ik deed nog steeds alsof er sprake was van wederzijds respect.

'Dat zie je goed, Ida. Er is niks mooiers.'

'Maar aan de mollige kant. Ik zie hier en daar een beetje vet. Bij hem bijvoorbeeld. Hoe heet hij?'

'Zij.'

'Sorry. Hoe heet zij?'

'Goldie.'

'Wat denk je, Mabel, ligt het aan mij of is Goldie een beetje mollig rond de heupen? Ik vroeg me gewoon af of die katten met een half pondje vlees per dag minder toe zouden kunnen.'

Ik keek haar aan met mijn beste imitatie van kalmte, hoewel ik innerlijk ziedde van woede, want tijgers hebben minstens vijftien pond vlees per dag nodig, anders krijgen ze rimpels in hun vel. 't Was pure gierigheid, dat voorstel van Ida, bedoeld om te provoceren; iedereen weet dat ik ze iedere ochtend nijlpaardenbiefstuk, hun lievelingskostje, zou geven als het aan mij lag.

'Hm, tja, 't ís een idee, Ida', zei ik. 'Ik zal het met oom Ben bespreken en kijken wat hij ervan vindt.'

'Goed', zei ze en ze liep weg op die wankele roze sandaaltjes waar haar kont van ging wiebelen.

Een paar dagen later gebeurde hetzelfde. Net toen ik de katten hun vlees had toegeworpen en even zat uit te puffen, hoorde ik die klepperende sandaaltjes aankomen. Ik vreesde het ergste en draaide me om en daar had je haar weer, glimlachend, kauwgum kauwend en gebarend met een brandende sigaret.

'Goeiemorgen, Mabel. O, hemeltje, wat zien die tijgers er weer schitterend uit.'

'Tja, daar kunnen ze niks aan doen, hè.'

'Ze zien er echt fantástisch uit, hoor. Je doet piekfijn werk hier, Mabel.'

Ik haalde diep adem en wachtte op wat er komen zou.

'Maar ik zie dat er een paar bij zijn waarvan de vacht wel wat glans kan gebruiken. Zoals die daar. Hoe heet hij?'

'Zíj heet Mommy', zei ik.

'Prachtige tijger. Prachtige botten. Heb je wel eens overwogen wat slaolie in haar vacht te wrijven?'

Toen had ik haar wel kunnen vermoorden, omdat het zogenaamd gunstige effect van slaolie een ouwewijvenpraatje was dat vijftig jaar geleden in circuskringen was opgedoken, waarschijnlijk rondgestrooid door een slaolieverkoper, want het leidt er alleen maar toe dat hun vacht er vettig uit gaat zien, plus dat hun poriën erdoor verstopt raken, waardoor ze suf worden. 't Was gewoon een pure belediging dat ik aanwijzingen moest opvolgen van een vrouw die dát niet eens wist. In plaats van mijn zelfbeheersing te verliezen, bleef ik recht voor me uit staren en bracht mijn ergernis over door met strakke blik te zwijgen. Na een tijdje begreep Ida de hint en voegde eraan toe: 'Maar ja, het is natuurlijk helemaal aan jou om het wel of niet te doen. Da-ag.'

Inmiddels kookte ik van woede, dus ging ik op zoek naar oom Ben, tegen wie ik zei dat hij maar beter met Jeb kon gaan praten en hem vertellen dat hij zijn vrouw een beetje in toom moest houden als hij een fikse aanvaring wilde voorkomen. Ben zei dat hij zou zien wat hij doen kon, wat niet veel bleek te zijn, want de volgende ochtend was Ida alweer terug en vertelde ze me rokend en koffiedrinkend hoe mooi mijn tijgers waren, voordat ze voorstelde ze wat laxeerzout te geven.

'Het is goed voor hun botten', voegde ze er met dat stroperige stemmetje van haar aan toe en het was de intentie die schuilging achter dat piepstemmetje waardoor ik uiteindelijk ontplofte en haar voor het ergste uitschold waarvoor je een circusmens kunt uitschelden.

'Nou moet je eens goed luisteren, Ida', zei ik. 'Nou moet jij eens even heel goed luisteren. Jij bent een kermisklant. Jij bent een concessionaris. Denk je nou echt dat het me kan schelen wat jij van tijgers vindt?'

Ze trok wit weg en stormde ervandoor, waarbij dat domme achterwerk van haar wiebelde alsof het onder stroom stond. Sindsdien hebben we geen woord meer met elkaar gewisseld. Als we elkaar op de overloop tegenkomen, kijken we allebei ijzig en zeggen geen gedag. Godzijdank kunnen Jeb en ik wel met elkaar overweg, anders lag ik er allang uit. Maar je vangt hier en daar wel eens wat op. Geruchten, gefluister, snackbargebabbel. Dat Ida Jeb zwaar onder druk zet bijvoorbeeld. Dat ze denkt dat ze meer invloed heeft, omdat ze een platte buik en memmen als bergtoppen heeft bijvoorbeeld. Dat ze denkt dat ze alles kan krijgen wat ze hebben wil, omdat een bepaald type man op haar valt bijvoorbeeld.

Dat de beroemde Mabel Stark wel gauw met pensioen zal gaan bijvoorbeeld.

En toen.

Een paar weken later. Jong broekie, Ierse kop, golvend rood haar, kleine ronde oogjes, scherp als een schaaf, hooguit vijfentwintig. Ik zag hem voor het eerst aan het begin van de dag, toen ik met mijn grote ouwe Buick cabriolet van de Ventura Freeway af kwam en de parkeerplaats van Jungleland op reed om mijn auto op mijn favoriete plek te zetten bij het hek onder de enorme eik. Het was precies tien voor halfzeven 's ochtends. Dezelfde tijd als ik altijd aankwam. Alleen was het die dag anders, want toen ik met mijn grote ouwe cabriolet de parkeerplaats op reed, zag ik dat er een andere auto op die plek stond en dat er een vent achter het stuur van die auto zat met een kop koffie in zijn hand, die zo gebiologeerd naar de ingang van Jungleland staarde dat je zou zweren dat hij er verliefd op was geworden.

Dus ik stap uit. Hij stapt uit. En meteen wist ik dat het de nieuwe tijgerman was en was mijn dag verpest. Ten eerste had hij schrammen op zijn onderarmen die vanaf de andere kant van de parkeerplaats te zien waren. Ten tweede wist hij wie ik was, dat was duidelijk. Hij liep glunderend op me af en ik keek naar hem zonder te glimlachen tot we elkaar zo dicht genaderd waren dat ik kon zien dat hij van plan was zich voor te stellen. En toen liep ik gewoon door, ja; ik deed net alsof hij nooit binnen mijn gezichtslijn was geweest.

Even na negenen, toen de katten gevoerd waren en lagen te dutten, vond ik oom Ben, aan wie ik vroeg wie die nieuwe vent verdomme was.

'Die kooihulp? Haynes heet-ie. Roger Haynes. Uit Oklahoma, geloof ik.'

'Waar hebben ze die opgedoken?'

'Hielp bij het nummer van Beatty. Heeft nog met Beatty zelf gewerkt, voordat die kanker kreeg.'

'Beatty!'

'Dat is wat ik gehoord heb.'

'O, jezus christus, Ben, daar heb je het al! Ze moeten het zo nodig met neonletters aankondigen! Geen enkele vent die met Beatty getraind heeft én van die littekens heeft, accepteert een baan als kooihulp, tenzij hij denkt dat hij niet zo heel lang kooihulp blijft! O, jezus, Ben, je kan net zo goed gelijk afscheid van me nemen, want als iemand ooit probeert me mijn katten af te pakken, heb ik een mooi revolvertje in mijn nachtkastje liggen… O, jezus christus, dit is verschrikkelijk…'

Zo ging ik maar door, praktisch hysterisch – dat heb ik soms – tot oom Ben me vertelde dat ik het bij het verkeerde eind had, dat niemand probeerde me mijn baan af te pakken, dat Haynes was aangenomen voor de leeuwinnen en dat niemand zich op korte termijn hoefde dood te schieten. Zo ging hij maar door met een rooskleurig beeld te schetsen en doordat zijn stem van nature een kalmerende toon heeft, begon ik me een beetje beter te voelen, al was er helemaal geen enkele reden om me beter te voelen. Uiteindelijk beloofde ik dat ik niet hoogstpersoonlijk naar Ida's kantoor zou gaan om haar de hersens in te slaan, waarop oom Ben zei dat hij het een enorme opluchting vond om dat te horen.

Dat was woensdag. Op zaterdag was ik me aan het voorbereiden op de grootste show van de week en wie komt er opdagen en begint mijn piramiden te verplaatsen? Roger Haynes. Je kon zien dat hij graag de attributen voor de show wilde klaarzetten en heel even kwam het bij me op dat hij niet eens door had dat hij hier was om ondergetekende de deur uit te werken, een gedachte die ik meteen weer verdrong, omdat het er uiteindelijk niet echt toe deed.

Dit was min of meer wat ik zei: 'Jij, smerige kleine klootzak. Waag het niet nog één keer in de buurt van mijn tijgers te komen of je bij deze rij kooien te vertonen en waag het niet nog één keer langs mijn kooien te lopen.' En doordat ik de afgelopen tijd nogal humeurig was geweest en de dingen had overdacht die ik gedaan had, wierp ik er nog een brokje informatie achteraan dat zelfs hij niet verdiende. 'Ik heb al eens een man vermoord,' zei ik, 'en ik doe het met plezier weer. En nu opdonderen.'

De jongen werd bleek, draaide zich om en liep weg. Ik hield er een rotgevoel aan over, maar ik zou het met plezier weer gedaan hebben en het rotgevoel op de koop toe genomen hebben. Ik denk dat ik last heb van angstagressie, een uitdrukking die normaal gesproken voorbehouden is aan wilde dieren, maar die ook op sommige mensen van toepassing is.

Er gaan zes maanden voorbij. Ik zeg boe noch bah tegen hem. Doe net of hij er helemaal niet is. Het probleem is dat die kleine opdonder zo enthousiast en gedreven is dat hij me aan mezelf doet denken en als dat eenmaal gebeurt, is het lastig om je vijandigheid op een dusdanig niveau te houden dat die nog enig effect heeft. Plus dat hij duidelijk verzot op tijgers is en niet zo zuinig ook, en van dat soort zijn er maar zo weinig dat het moeilijk is niet aardig te zijn als je er een tegenkomt. Plus dat hij 's ochtends altijd als eerste op het werk is, wat heel wat wil zeggen als je bedenkt dat ik er al om kwart over zes ben, en ik hoorde dat hij er 's avonds om acht uur vaak nog is en de helpende hand biedt waar een helpende hand nodig is op een tijdstip dat ik al slaap. En verdomd als het niet waar is: de leeuwinnen zien er beter uit dan ooit.

Wat ik zeg, is dat er een klein oorlogje uitbrak in de ouwe Mabel. Aan de ene kant was hij duidelijk bezig mij het brood uit de mond te stoten, of hij dat nou wist of niet, dus was het niet meer dan normaal dat ik hem met de nek aankeek en verder niks. Aan de andere kant werkte hij zo verdomde hard dat hij echt een eigen nummer verdiende, vooral als je bedacht dat hij het allemaal al eens gedaan had bij die barbaar van een Beatty.

Het werd juli en oom Ben ging zoals altijd twee weken op vakantie naar de paardenrennen in Santa Anita om te gokken. Een paar dagen voor hij vertrok, kwam hij naar me toe en zei: 'Mabel, je hebt straks een hulpje nodig 's ochtends.'

'Ik weet het.'

'Ik heb Roger gevraagd.'

'Roger? Zei je Roger? O, nee. Geen sprake van. Geen sprake van dat die kleine gore Okie de spijlen van mijn kooien aanraakt met die grote hammen van hem. Ik wil het niet hebben, Ben, dat weet je.'

'Nou, Mabel,' zei hij op zijn gladste en meest kalmerende toon, 'we weten allebei dat Roger de enige kooihulp met tijgerervaring is en we weten ook allebei dat hij er de geschikste persoon voor is.' Hier liet ik een sputterend protest tegen horen, iets met een paar vloeken erdoorheen gevlochten, hoewel we allebei wisten dat hij gelijk had. In reactie daarop zei hij: 'Och, Mabel, maak je geen zorgen, ik heb zelf met Roger gesproken en heel direct tegen hem gezegd: "Luister eens, jongen. Probeer jij soms Mabels baantje in te pikken?" Je had zijn gezicht eens moeten zien. Pure afschuw. Hij begon te stamelen en zei: "O, nee, meneer Bennett, ik ben hier niet om haar baantje in te pikken. Ik ben hier om van haar te leren, alleen om van haar te leren. Waarom denkt u dat ik als haar kooihulp ben gaan werken? O, meneer Bennett, dat moet u niet denken, hoor." Dus ik zei: "Weet je dat absoluut zeker, Roger?" En hij zei: "Natuurlijk weet ik dat zeker. Beatty is dood en begraven en dat maakt Mabel Stark de beste dompteur ter wereld. Jezus, dat was ze misschien al toen Beatty nog leefde. Ik heb de Beatty-stijl geleerd en nu wil ik de Mabel Stark-stijl leren." Dat is wat hij zei, Mabel. Woord voor woord. En weet je wat hij nog meer zei? Hij zei: "Mabel Stark is een heldin en zoiets zou ik geen van mijn helden ooit aandoen." Je moet eens met die jongen praten, Mabel. D'r zit geen greintje oneerlijkheid bij.'

Dit was uiteraard allemaal flauwekul, al moet ik zeggen dat het vleiende flauwekul was, en als je iemand dan toch met flauwekul gaat bestoken, kun je die net zo goed optuigen met vleierij. Ik vertelde Ben nog een keer dat ik niet van plan was die kleine klerelijer ook maar in de buurt te laten komen van mijn schatjes, maar ik zei het met een halfhartigheid die aangaf dat ik me aan het bedenken was, zodat het tegen de tijd dat hij wegliep algemeen bekend was dat ik een nieuwe kooihulp had.

De volgende ochtend liet ik Roger zien wat hij moest weten, want, dacht ik, als ze dan toch van plan zijn hem mijn poesjes te geven, moet hij ze ook maar goed verzorgen. Hoe ik om halfzeven mijn gereedschap pakte en het in vaste volgorde op een vaste plek tegen de muur zette en hoe je kon zien of het in de goede volgorde stond door te kijken of het overeenkwam met de plekken waar de verf was afgeschuurd. Toen zetten we Goldie in de trainingskooi en Toby en Tiba in de piste, zodat we drie lege kooien hadden en we de katten konden laten rouleren om alle kooien schoon te maken. Tegen zevenen liet ik hem zien hoe hij de kooien moest vegen, iets wat hij vast al honderd keer gezien had, maar nooit op de Stark-manier, die benadrukte dat hij ieder vlokje zaagsel moest opruimen, omdat het in hun ingewanden blijft kleven als het op hun vlees terechtkomt, waardoor ze ernstig last van verstopping kunnen krijgen. (Stro is natuurlijk wat anders. Dat werkt als een schuurspons en maakt ze juist schoon als ze het binnenkrijgen. Het probleem is dat stro duurder is, dus je kan wel nagaan wat ze krijgen.) Nadat de kooien schoongemaakt waren en de katten er weer in zaten, laadden we de kruiwagen vol en liet ik hem zien dat sommige katten kieskeuriger zijn dan andere, dat Goldie graag een schouderblad had en Mommy alles weigerde behalve schenkels. Ik liet hem ook zien dat Prince en Khan gevaarlijk konden zijn, hoe ze konden uithalen naar de plankieren en het vlees van de vork scheuren.

Om kwart voor acht, toen alle katten tevreden lagen te knagen, trok ik dikke gele handschoenen aan en liet ik Roger zien hoe je het bloed uit de goten van de kooi moest spuiten en dan met een staalborstel de stukjes vet en talg moest wegborstelen, omdat die gaan rotten en ziektes kunnen veroorzaken als ze blijven zitten. Toen namen we een bak koffie – hij dronk hem zwart, wat ik een goed teken vond – en om kwart voor negen begonnen we de botten uit de kooien te halen en legden we zaagsel neer, waarbij we ervoor zorgden dat elke volle schep pal tegen het plankier lag, zodat de tijgers erbij konden en het zelf lekker konden verspreiden. Daarna vulden we de waterbakken, wat belangrijk is, omdat katten na het eten heel graag het bloed van hun bek en keel wassen. Om een uur of negen waren we klaar, de katten sliepen en Roger ging snel naar zijn leeuwinnen.

Nou. Had ik gekeken of hij tekenen van luiheid vertoonde? Of hij zijn handen niet vuil wilde maken? Of hij zichzelf misschien te belangrijk vond om goten te schrobben, omdat hij die littekens had én omdat hij met Beatty had gewerkt? Hoopte ik iedere dag dat hij een minuutje te laat zou komen, dat hij mijn hark op de verkeerde plek zou zetten of dat hij een ietsepietsie onoplettend was?

Zeker. Maar het probleem was dat de jongen een toonbeeld van hard werken en beleefdheid was en na verloop van tijd moet je iemand die zijn kaarten goed speelt wel bewonderen, ook al neemt hij je met die kaarten je geld af. Op een dag, nadat we de waterbakken gevuld hadden en ik op weg was naar Annie voor mijn eerste Hamm's van de dag, zei ik: 'Roger, wil je wat drinken?' Hij slikte zijn tong zowat in, zo verbaasd was hij.

We hadden al een hele tijd zwijgend aan een biertje zitten lurken, ik chagrijnig en hij bang om zijn mond open te doen, toen ik opeens dacht: jezus, dit is belachelijk.

'Roger. Zeg eens. Denk je dat de professor een nicht is?'

'Pardon?'

'De professor. Ik bedoel, die Ginger hangt dag en nacht met die joekels van memmen over hem heen, zo geil als een konijn, en toch houdt hij haar af. Ze mag dan zo subtiel zijn als een kanonskogel, maar allejezus, hij zit op een eiland met zeven mensen, zo kieskeurig kan hij toch niet zijn. Zelfs al ís het een nicht, dan nog moeten ze gaan hokken. Hij zou een goede invloed op haar hebben. Misschien kan hij haar een beetje temmen. Een baby bij haar maken. Ik heb heel wat homo's gekend in mijn leven en ik kan niet zeggen dat ik ze ooit aanstootgevend heb gevonden. Jezus, ik geef zelfs de voorkeur aan hun gezelschap; ze lijken niet die angst te hebben om dood te gaan zonder hun stempel op de wereld gedrukt te hebben, waardoor andere mannen altijd zo onbezonnen en egoïstisch te werk gaan.'

Roger keek me zo verbijsterd aan als ik nog nooit iemand had zien kijken. Het deed gewoon pijn om te zien; hij wilde zo graag iets bijdragen aan het gesprek of er in ieder geval iets van begrijpen.

'Roger', zei ik. 'Kijk je nooit naar *Gilligan's Island*?'

'Eh, nee, mevrouw.'

'Wist je niet dat Bob Denver hier in Thousand Oaks woont? Ik zie hem altijd als ik naar de supermarkt in Oakdale ga. En de schipper woont een stukje verderop, in Ventura. Jezus, Roger, waar heb je al die tijd uitgehangen? Zoek die zender maar eens op. Ik mag er graag een beetje over kwekken soms. Iedere avond om zeven uur zijn er herhalingen. Volgens mij vind je het wel leuk.'

De volgende dag, toen we gingen zitten voor mijn eerste Hamm's, zei ik: 'Nou, Roger, vertel op.' En weet je wat die druiloor zegt?

'Hij is met zijn werk getrouwd, meer niet.'

Heh heh heh. Ik moest lachen. Dat Roger dat zei. Met zijn werk getrouwd. Zou hij het over zichzelf hebben, denk je? Veertien uur per dag draaien, met een vrouw en een baby thuis, nota bene?

Ongeveer een week geleden heb ik het er in de pauze uiteindelijk uitgegooid.

'Roger,' zei ik, 'je zorgt goed voor mijn schatjes.'

'Wat bedoelt u?' vroeg hij uiterst onschuldig, geveinsd of niet geveinsd. Roger kennende, waarschijnlijk niet.

'Roger, jij hebt straks een tijgernummer, dat duurt niet lang meer.'

'Geen sprake van', zei hij toen het tot hem was doorgedrongen wat ik bedoelde. 'Ik wil uw baan niet. Geen sprake van dat ik degene ben die de beroemde Mabel Stark haar baan afpakt. Daar kan absoluut geen sprake van zijn.'

'Luister, Roger. Het africhten van grote roofdieren is een uitstervende bedrijfstak. Net als kolensjouwen of schoorsteenvegen. Niet bepaald wat je een groeisector noemt. Overal kom je die verdomde dierenbeschermingsgroepen tegen, iedereen heeft tv, je hebt pretparken zo groot als Rhode Island, waardoor zelfs circus Feld op het randje van een faillissement staat. Hoe kunnen dierennummers zich nog staande houden? Als je zeker weet dat je ergens gelukkig van wordt, moet je misschien dingen doen waar je niet trots op bent om dat te bereiken. Snap je?'

Hij knipperde met zijn ogen en zei ja, al denk ik eigenlijk dat hij het helemaal niet snapte.

Nee, nu ik erover nadenk, hij snapte het helemaal niet.

Voor de duidelijkheid: ik heb Dimitri Aganosticus en dokter Levine nooit meer gezien. Dimitri zal vast wel dood zijn nu en mocht ik er vandaag achter komen dat hij een langzame en voortijdige dood gestorven is, dan kan ik niet zeggen dat ik me daar erg druk om zal maken. Wat Levine betreft, ben ik er heilig van overtuigd dat hij een van de twee mannen was die echt iets om me gaven; de andere was mijn enige ware liefde, Art Rooney, de man die me zijn zij toekeerde en me leerde hoe dingen in elkaar zitten.

Jezus. Art. Vandaag de dag zou je bijna denken dat ik verslaafd ben aan de pijn die ik voel als ik aan hem denk, wat in zekere zin misschien ook wel zo is; als mensen de keus hebben tussen pijnlijke herinneringen en niets, kiezen ze volgens mij altijd de pijnlijke herinneringen. Ik vermoed dat die ze het gevoel geven dat ze ergens voor geleefd hebben.

Kijk, wat je moet begrijpen, is dat ik altijd als ik bij hem was mijn neus in dat holletje tussen kaak en neklijn stak en dan heel, héél diep inademde, waardoor hij begon te giechelen als een meisje (wat, dat geef ik toe, voor Art niet zo moeilijk was). Ik kon er bijna niks aan doen. Ik zou het zo weer doen, want waar hij naar rook, was... vertrouwdheid. Plekken die je als kind leuk had gevonden. Het eten dat je bij een picknick had gekregen. Vliegers. Koffie. We hadden allebei op een bepaalde leeftijd onze ouders verloren en denk maar niet dat je daar geen luchtje aan overhoudt.

(Een gratis advies? Als je iemand zoekt die bij je past, moet je eens bij dieren te rade gaan. Je loopt erheen, buigt naar voren en haalt je snufferd eens goed op.)

Godverdomme, doe ik het weer. Het verhaal vertellen alsof de tijd een kauwgumbal is in plaats van stromend zand. Je bent nú waarschijnlijk al in de war, niet dat je me het type lijkt dat gauw in de war raakt, hoor; dat bedoelde ik niet. Waar was ik? O ja, Levine. Dokter Levine. Wat me altijd verbaasd heeft, is dat hij nooit handtastelijk werd, nooit zelfs maar geprobeerd heeft handtastelijk te zijn, terwijl ik toch alleen en hulpeloos was en tot mijn oksels in warm water lag. Dat is een curieus gegeven, dat in tegenspraak is met mijn algemene opvatting over wat mannen doen als ze

de kans krijgen. Ik hoop vooral dat hij ergens leuk woont en dat hij een ge-
distingeerde grijze baard heeft en een vrouw die er nog goed uitziet voor
haar leeftijd en een hele rits kleinkinderen. Ik hoop ook dat hij nog steeds
achter mensen zit en naar hen luistert als ze hun ziel en zaligheid blootleg-
gen en dan af en toe zegt: 'Ik begrijp het. Ik begrijp het. Maar hoe voelde
u zich?' Dat te horen betekent dat er nog een greintje eerlijkheid is in deze
wereld en dat is een concept waar ik vandaag de dag best mee geconfron-
teerd wil worden.

Mijn volgende echtgenoot?

Dat was de Texaan.

4

De katoenmogol uit het Zuiden

Ik zag hem voor het eerst vanaf een boniseursverhoging in Beaumont, net over de grens met Louisiana. Ik herinner me dat, omdat hij het soort man was dat je wel móést zien; er was iets in zijn schouders en zijn trage zekere tred wat opviel. Plus dat hij een enorme suède cowboyhoed droeg. En omdat hij en zijn hoed zo opvielen, keek ik naar hem toen hij in z'n eentje achter in de Superba-tent ging zitten, wat ik vreemd vond omdat het een middagvoorstelling was met maar weinig toeschouwers en omdat mannen meestal zo dicht mogelijk op de voorstelling gingen zitten. Misschien wilde hij niemands uitzicht bederven, want hij was erg gehecht aan die hoed en toonde weinig animo om hem af te zetten. Of hij wilde niet gezien worden, wat overigens niet lukte, omdat hij, zoals ik al zei, de stille uitstraling van een ijsberg had, waarmee hij alleen maar de aandacht kon trekken.

De voorstelling begon en omdat we – ik en de vier andere Dansende meisjes uit Bagdad – nieuwsgierig waren, bleven we tijdens de eerste helft van het programma steeds naar hem gluren vanachter het gordijn. Bewegingloos keek hij naar de zwaardvechters, de messenwerpers, de Marokkaanse acrobaten, de Dansende derwisjen uit Constantinopel, de dwerg die op zijn hoofd kon staan terwijl hij op een kameel de piste rondreed en ten slotte de oude swami met de witte baard, die een cobra uit een mand lokte door iets afschuwelijk blikkerigs op een fluitje te spelen. Toen kwam de spreekstalmeester op, Ned Stoughton, die een korte pauze aankondigde, waarna de mooie, verleidelijke Dansende meisjes uit Bagdad de voorstelling zouden vervolgen. 'En in de tussentijd, heren, als u wilt en als u durft, heeft de Parker Amusement Company het genoegen u ter verstrooiing diverse soorten vermaak aan te bieden…'

Zwendelaars, met andere woorden. Drie mannen die zich aan opvouwbare tafeltjes, driepoten geheten, installeerden, een met het dopjesspel, een met de nummerloterij en een met driekaartsmonte. ('Hou de dame in de gaten, heren; het is reuze simpel, hou gewoon die prachtig mooie dame in de gaten.') Toen de oplichters eenmaal met veel tamtam aan het winnen waren, stond Jan Publiek er vijf rijen dik omheen, behalve mijn toekomstige echtgenoot, de man met de grote hoed, die er tevreden mee leek volkomen roerloos achter in de Superba-tent te zitten, met gevouwen handen denkend aan godweetwat. De prijs van katoen wellicht, of wat hij tegen zijn vrouw zou zeggen over waar hij de hele dag geweest was. De zwendelaars gingen ongeveer twintig minuten door en stopten net voordat er een dreigend sfeertje begon te ontstaan. Toen sprong Stoughton weer op het podium en zei: 'Showtime, heren, showtime.'

Waarmee hij ons bedoelde. We kwamen op en terwijl Sanjay en een bongospeler iets jankerigs en oosters speelden, deden wij een buikdans, wat destijds als een gave werd beschouwd: met je buik schudden en tegelijkertijd je borst en heupen zo stil mogelijk houden. Dit werd gevolgd door overdadig geschreeuw en gefluit van mannen die zich voor het merendeel gedroegen als brulapen, met als enige uitzondering mijn Texaan, die vanaf de tribune achter in de tent rustig en met zijn benen over elkaar geslagen toekeek en na elk nummer beleefd klapte, zo welgemanierd dat je bijna ging denken dat hij iets in zijn schild voerde. Na afloop stond hij op en liep met rechte schouders naar buiten, veel te bedaard voor een man die net naar een meisjesshow was geweest.

Hij kwam iedere avond en na een tijdje was het zonneklaar dat hij voor mij kwam. Natuurlijk was ik zelf niet degene die dat ontdekte, want telkens als ik een blik in zijn richting wierp, toonde hij net ergens anders belangstelling voor. Het waren de andere Dansende meisjes uit Bagdad die het me vertelden, want die merkten telkens als zíj zíjn kant op keken dat híj strak míjn kant op zat te kijken. Het was een theorie die ze de derde avond opperden en die op de vierde, vijfde en zesde avond werd bevestigd, waarna hij op onze laatste avond in het dorp tot simpel feit opgewaardeerd werd toen de man op weg naar buiten heel even naar me opkeek en een klein rukje aan de rand van zijn hoed gaf, wat, zoals ik later zou ontdekken, Texaans is voor: 'Ik vind uw aanwezigheid niet in het minst onaangenaam, mevrouw.'

We maakten de sprong naar Galveston, dat op korte afstand van Beaumont lag, en ook daar kwam hij opdagen.

Tja. Als een meisje er zo uitgepikt wordt, kan dat tot gevolg hebben dat ze zich voortdurend bewust is van wat ze doet en in het bijzonder van wat ze draagt, in mijn geval lamémuiltjes, waarvan de tenen uitliepen in een punt ter dikte van lampenkatoen die met een achterwaartse salto omkrulde; een wijde harembroek, waarvan het materiaal net niet dun genoeg was om doorheen te kijken, al scheelde het weinig; een met kleefpasta op zijn plaats gehouden neprobijn in mijn ontblote navel; een met lovertjes bezet haltertopje, dat zo strak om mijn ribbenkast en bovenarmen zat dat er altijd rode striemen achterbleven. Boven mijn sluier, die met elastiekjes om mijn oren vastzat, waren mijn ogen uitvergroot met een hoeveelheid make-up die je in die tijd nergens anders zag (althans niet op nette plaatsen). Als laatste moest ik mijn haar hoog opsteken en er een lang geel lint omheen wikkelen, ongeveer zoiets als een bloemenmeisje bij een trouwerij draagt. Dat was het belangrijkste deel, legde Stoughton uit, omdat het een onschuldig tintje aan het kostuum gaf, waarbij vergeleken de rest er extra sletterig uitzag.

Iedere avond en bijna iedere matinee zat mijn bewonderaar in het publiek, achterin, een man in een mooi pak met slangenleren laarzen en een hoed gemaakt van zachte suède, en soms zag je hem kijken hoe laat het was op een zakhorloge dat hem een aardige duit gekost moest hebben. Alles bij elkaar gaf het hem een aura van raadselachtigheid, aangezien het een feit is dat wat vrouwen het leukst vinden aan mannen in het algemeen juist datgene is waar ze hun vinger niet achter kunnen krijgen. Als hij me vanachter uit de tent gadesloeg zonder met zijn ogen te knipperen, wist ik nooit helemaal zeker of hij iemand was die me goed zou kunnen beschermen of iemand tegen wie ik beschermd moest wórden, en juist die combinatie greep mijn aandacht.

Uiteindelijk ontmoetten we elkaar op de laatste avond dat we in Galveston waren. Ik kwam de hoek van de tent om, op weg naar een kop koffie bij de gebakkraam, en liep hem regelrecht in de armen. Hij was zo breed dat zijn schaduw twee keer zo dik was als de mijne en heel even had ik het gevoel dat ik in de slagschaduw van een zonsverduistering terecht was gekomen.

Hij nam langzaam zijn hoed af en voor het eerst zag ik hem van dichtbij. Zijn gezicht was rechthoekig, waarbij kaak en voorhoofd een flink deel van het oppervlak besloegen, en zijn zandkleurige haar was zo kort dat het als een harde borstel rechtovereind stond. Hij was niet knap, maar kwam in de buurt met dat ruige uiterlijk dat je krijgt als de zon rimpels rond je ogen heeft gebrand. Plus dat hij al wat ouder was, waarschijnlijk van Dimitri's leeftijd. (Tip voor vrouwen: als je oudere mannen wilt aantrekken, zorg dan dat je vader op je dertiende doodgaat. Dat kunnen ze praktisch aan je ruiken.)

Hij stond daar maar een beetje te staan en liet die grote hoed van geborsteld suède langzaam in zijn handen ronddraaien tot ik ten slotte zei: 'Kan ik u ergens mee helpen, meneer?'

'Nee, juffrouw', zei hij met een stem zo diep als een mijnschacht. 'Ik wilde u alleen maar zeggen dat ik erg van uw dans genoten heb.'

'Dank u.'

'Ik vind u de beste van het stel.'

'Nou. Nogmaals bedankt.'

'Nee, echt, juffrouw. Ik meen het.'

Het bleef een paar tellen stil. Ik denk dat hij hoopte dat ik het gesprek zou voortzetten, een klusje dat Texaanse mannen meestal aan vrouwen overlaten. Het enige wat hem ten slotte restte, was zeggen: 'De naam is Williams. James Williams. Uit Beaumont, Texas. Aangenaam.'

'Ik heet Mary Aganosticus.'

'Vreemde naam.'

'Vreemde wereld.'

Hij glimlachte, waardoor een hele rits rimpels die ik niet eerder gezien had in één klap tot leven kwam. Toen zette hij zijn hoed weer op, tikte tegen de rand en beende weg. Later die avond trokken we naar Pasadena, net buiten Houston, en hij ging terug naar wat het ook was dat hem bezighield als hij niet een plekje op de achterste rij bij een Superba-voorstelling bezet hield.

Nadat we uiteindelijk uit Texas waren vertrokken (je kunt er maandenlang verdwalen, zo groot is het), brachten we de winter door in Arizona, New Mexico, Nevada en Zuid-Californië, waarvan de eerste twee toentertijd nog niet eens bij de Verenigde Staten hoorden, zodat het was of je een ander land bezocht, met ander geld, ander eten en een ander soort huizen. Toen de lente zich aandiende, wat in een stad als San Diego soms al half februari gebeurt, trokken we naar het noorden. Bij die voorstellingen leerde ik vooral hoe ik me moest aanpassen, wat niet al te moeilijk was, omdat een circus niet zoveel verschilt van een gekkenhuis. Als mensen over zichzelf praatten, hoorde je min of meer dezelfde verhalen als die je in het gekkenhuis hoorde, bijvoorbeeld. Trieste verhalen vooral, gekruid met ruime doses slechte planning. Aangezien ik al gewend was om in een kamer vol anderen te slapen, viel het me niet moeilijk om een coupé te delen met de andere Dansende meisjes uit Bagdad. Het eten was om te huilen, alles in poedervorm of gedroogd, zonder fruit of iets wat aan melk of vlees verwant was, maar ook daar was ik aan gewend.

In het ziekenhuis had ik wel een plek voor mezelf als ik alleen wilde zijn. Op wandelochtenden, als de gekken naar alle kanten uitwaaierden, slenterde ik naar een grote oude wintergroene eik met een U-vormige tak, die eerst even het gazon beroerde voordat hij afboog naar boven. Daar ging ik zitten. Als ik met mijn rug naar het ziekenhuis zat, bestudeerde ik de openingen in het bos, de knoesten in het houten hek of de verschillende soorten vogels, die naar wurmen pikten na een nachtelijke regenbui. Als ik met mijn gezicht naar het ziekenhuis toe zat, keek ik hoe de stevig gebouwde oppassers, merendeels voormalige boerenknechten, de gekken bijeendreven. Dat was een probleem op zich, want zodra een patiënte was teruggebracht naar het midden van het gazon, liep ze meestal even hard weer weg als de oppasser een ander ging pakken, met als gevolg dat de oppassers na verloop van tijd ongeduldig werden, terugvielen op grove taal en de gekken als een baal gierst over hun schouders gooiden, enkel om ze een minuutje op één plek te houden.

(Nog een tip? Grijp de lach in je leven waar je hem grijpen kan.)

Bij een circus werkt het net zo, waarmee ik bedoel dat mensen een rustig plekje voor zichzelf zochten. Anders liep je door de constante herrie en alle mensen om je heen het risico gek te worden, met alle reeds door mij beschreven gevolgen vandien. Het heet 'een hoekje voor jezelf vinden' en na verloop van tijd weten ook anderen waar jouw hoekje is en respecteren ze het.

Het mijne was een eind bij het centrale plein vandaan, op de plek waar de wilde dieren tentoongesteld werden, naast de kooi waarin een grote ouwe Siberische tijger zat, Royal genaamd. Het was de eerste tijger die ik in mijn leven zag, wat nog niet verklaarde waarom ik erdoor aangetrokken werd, want olifanten, leeuwen, zebra's, kamelen, luipaarden, Friese paarden, Siciliaanse pakezels, bruine beren, anaconda's, tapirs, mandrils, kaketoes, Amerikaanse zeearenden, dalmatiërs, yaks, gilamonsters of dwergnijlpaarden had ik evenmin ooit gezien. En mocht dat raar klinken, dat iemand tweeëntwintig kan worden zonder ooit een wild dier te hebben gezien, dan moet je niet vergeten dat er vroeger amper dierentuinen waren. Alleen reizende menagerieën, en als er al één naar Princeton was gekomen, zouden mijn ouders het te druk gehad hebben met het oplopen van tbc of uiteengereten worden door een landbouwmachine om er samen met mij heen te gaan.

Nou, met een Siberiër met sterke botten en ronde poten, net als een Bengaal, heb je het meest schitterende dier in huis dat je ooit hebt gezien, want ze kunnen dik driehonderdvijftig kilo wegen en een vacht hebben die net zo oranje is als de grond van New Mexico. Maar de meeste zijn anders. De meeste neigen naar de schriele kant van het spectrum, met een lange doorgezakte ruggengraat, zodat hun buik heen en weer zwabbert bij het lopen. Hoog op de poten en een beetje dommig, zo kun je de meeste Siberiërs wel omschrijven, wat de reden is waarom ze meestal als opvulling gebruikt worden bij voorstellingen. Royal was geen uitzondering, een wandelende zak botten was het, maar met ogen zo groen als juwelen en het waardige karakter dat alle tijgers hebben. Ik kwam altijd aan het eind van de dag, als de meute weg was, en hield hem gezelschap; ik las een boek, zat te breien of at een broodje uit de veldkeuken, terwijl die eenzame ouwe tijger aan een paardenkluif lag te knagen. En soms nam ik opzettelijk niks mee om mezelf te dwingen een beetje na te denken; ik wist toen nog niet dat het beste denkwerk meestal plaatsvindt als je in beslag genomen wordt door kleine, zich herhalende bezigheden.

Na verloop van tijd raakte ik dan gefrustreerd en zei hardop: 'Wat denk je dat me te wachten staat, Royal? Iets goeds? Iets waarvoor ik zou willen blijven? Hoe kom je daar in godsnaam achter?' Hierop gromde hij of hij deed niets of hij kauwde wat harder of liet een laag raspend *grrrrrrrr* horen, wat in kattentaal altijd hetzelfde betekent: Ik ben een tijger. Neem me serieus.

De reden dat ik dit allemaal vertel, is dat ik door mijn zwak voor Royal de man leerde kennen die het wildedierennummer deed. Voordat we elkaar ontmoetten, had ik hem al zien werken: een goed geproportioneerde man met een duffelse jas aan en een strohoed op, die de verzorgers opdroeg die of die tent schoon te maken of dat en dat dier extra voer te geven of om de schurft van deze of gene olifant af te schrobben. Heel lang zeiden we nooit wat tegen elkaar, want hij was een van de bazen en ik maar een dansmeisje en het was niet aan mij om over die scheidslijn heen te stappen. Maar op een dag, toen ik ongeveer een maand bij het circus was, leek hij juist dat heel graag te willen doen, want hij kwam naar me toe, glimlachte en plofte naast me neer. Hij had een oude neger bij zich, die er wat nerveus uitzag en zich een beetje afzijdig hield.

'Zeg eens. Toen je klein was en naar het circus ging, wat bleef je daarna het langst bij? De clowns? De acrobaten? De kermisattracties? Misschien. Misschien niet. Ik zal je zeggen wat mij het langst bijbleef. De dieren bleven me bij. De olifanten, het gebrul van de leeuwen, de hond met de pony, de dansende beren. Klopt dat?'

Het was zo'n abrupte binnenkomer dat ik niets beters wist te doen dan de vraag serieus te beantwoorden.

''k Zou het niet weten', zei ik tegen hem. 'Ik ben als kind nooit naar het circus geweest.'

'Jezus', zei hij lachend. 'Die neusklank. Je komt echt uit Kentucky, hè?'

'Jazeker.'

'Ik zal proberen het je niet aan te rekenen.'

'Dat zou ik op prijs stellen.'

'Ik ben Al G. Barnes. Lucky Barnes, noemen ze me ook wel. Dit is mijn slimme knecht, Dan.'

Ik had de pest in, want ik heb nooit goed tegen plagen gekund, een slechte eigenschap, dat weet ik, maar een eigenschap die ik nu eenmaal heb. Dus zei ik alleen maar: 'Ik weet wie u bent.'

Al G. zat nog steeds grinnikend naar een plek ergens tussen dichtbij en veraf te kijken. Ik had het idee dat hij het wel leuk vond dat ik een beetje moeilijk deed, wat een karaktertrek is van mannen die voor het succes geboren zijn: ze zien problemen als spelletjes in plaats van als hindernissen, alsof het maar kruiswoordpuzzels in de krant zijn. Na een poosje schoof hij een stukje dichter naar me toe en hervatte hij het gesprek op aanmerkelijk zachtere toon. Dit dempen van de stem was een teken voor Dan, van wat precies weet ik niet, maar binnen een paar tellen maakte Al G.'s slimme knecht zich langzaam maar zeker uit de voeten, tot hij er simpelweg niet meer was. Zelfs Royal draaide zich om en ging liggen (en liet een wind).

'In dat geval', zei Al G. Barnes, 'zal ik er niet omheen draaien. Ik heb gisteravond de Superba-show weer eens gezien. Schitterend. Jij hébt iets, Kentucky... iets wat ik niet helemaal kan plaatsen, maar het is precies wat die show nodig heeft. Artiesten met een bijzondere uitstraling. Iets intrigerends. Aantrekkingskracht met een hoofdletter A. Plus die buik van je; platter dan Iowa, vooral als je bedenkt wat erboven en wat eronder zit. Ik denk dat ik maar eens een babbeltje ga maken met Con T. over jou. Misschien dat-ie je wat beters kan laten doen. Iets waar je wat meer mee verdient.'

'Wilt u dat echt doen?'

'Dat wil ik zeker doen. Ik gá het doen. Ik doe het morgen. Dus. Wat dacht je van een zoentje?'

Nou zijn er twee soorten rokkenjagers. Je hebt er die het doen omdat ze nooit ouder dan zestien zijn geworden en je hebt er die het doen om je bang te maken. Al G. was de minst aanstootgevende van de twee, daarom liet ik me een minuutje door hem zoenen, vooral omdat ik me de afgelopen tijd wat eenzaam had gevoeld en geen bezwaar had tegen wat aandacht. Zijn lippen waren warm en teder en zoals alle knappe mannen concentreerde hij zich meer op zijn zoentechniek dan op de persoon die hij zoende. Toch vond ik het niet erg – menselijke warmte is tenslotte menselijke warmte – tot ik zijn rechterhand in mijn blouse voelde glijden en hem met zijn wijs- en middelvinger in mijn tepel voelde knijpen. Dit liet ik twee à drie tellen toe, wat lang genoeg was om me een raar gevoel te geven, want ik wist absoluut zeker dat Al G. op zijn minst één vrouw had van wie iedereen wist en een van wie ze net deden of ze het niet wisten. Daarom duwde ik zijn hand weg en zei bij wijze van verduidelijking: 'Je hebt wel wat van mijn eerste man.'

'Is dat erg?' vroeg hij.

'Heel erg', antwoordde ik, waarbij ik veinsde het amusanter te vinden dan in feite het geval was.

Zonder een spier te vertrekken tuurde hij in de niet al te verre verte en zei: 'Als alles goed gaat, heb ik volgend jaar weer mijn eigen bedrijf. Drie pistes met énkel dierenvoorstellingen. Ik heb een paar tegenslagen gehad, maar let maar eens op. Wat vind je hiervan: *De show die anders is*? Bekt wel lekker, vind je niet?'

Ik zei dat ik het mooi vond, in weerwil van wat ik werkelijk dacht: goeie hemel, alsof hij zijn lippen niet net op de mijne gedrukt heeft en niet met zijn handen aan mijn borsten heeft gezeten. Het was alsof het helemaal niet gebeurd was. Op dat moment wist ik dat Al G. alles zou doordrijven waar hij zijn zinnen op gezet had, aangezien hij het zeldzame en wonderlijke talent had om de geschiedenis een andere wending te geven, wat onontbeerlijk is voor de kunst om een menigte te vermaken.

Uiteraard verwachtte ik niet dat hij echt met Con T. zou gaan praten, aangezien *Ik-ga-met-de-baas-over-jou-praten* een welbeproefde manier was om jonge ontvankelijke vrouwen zover te krijgen dat ze hun hartje openden of liever gezegd hun benen spreidden. O, wonder der wonderen, de dag daarop zag ik Con T. Kennedy, de bedrijfsleider van het Great Parker Carnival, afdeling twee, en zwager van C.W. Parker in eigen persoon, pal op de eerste rij zitten. Hij at pinda's uit de kermiskraam en hield zijn blik strak gericht op wat mijn buik deed. Later die dag stuurde hij iemand langs om me te halen. Ik ging naar zijn tent. Hij rookte een sigaar zo groot als een komkommer en at tegelijkertijd een hotdog van vergelijkbare grootte. Bedrijfsleiders van circussen en kermissen deden er destijds alles aan om op John Ringling te lijken, inclusief dik en impulsief worden.

'Mary,' zei hij, 'ga zitten.'

Ik ging zitten.

'Ik zal er geen doekjes om winden' – op dit punt haalde hij zijn sigaar uit zijn mond en wees met het natte eind in mijn richting. 'Ik heb de voorstelling vandaag gezien en Al G. heeft gelijk. Jij hebt een houding die het andere geslacht boeit. Er zit iets bitters in jou en ik durf er mijn laatste dollar om te verwedden dat je dat door schade en schande hebt opgelopen. Heb ik gelijk of niet? Zeg maar niks, ik hoef het niet te weten. Ik weet alleen dat het er is en dat het klanten op de gedachte brengt dat er moeilijkheden rijzen als ze met jou rotzooien, waardoor juist dat idee zich in hun hoofd vastzet en niet meer weggaat. Rotzooien met jou. Niet met de andere meisjes. Met jóú!'

Ik zat met mijn ogen te knipperen.

'We moeten iemand hebben die aan het eind van de avondvoorstelling een slangendans doet. Iets wat het een echte impuls geeft. Vanaf nu krijg je zes dollar per week.'

Hij boog zich voorover, trok aan zijn sigaar en begon iets in een schrift te krabbelen. Ik wachtte tot hij zijn zwijgen zou verbreken en zou aangeven dat het onderhoud ten einde was. Uiteindelijk begreep ik dat we klaar waren, dus stond ik op en liep naar buiten.

Diezelfde avond. De kleine miss Mary Haynie uit Princeton schuine streep Mary Aganosticus uit Louisville loopt met zwartgeverfde haren en haar ogen opgetuigd met valse wimpers zo lang als lucifers een volkomen donker toneel op. Voor me hangt een scherm van zulke fijne stof dat je er half doorheen kunt kijken als er licht op schijnt. Als ik mijn kamerjas laat zakken, aan het zicht onttrokken door het scherm, ben ik zo naakt als op de dag dat ik geboren werd en is mijn lichaam slechts gehuld in de warme naar bier ruikende tentlucht. Ik kan hem praktisch vóélen op mijn blote huid, een gevoel dat me beangstigt en tegelijkertijd opwindt. Achter me steekt Ned Stoughton een kaars aan, die hij vergroot door hem achter glas te zetten, zodat mijn silhouet op het scherm voor me valt, en terwijl hij dat doet, sluit ik mijn ogen en stel me de lome manier voor waarop Royal zich beweegt als hij ergens op loert; het is praktisch een soort vloeien, meer muziek dan beweging, en ik vertolk die beweging, kronkelend en draaiend op zo'n prikkelende manier dat een ruimte vol mannen in een ruimte vol stille jongetjes verandert. Ze geven geen kik. Ze zitten in feite alleen maar te staren, alsof ze in een kerk zitten in plaats van in een tent die stinkt naar sigarenrook, de walm van petroleum en de zweetlucht van mannen die net een week huishoudgeld verbrast hebben. Ik houd de hele tijd mijn ogen dicht, ik voel me licht in het hoofd en warm en machtig, wat een raar gevoel is als je in je blootje voor een tent vol mannen danst van wie een ruim percentage zijn hoed op zijn schoot heeft gelegd uit angst om in verlegenheid te geraken. Na precies zeven minuten snuit Stoughton de kaars en doe ik mijn kamerjas weer aan en sluip weg voordat de petroleumlampen aangestoken worden en de klanten elkaar zien, ongelovige mannen met rode ogen, die wilden dat ze een andere vrouw hadden om naar terug te gaan.

Al gauw werd ik een van de bekendere Little Egypts in een circuit vol Little Egypts, terwijl de posters van het Great Parker Carnival vermeldden dat ik honderdtien procent authentiek was en dat je je niet door na-apers moest laten bedotten. Het was mijn eerste kennismaking met roem en geenszins onplezierig. Ik begon complimentjes te krijgen en fanmail, dozen chocola, uitnodigingen voor etentjes en er werden artikelen over me geschreven in de plaatselijke kranten, waarvan sommige met de strekking dat ik een artistieke aanwinst was voor het pikante variété, sommige dat ik het kwaad in kwadraat was en sommige mijn voorstelling zelfs traceerden tot de divanshows van de oude zijderoute. En o, de bloemen. Rododendrons in St. Louis. Narcissen in Fort Smith, Arkansas. Gladiolen in Albuquerque. Rozen in Bismarck (hoe ze eraan kwamen daar, zal ik wel nooit aan de weet komen). Lelietjes-van-dalen, ontelbare bossen, van een industrieel in Jefferson City, Missouri. En dat is alleen nog wat ik me herinner. Als het een avondvoorstelling was en we in een stad waren die het voor de wind ging, stonden ze er zodra ik klaar was met het nummer: boeketten zo groot als ondergetekende, meestal met een liefdesbriefje erbij van een of andere rijke vent, die niet zozeer smoor op mij was als wel op het beeld van mij.

Ze vroegen of ze me mochten ontmoeten. En Stoughton zei dan met die diepe adamsappel-stuwende stem van hem dat ze moesten ophoepelen. Ik mocht als Little Egypt met niemand praten en niet aan vreemden bekennen dat ik niemand minder dan Little Egypt was of anderzijds laten merken dat ik hoogstvertrouwd was met de slangendans, want ik hoefde mijn mond maar open te doen of men zou ontdekken dat de beroemde Little Egypt een kleine boerentrien van het platteland van Kentucky was. Het is jouw taak, zei Stoughton, om het raadsel te bewaren. Het is mijn taak je daarbij te helpen.

Tenzij er geld in het spel was natuurlijk.

Dat werkte als volgt. De belangstellende heren betaalden Stoughton wat Stoughton dacht dat hij van hen los kon krijgen, wat kon variëren van vijfenzeventig cent in een staat als Mississippi tot wel zes dollar in een welvarende staat als Californië. En naderhand deelden we dat. Dat was ons extra bonusje, wat circusartiesten een opsteker noemen. Voor het eerst van mijn leven hield ik geld over.

Als het entreegeld betaald was, leidde Stoughton de man een voedertent binnen, waaruit we de zakken voer hadden weggehaald en die we opgetuigd hadden met divans en sluiers en enorme zijden kussens en andere winkelartikelen die er Arabisch uitzagen. Gekleed in harembroek en sluier lag ik daar op een stapel kussens in een tros druiven te happen, terwijl de man iets stamelde als: 'Hm, ja, miss Egypt, ik wilde alleen maar zeggen dat ik erg van uw voorstelling genoten heb en dat ik uw dans erg mooi

vond en ik vroeg me af of u, als u vanavond vrij bent, met mij…' Ondertussen deed ik niets anders dan pruilen, met mijn hoofd steunend op mijn
rechterhand en mijn linkerheup uitdagend omhoog gestoken, en juist
van de aanblik van die heup zo dichtbij kreeg de kinkel het zo benauwd
dat hij nauwelijks uit zijn woorden kon komen. (Wonderlijk, hoe makkelijk een man op stang te jagen was in 1911.) Na een minuut trok ik langzaam een wenkbrauw op alsof ik wilde zeggen: Ik? Met jóú?

Dit was Stoughtons idee, het gevolg van zijn opvattingen over Jan Publiek. Nooit heeft er iemand vervelend gereageerd op mijn lompheid of
iets anders gedaan dan het hoofd buigen en me bedanken voor mijn tijd,
terwijl ze excuses mompelend achterstevoren de tent uit liepen. Stoughton legde uit dat dit kwam omdat die kinkels juist wilden dat ik dat deed,
omdat het strookte met het algehele aura van Little Egypt. Als ik een uitnodiging had aangenomen, zouden ze meteen geweten hebben dat de beroemde sirene van Caïro niet echt bestond, dus in feite deed ik ze een plezier door ze als oud vuil te behandelen.

Nadat we via Louisiana Texas in geglipt waren en ons eerste optreden in
Port Arthur hadden gehad, hoorde ik van Stoughton dat er een man was
die me wilde ontmoeten. Snel richtten we de Egyptische tent in. Een paar
minuten later ging de tentflap opzij en wie kwam er binnen? Niemand
minder dan de Texaan. We stonden elkaar aan te kijken. (Nou ja, hij stond
en ik lag, maar door het air van superioriteit dat ik, gekleed als Little
Egypt, uitstraalde, voelde het andersom.) Hij had bloemen bij zich, een
dozijn rozen, en het enige wat hij deed, was ze neerleggen, me een knikje
geven en weggaan. Hij zei geen woord. Ik denk dat hij het op die manier
wat waardiger vond.

De volgende dag kwam hij weer; zijn gedrag was min of meer hetzelfde. Hij legde de bloemen neer en nam me vrij lang op, alleen zei hij
deze keer voordat hij tegen zijn hoed tikte en wegging: 'Ik vind het echt
prachtig zoals u zich op dat podium beweegt, miss Egypt', waarop ik
hem met trillende wimpers liet weten dat hij kon gaan. De volgende keer
dat hij kwam, was het precies hetzelfde liedje, alleen zei hij toen: 'Ik vind
het echt prachtig om u te zien dansen, miss Egypt', en de keer daarop
was het: 'Ik zou u graag wat beter willen leren kennen, miss Egypt' (al liet
hij bij die zin zijn kin – met kuiltje – zakken als een man die zich schuldig
acht aan heftige emoties). Ik keek hem hooghartig aan en trok mijn wenk-

brauwen op, zodat mijn hele houding *niet te geloven,* zeg uitstraalde.

Hij vertrok, maar kwam de volgende avond weer opdagen, gekleed in een van zijn dure pakken en een veterdas, om een boeket bloemen te overhandigen. We trokken verder naar Baytown en hij bleef komen, terwijl hij zich ook niet echt liet weerhouden door de tocht naar Houston en dat wil heel wat zeggen als je bedenkt dat interstedelijk verkeer in de verste verte niet zo eenvoudig was als nu.

Zijn eerste aanzoek luidde ongeveer: 'Ik vroeg me af, miss Egypt, of u en ik eens zouden kunnen afspreken, buiten het circus, bedoel ik', een voorstel dat de avond erop omgekneed werd tot: 'Ik dacht zo, miss Egypt, misschien wilt u mij eens komen opzoeken in Beaumont; ik heb een erg leuk huis en ik ken een heleboel leuke mensen.' En toen, ergens halverwege de serie optredens in Houston, verraste hij me met die trage compacte Texaanse houding van hem.

'Laat ik er maar eerlijk voor uitkomen, miss Egypt. Ik ben hier om u een aanzoek te doen.'

Nou kon ik dit spelletje maar beperkte tijd volhouden, vooral toen ik begon te beseffen hoeveel geld die arme man uitgaf voor het voorrecht om mij telkens een minuut lang druiven te zien eten. Eerlijk gezegd werd ik het zat (of liever gezegd, ik werd hém zat), dus wat kon ik op de avond dat hij zich daadwerkelijk op één knie liet zakken en een huwelijksaanzoek deed anders doen dan in lachen uitbarsten en zeggen: 'Luister, meneer. Om te beginnen heet ik niet miss Egypt. Ik heet Haynie, Mary Haynie, en ik kom uit Kentucky, het lelijkste deel nota bene. Dit is allemaal nep, een kostuum. Er ís geen Little Egypt, die bestaat niet. Ik ben een verzinsel. O, en tussen twee haakjes, we hebben elkaar vorig jaar ook al eens ontmoet, maar dat zie je niet vanwege die sluier.'

Nou. Weet je wat die grote domkop deed? Hij keek me aan met die sombere Texaanse ogen van hem – net grijze luchten waren het –, liet zijn hoed ronddraaien in die grote verweerde handen en zei: 'Dat begrijp ik, juffrouw.'

Ik zal niet beweren dat dit geen effect op me had, want dat had het wel; de kunst om te verrassen is namelijk iets wat vrouwen maar moeilijk kunnen negeren. Tegelijkertijd had ik absoluut geen plannen om ervandoor te gaan en te trouwen, hoe rijk de huwelijkskandidaat in kwestie ook mocht zijn, gezien mijn algehele gebrek aan belangstelling voor mannen en de vieze smaak die ik nog in mijn mond had met betrekking tot de gezegende huwelijkse staat. In plaats daarvan dacht ik: ach, wat maakt het uit; ik liep naar hem toe en ging op mijn tenen staan. Op die manier was ik net lang genoeg om snel een droog kusje op zijn wang te planten, zo'n soort kus als je je zus bij haar huwelijk zou geven.

'Je moet niet meer terugkomen, oké? Ik meen het, dit is allemaal onzin.'

Hij keek me verdrietig aan, zo lang als het duurt om drie keer langzaam met je ogen te knipperen. Toen beloofde hij niet terug te komen als dat was wat ik wilde, maar voordat hij wegging, gaf hij me een kaartje en zei dat ik hem een telegram kon sturen als ik ooit van gedachten zou veranderen, zelfs 's nachts, om te laten weten dat ik kwam en dat hij hoe dan ook voor me klaar zou staan. Toen gaf hij me een zielig hoofdknikje en ging weg, terwijl ik met grote ogen naar een in goudreliëf gedrukt visitekaartje staarde, waarop stond:

James Williams III
Investeringen en lijfrentes

Het was zo'n moment waarop er een gedachte in je hoofd opkomt waar je niet trots op bent, een gedachte die je met verbazing en meer dan enige zelfverachting onderzoekt, voordat je hem verjaagt.

Bewaar dat kaartje, Mary.

Het was dat jaar zo heet en stoffig dat we tegen de tijd dat we op onze laatste locaties in de Panhandle aankwamen het gevoel hadden dat we ertoe veroordeeld waren de rest van ons lieve leven in Texas rond te dwalen. Iedereen was het zat, iedereen was geïrriteerd en rusteloos; dat gebeurt gewoon als je circusartiesten dwingt te lang op een en dezelfde plek te blijven; het voelt als gevangenschap en dat gaat ze de keel uithangen. De dieren waren nerveus en verhaarden, veel van de werklieden dronken en degenen die niet dronken, vertrokken, waardoor Con T. meer staakdrijvers en losse werklui moest inhuren uit plaatselijke pensions en die dronken non-stop, dat lag nou eenmaal in hun aard.

Zet je een groep nuchtere mannen naast een groep dronken mannen, dan voelen de nuchteren zich tekortgedaan en geloof me, waar mannen meer dan wat ook ter wereld een hekel aan hebben, is het gevoel dat ze tekortgedaan worden. Dat is hun grootste zwakte. Dan worden het echt huilebalken, waarschijnlijk doordat ze door hun moeder altijd verwend werden. De dronkenschap verspreidde zich natuurlijk naar de stalknechten, de kermisexoten en een behoorlijk aantal artiesten, met als gevolg dat we toen we Lubbock binnenreden allemaal kortaangebonden en chagrijnig waren en de mannen bovendien last hadden van hoofdpijn en trillerigheid.

Lubbock. Jezus! Het was bijna bijbels in zijn verschrikkelijkheid en aangezien ik een vrouw ben die de bijbel meer dan eens gelezen heeft, weet ik waar ik het over heb. Toen de stopfluit klonk en we allemaal uit het raam van de trein keken... tja, toen steeg er een diepe zucht op. De stad was laag en lelijk en gehuld in een stofwolk met de kleur van geronnen bloed. Toen we uitstapten, werd het nog erger, want Lubbock stond op het programma in dezelfde tijd van het jaar waarin de Panhandle opgevreten werd door sprinkhanen en terwijl wij onze bagage naar de wagens brachten, gingen die rotbeesten aan de slag; ze fladderden in ons haar, liepen over onze kleren, kropen onder onze overhemden en produceerden een akelig wellustig gebrom door hun dikke kikkerlange achterpootjes tegen elkaar te wrijven. Iedere inwoner die het zich kon veroorloven binnen te blijven, wás binnen, wat betekende dat we de stad praktisch helemaal voor onszelf hadden. Het leek wel een spookstad. In Main Street was het volkomen stil, althans, het zou stil geweest zijn als er niet een warme prairiewind had gestaan, waarin papier, takjes en bruinrood stof opdwarrelden. Het nestelde zich in je mond en in je haar, je stikte er zowat in, zodat zelfs de geheelonthouders van de groep op het dichtstbijzijnde bier af stoven.

En ik ging mee. Het café heette de Town Inn, een grote oude gelagkamer, waar alleen een paar Lubbockers wat zaten te drinken toen de hele bezetting van het Parker Carnival naar binnen stroomde. Alles wat er aan gesprekken gevoerd werd, viel stil, aangezien stadsmensen circusklanten meestal als ongewassen zigeuners beschouwen, die hun kleren van de waslijn stelen, een idee dat alleen wat het zigeunergedeelte betreft niet klopt; in al mijn jaren bij het circus ben ik nog nooit een echte zigeuner tegengekomen, al is het waar dat we net zo leefden. Enfin. Toen de barkeeper zag dat we geld hadden, begon de biertap te stromen en vulde het vertrek zich weldra met gebabbel. Ik zat bij de andere Dansende meisjes, al was hun vriendelijkheid wel wat bekoeld sinds ik tot Little Egypt was benoemd. Maar het was een dag waarop wij meisjes een front moesten vormen, want van alle mensen die in dat café bier zaten te drinken om hun somberheid te vergeten, waren wij, de dansmeisjes, veruit de somberste, omdat Lubbock bekendstond als een stad waar vaker wél dan niet een beroep op de danseressen werd gedaan om te helpen de smeergeldrekening te vereffenen. Terwijl we daar zaten te zuipen, wisten we dat Con T. bij de hoofdcommissaris zat om de details uit te werken, aangezien de politie van Lubbock zo vals en dronken en zelfingenomen was dat ze weigerden met de vooruitgestuurde medewerker te onderhandelen en erop stonden met de baas zelf te praten.

Een uur later kwam de oproep: Con T. wilde met me praten. Toen ik naar Con T.'s tent liep, had ik een beetje hetzelfde gevoel als toen ik naar die bloederige hoop op die onbewerkte tabaksakker liep en niets me ervan kon overtuigen dat het mijn moeder was tot ik haar van dichtbij zag. Ik zou met een dikke vette zuidelijke smeris moeten neuken. Dat was duidelijk. Maar onderweg naar Con T. nam mijn geest even vrijaf. Als je me gevraagd had hoe ik heette, zou ik je waarschijnlijk wezenloos aangekeken hebben en niets stichtelijkers uitgebracht hebben dan: 'Huh?'

Pas toen ik tussen die tentflappen door liep en Con T. met een schuldbewust gezicht een sigaar zag roken, kwam de werkelijkheid in alle hevigheid op me af. Ik begon te trillen.

Hij gebaarde dat ik moest gaan zitten. Ik zwengelde het onderonsje aan.

'Wat moet er gebeuren, baas?'

'Het gebruikelijke gedoe. Geld. Whisky. Gratis kaartjes. Een meisje. Het spijt me, Mary. Little Egypts reputatie schijnt je ver vooruitgesneld te zijn.'

'Zijn naam?'

'Owen Lakes.'

'Wat is het voor iemand?'

'Ik kan niet zeggen dat het een charmant type is.'

'Wat moet ik doen?'

'Naar zijn huis gaan. Je moet er om vijf uur zijn. Met hem eten. Met hem dansen als hij erom vraagt. En je kostuum dragen natuurlijk.'

Ik staarde hem met knipperende ogen aan en pijnigde onderwijl mijn hersenen om een tactvolle manier te bedenken om dit af te handelen. Maar ik kon niks verzinnen. In Hopkinsville had ik gezworen nooit meer lief en aardig te doen tegen mensen die me probeerden te misbruiken, in de hoop dat ze medelijden met me zouden krijgen. Maar aangezien ik in de werkkamer zat van Con T. Kennedy in eigen persoon, een zwager van de beroemde C.W. Parker en dus een man met invloed, probeerde ik die gedachte te verjagen en een strategie te bedenken waarmee ik hem wat meer tegemoet kwam.

Uiteraard wist ik weer niets te bedenken, zodat ik geen andere keus had dan te doen wat ik deed. Ik was het wachten zat, denk ik.

'Nee', zei ik.

Zijn gezicht betrok. Zijn mond viel zo ver open dat hij eruitzag als een afgezakte broek.

'Wabbedoelje, nee?'

'Ik bedoel wat ik zeg, meneer Kennedy. Aangezien dit de Panhandle is, het ruige deel nota bene, kan ik me Owen Lakes wel voorstellen en wat ik me voorstel, is dik en grof en zweet als een otter en ik wil wedden dat hij ook nog onaardig is tegen kinderen en dieren. Ik peins er niet over om naar zijn huis te gaan, met hem te eten, naar zijn muziek te luisteren of hem te helpen zich een man te voelen. Het antwoord is nee. N-E-E. Als u Lakes zo aardig vindt, geeft u hem zelf maar foxtrotles.'

Het was duidelijk dat niemand ooit zo tegen Con T. Kennedy had gepraat en al helemaal geen eenvoudig dansmeisje. Hij stond op, liep om zijn bureau heen en kwam op me af. Ik ging staan en wachtte hem op en allebei knepen we onze ogen tot slangenspleetjes.

'Nou moet jij eens goed naar me luisteren, smerig stukkie West-Kentucky. Zonder mij zat jij nog steeds portemonneetjes te naaien in het gekkenhuis, dus ik zeg dit maar één keer, hoor je, één keer! Vanavond ga jij de hoofdcommissaris van de stad Lubbock in Texas vermaken en je bent alleraardigst, je bent beleefd en als hij je ten dans vraagt, zeg je: "O, enig, ik zag uw draaitafel en ik dacht dat u het nooit zou vragen." Ben ik absoluut duidelijk, miss Mary hoe-je-jezelf-vandaag-de-dag-ook-moge-noemen?'

'Zeker. En ik hoop dat ík ook duidelijk ben. Zelfs als William H. Taft zelf het me vroeg, ging ik nog niet naar die rioolrat toe en ik ga er zeker niet heen voor iemand als u.'

'Je gaat wel!'

'Ik ga niet!'

'Je gaat godverdomme wel!'

'Ik ga godverdomme niet!'

Con T. Kennedy, zwager van C.W. Parker en alleen om die reden de baas, koos dát moment om zijn sigaar weer in zijn mond te steken. Hierdoor kwam zijn rechterhand vrij en kon hij me met de rug ervan een klap in het gezicht geven. Dat deden mannen vroeger voortdurend; nog steeds, denk ik, al gebeurt het tegenwoordig vooral achter gesloten deuren, omdat de wet die het verbiedt vaker schijnt te worden toegepast.

Hij had vanuit de elleboog geslagen, wat betekende dat de klap niet zo hard was geweest, maar wel zo hard dat mijn rechterwang schrijnde en ik natte sterretjes zag. Op dit punt werd ik geacht toe te geven, besefte ik, werd ik geacht net te doen alsof ik opeens bij zinnen was gekomen. Con T. had zijn sigaar alweer in zijn mond gestoken en de zelfvoldane blik in zijn ogen van een man die denkt dat hij een probleem heeft afgehandeld. Juist die zelfvoldaanheid kon ik niet uitstaan, nog minder dan geslagen te worden, dus toen ik hem terugmepte, haalde ik uit vanaf de schouder en gaf hem zo'n harde optater dat de sigaar uit zijn mond vloog en hij met zijn hand op zijn neus dubbelsloeg.

Bij mannen hoef je alleen maar te zorgen dat het woord 'kwetsbaar' in hun hoofd opkomt, dan gaan ze er als gewonde jongetjes vandoor, uiterst verbaasd dat iemand hun koninklijke status aanvecht. (Leeuwen zijn net zo, wat volgens mij een van de redenen is waarom ik altijd liever tijgers had. Geef een tijger een stomp op zijn neus en hij begint praktisch te janken van dankbaarheid dat je het in ieder geval een beetje interessant voor hem probeert te maken.)

Con T. ging rechtop staan. Hij zag bleek, sputterde wat, keek dof van eerbied uit zijn ogen en probeerde uit alle macht op adem te komen. Toen dat lukte, begon hij op hoge, meisjesachtige toon te tieren, min of meer met de volgende strekking: 'Eruit jij godverdomme, je ligt eruit je bent ontslagen ik zal ervoor zorgen dat je naam door het slijk gaat en je nooit meer aan de bak komt in deze bedrijfstak', waarop ik zei: 'Ja, nou, krijg de pleuris maar met je miezerige armzalige zwendelshow', wat een tamelijk zware belediging was als je bedacht dat Parker, afdeling twee, waarschijnlijk het grootste circus van het land was.

Toen ik het centrale plein op kwam, staarden alle ogen me aan, dwars door het stof heen. Ik kreeg mijn ademhaling niet onder controle en de botjes in mijn hand deden hevig pijn. Om te bedaren besloot ik Al G.

op te zoeken, omdat hij de enige echte vriend was die ik daar had. Geluk-kig stond zijn tent al en was hij binnen, onberispelijk gekleed als altijd, van zijn slobkousen via zijn vest met dubbele knopen tot zijn schone witte strohoed, geen van alle bezoedeld door het ronddwarrelende bruine stof. Hij zat een lichtgroen drankje te drinken met Dan. Toen ik binnenkwam, keken ze allebei op, waarbij Al G. me zijn charmeurslach toewierp. Hij trok een stoel voor me bij en nodigde me uit bij hen te komen zitten; ik kon hem wel zoenen, zo dankbaar was ik. Dan daarentegen zag grauw van bezorgdheid.

'Zo,' zei Al G. met een grijns, 'dus als ik er niet naast zit, vertrekt het Great Parker Carnival voortijdig uit Lubbock?'

'Het ziet er wel naar uit', zei ik, al begon de moed me inmiddels een beetje in de schoenen te zakken. Kwam door al die adrenaline die zich had opgehoopt en geen kant meer op kon nu de aanvaring voorbij was; als je het nog nooit hebt meegemaakt, geloof me, het doet veel meer pijn dan dat gezwaai met die vuisten. Trillerig was ik, met buikpijn erbij. Plus dat ik alwéér nergens heen kon, iets wat ik meer had leren vrezen dan wat ook. Omdat ik begon te snotteren, gaf Al G. me een bodempje van de appelbrandewijn die hij in Amarillo gekocht had; hij raadde me aan het glas leeg te drinken. Dit kalmeerde me genoeg om hem te vertellen dat ik overwoog met een Texaan te trouwen, die ik in Beaumont had ont-moet.

'Hou je van hem?'

'Nee. Vind je dat verkeerd?'

'Kentucky,' antwoordde hij, 'alsjeblíéft. Er zijn maar zo weinig dingen op deze wereld ronduit verkeerd. Moord misschien, maar zelfs dat kan soms noodzaak zijn. Heb ik gelijk of niet, Dan?'

'Helemaal gelijk, baas', zei Dan, die nu zelf ook glimlachte. 'U hebt he-lemaal gelijk.'

Ik dronk mijn brandewijn op en Al G. gaf me er nog een. Aangezien ik geen drinker was, kwam hij hard aan, wat best goed was omdat ik heel veel moed nodig had om te doen wat ik doen moest. En dat was: terug-strompelen naar de tent van de Dansende meisjes, aankondigen dat de functie van Little Egypt vacant was, hen op sarcastische toon bedanken voor hun vriendschap, steun en loyaliteit en mijn haastig volgepropte tas naar buiten sjouwen.

Daarna liep ik, gehinderd door stof, insecten en hitte, naar het station, waar ik onder de beten, verhit en verfomfaaid aankwam. Ik kocht water, koffie en een broodje, propte alles naar binnen en stapte daarna in dezelfde trein als waarmee ik de stad was binnengekomen.

Ik zat naast een huisvrouw uit Dallas en tegenover een bijbelverkoper uit Utah. Ik was voornamelijk bezig mezelf moed in te prenten en tegen de tijd dat we bij het eerstvolgende station stopten, een of ander rommelig gat waarvan ik de naam niet meer weet, was ik gaan denken dat het gebeurde niet alleen maar vervelende kanten had.

In Dallas stuurde ik een telegram naar de Texaan. Hij kwam meteen.

Ik zei tegen hem dat het een sober huwelijk in het gemeentehuis moest worden, dat ik niet iemand was die van pracht en praal hield, maar juist van kleine aantallen, zoiets als, och, ik weet niet, laten we zeggen twee. Hooguit twee? Het feit dat ik al een echtgenoot in Louisville had én dat er een opsluitingsbevel bestond met mijn naam erop was uiteraard de werkelijke reden dat iedere vorm van festiviteit laag op mijn prioriteitenlijst stond. Hij ging meteen akkoord, wat me verbaasde, want ik had gehoord dat Texanen alles graag groots aanpakten en ik was ervan uitgegaan dat hij een gigantisch banket zou willen met een orkest en garnalencocktails en Chinees vuurwerk en op mesquitetakken geroosterd rundvlees, met de hele bevolking van Beaumont erbij om het feest compleet te maken. Misschien kwam het doordat hij zo dicht bij Louisiana woonde, want Cajuns zijn over het algemeen gelukkiger met kleine dingen dan Texanen.

En dus trad ik als Mary Haynie uit Princeton, Kentucky, in het huwelijk en werd Mary Williams uit Beaumont, Texas. Ik vond het prima zo, want hierdoor was het alsof Mary Aganosticus uit Louisville nooit zelfs maar had bestaan. Daarna namen we de trein helemaal naar San Francisco, wat me goed uitkwam, omdat Californië ver van Kentucky ligt, een staat die ik voor altijd wilde vergeten, vooral op mijn huwelijksreis. We aten in het Continental en namen naderhand een calèche naar het Regency. In onze suite stonden een Franse sofa, teakhouten zitmeubelen en een hemelbed met de afmetingen van een voetbalveld. De badkamer was even groot als de wagon waarin ik met de Dansende meisjes uit Bagdad had geslapen. We dronken champagne op het balkon en keken uit over een baai die er door mist en scheepslantaarns heel mooi uitzag. Van beneden hoorden we het klip-klap van paardenhoeven en de misthoorns van vrachtschepen op het water. Toen het wat frisjes werd, stelde James voor naar binnen te gaan, wat ik prima vond. Ik was niet nerveus, althans niet bovenmatig, want ik wilde er heel graag achter komen of mijn lichaam kon wat een vrouwenlichaam zou moeten kunnen en of het feit dat ik geen baby's kon krijgen niet gewoon flauwekul was, verzonnen omdat ik Dimitri Aganosticus in de haren zat.

Ik zei tegen James dat ik me een beetje moest voorbereiden, waarop mevrouwtje Williams uit Beaumont, Texas, zich terugtrok in de badkamer zo groot als een treinstel, waar een heel assortiment aan poeders, lotions en sprays aangebracht werd op diverse delen van het lichaam en een zijden niemendalletje van een negligé, ter waarde van twee weken opstekers, werd aangetrokken. Ik zag er schitterend uit. Werkelijk waar. Ik opende de deur naar de rest van de suite. James lag, gekleed in pyjama, in bed op me te wachten en voordat ik naast hem kroop, zag ik dat zijn initialen op de borstzak stonden. Hij boog zich over me heen. Gaf me een snelle kus op mijn mond. Ik ging er eens goed voor liggen, vol vertrouwen dat ik onder zulke omstandigheden binnen de kortste keren overweldigd zou worden door de vochtige openheid waar het in de romans van tegenwoordig over gaat.

En gebeurde dat? Gebeurde dat met de gesprayde, bepoederde, negligédragende Little Egypt van de firma Great Parker Carnival, afdeling twee? Met de grootste seksbom van deze kant van de Mississippi? Vergeet het maar. James zei welterusten, draaide zich om en begon te snurken als een os.

Dit was allemaal uiterst curieus, want als hij me vroeger gadesloeg vanaf de achterste rij van de Superba, vonkten zijn ogen zowat, ook al bleef de rest van hem stil en respectvol. Ik schreef het toe aan zijn leeftijd en het feit dat we een lange dag achter de rug hadden. Misschien dat alle opwinding hem uitgeput had. Ik daarentegen kon niet slapen, een probleem waar ik mijn hele leven last van heb gehad, dus lag ik wakker en dacht na over alle dingen onder de zon, want de ellende met slapeloosheid is dat de dingen die je achter je dacht te hebben gelaten de neiging hebben de kop op te steken, je aan te staren en om aandacht te vragen.

De volgende dag gingen we naar huis, drie volle dagen reizen door de woestijn, met uitzicht op zand en cactussen en gammele houten dorpen, die enkel tot doel leken te hebben om vuur iets te doen te geven. We aten in het eersteklas restauratierijtuig en brachten de nacht door in een eersteklas slaapwagon, waar hij sliep en ik naar het plafond staarde en dacht: hè?

Ten slotte bereikten we Beaumont. Op het dorpsplein huurde James een neger in om ons rijtuig over de landwegen en weggetjes te leiden. Hoewel me verteld was dat het huis buiten het dorp stond, had ik niet gedacht dat het er zó ver buiten zou staan. Nadat we kilometers en kilometers katoenveld, moerasbos en hutjes van landbezetters gepasseerd waren en we een smal weggetje waren in gereden, zei James ten slotte: 'We zijn er.'

We kwamen de heuvel over en daar stond het, zijn huis, bij de aanblik waarvan ik binnensmonds zei: 'O, mijn god.' Het was inderdaad groot en het werd nog groter naarmate we over een lange oprit met aan beide zijden Virginische eiken dichterbij kwamen. Ik denk dat de meeste vrouwen er blij mee zouden zijn geweest, want je begrijpt pas hoe rijk een man is als je zijn huis ziet en ik geef toe dat een deel van me in de wolken was; ik mag dan niet veel voorstellen, maar ik ben slim genoeg om te weten dat het motto dat geld niet gelukkig maakt klinkklaar gezwam is, want de simpele waarheid is dat rijke mensen gelukkiger zijn dan arme vanwege de dingen die arme mensen moeten doen als ze het weer eens hard voor de kiezen krijgen. Een deel van me was dus in extase. Tegelijkertijd was ik nerveus, want het huis had naar echt vooroorlogse stijl een marmeren bordes, Griekse zuilen en een hoge boogdeur; alles bij elkaar en bedekt met die laag crèmekleurige verf leek het heel erg op het gekkenhuis in Hopkinsville. Ik voelde mijn schouders optrekken naar mijn oren en mijn mond kurkdroog worden. Eigenlijk wilde ik zeggen: Laten we ergens anders gaan wonen, James, maar dan zou hij geantwoord hebben: Waarom, lieverd? En het was natuurlijk een feit dat ik op mijn drieëntwintigste geheimen had.

We gingen naar binnen.

'Vind je het mooi?' vroeg hij en natuurlijk zei ik dat ik het mooi vond. Terwijl ik rondkeek – of liever gezegd met wijdopen mond rondjes draaide – liet hij een bel rinkelen en voor ik het wist, stonden er een paar negerinnen, ieder gebouwd als een eland, voor mijn neus.

'Dit is Melba, de kokkin, en dit is Willa, onze meid.'

'Prettig kennis met u te maken.'

'Het genoegen is aan ons', zeiden ze, hoewel de effen toon van hun stem iets heel anders suggereerde. Erger nog, ze eindigden met een gemompeld 'mevrouw', wat ik tamelijk gênant vond, aangezien ik maar half zo oud was als zij en het passender gevonden zou hebben om hén met mevrouw aan te spreken.

James gaf me een rondleiding. Hij was behoorlijk trots op zijn huis; zoals alle huizen van die afmetingen was het al generaties lang in de familie. De ene kamer na de andere liet hij me zien. Negentien waren het er, de kelder niet meegerekend. Ze bevatten kristallen kroonluchters, Perzische tapijten, mahoniehouten meubelen, kostbaar porselein en olieverfschilderijen in vergulde lijsten. Verder zal ik niet in detail treden, want het tellen van andermans rijkdommen is saai. Ik noem 's mans rijkdom alleen maar, zodat je later, als ik vertel dat materiële zaken me geen ontzag inboezemen, weet dat het een uitspraak is van een vrouw die voor korte tijd zo rijk was als maar kon.

Plus dat James een auto had. Iedere ochtend, na een ontbijt van haverpannenkoeken en zwarte koffie, zette hij een stofbril op en een rare leren pet, die als een badmuts om zijn schedel sloot, en liep hij naar buiten naar zijn T-Ford. Soms keek ik hoe hij zijn ochtendgymnastiek deed, al dat gedraai aan de slinger en geruk aan hendels om het ding op gang te krijgen, en als hij dan eindelijk liep, ging hij niet sneller dan paard en wagen. Bovendien stopte het ding er meestal mee voordat hij de oprit af was (die, toegegeven, bijna een kilometer lang was) en zag ik hem er in de verte weer uitspringen en aan hendels rukken en aan de slinger draaien om het rotding weer in beweging te krijgen. En om zijn bewondering te demonstreren voor alles wat automobielen betrof, gaf hij drie lange stoten op de claxon, voordat hij de weg op draaide.

Hij was verliefd op de auto en zei vaak dat die verandering zou brengen in de manier waarop Amerika zakendeed, dat het een waar geschenk van de toekomst was en dat hij al geld geïnvesteerd had in het bedrijf van meneer Ford. Persoonlijk vond ik het een tikje verdacht dat hij zo veel aandelen had in een sputterende baal bouten en moeren, terwijl zijn eigen Little Egypt alle avonden onaangeraakt en onbemind naast hem lag.

Mijn dagen? Nou. Stomvervelend. Sommige dagen nog vervelender. Je zou denken dat ik na alles wat ik de laatste tien jaar had meegemaakt wel blij zou zijn met een beetje rust en kalmte. Ik dacht ook inderdaad dat ik dat wilde, maar ik kwam erachter dat reuring de neiging heeft in je botten te gaan zitten en dat je bij gebrek eraan een gevoel van ontwrichting krijgt. Het is net als met een hoed. Als je hem de eerste keer opzet, heb je het gevoel dat hij kriebelt en dat hij te warm is en strak zit. Als je hem een tijdje draagt, merk je niet meer dat je hem op hebt. Maar als je hem dan afzet, heb je weer dat kriebelige, warme, strakke gevoel, ook al is er niks meer dat dat gevoel veroorzaakt. Hetzelfde gebeurt als je je lichaam van een stukje grond naar een ander stukje grond overbrengt. Na een tijdje heb je alleen nog het gevoel dat de aarde onder je voeten vast, stabiel en betrouwbaar is als die snel beweegt.

Om de tijd te doden, vroeg ik Melba wel eens een lunchpakket voor me te maken ('Ja, mevrouw', zei ze dan met een gezicht zo uitgestreken als een strijkplank). Dan maakte ik lange wandelingen over landweggetjes en dwong mezelf onderwijl te raden wat er om de volgende bocht lag, achter de volgende knoestige en verwrongen Virginische eik, achter het volgende camelbruine heuveltje. Meestal was het meer van hetzelfde. Het begon me al gauw te vervelen en daarna nam ik een deken mee en installeerde me op plekken ver weg van alles. Ik nam een boek mee en bleef urenlang liggen lezen. Soms knoopte ik zelfs mijn blouse los en koesterde me in de zon, terwijl ik me concentreerde op hoe de lucht ruikt als het herfst wordt. Een tijd lang wist ik mezelf er zelfs van te overtuigen dat ik gelukkig was of in ieder geval veilig en dat dat een redelijk alternatief was.

Nadat ik bijna drie weken mevrouw Williams was geweest, besloot ik een vest voor mezelf te breien. Het werd winter en dan kon ik dat 's avonds dragen, als het zelfs aan de bayou fris kan zijn. James kocht de benodigde wol in het dorp en ik tekende een patroon op dun papier. Het zag er mooi uit, vond ik, met de biezen en de hoge boord die ik er later aan zou zetten. Er zouden zilverkleurige knopen op komen.

De dag daarop nam ik mijn breiwerk mee op mijn wandeling en begon ik op de zompige oever van een rivier aan mijn vest. Ik kon de grond onder de deken voelen zuigen toen ik ging zitten. Dat deed ik een paar dagen lang, tot ik hem zo graag af wilde hebben dat ik de wandelingen achterwege liet en op de schommelbank op de veranda ging zitten breien en Melba en Willa opdroeg me niet voor de voeten te lopen. Ik had hem in een week af. Ik werkte alsof mijn tijd op deze planeet ten einde liep. Toen het laatste picootje klaar was, hield ik het ding omhoog tegen het licht. Het zag er prachtig uit, echt, maar toch was er iets mee. Iets vreemds. Toen realiseerde ik me dat het rotding te klein was.

En niet zomaar te klein, nee, érg klein, absoluut niet groot genoeg voor een volwassen vrouw, zelfs niet voor een vrouw met mijn matige proporties. Ik was verbijsterd, want ik had het patroon tot in de puntjes gevolgd en het zag er precies zo uit als het eruit had moeten zien, maar dan gekrompen. Een achtjarige had nog moeten uitademen om de knopen dicht te krijgen. Ik dacht hier een dikke minuut over na en overwoog of ik misschien echt gek was toen ik me opeens iets herinnerde wat dokter Levine me tijdens een van de badkuipsessies had verteld. Het schijnt dat we niet één geest hebben maar twee, een waar we weet van hebben en een waar we geen weet van hebben en dat die waar we weet van hebben niet per se de baas is. Ik bleef het vest omhooghouden en het nauwkeurig bekijken en denken: wat zou dit in godsnaam kunnen betekenen? toen ik opeens als een opgejaagd konijn begon te ademen. Ik leek helemaal niet voor een volwassene te willen breien. Ik wilde voor een baby breien. Ik denk dat mijn twee geesten er de hele tijd om hadden geknokt en dat het vest daardoor ergens in het midden beland was.

Ik zat daar maar naar het kledingstuk te kijken en te malen tot zich ten slotte een plan van aanpak aan me opdrong dat niet te negeren viel.

Oké, meneer, zei de innerlijke stem. Afgelopen met dat omzichtige gedoe.

Die avond gaf ik Willa en Melba opdracht 'm naar het bediendeverblijf te smeren zodra James thuiskwam. Ik probeerde niet eens beleefd te zijn, want de andere conclusie waartoe ik gekomen was, was namelijk dat Melba en Willa een heel stuk gelukkiger zouden zijn als ik grof tegen hen was, aangezien ze het type waren dat chagrijnig werd als hun verwachtingen geweld aangedaan werd. Ik droeg hen op het zilveren bestek klaar te leggen en twee flessen Franse wijn uit de kelder te halen en ervoor te zorgen dat er bloemen midden op tafel stonden. Toen er eenmaal een stuk gevleugeld wild in de oven lag, joeg ik ze tot de ochtend weg.

Ik diende zelf het diner op die avond. Ik droeg iets wijds, zodat James telkens als ik me bukte om hem meer gevogelte of cranberry's of boerenkool aan te bieden een blik kon werpen op de vormen die me in heel het westen en noordwesten van Amerika beroemd hadden gemaakt. Mijn ogen stonden de hele tijd dromerig en mijn lippen waren vochtig. Met opportunistisch schenkgedrag zorgde ik ervoor dat hij meer dronk dan hij gewend was, in de veronderstelling dat gereserveerdheid misschien het probleem was.

Daarna zei ik dat ik hem iets wilde laten zien boven. Hij hapte en we gingen naar de grote slaapkamer. Daar sloeg ik mijn armen om hem heen en vertelde hem dat ik eenzaam was. Hij verontschuldigde zich met nog zwaardere en zachtere stem dan anders en zei dat het de laatste tijd een gekkenhuis geweest was op de katoenmarkt en dat hij te hard gewerkt had en afgeleid was door al het andere dat hem bezighield. Dit stelde me gerust, want ik was gaan denken dat hij misschien ernstig geschift was. We kusten elkaar. Kusten elkaar nog eens. Alles leek volgens plan te gaan toen hij zich opeens terugtrok. Hij had die blik in zijn ogen die mannen onder zulke omstandigheden in hun ogen hebben, waarmee ik bedoel half meester van het universum en half behoeftig kind.

Op dat moment zei hij: 'Dans voor me, miss Egypt.'

In eerste instantie schrok ik me rot, want ik dacht dat een van de voordelen van mijn huwelijk met James nou juist was dat mijn tijd als dansmeisje erop zat. Een tel later had ik mezelf al omgepraat, want ik dacht: we hebben allemaal onze geheime gevoelens van voorkeur en afkeur en er zijn heel wat beroerdere dingen in de wereld dan het kijken naar het gekronkel van een jonge vrouw. In de tussentijd was James opgestaan en had een wasrol in de fonograaf gelegd. Hij draaide aan de slinger. Het was uiteraard fluitmuziek.

Om een lang verhaal kort te maken, ik dacht: als ik dit werkelijk ga doen, dan ga ik het góéd doen, dus ik begon te dansen. En niet zomaar te dansen, nee, te dánsen, met alle lichaamsdelen in één trage vloeiende tijgerbeweging, ogen dicht, het hele lichaam drijvend op de muziek, terwijl er zachte verrukte geluidjes aan mijn geverfde lippen ontsnapten. En om ervoor te zorgen dat mijn echtgenoot meer kreeg dan welke boerenkinkel in een Superba-tent ook, liet ik de spanning oplopen en begon ik… nou ja… toen begon ik mezelf aan te raken door mijn kleren heen, mezelf op te wrijven met de muis van mijn hand, zo hard dat de aderen op de rug van mijn hand dik werden, waardoor bepaalde lichaamsdelen, die normaal gesproken verborgen blijven, in gereedheid gebracht werden, en ik had er nog plezier in ook, want mijn jurk voelde zacht aan en er waaide een zacht briesje door het slaapkamerraam naar binnen, en toen nam ik al dansende mijn haar in beide handen, duwde de blonde krullen langzaam van mijn voorhoofd en liet tegelijkertijd mijn tong over mijn getuite rode lippen glijden.

Toen hoorde ik gekreun. Nou ja, niet echt gekreun. Iets tussen gekreun en geknor in, ongeveer het geluid dat een walrus maakt als hij aan zijn avondeten toe is. Ik deed mijn ogen open. Mijn tweede echtgenoot, James Williams III, investeringsbankier in het verre oosten van Texas, had zich ontbloot en deed het werk dat voor mij bestemd was.

Hij ging woest tekeer, als je het per se wilt weten.

Ik moest mezelf geweld aandoen om niet meteen de volgende dag te vertrekken en ik zou dat zeker gedaan hebben als het niet een tijd geweest was waarin het kenmerk van een goede vrouw de kunst van het verdragen was. Ik had nou eenmaal een eed gezworen en ik ben iemand die haar plicht serieus neemt. Ik hield het nog een maand of twee, drie vol, al nam ik me in die periode wel voor mezelf niet nog eens voor schut te zetten in een poging mijn eigen man te verleiden. Als hij wat liefde wilde… prima. Deze keer zou hij degene zijn die erom moest komen vragen.

Wat volgde, was voornamelijk een herhaling van de eerste maand. James was meestal in de stad, maar áls hij thuis was, was hij rustig en verkeerde over het algemeen in zijn eigen kleine wereldje. Melba en Willa trippelden rond alsof het huis van hen was en ik deed mijn best om hen te ontlopen vanuit de gedachte dat mijn pogingen om uit hun ogen te blijven me in ieder geval iets te doen gaven. Niemand zei iets, tenzij het moest, en zelfs dan alleen op gedempte toon. Het duurde niet lang voor ik merkte hoe goed het huis was ingesteld op dit idiote systeem. Omdat het zo groot was, kon iedereen er wonen en werken en zijn eigen gang gaan zonder elkaars pad te kruisen. De pracht en praal leken een soort institutionele mistroostigheid te genereren, zodat ik ook daar al gauw een hekel aan begon te krijgen.

Op een avond, toen ik in mijn kamer duimen zat te draaien en me af te vragen of ik nou wel of niet een boek wilde lezen, besloot ik uiteindelijk dat ik op de een of andere manier met James moest praten. Ik liep de ronde marmeren trap af en bleef midden in de hal staan. Hoewel James thuis was, wist ik niet precies waar hij uithing en ik stond op het punt hem te roepen. Ik haalde diep adem en wilde net gaan roepen toen ik opeens stopte. Iets aan dat huis – de grootte, de stilte, de benauwde sfeer van gezag – zei me dat wat ik op het punt stond te doen een inbreuk op het decorum was en absoluut niet door de beugel kon.

Dus ging ik op zoek. Ik keek in de salon, de eetkamer, de keuken (waar James, staande aan de kokstafel, soms een stuk rabarbertaart at). Ze waren alle leeg. Ik ging terug naar boven, trof alle kamers donker aan, ging weer naar beneden en liep door kamers waarin ik al gekeken had tot ik in het achterhuis kwam, waar de biljartkamer was. Ook die was leeg, maar ik zag wel dat de deur aan de andere kant van de kamer openstond. Deze kwam uit op een gang die via de achterkant van het huis naar de zonnekamers leidde. Omdat die gang bijna zeven meter breed en dus meer een kamer dan een gang was, had James er zijn schilderijen opgehangen. Daarom noemde hij dit deel van het huis de galerij, waarbij hij altijd glimlachte als hij het zei, omdat hij het zo slim vond dat het woord beide functies van het vertrek in één klap omschreef.

Ik liep naar de openstaande deur. Doordat er Perzische tapijten op de vloer van de biljartkamer lagen, kon James me niet horen, dus hij keek niet op. Hij bestudeerde een schilderij van een balletdanseres, dat hij in Frankrijk had gekocht. Maar zelfs als hij me wel gehoord had, zou hij denk ik niet opgekeken hebben, want zijn ogen waren druk in de weer met de zachte meisjesachtige lijnen van het lichaam van de danseres. Hij was een en al bewondering, als een douairière die eindelijk een vaas had gevonden die bij haar dressoir paste. Het was dezelfde uitdrukking die hij altijd op zijn gezicht had als hij de vormen van zijn automobiel bewonderde en heel even was ik er trots op dat mijn echtgenoot in ieder geval een man met een kritische smaak was. Maar direct daarop sloeg mijn hart over en voelde ik me plotseling een beetje ziek. Zijn gezichtsuitdrukking – lippen getuit, voorhoofd gefronst, een blik van genoegen in de ogen, maar alléén in de ogen – was precies dezelfde als die waarmee hij naar me keek als ik in de Superba danste.

De volgende middag liep ik de stad in met alleen mijn kleren, wat prullen en een paar dollars die ik van de opstekers gespaard had. James had aangeboden me wat geld te geven, maar aangezien ik te jong was om het verschil te begrijpen tussen wat trots en wat ronduit stom was, had ik het geweigerd en gezegd dat ik zijn of wiens hulp dan ook niet nodig had. Ik nam de avondtrein naar het westen.

Con T. Kennedy had zijn woord gestand gedaan en mijn naam overal door het slijk gehaald. Het deed er niet toe wat die naam was. Haynie, Aganosticus, Williams, ik probeerde zelfs Levine een paar keer, totdat ik uiteindelijk op een pseudoniem uitkwam dat gewoon uit mijn mond rolde bij een circuseigenaar in een plaats die Yuba City heette, in Californië. Ik vond hem wel lekker klinken, denk ik, en ik heb hem tot op de dag van vandaag behouden.

Het hielp niets. Het is voor circusartiesten niet ongebruikelijk om vijf, zes of zelfs zeven namen te hebben, afhankelijk van het aantal staten waarin ze gezocht worden. In die wereld ging men eerder af op gezichten, fysieke omschrijvingen en reputaties dan op namen, zodat iedereen met wie ik praatte, me aankeek of hij me kende. Uiteindelijk nam ik mijn toevlucht tot een baan bij de Cosmopolitan Amusement Company, de 'Mastodontische Majestueuze Machtige Meester van de Circuswereld', als stripdanseres. Na de voorstellingen en de zwendelpraktijken kwamen wij meisjes op om te buikdansen en misschien als toegift een ballondans te doen. Na tien minuten rende de spreekstalmeester het podium op en stopte de show, zodat hij kon doen wat hij de *ding pitch* noemde, wat inhield dat iedere boerenkinkel ons voor tien cent extra onze topjes mocht zien uittrekken. Degenen die daar geen tien cent voor over hadden, werd de deur gewezen. Omdat de spreekstalmeester het soort man was dat je de hemel kon beloven alsof die van hem was, dokten de meeste kinkels wel, hoeveel ze misschien ook al verloren hadden met driekaartsmonte, en een minuut later stond ik half in mijn blootje, de blonde aan de rechterkant, getooid met de nieuwe naam Mabel Stark, hoewel ik me ooit een heel, heel andere toekomst had voorgesteld. Het was niet eens de vernedering, die me deprimeerde. Het was het totale gebrek aan fantasie. Geloof me, het is niet eenvoudig jezelf wijs te maken dat je iets doet waar talent voor nodig is als je werk er alleen op neerkomt dat je op één plek blijft staan met je borsten bloot. Het deed er amper toe wat voor uitdrukking je op je gezicht had, want daar keken die kinkels niet naar. De andere vier Haremmeisjes uit Siam kozen vooral voor verveeld.

Dat duurde ongeveer een maand. Ik werd zo somber dat ik overwoog een neurotisch vrijafje te nemen en als ik niet zo van de hand in de tand leefde, zou ik dat waarschijnlijk ook gedaan hebben. Eerlijk gezegd had ik geen tijd voor een zenuwinzinking, wat enerzijds een zegen en anderzijds een vloek was. Begin februari 1912 kwam het Cosmopolitan in Venice aan, dat destijds nog gewoon een spoorwegstadje was en niet een deel van Los Angeles. Toen ik de derde dag op het podium stond – de *ding pitch* was al geweest – en mijn armen naar achteren stak om mijn topje los te maken, kreeg ik kramp in mijn rechterduim. Dit vertraagde de actie aanzienlijk en tegen de tijd dat de vier andere haremmeisjes topless waren, stond ik nog steeds te worstelen met mijn sluiting. Op dat moment hoorde ik gelach in het midden van de tent, het soort lach dat niet zozeer opstijgt als wel opspringt, alsof de lacher zijn lach langer heeft ingehouden dan prettig was. De Haremmeisjes uit Siam keken elkaar allemaal verbaasd aan voordat ze in het felle licht tuurden. Door de versterkte kaarsvlam, die in ons gezicht scheen, was moeilijk te zien wie de lacher was of zelfs wat er zo grappig was. Ik was natuurlijk degene die er als eerste achter kwam, vóór de andere meisjes, de spreekstalmeester, de fluitspeler, de zwendelaars die gebleven waren voor de show en zelfs de klanten zelf, want toen hij eindelijk uitgeproest was, riep Al G.: 'Hé, Kentucky, hoe lang gaat dit in godsnaam duren?'

5

De Hongaarse legerofficier

Drie weken later deed ik het nummer 'Zweven is leven' op de openings-
dag van het geheel nieuwe Al G. Barnes Wilde Dieren Circus, een voorstelling die Al G. echt 'De show die anders is' noemde. Het was één uur
's middags en de cavalcade kwam net terug op het terrein, gevolgd door
een redelijk groot aantal mensen. Het idee was dat het gratis nummer
hen daar zou houden en dat ze dan kaartjes zouden willen kopen voor de
matinee, die altijd moeilijker verkocht dan de avondvoorstelling. Ik begon
een met tuien verankerde ladder te beklimmen. Hij had precies tweehonderd treden, tweehonderd treden van 'Hoogte-trotserende hysterie', en in
die tijd was dat nogal wat: een ding dat zo'n eind de lucht in stak. Het hele
bouwsel trilde ondertussen, het wankelde en zwaaide in de wind heen
en weer, mijn benen werden met iedere stap slapper, ik kreeg steeds meer
lucht in mijn buik en ik nam me voor om naar de kerk te gaan en geld
aan de armen te geven als ik het zou overleven. Dat schoot me allemaal
door het hoofd terwijl ik steeds verder de hemel in klom; het leek alsof
ik er nooit zou komen, maar eindelijk bereikte ik een gammel houten
platformpje bovenop. Hier probeerde ik Al G.'s aanwijzing te volgen om
niet naar beneden te kijken, zelfs geen tel, hoe nieuwsgierig ik ook was.
Maar als je zo bang bent, heeft raad de neiging in een zinloze rits woorden
te veranderen, die vooral dienstdoet als gedachteafleider als je stokstijf, trillend en duizelig als een windvaantje boven op die ladder staat.

Net toen ik me begon af te vragen of iemand kon sterven van een teveel
aan prikkels greep ik me met mijn kleine handjes stevig vast aan een gecapitonneerde driehoek. Deze was aan een metalen katrol bevestigd en de
katrol zat vast aan een lange metalen kabel, die van het platform naar de
grond liep in een hoek van niet helemaal vijfenveertig graden, maar daar
verdomd dicht in de buurt. Met dichtgeknepen ogen stapte ik van het
platform, slaakte een bloedstollende kreet en raasde met draaiend, trap-

pend, schokkend en zwaaiend lichaam naar de aarde. Ik dacht echt dat ik dood zou gaan, want het leek me onmogelijk dat een simpele katrol een lichaam kon houden dat zo veel vaart maakte, en omdat ik mezelf al als een dode vrouw beschouwde, ging de tijd langzamer; mijn hoofd werd helder en ik had een moment waarin ik wou dat ik niet een bestaan had geleid waarin overleven altijd zo'n zware taak had geleken. Daar werd ik zo godsgruwelijk verdrietig van, zo verdrietig dat ik bijna vergat waardoor zulke gedachten bij me opkwamen, maar dat herinnerde ik me redelijk snel toen de kabel beneden een bocht maakte, weer omhoogliep en toen ophield. De driehoek werd uit mijn handen gerukt, waarbij mijn armen zowat uit de kom getrokken werden, en ik zeilde met gespreide armen en benen en mijn ogen zo hard dichtgeknepen dat het pijn deed door de lucht. Nadat ik ongeveer de halve lengte van een honkbalbuitenveld afgelegd had, voelde ik dat zich een net om mijn rug spande, waardoor ik eerst een diepe duik maakte en toen weer recht de lucht in vloog, maar nu veel minder hard. Terwijl ik trapte en met mijn armen maaide, begon ik te vermoeden dat ik dit misschien wel zou overleven, een fantastische ervaring als je een paar seconden eerder nog dacht dat het doek gevallen was. Stralend kroop ik uit het net, met betraande ogen, een snotneus, trillend van de adrenaline en op het punt te gaan kotsen. Mensen stonden te juichen, te lachen en te wijzen en ze zeiden: 'Jezus christus, zag je dat?' en op dat moment zag ik een glimlachende meneer Barnes en zijn negerknecht Dan opduiken bij de zijlijn.

'Wat vond je ervan?' vroeg Al G. aan zijn assistent.

'Geweldig, baas. Echt geweldig.'

'Hij heeft gelijk, Kentucky. Je bent een geboren actrice.'

'Een geboren actrice, miss Stark.'

Op dat punt keek ik hen beiden aan en toen ik eindelijk genoeg op adem was gekomen om een zin te vormen, klonk die als: 'Al G., we moeten praten.'

Toen ik het Zweven-is-leven-nummer eenmaal een paar keer had gedaan, begon het tot me door te dringen dat ik zou overleven zolang ik me maar stevig vasthield, een regel overigens die ik gedurende mijn hele leven onderschreven heb. Na een week of zo leerde ik het nummer wat meer allure te geven: ik boog en maakte een knixje op het platform, ik lachte tijdens de zweefduik, strekte mijn armen boven mijn hoofd als ik de lucht in vloog en zwaaide en lachte nadat ik uit het net gekropen was. Om eerlijk te zijn, vond ik het na verloop van tijd best leuk, het was alsof je vloog, wat tot gevolg had dat ik een steeds diepere afkeer begon te krijgen van mijn geitennummer en mijn ruiternummer. Ondertussen trok het circus naar het zuiden.

Enfin. Lenig, klein blond ding. Drieëntwintig jaar oud en nog nooit een litteken, botbreuk of hersenschudding opgelopen (een treurig verleden viel buiten het rijtje). In de menagerie, bij de kooien van de roofdieren, in de vrije uren vóór de matinee, een tijd van de dag waarop de apen ophouden met kwetteren, de muilezels ophouden met balken, de olifanten ophouden met trompetteren en de hyena's ophouden met giechelen. Zelfs de paarden en olifanten sluiten hun ogen, niet zozeer om te slapen als wel om te genieten van de afwezigheid van drukte op dat moment van de middag. Mijn hoofd op een opgerolde jas en die opgerolde jas op een pallet. Ik lig bijna zeker te dromen, want ik heb mijn hele leven last gehad van inzakkers, dus ik hoor het niet eens als hij aan komt stappen en die hoge zwarte leren laarzen naast mijn kleine blonde hoofdje zet.

Hij wachtte een paar tellen voordat hij ongeduldig met de hakken van diezelfde laarzen op de houten vloer begon te tikken. Dit had tot gevolg dat ik mijn rechteroog opendeed, knipperend tegen het licht dat door het tentdoek scheen, totdat ik besefte dat ik naar het scheenbeen van een man staarde. Ik liet datzelfde oog naar boven draaien en wierp mijn eerste blik op Louis Roth, die het afgelopen halfjaar uitgeleend was geweest aan Hagenbeck-Wallace.

Deze eerste indruk vormde mijn mening over Louis' grootte, want van waar ik lag, leek hij wel tweeënhalve meter lang, met een enorme soeplepelvormige kaak en even dik en goedverzorgd haar als dat van Al G. Hij was gekleed in een rijbroek en een zwart vest met epauletten en had een rijzweep in de hand. Terwijl ik daar lag en nog bezig was wakker te worden, schoot er een gedachte door mijn hoofd: wie hij ook is, hij zou een monocle moeten dragen.

Ik stond op en zag dat hij eigenlijk tamelijk klein was, niet veel langer dan één meter achtenzestig, wat voor een vrouw gemiddeld is, maar voor een man naar miezerig zweemt.

'Jai bent Mabel Stark?' vroeg hij.

Ik zei ja. Tegelijk viel me de dranklucht op. En dan heb ik het niet over de lucht van een man die snel even een middagborreltje heeft genomen, iets wat zowel in het circus als in directiekamers van grote bedrijven heel gewoon was, maar een lucht als bij laagwater, een flauwe maar diep ingetrokken stank, als van gistend graan en zweet. Als hij praatte, schoten de spieren in zijn gezicht heen en weer. Het deed me aan de bewegingen van een vlieg denken.

'Jai bent de frouw die ien taigers ienteressiert ies? Om met ze te verken?'

'Ja, meneer.'

'Iek begraip het.'

Stilte

'Vaar kom jai fandaan?'

'Kentucky.'

'Hoe oud ben jai?'

'Drieëntwintig.'

Weer een stilte, maar nu langer en met een hogere uitslag op de intimidatiemeter.

'Iek seg diet maar één keer. Fergeet taigers. Ga teroeg naar jouw paarden en jouw gaiten of vat jai ook doet. Ga teroeg naar jouw gratis show. Ik viel nooit meer met ein frouwelijke dompteur verken.'

Hij bleef nog een paar tellen staan, zodat ik het nieuws kon verwerken. Toen draaide hij zich abrupt om en beende met zulke zware stappen weg dat de houtsnippers opspatten en de dieren onrustig werden. Witheet stormde ik de menagerie uit naar de overloop en liep naar Al G.'s tent. Ik was er nog maar een meter of drie van verwijderd toen Dan zich op de een of andere manier tussen mij en de flap van Al G.'s kantoor posteerde, wat een verbazingwekkende truc was, want het leek wel of hij zomaar uit het niets te voorschijn was gekomen.

'Hé, hallo, miss Stark.'

'Hallo, Dan.'

'Wat een weertje hebben we, hè?'

'Lekker.'

'Wat denkt u dat het vanavond gaat worden?'

'Volle bak, denk ik.'

'Volle bak, jazeker.'

'Uh, Dan...'

'En het is nog een leuke stad ook. Bent u er al geweest? Mooi plein. Twee kapperszaken.'

'Nee, Dan, ik vroeg me af...'

'Plus dat je er boerenkool kunt krijgen. Kunt u zich voorstellen, zo ver naar het westen? O, ik ben dol op boerenkool. Mijn mama maakte het vaak toen ik klein was, ze bakte het in varkensvet voor de smaak, waardoor het natuurlijk zout werd, maar als je boerenkool zo klaarmaakt, is het echt hemels.'

Dan hield de hele tijd zijn lichaam tussen mij en Al G.'s tent. Natuurlijk wist ik wel waar dat op duidde. Dat wist iedereen. Het betekende dat Al G. daarbinnen een vrouw aan het versieren was. Ik wist niet precies wie, want ik ben niet van het soort dat zich met roddels inlaat, maar ik wist wel dat hij het wat haantjesgedrag betreft drukker had gehad dan ooit sinds Dollie Barnes een paar weken daarvoor bij hem was weggegaan, wat heel wat wil zeggen, omdat hij het wat dat betreft al vrij druk had gehad toen ze nog bij hem was.

Ik bedankte Dan voor het fijne gesprek. Met een flinke schep sarcasme in mijn stem, wat hem leek te kwetsen en waar ik al meteen spijt van had, want de kern van het verhaal was dat ik wegliep met een zere strot. Kijk, het africhten van roofdieren had me een doel en keuzemogelijkheden moeten geven, twee dingen die je op iedere leeftijd hard nodig hebt, maar vooral als je jong bent. Na een paar minuten doelloos te hebben rondgelopen, vond ik dat ik net zo goed terug kon gaan naar de menagerie, al was het maar om iets te doen te hebben voor de avondvoorstelling.

Om een lang verhaal kort te maken, ik bleef de staljongens helpen met de tijgers, zonder dat ik er iets voor vroeg en zonder dat ik er iets voor kreeg, maar het is waar dat de fut er een beetje uit was nu ik het alleen deed om de tijd te doden tijdens rustpauzes. Als ik Louis zag, zei ik altijd goedemorgen of goedemiddag en maakte dat ik wegkwam (hoewel hij toch gemerkt moest hebben hoe de tijgers altijd snorden als ik in de buurt van de kooi kwam. Hoe ze naar me toe kwamen en met hun flanken tegen de tralies wreven. Dat ze bijna nooit hun klauwen in mijn arm probeerden te slaan). Een kort knikje was het enige wat ik destijds van Louis kreeg, gevolgd door het geluid van die wegstampende kniehoge leren laarzen.

De eerstvolgende keer dat ik Al G. sprak, zei hij dat ik me niks van Louis moest aantrekken, dat hij nou eenmaal iets vinnigs over zich had, waar ik noch iemand anders iets aan kon veranderen. Dat hij na verloop van tijd wel zou bijtrekken.

Dit ging wekenlang door: ik deed mijn geitennummer, mijn dressuur-nummer, mijn Zweven-is-leven-nummer en op mijn vrije uurtjes hing ik rond bij de roofdieren (terwijl ik me over het algemeen suf en tamelijk neurotisch voelde). Het kunnen ook maanden geweest zijn. Toen zat ik op een dag in mijn hoekje tegenover King, Queen en Toby een boek te le-zen, al kon ik me slecht concentreren, omdat ik overwoog te stoppen om te proberen bij een ander dierennummer aan de bak te komen. Louis kwam over het pad tussen de kooien aanstampen. De grond was vochtig die dag en hij liet zijn hakken zo hard neerkomen dat er kluitjes aarde op-sprongen.

Hij bleef voor me staan en stak me een gevlochten wilgenzweep toe. 'Hier.'

Het was de eerste zweep die ik ooit in mijn handen had gehad, een lang stuk glad en prettig aanvoelend leer met een geur ergens tussen afgesleten hout en Louis Roth in. Hij nam me mee naar buiten, via het erf naar een braakliggend stuk grond achter het circusterrein. Het was een warme dag, de zon schitterde. Louis droeg zijn vleesriem; hij haalde er een stuk paardenvlees uit en liet het op de grond vallen. Daarna liet hij me een tien-tal passen achteruit doen en zei: 'Vacht tot de vliegen komen en als zai ko-men, begien jai ze veg te tieken. Als jai een vlieg so veg kan tieken dat een andere niet gestoord vordt, kunnen vai praten. Begraip jai?'

Ik knikte en hij liep weg. Ik bleef alleen achter met een zweep en een stuk vlees dat op het punt van bederf stond, wat in de middagzon geen al te lang proces zou zijn. Na een tijdje begon ik het ding in mijn hand te bestuderen, dat me vooral imponeerde doordat het zo glad en tegelijker-tijd zo hard kon zijn. Ik nam hem in mijn andere hand en zag dat door het zweet de greep had afgegeven, waardoor er een koperkleurige veeg di-agonaal over mijn handpalm liep. Ik legde hem terug in mijn rechterhand en kneep erin en, mijn god, de hardheid deed me denken aan Dimitri op de dag dat ik hem een sponsbad gaf, waarmee ik bedoel stijf als een dooie maar met een zweem van sponzigheid.

Op dat punt begon het vlees grijsgroen te kleuren, terwijl een trio vlie-gen erboven een zigzagdans uitvoerde. Het leek wel of ze probeerden te besluiten wie de eer toekwam om als eerste te landen. Ik wachtte af, waar-

uit wel bleek hoe graag ik Louis' aanwijzingen tot in de puntjes wilde opvolgen. Het idee om te oefenen voordat die vliegen op het vlees zaten,
was niet eens bij me opgekomen. Er landde er een en toen nog een. Ik hief
mijn rechterhand, liet de zweep dramatisch boven mijn hoofd cirkelen
en liet hem knallen door een ruk met mijn pols te geven op het naar mijn
idee beste moment daarvoor; de achterliggende gedachte was dat die ruk
zich over de hele lengte van het gevlochten leer zou voortzetten en met
zo'n kracht bij de punt zou aankomen dat het een klap zou geven die aan
de andere kant van het circusterrein te horen was. Maar in plaats daarvan
ontrolde die eindeloos lange zweep zich als een tapijt op een helling. Tegen de tijd dat de vanuit de pols begonnen beweging bij het eind was aangekomen, had hij vrijwel alle kracht verloren, zodat de punt van de zweep
geluidloos en op dik drie meter van het doel in het stof viel. Het stoorde
de vliegen geen jota.

Ik vervloekte die nerveuze kleine Hongaar, want het daagde me inmiddels dat hij me de grootste zweep van het bedrijf had gegeven en het laatste
had opgedragen wat iemand ooit zou kunnen leren. Waar het op neerkwam, was dat hij me probeerde af te schrikken, zodat ik de moed zou verliezen en de tijgers zou opgeven. Was die gedachte niet bij me opgekomen,
dan zou het misschien nog gelukt zijn ook, maar ik was nou eenmaal
kwaad en woede is altijd een heel goede drijfveer voor me geweest. Ik
was de hele middag bezig dat rotding aan het klappen te krijgen en stopte
pas toen ik moest gaan eten en me op de avondvoorstelling moest voorbereiden.

Die nacht staken we de grens van Colorado naar New Mexico over.
Toen iedereen zijn bed opzocht voor een middagdutje, zocht ik Louis op
in de menagerie, waar hij zijn laarzen aan het poetsen was. Met een pint
Tennessee whisky naast zich.

'Kan ik nog een stuk paardenvlees krijgen?'

Ik had natuurlijk zelf een stuk vlees kunnen halen, ik had een stuk van
een oppasser kunnen lenen, het personeel van de veldkeuken erom kunnen vragen of zelfs bij de slager in de stad langs kunnen gaan. Maar het
punt was dat ik hem wilde laten weten dat ik het nog niet had opgegeven.
Verbaasd dat ik mijn middagslaap voor de tweede achtereenvolgende keer
liet lopen, keek hij me aan en zuchtte.

'Oké', zei hij ten slotte. 'Zeg maar tegen Red dat iek het goedvond.'

Aan het eind van die sessie, toen het vlees halfbedorven en groen was en zo dik onder de vliegen zat dat het zelf zoemde, begon ik het klappen van de zweep onder de knie te krijgen. Niet hard, hoor, niet zoals Louis het deed, maar niettemin een klap. Ik dacht dat het probleem was dat ik de kracht ervoor miste in mijn armen, maar eigenlijk was het mijn techniek: het draaien van de arm moet strak en doelgericht gebeuren en de ruk van de pols moet precies op het moment komen dat de kracht die door al dat armgedraai is opgewekt op zijn hoogtepunt is (en geen tiende van een seconde eerder of later, een fout die je makkelijk maakt). De eerste keer dat de punt echt klapte, sprong ik van schrik zowat uit mijn laarzen. Ik dacht dat er een paar boerenkinkels met pistolen het terrein op waren gekomen om rotzooi te trappen (wat vroeger voortdurend gebeurde, vooral als de werklui de avond ervoor uit waren geweest en overhemden van waslijnen hadden gestolen). Toen ik besefte wat er echt gebeurd was, begon ik te grinniken.

Ik liet de zweep nog een paar keer klappen voordat ik moest stoppen. De volgende dag was ik er weer, ik sloeg mijn slaapje over, deed mijn toneelstukje voor Louis – 'Kan ik nog een stuk paardenvlees krijgen?' – en liet twee uur lang een zweep boven mijn hoofd draaien onder het uitroepen van de kreet 'jèè!'. Die dag bedacht ik een goede manier om de punt feller te laten knallen: de zweep met een ruk terugtrekken vlak voordat hij klapte. Hoewel dit er inderdaad wat meer pit in bracht, was het ook een beetje gevaarlijk. Halverwege de sessie ging het fout: de punt van de zweep zwiepte terug en sloeg tegen mijn wang, zodat ik dagenlang met een schrijnende rode striem liep. Ik had nog geluk dat ik mijn oog niet kwijt was.

Mijn grootste probleem nu was accuratesse: ik kon de vliegen niet eens dicht genoeg raken om ze bang te maken, laat staan dat ze hun eten ervoor in de steek lieten. Het seizoen liep af en we kwamen terug in Venice; ik nam een kamer in het St.-Markhotel en deed, zoals veel van de vrouwen die 's winters geen werk hadden, wat pikant variétéwerk in de stad om in mijn levensonderhoud te voorzien. Maar niet te veel. Overdag wijdde ik me aan het trainen met de zweep en bleef ik in de buurt van de drie tijgers waarmee ik hoopte te werken. Dag in dag uit oefende ik. Als Al G. al geïnteresseerd was in wat ik deed, liet hij het niet merken; hij kwam nooit kijken om te zien of ik vooruitgang boekte of om me aan te moedigen of me te vertellen wat ik fout deed, wat ik toeschreef aan het feit dat hij het te druk had met rokkenjagen en het runnen van een circus.

In plaats daarvan stuurde hij Dan. Op een dag was hij er opeens, zonder waarschuwing of naderende voetstappen vooraf; hij sloeg me met open mond gade tot ik ten slotte mijn zelfbeheersing verloor en zei: 'Als je wat te zeggen hebt, Dan, zeg het dan.'

Zijn handen verdwenen snel in zijn zakken, zijn schouders schokten omhoog en hij keek hoe zijn voet een vore in het stof trok, tot hij ten slotte voor de draad kwam met: 'Ik weet wat u fout doet, miss Stark.'

'Nou, Dan, vertel me dat dan maar.'

'U moet op een halve meter achter het stuk vlees mikken. U moet net doen of het in de wég ligt. U moet over het doel héén slaan, mevrouw. Niet náár het doel.'

'Echt?'

'Ja, echt. Ik heb het Al G. zien doen. Toen hij het hond-en-ponynummer nog deed. Je zou het misschien niet zeggen als je hem ziet, maar die man heeft ook de gave.'

We keken elkaar aan.

'Was dat alles, Dan?'

'Ja, mevrouw', zei hij voor hij wegliep.

Weer alleen met mijn zweep en mijn stinkende stuk vlees werd ik een tikje kwaad, want Dans raad klonk zo belachelijk dat ik me afvroeg of Al G. hem had opgedragen dat te zeggen om me nog verder op het verkeerde been te zetten. Maar ja, ik had niet veel geluk met mijn eigen methode, die inhield dat ik eerst dik vijf seconden naar het rottende vlees staarde en dan de zweep liet klappen. Dus deed ik een poging volgens de methode Dan. Maar omdat ik geen vertrouwen in zijn aanwijzing had, probeerde ik het niet eens echt, ik liet de zweep gewoon een beetje in die richting rollen en gaf er als hij bij een denkbeeldige plek op pakweg een halve meter achter het vlees was een ruk aan.

Het vlees sprong de lucht in en de vliegen vlogen zoemend op.

Daarna was het zo dat ik dat stuk vlees aldoor wilde raken, waar ik dus op geen enkele manier in slaagde, zodat ik nog drie dagen verknoeide voordat ik me realiseerde wat het geheim was als je iets kunstzinnig wilde doen: zo goed mogelijk je best doen en tegelijkertijd helemaal niet je best doen. Met dit brokje swamikennis achter mijn knopen was ik al gauw zover dat ik die vliegen acht van de tien keer op stang kon jagen, al had ik allang door dat niemand, en daar hoorde ook Louis Roth bij, ooit één bepaalde vlieg kon raken en de andere met rust laten.

Dus ging ik Louis halen. Ik klopte op de deur van zijn wagon en zei dat ik hem iets moest laten zien. Ik wist onmiddellijk dat hij gedronken had, want zijn accent was zwaarder dan normaal, bijna zo zwaar dat ik hem niet kon verstaan. 'Tjongejongejonge, het maisje zai moet iets aan de baas laten sien, mmmmmmmm?' We liepen het achterterrein over, Louis in stijve snelle trippelpas zoals altijd, maar met af en toe een slingerstapje opzij. Om de meter moest ik een klein sprongetje maken om hem bij te houden. We kwamen bij mijn oefenruimte, op een braakliggend veldje achter de menagerietent. Daar keek hij toe, terwijl ik de zweep oppakte en tegelijkertijd richtte en niet richtte. Na een snelle armzwaai gaf ik een ruk met mijn pols, een milliseconde te laat. Op een meter of vier afstand dansten een paar vliegen verlekkerd boven het doel. Eentje zat helemaal aan de linkerkant, de andere helemaal aan de rechterkant, en het feit dat mijn licht uit de koers geraakte zweepslag zo dichtbij kwam dat alleen de rechtervlieg opschrok, was volgens mij puur mazzel.

Louis' mond begon al open te hangen, maar hij herstelde zich net op het moment dat zijn onderlip over zijn tanden zakte. Ik zag zijn kaakspieren rollen onder de gespannen huid toen hij naar het stuk vlees van die dag keek, waar een enkele stille vlieg op zat. Hij bleef er maar naar kijken, tot hij zich ten slotte naar mij omdraaide en blafte: 'Kom.'

Dus wat deed de vierentwintig jaar oude Mary Haynie uit West-Kentucky schuine streep Mary Aganosticus uit Louisville schuine streep Mary Williams uit Oost-Texas schuine streep Mabel Stark uit het St.-Markhotel? Ik volgde hem zo goed en zo kwaad als dat ging, want Louis stormde praktisch het achtererf over en via het centrale plein naar de oefenstal. Zonder de hulp van een oppasser begon hij kooien te verplaatsen, zodat zijn twee beste leeuwen, Humpy en Bill, verbonden waren met de tunnel die naar de stalen piste leidde. Van de inspanning begon hij te zweten, waardoor hij een alcohollucht verspreidde die door de inspanning weeïg was, net als kamferballen maar dan sterker. Hij rukte aan het touw van het tunnelluik en de leeuwen liepen achter elkaar de tunnel in. Hij opende het tweede tunnelluik en ze betraden de ring. Toen liep hij – zonder zelfs maar pardon te zeggen – vlak langs me en stapte naar binnen. Humpy brulde en Bill liet zich op zijn zij vallen, waarop Louis blafte: 'Kienderen! Zitten!'

Humpy nam de linkerton en Bill de rechter. Louis ging tussen hen in staan en liet zijn zweep op de grond vallen. Toen pakte hij de twee leeuwen bij de keel, zodat allebei zijn armen tot aan hun ellebogen in de geelbruine manen verdwenen. Hierop tilden de leeuwen hun kop op en legden hun kin op Louis' schouders. Louis draaide zich naar rechts, drukte zijn lippen tegen Bills bek en kuste de leeuw vijf of tien seconden. Daarna draaide hij zich naar Humpy en kuste hem nog harder dan hij Bill gekust had, terwijl hij zijn hand door Humpy's manen liet ploegen naar de achterkant van zijn kop, waar hij een handvol kattenhaar greep en Humpy's wangen, lippen en tong over de onderste helft van zijn eigen gezicht trok, zodat het besmeurd werd met slijm, hooisprieten en flinters paardenvlees. En terwijl man en dier elkaar kusten, stak Louis zijn handen van beide kanten in de bek van het dier en duwde die met gestage druk wijd open. Zijn hoofd volgde zijn handen en nu stak Louis' hoofd van nek tot kruin in de leeuwenbek, waarbij Humpy's slagtanden putjes maakten in Louis' nek.

Binnen een seconde was Louis er weer uit; geen haartje zat scheef, al was zijn gezicht vochtig en bespikkeld met vleesafval. Hij liep de ring uit en ging naast me staan, meurend naar kat en whisky. We zwegen allebei. Zijn kaakspieren bewogen en hij sloeg zijn armen strak over elkaar. Wat die man kon zéggen zonder te praten!

Ik opende het luik, stapte de kooi in en liep naar het punt tussen de tonnen. Ik trilde helemaal vanbinnen, half van angst en half omdat ik dit zo graag wilde doen. Humpy grijnsde en Bill gromde, een diep gerommel als van onweer in de verte, dat in mijn ruggengraat op en neer trok en zich in mijn stem vertaalde toen het eenmaal de binnenkant van mijn hoofd bereikt had. Ga terug, zei het.

In plaats daarvan strekte ik mijn nek en kuste de leeuw, terwijl die nog steeds gromde en misschien overwoog me dood te bijten, al kalmeerde hij toen ik mijn lippen op de zijne drukte en met mijn hand in zijn nek kriebelde. Toen zijn gegrom ophield, draaide ik me om en drukte mijn lippen op die van Humpy en kuste hem ook, waarbij het roofdier zijn tong uit zijn bek liet hangen en mijn tong, tanden en tandvlees met zijn slijm besmeurde voordat hij zijn kaken een stukje vaneen deed om aan te geven dat hij naar binnen glijdende handen verwachtte. Op dat teken trok ik zijn kaken van elkaar en stak mijn hoofd in de bek van het dier en het was in Humpy's hoofd dat ik mezelf doodstil voelde worden, want op dat moment wist ik zonder enige twijfel waardoor ik te grazen zou worden genomen: de kaken van een leeuw, riekend naar plaque en dierenvlees dat tussen kiezen lag te rotten, en in deze zekerheid lag een moeilijk te verklaren warmte. Eigenlijk wilde ik mijn hoofd er niet eens meer uittrekken.

Na een paar tellen deed Humpy zijn kaken verder uiteen. Toen ik zijn puntige tanden mijn nek voelde loslaten, trok ik mijn hoofd terug. Ik verliet de kooi en ging naast Louis staan en de daaropvolgende dertig of veertig seconden voerden we een gesprek zonder dat er een woord gewisseld werd. Humpy en Bill waren beide neergeploft en sloegen met hun staart naar de vliegen. Dat Louis uiteindelijk zijn mond opendeed, was puur voor de vorm.

'Goed', zei hij. 'Morgen begiennen vai.'

Die avond ging ik terug naar mijn kamer en deed iets vreemds. Ik had een paar aandenkens bewaard uit mijn leven voordat ik Mabel Stark werd, kaarten en brieven en zelfs een menukaart van het Continental in San Francisco. Toen ik er op mijn bed naar zat te kijken, kwam er een gevoel van hoop in me op en voor ik het wist, had ik een schaar gepakt en was ik aan het knippen en knippen en knippen.

De volgende ochtend trad ik Louis vroeg en vrolijk tegemoet. Hij had enorme grijze wallen onder zijn ogen en groeven in zijn gezicht die er normaal gesproken niet zaten, maar verder zag hij er onberispelijk uit: haar gekamd, laarzen gepoetst en dompteurspak geperst. De oppasser, Red, kwam er ook bij en met ons drieën verplaatsten we tijgerkooien tot ze verbonden waren met de stalen piste. Red ging naar binnen en verplaatste drie tonnen, zodat ze op een rij stonden, en riep toen hij klaar was: 'Rekwisieten klaar!'

Louis stormde er met kaarsrecht op en neer wippende rug vandoor. Ik keek naar Red voor een verklaring, maar die haalde zijn schouders op. Een minuut later kwam Louis terug met een overall over zijn arm. 'Hier,' zei hij, 'trek aan. Als zai met een nagel in jouw rok blaiven hangen, dan blaiven zai trekken. Zai zain dol op het gelaud van scheurende diengen.'

Ik dook weg achter een werkhok om me om te kleden en ondertussen zetten Red en Louis de tunnelluiken open. De tijgers slopen met woeste en onthutste blik de ring in. Toby brulde en ik rilde, want dit was niet het gebrul van een leeuw die indruk wilde maken, maar van een tijger die zijn ongenoegen uitte, en tussen die twee zat een wereld van serieus verschil. Het gebrul irriteerde King, die naar Toby uithaalde, en binnen een tel stonden de tijgers op hun achterpoten en wisselden met ingehouden klauwen een serie snelle slagen uit voordat ze nors een paar stappen achteruitliepen. Queen gluurde naar Louis en mij en nam langzaam nota van het gebeuren.

Ik glipte de ring in met een korte zweep en bleef dicht bij de tralies. De tijgers hadden me de afgelopen zes maanden buiten de ring gezien en ik moest ze de kans geven te wennen aan het idee dat we niet meer door tralies van elkaar gescheiden waren. Queen hield me stilletjes in de gaten, terwijl de andere twee aan de overkant van de ring op en neer liepen. Na een minuut liet King zich op zijn buik ploffen en rolde Queen over hem heen en was het alleen Toby nog die erachter wilde komen wat ik daar deed. Dus die kwam dichterbij. Hij kwam op minder dan anderhalve meter, toen stopte hij en staarde me door groene spleetjes aan. Hij hijgde zo luid dat het gorgelende vocht achter in zijn keel een diepe stem van zichzelf leek te hebben. Of hij nou overwoog me te doden of nadacht over het weer van die dag, zijn blik verraadde niets.

Op dat moment richtte ik mijn blik op zijn ogen en toen stond de tijd stil en wist ik het. Ik wist precies wat dat dier dacht, ik zou zijn gedachten voor die van mezelf gehouden hebben als ik ze niet in zijn zeewiergroene pupillen geschreven had zien staan.

Ik ga haar op de proef stellen, dacht die tijger. *Ik zal wel eens zien.*

Dus kwam hij nog een kwart meter dichterbij. De groep die zich buiten de stalen piste had verzameld, hield de adem in. Ik liet mijn zweep knallen en mijn stem galmde helder door de stilte van de dierentent: 'Zitten!'

Toby hield stand, ik liet de zweep weer knallen en gaf nogmaals het bevel, tot hij ten slotte terugsloop naar de ton. Maar om te laten zien dat hij zich niet liet koeioneren, ging hij naast de ton liggen in plaats van erop te gaan zitten, wat allemaal tijgertaal is voor: Krijg de pest maar. Niettemin putte ik moed uit het feit dat hij niet naar me had uitgehaald en dat hij al minstens op de helft van zijn opdracht was. Ik riep Queens naam, gevolgd door het bevel 'zitten', en was verbaasd toen ze het nog deed ook en blij leek met de actie. Ik deed hetzelfde met King, maar die werd link en kwam op me af. En weer keek ik in de kop van een tijger alsof ik naar een plank in een kruidenierswinkel stond te kijken en weer wist ik precies wat hij van plan was. En dat was: *Ik denk dat ik net doe of het me allemaal niet aangaat en dan ruk ik haar maag er finaal uit, enkel om de blik van verbazing op haar gezicht te zien.*

Met andere woorden, ik sprong weg voordat die poot uitschoot, ik sprong buiten zijn bereik en zag hoe hij voorbijzeilde. Ik kon zien hoe het net van spieren onder de huid zich spande, net als bij een gezonde man, maar dan bedekt met oranje-zwart bont en uitlopend in donzig wit gevaar. Toen was het mijn beurt voor verrassingen en liet ik de zweep hard neerkomen op zijn neus. Daar schrok hij van, niet van de pijn van de zweep, maar van de schok dat ik zijn gedachten kon lezen, wat de enige ware manier is om een tijger het woord 'kwetsbaar' bij te brengen. Ik sloeg hem nog eens, ditmaal harder, omdat hij stilstond en ik meer gelegenheid had om uit te halen. Hij blies, mepte nogmaals in de lucht en sloop toen met een afkeurend gegrom naar zijn ton en ging zitten.

Op dit punt had ik twee tijgers op de ton en eentje languit op de piste-vloer, wat meer was dan menigeen verwacht had, in aanmerking geno-men dat de roofdieren half onhandelbaar geworden waren sinds ze ander-half jaar geleden hun dompteur hadden gedood. Wat mezelf betrof, ik droop van het zweet en stond te trillen op mijn benen, doordat ik mijn spieren zo hard had aangespannen, dus gaf ik Red een knikje, waarop hij het tunnelluik opentrok. De tijgers stoven alledrie naar de uitgang en na wat onaangenaam geharrewar vanwege de opstopping bij het luik ver-trokken ze in deze volgorde: King, Toby, Queen.

Buiten de kooi droogde ik me af. Om eerlijk te zijn was het of ik een Chinees flesje leeggedronken had; ik was gevoelloos, euforisch en zag ster-retjes. Louis kon alleen nog ongelovig zijn hoofd schudden. Overal om ons heen stonden mensen, werklui vooral, te kletsen en hoewel hun woorden als dekens over elkaar vielen, wist ik dat ze het hadden over wat ze zojuist gezien hadden.

Die avond nodigde Louis Roth me uit voor een etentje.

Ik had nog nooit een man zo netjes zien eten. Hij sneed ieder stukje vlees in een zagend ritme, waarbij het mes precies acht keer heen en weer ging, ook al was hij er met zes keer doorheen en kraste hij de laatste twee keer over het porselein. Dan legde hij zijn mes in een hoek van vijfenveertig graden over de bovenkant van zijn bord – voorzichtig, zodat het niet kletterde – nam zijn vork over in de rechterhand en stopte het stukje eten in zijn mond. Dan kauwde hij precies achttien keer. Ik telde, want hij was nu eenmaal geen man die zichzelf of wie dan ook graag hoorde praten, wat betekende dat er stiltes vielen in het gesprek. Na iedere derde hap nam hij een slok rode wijn, waar hij sowieso te veel van dronk, meer dan anderhalve fles, al zou je niet zeggen dat hij dronken was, behalve dat hij een nog iets zwaarder accent kreeg en zijn bewegingen wat minder abrupt werden.

Voor het overige was de maaltijd zo zakelijk als maar zijn kon, want Louis wilde alleen maar over tijgers praten en over mijn plannen op dat gebied. Dus vertelde ik hem dat ik linea recta naar de top wilde, waarop hij zei dat de top een prima plaats was zolang je je realiseerde dat er nog maar één plaats was waar je daarna heen kon. Ik at soep, salade, vis en aardappels en een plak chocoladetaart. Later die avond zette hij me af bij het St.-Mark voordat hij terugging naar zijn eigen wagen op het circusterrein. Hij probeerde me niet te zoenen; tijdens het eten was er niets gebeurd wat in die richting kon wijzen en onze eerste aanraking was een handdruk op straat voor de lobby, waarbij mijn vingers verdwenen in een grote gespierde hand, die misplaatst leek bij zo'n pezig klein lijf.

'Goedenavond', was zijn laatste woord voor hij de donkere straat in liep. Ik bleef verbaasd achter, hoewel ik er in de daaropvolgende dagen achter kwam dat dat etentje zijn manier was geweest om te zeggen dat hij me wel wilde aannemen zonder ronduit te zeggen dat hij me wilde aannemen. Toen het eenmaal tot me doordrong dat Louis Roth mij in de leer wilde nemen en dat ik misschien verlost zou zijn van de puinhoop die mijn leven de afgelopen tien jaar geweest was... nou. Dat was me een opluchting. Het was een gevoel dat doorwerkte in alles wat ik de daaropvolgende dagen deed. Soms, als ik mezelf in de spiegel bekeek en zag hoe gelukkig ik was, zei ik hardop: 'Kun je die grijns niet eens van je gezicht halen, Mabel? Kun je dat? Probeer maar.' En dan stond ik te worstelen met mijn mondspieren, wat zo idioot was dat ik in lachen uitbarstte en dan stond ik zomaar tegen mijn eigen spiegelbeeld te giechelen, waardoor ik dacht: jezus, Mabel, je bent écht geschift, en door die gedachte kwam ik dan weer heel snel terug op aarde. (Het ergste van naar een gekkenhuis gestuurd worden? Dat je voor de rest van je leven bij iedere pure emotie steeds denkt: o, o, daar ga ik weer.)

Mijn opleiding begon meteen de volgende dag, rond elven. En wat voor een opleiding! Je moet niet vergeten: Pavlov was destijds nog niet uitgevonden, dus niemand wist echt zeker waarom een dier iets wel of niet deed. De meeste dompteurs kregen hun zin door erop los te meppen tot het dier deed wat het moest doen en de beloning voor de kat die op de ton stapte, was dat hij niet meer met de rotanzweep op zijn falie kreeg. Het probleem was dat het dier niet veel meer leerde dan opzij te gaan en dat de kunstjes barstten van de miskleunen en slordigheden en verkeerde bewegingen die dompteurs 'kladjes' noemen. Plus dat het dier in de loop der tijd meestal een diepe belangstelling ontwikkelde voor het doden van zijn dompteur, wat een nogal domme relatie is met een dier dat je doodt door je bij de schouders te grijpen en je op zich te trekken, waarna alles wat niet beschermd wordt door je ribbenkast met een enkele haal van de klauwen van de achterpoten uit je lijf gerukt wordt. Je sterft terwijl je ziet hoe de tijger zich tegoed doet aan je ingewanden. Het is niet eens een snelle dood.

Louis was degene die bedacht dat je de kat beter iets lekkers kon geven als hij iets goed deed. Hij noemde zijn methode 'dresseren' en dat dresseren leerde hij me de hele maand januari en februari. Als Toby, King of Queen deed wat ik wilde of iets wat erop leek, neuriede ik altijd 'braaf poesje' of ik kietelde ze onder hun keel, gooide een stuk paardenvlees voor ze neer of ik snorde een beetje in hun oren tot ze lekker mee gingen snorren, een geluid als een stationair lopende motor. Vijf weken werkte ik zo met de tijgers, ik beloonde ze iedere keer als ze in de buurt (en nog dichter in de buurt) kwamen van wat ik wilde, ik gaf ze een waarschuwende mep als ze koppig werden en sprong opzij als mijn zesde zintuig opflakkerde. Als ik een fout maakte, kreeg ik dat vrij snel te horen van Louis. Daar was hij goed in, maar na een tijdje werd het ook zo dat hij zijn kaken ontspande als ik iets goed deed en zei: 'Jaaa, jaaa, zo moet het.'

Aan het eind van die periode kon Toby opzitten en omrollen en konden de drie tijgers zij aan zij liggen zonder naar elkaar uit te halen. Als finale vormden ze een piramide in het midden van de ring met Toby op de hoogste ton met een uitdrukking op zijn snuit die op trots leek, maar eigenlijk gewoon de blik was van een roofdier dat een stuk vlees verwachtte en zeker wist dat hij het zou krijgen. Toen hij dat zag, zei Louis niet alleen: 'Jaaa, jaaa, zo moet het', maar grijnsde hij er ook bij toen hij het zei, want drie tijgers een piramide laten vormen betekende wel iets in 1913.

Op een avond, ongeveer twee weken voor de aanvang van het seizoen, begon Toby te stuiptrekken. Een halfuur lang hield ik zijn kop op mijn schoot, terwijl ik zachtjes tegen hem praatte en zijn onderbuik streelde waar tijgers een prettig gevoelig plekje hebben. Hij was zo beroerd dat hij niet eens probeerde te bijten of te klauwen, normaal gesproken het eerste wat een zieke tijger doet. Ten slotte gromde hij zachtjes, waarna er een rilling door zijn lijf en een wit waas over zijn ogen trok. Ik zat te janken als een kleuter, terwijl Louis, Al G. en Dan een stukje verderop met hun handen in hun zakken stonden te kniezen en zich afvroegen wat ze doen moesten, met het oog op de foto van nieuweling Mabel Stark en haar 'Piramide van afschrikwekkende woeste poezen!!!', die inmiddels op Barnes-circusposters langs de hele Westkust stond. Dat was Al G.'s idee geweest, aangezien hij van mening was dat niets, maar dan ook niets een tijgershow zo veel cachet gaf als een blondine, vooral als je bedacht dat iedereen wist dat de vorige tijgertemster bij het Barnes Circus omvergetrokken en opgepeuzeld was. Het enige probleem was dat je met alle cachet van de wereld geen piramide kon maken met maar twee tijgers.

Kwam het door mijn gejank? Kwam het door de ernst van de situatie? Of kwam het doordat Louis Roth dit moment koos om te zien dat zijn beschermelinge jong en soepel was en hem teleurgesteld aankeek vanonder een krullende blonde pony? Het enige wat ik weet, is dat ik alleen maar een paar keer met mijn ogen kon knipperen en *hmmmmmmmmm* kon denken toen Louis Roth, een man die niet bekendstond om vriendelijkheid of inschikkelijkheid, zijn twee beste leeuwen aanbood voor een gemengde show.

Eerst zetten we King en Queen in een kooi naast Humpy en Bill, zodat ze aan elkaar en elkaars geur konden wennen. Deze fase duurde een week, hoewel langer beter was geweest. Toen zetten we ze allemaal samen in de kooi, de leeuwentonnen en de tijgertonnen zo ver uit elkaar als de diameter van de kooi toeliet. De week daarop plaatsten we hun tonnen steeds dichter bij elkaar en beloonden we hen iedere keer dat ze erop gingen zitten, tot de dag kwam waarop we de leeuwen naast King en Queen zetten. Geen van de dieren vond dit prettig, alleen Louis en ik; de leeuwen brulden, klauwden en gromden en voerden het hele spektakel op waar leeuwen bekend om staan. De tijgers werden stil, wat erger was, want als je goed keek, zag je dat hun spieren gespannen en hun oren een heel klein beetje naar achteren gevouwen waren.

Ik had de gevlochten wilgenzweep die dag hard nodig, samen met een heleboel vals gespin en 'brave poesjes' en onderbuikgekriebel. Ik wierp ook heel wat paardenvlees op de grond. Dit ging nog een paar dagen zo door voordat ik de leeuwen probeerde te kussen terwijl de twee tijgers toekeken, een uiterst zenuwslopende oefening, want om dit te doen, moest ik mijn zweep laten vallen en ik vroeg me af of de tijgers dit zouden opvatten als een teken dat het voedertijd was. Louis raadde me aan een harde trap met mijn hak tegen zijn neus te geven als een van de tijgers me besloop en dan snel achteruit te lopen, zodat hij niet zijn klauwen in me kon slaan.

De eerste voorstelling was op 8 maart in Santa Monica. Drie pistes, dertien nummers, allemaal met dieren. Ik deed hogeschoolrijden in het vierde nummer en bracht mijn gemengde nummer als tiende, een publiekstrekker in de middenpiste, geflankeerd door hondennummers en een beer die rechtop om het hippodroom liep in pistes één en drie. Het was een goede voorstelling voor die tijd: nadat ik de katten een rondje had laten lopen, liet ik ze op hun plaats zitten, waarna ik King, mijn showtijger, opdracht gaf op te zitten en om zijn as te rollen. Daarna kuste ik Humpy en Bill en liet als sluitstuk de twee tijgers van hun ton komen en samen met de leeuwen een piramide van vier katten vormen.

Het applaus? Was als muziek. Als het crescendo van een orkest. Als je zulk applaus hoort, wordt alles wat je ooit van jezelf hebt gevonden minder belangrijk en voor zolang het duurt, toegedekt met: hé, je bent iemand voor wie men klapt. Het enige probleem is dat het je in de bol kan slaan en ook zál slaan: op het moment dat het applaus begon weg te sterven, werd ik gegrepen door de behoefte het te rekken, waardoor ik onmiddellijk mijn verstand verloor: ik draaide de katten mijn rug toe en maakte een buiging, iets wat niemand ooit eerder had gedaan in het circus en een dwaasheid waarvan de kranten de volgende dag verslag deden. Louis was woedend, Al G. verrukt. Een week later bracht Al G. nieuwe reclame uit en op zijn posters stond: 'Mabel Stark legt haar wil op aan de gevaarlijkste roofdieren die ooit op bergvlakte en in diepe wildernis zijn gevangen.' Een bewering die gevolgd werd door vijf uitroeptekens.

Na Santa Monica stonden we zes dagen op een congres van Shriners[2] in Los Angeles, een uitzondering, want meestal reisden we iedere nacht verder. Vandaar trokken we de Mojave-woestijn in en staken de Tehachapi-pas over naar Bakersfield, Porterville, Reedly, Selma, Tulare en Coalinga om vervolgens richting Oregon te gaan. Het was bijna altijd volle bak, want het was het staartje van wat wel de Gouden Eeuw van het Circus genoemd werd, voordat wegen en auto's de bewoners van kleine plaatsen andere keuzes boden. Als wij kwamen, gingen de banken dicht, evenals alle scholen en bedrijven. De bezetting was doorgaans meer dan tachtig procent van de bewoners van elke willekeurige plaats. Er waren twee voorstellingen per dag plus een Wildwestshow à la Tom Mix in plaats van een concert na de voorstelling. Naast mijn paarden- en kattennummers reed ik tijdens de cavalcade mee in de leeuwenkooi, achter tralies met vier van Louis' vriendelijkste dieren. Al G. vond een nieuwe geitentrainer en iemand anders voor het zweefnummer, omdat hij dacht dat die nummers mijn bijzondere reputatie zouden schaden. Al gauw was ik gewend aan het zetten van handtekeningen en het omgaan met journalisten; de meeste vragen luidden ongeveer zo: Is het waar dat vrouwen beter zijn in het temmen van wilde dieren? of: Hypnotiseert u uw dieren echt? of: Hoe voelt het om in de schoenen te staan van Marguerite Haupt, in de wetenschap dat zij in die schoenen doodgebeten werd? Moet je je voorstellen hoe dat was voor een weesmeisje uit het simpele deel van Kentucky, omringd door mannen in regenjassen met perskaarten in de band van hun gleufhoeden gestoken, die ieder woord noteren dat je zegt en elkaar verdringen om de volgende vraag te stellen.

Nou.

Het was leuk, opwindend en zenuwslopend tegelijk, aangezien ik nu eenmaal een vrouw ben die puur geluk altijd een moeilijk te verteren product heeft gevonden. Dat was om te beginnen natuurlijk al de reden waarom ik me tot tijgers aangetrokken voelde. Hoe goed het ook gaat, je weet altijd dat het niet meer dan een kwestie van tijd is voordat er een klauw wordt uitgeslagen, voordat er een tand in je blijft haken of er een voorpoot uitschiet, waarna je voldoening weer draaglijk wordt.

Hier. Ik zal je iets laten zien. Deze foto is op 5 november genomen, de laatste voorstelling van 1913. Sacramento, Californië. De man met zijn armen omhoog is Louis. Nou kun je op twee verschillende manieren naar deze foto kijken. Je kunt ernaar kijken zoals het publiek kijkt en dan zie je een klein mannetje dat zeven volwassen leeuwen, waaronder twee Nubiërs met zwarte manen, simultaan laat opzitten. Je kijkt ernaar en je denkt: Jezus maria, ik ben diep en zwaar onder de indruk.

Of je kunt die foto bekijken zoals ik doe. Wat je dan ziet, is dat de tweede leeuw van links onderuitgezakt zit en dat de uiterst rechtse leeuw geeuwt en op het punt staat zijn voorpoten te laten zakken voordat de dompteur het wil. Kijk je naar die foto zoals ik ernaar kijk, dan zie je 'kladjes'. Je ziet ook een man tegenover een muur van volwassen leeuwen staan en in plaats van dat hij één been ietsje voor de ander heeft, met de knieën gebogen en klaar om in actie te komen, staat hij met stijve benen, met zijn gewicht op zijn hielen en de voorkant van zijn lichaam open als een blikje wurmen. Kijk je naar die foto zoals ik ernaar kijk, dan word je een tikje zenuwachtig. Je krijgt het zweet in je handen en je ademhaling gaat sneller. Kijk je naar die foto zoals ik ernaar kijk, dan zie je dreigend onheil.

We overwinterden dat jaar in Portland, Oregon, in plaats van in Venice, Californië, want het gerucht ging dat Dollie Barnes van Al G. ging scheiden en dat hij het risico liep dat zijn bedrijfsmiddelen in beslag genomen zouden worden als hij voet op Californische bodem zou zetten. Ik verbleef in een hotel, waar ze kamers per week verhuurden, al had Al G. me wel een baantje in het winterkwartier gegeven, zodat ik geen pikant variétéwerk hoefde te doen om de eindjes aan elkaar te knopen. Op een dag, vlak nadat we onze tenten in Portland hadden opgeslagen, kwamen Al G. en Dan naar me toe toen ik mijn kooien aan het schoonmaken was. Al G. glimlachte, zoals altijd, dus ik keek Dan aan, wiens uitdrukking meestal een nauwkeuriger beeld gaf van wat er gaande was. Hij keek zorgelijk, alsof hij een ontstoken kies had.

Al G. stak zijn duimen in zijn vest en wipte heen en weer op zijn hakken. Toen haalde hij diep adem, als een man die net een berg beklommen had en de hoogte wilde testen.

'Ahhhhh. Vind je het niet heerlijk fris hier in Oregon?'

Ik beaamde het, zij het op matte toon. Zoals de meeste mensen in het bedrijf was ik het zat om Al G. steeds maar te horen verkondigen dat zijn vervelende echtscheiding absoluut en volstrekt niet de reden was dat we 'm uit Californië gesmeerd waren. Maar als Al G. eenmaal op gang was, liet hij zich niet afleiden door lichaamstaal of een ongelovige toon.

'Ja, Kentucky, ik denk dat Portland het Al G. Barnes Circus goed zal doen. Had ik al verteld dat voer hier maar zes cent per pond kost? In Venice betaalde ik elf. Dat is een aanzienlijke besparing…'

En zo ging hij maar door, omstandig beschrijvend hoe goed zelfs de constante motregen hem beviel, tot Dan merkte dat ik een glazige blik in mijn ogen kreeg en stond te popelen om terug te gaan naar mijn kooien. Op dat moment deed hij iets wat hij bijna nooit deed. Ik bedoel, zijn baas in de rede vallen.

'Vertel het nou maar, baas.'

Al G. zweeg en leek even op zijn tenen getrapt. Toen werd hij ernstig en stak van wal.

'Kentucky,' zei hij, 'het gaat over Louis.'

Ik keek om me heen om te zien of we alleen waren. Ik wilde niet dat iemand anders zou horen waar we het over gingen hebben, ook al was Louis' probleem bij iedereen bekend, van de dwergacrobaten tot de honden etende kermisexoten.

'Wat is er met Louis?'

'Jij en ik weten best dat Louis de grootste dompteur is die het Amerikaanse circus ooit heeft gekend. Of welk circus dan ook in feite. Beter dan Bostok. Beter dan Van Amberg. Ik heb nooit iemand de gedachten van een dier zo zien lezen als hij dat kan. Maar hij drinkt. En hij drinkt meer dan ooit. Het is nog maar een kwestie van tijd voordat hij brokken maakt en ik kan een man als Louis Roth onmogelijk vervangen.'

Ik keek hem niet-begrijpend aan en zei misschien iets naïefs, want Al G.'s ogen verwijdden zich en hij zei: 'Kentucky, je weet toch wel waaróm hij aan de drank is?'

'Ik dacht dat het gewoon bij hem hoorde.'

Hij schudde zijn hoofd.

'Nou, enerzijds wel, anderzijds niet. Het komt door jou, Kentucky.'

'Door mij?'

'Door jou.'

'Ik denk het niet.'

'Kentucky, alsjeblieft. Laten we dit eens bekijken alsof je niet een van de mensen bent om wie het gaat. Hij liet je twee van zijn beste leeuwen bij die slechtgemanierde tijgers van jou zetten. Heb je enig idee wat die leeuwen waard zijn? Ettelijke duizenden, Kentucky. Misschien wel meer. Plus dat hij je zo ongeveer alles heeft geleerd wat er te leren valt in de tijd dat je hier bent. Plus dat hij je voor een etentje heeft uitgenodigd. Wat moet de man nog meer doen? Een advertentie zetten in *White Tops*? Kentucky, die man is verkikkerd op iemand en die iemand ben jij.'

Dat viel me nogal rauw op de maag, aangezien er een groot verschil is tussen iets vermoeden en dat vermoeden bevestigd zien. Eigenlijk stond ik vooral op Al G.'s plan te wachten, want Al G. was een man die altijd een plan had. Zijn gezicht lichtte op alsof hem zojuist iets was ingevallen.

'Weet je wat? Jij wilt toch een nummer met alleen maar tijgers? Pap dan aan met Louis. Jij zorgt dat hij de fles vergeet, dan ben ik tot een wederdienst bereid.'

'Gaat niet', zei ik. 'Ik zie hem nooit meer.'

'O nee?'

Hierop gaf Al G. me zijn universele glimlach, de lach die hij altijd gebruikte als hij een idee had of op het punt stond zijn hand onder de rok van een vrouw te laten glijden of als hij gewoon de stand van zaken probeerde te verdoezelen. Wat me ergerde, was dat ik naar Dan keek en zag dat hij ook lachte. Ze hadden duidelijk iets bedacht wat een niet erg subtiel effect zou hebben op het leven van ondergetekende. Tegen de tijd dat ik één en één bij elkaar had opgeteld, had Al G. het verdomme al over een andere boeg gegooid, iets over hoe mooi hij de bergen achter Portland vond, terwijl hij voortdurend naar Dan keek en zei: 'Heb ik gelijk of niet?', waarna Dan zei: 'Helemaal gelijk, baas. U hebt helemaal gelijk.'

Meteen de volgende ochtend al zag ik Louis op me afkomen met gebogen wijsvinger, gebarend dat ik moest komen. Ik legde mijn gereedschap neer en volgde hem de menagerietent uit en het winterkwartier door. Bij de deur van de oefenschuur schopte ik de modder en run van mijn schoenen, terwijl Louis ging zitten en de onderkant van de zijne met een stokje schoonschraapte tot die er even zwart en nieuw uitzag als de bovenkant.

Hij stond op en zei: 'Kom mee.' En ik volgde hem naar het midden van de schuur, waar Red naast een grote leeuw stond. We kwamen wat dichterbij en ik zag dat het Samson was, een leeuw die te oud en te mak was om kunstjes te doen. Louis gebruikte hem vooral om tonnen warm te houden tijdens zijn finale.

Louis bleef op ongeveer zes stappen van het dier stilstaan en ik stopte ook. We stonden allebei te kijken; Louis zei niets en liet het me zelf uitzoeken. De leeuw zat op een platform met touwen aan de hoeken en al die vier touwen liepen door een enkel blok, dat aan het dak van de schuur was bevestigd, en vervolgens naar een lier op de grond. Door aan de lier te draaien, ging het platform recht de lucht in en je hoefde geen genie te zijn om te begrijpen waarom een lier, een leeuw, een platform en een jong blondje zich tegelijkertijd in dezelfde schuur bevonden.

Ik liep naar de leeuw toe, ging naast hem staan, klopte op zijn manen en zei: 'Braaf beest.' In plaats van mijn been over hem heen te gooien, deed ik heel meisjesachtig en stak mijn hand uit om steun; toen Louis die pakte, gaf ik een klein kneepje in zijn hand, wat niet echt nodig was. Ik gooide mijn been op alsof ik op een dameszadel ging zitten in de hoop dat ook dit hem eraan zou herinneren dat ik een meisje was en bovendien onge- huwd. Ik bleef heel even staan, met mijn gewicht op mijn voeten, voordat ik mezelf liet zakken. Ondertussen keek de oude Samson hijgend om en boerde een rauwe paardenvleeslucht op. Toen ik met mijn volle gewicht op zijn rug ging zitten, werd hij weer een leeuw; hij draaide zijn kop hele- maal om en keek me aan. Tegelijkertijd maakte hij het grommende geluid diep in zijn keel dat alleen een dier met een strottenhoofd zo groot als een ham kan maken. Ik zag tanden en de roze grot van zijn bek.

Louis maakte een snorrend geluid en zei: 'Braaf beest, braaf beest. Dat ies goed, braaf beest.' Dat kalmeerde hem en ik liet mijn gewicht weer zak- ken, waarop de leeuw gromde en chagrijnig werd tot Louis zijn armen om zijn voorpoten legde en hem een zoen op zijn neus gaf. Ik gaf weer wat druk en deze keer gedroeg de leeuw zich wat beter, want in plaats van te grommen, bleef hij stil zitten blazen. Louis zei: 'Braaf kereltje', en gaf hem een royaal stuk paardenvlees. Red liep naar de lier en begon eraan te draaien, waardoor de kleine Mary Haynie van de tabaksvelden van Kentucky zittend op een leeuw van bijna driehonderd kilo de lucht in ge- tild werd. Samson trilde de hele tijd zo erg dat hij geen enkel gevaar vormde voor wie of wat dan ook, met uitzondering van zijn eigen hart misschien. Op een hoogte van een meter of drie stopte Red met draaien. Nadat hij ons een halve minuut in de lucht had laten hangen, zette hij de leeuw en mij weer op de grond en ik stak nogmaals mijn hand uit, zodat Louis hem kon pakken en voelen hoe warm hij was.

'Vass goed', zei hij en om het werk van die ochtend te vieren, haalde hij een flesje uit zijn jaszak en nam een slok Tennessee's Finest.

De volgende dag oefenden we het ballonnennummer weer. (Ook al stond de lier in het volle zicht, het publiek werd geacht te denken dat Samson en ik door ballonnen opgetild werden, een ontkenning van de werkelijkheid die alleen schijnt te werken als mensen in een tent zitten en betaald hebben om een circus te zien.) We gingen die dag ruim zeven meter omhoog, waarbij Samson zonder ophouden trilde. Op de een of andere manier had ik vergeten het bovenste knoopje van mijn blouse vast te maken, dus toen Louis mijn hand pakte en ik me vooroverboog om van de leeuw af te komen, zag hij een mengeling van schaduw en vlees. De volgende dag gingen we tien meter omhoog. Die keer zei Louis toen ik met uitgestoken hand en met een blouse die lubberde als de broek van een zwerver van de leeuw stapte: 'Iek denk dat de leeuw jou aardik viendt.'

Omdat ik meende dat dit veruit de leukste grap was die Louis ooit zou maken, lachte ik, raakte met mijn vrije hand zijn elleboog aan en zei: 'Och, maak 'm nou', wat iedere niet al te domme man vertaald zou hebben als: Ik ben een vrouw en ik raak je niet op één maar op twee plaatsen aan en ik nodig je nu formeel uit om te ontdekken wat dat te betekenen kan hebben.

Opeens drong het tot hem door... wat al dat pakken van handen, tonen van schaduwen en lachen om flauwe grappen van de afgelopen dagen betekend kon hebben. Zijn ogen gingen wijd open. Hij trok wit weg. Hij likte aan zijn lippen. Voordat hij zich herstelde, zei hij: 'Morgen gaan vai verder.' Daarna ging hij er snel vandoor.

Dit ging een tijdje zo door. Ik gunde hem af en toe een blik op een stukje blote huid, zorgde ervoor dat hij me bij het minste of geringste aanraakte en lachte om grappen die je nauwelijks grappen kon noemen. Er gebeurde niets. Geen uitnodigingen voor etentjes, geen liefdesverklaringen, geen onbetamelijke liefkozingen. Niets. Rond de tijd dat we het ballonnennummer geperfectioneerd hadden, was ik tot de slotsom gekomen dat het hele gedoe hopeloos was, dat Louis Roth het soort man was dat zich liever ellendig dan gelukkig voelde. (Heel veel mannen zijn zo, omdat het ze een excuus geeft om zich als een zeurpiet en een klein kind te gedragen. Plus dat het hun het gevoel geeft dat hun dronkenschap iets nobels is en in de loop der jaren hebben veel mannen met die zwakte me verteld dat nobele dronkenschap de beste dronkenschap is die er bestaat.)

Toen ik de volgende dag ging oefenen, besteeg ik de leeuw zoals je een paard bestijgt. Deze keer bleef mijn blouse tot bovenaan dicht en zei ik praktisch geen beleefd woord tegen Louis. Ik deed over het algemeen alsof we minnaars waren die ruzie hadden zonder dat we ooit minnaars geweest waren, wat, zo besefte ik, neerkwam op het paard achter de wagen spannen, maar aangezien ik geen enkel fris idee meer kon verzinnen, zou ik me er op zijn minst iets beter onder voelen, dacht ik. Die dag werden de ouwe Samson en ik naar de nok van de tent getrokken, waar ik met mijn voet de elektrische lont aanstak. Overal om ons heen ging vuurwerk af, blauwe gillende keukenmeiden, rode vuurpijlen, kikkergroene lichtspiralen en oranje nachtruiters, die alle in de nok van de tent explodeerden (wat we om onverklaarbare reden – de dekkleden waren waterdicht gemaakt met paraffine en konden bijna niet brandgevaarlijker zijn – nooit een stom idee hadden gevonden).

Dat vuurwerk bleef maar gillen en krijsen. Samson bleef maar trillen en blazen en ik voelde me de hele tijd als een gescheurd kussensloop, dat aan een hoek van het bed was blijven hangen. Ik kwam met een leeg gevoel naar beneden. Ik stapte van de leeuw af. Toen ik langs Louis liep, zei hij: 'Zou jai het erg vienden om te lachen?', waarop ik zei: 'Ik weet niet, Louis, zou jij het erg vinden om m'n kont te kussen?'

De rest van de dag bleef ik mokken en hield ik me afzijdig. De dag erna begonnen we onze tournee in een plaats die Roseburg heette, in Oregon; 9 april was het, bijna een volle maand nadat het Barnes Circus gewoonlijk begon, een uitstel dat te wijten was aan Al G.'s problemen met de wet in Californië. Het was een strobak, wat inhield dat we strobalen moesten neerleggen om het teveel aan publiek een zitplaats te kunnen bieden. 's Ochtends had Louis Samson een was- en droogbeurt gegeven, wat destijds gedaan werd door het dier na het wassen met een doek af te drogen en dan met een stuk karton te wapperen tot zijn vacht zo donzig werd als dat van een showdier. Sommige dieren moesten er niets van hebben, maar als Samson daar al bij hoorde, liet hij het niet merken; hij snorde zelfs een beetje toen ik hem meevoerde naar het licht en het lawaai. Toen ik hem naar het platform bracht en we de lucht in gingen, begon hij te trillen, wat me niet verontrustte, omdat het gewoon zijn manier was om duidelijk te maken dat hij het nummer niet bepaald leuk vond, maar meedeed vanwege het stuk paard dat hij daarna zou krijgen.

We bereikten de nok en ik zette het vuurwerk in gang. Een tel later hoorde ik het: een raspend geluid, als een naald die langs het uiteinde van een wasrol schraapt, een veel hoger geluid dan een leeuw normaliter maakt en daardoor enger. Onmiddellijk besefte ik dat het publiek hem nerveus maakte en ik vervloekte mezelf, omdat ik het nummer niet geoefend had met een paar toekijkende oppassers, die zoveel mogelijk lawaai maakten. Mijn hart begon te bonzen, aangezien ik op vijftien meter hoogte in de val zat met een in paniek rakend roofdier, een fout in het ontwerp van het nummer waar ik tot mijn verbazing niet eerder over had nagedacht.

Terwijl dat vuurwerk verdomme maar bleef knallen en dat publiek maar bleef klappen, nam ik mijn toevlucht tot alle bekende dressuurtechnieken die ik me kon herinneren plus een paar die nog niet uitgevonden waren; gelukkig zat Samson als aan de grond genageld, zodat ik ook de kans had ze toe te passen. Ik zei dat hij een braaf beestje was, ik maakte een snorrend geluid bij zijn oor, ik krabbelde aan zijn onderbuik en ik beloofde hem alle vlees van de wereld als hij me maar niet bij het hoogste punt van een middenpaal zou laten doodgaan terwijl er mensen toekeken, er muziek schetterde en er vuurwerk afging om de gebeurtenis nog wat gedenkwaardiger te maken. Hij leek te luisteren. Het vuurwerk hield op, we begonnen aan de afdaling en het enige wat restte, was wat zwak applaus en een enkele buskruitknal. Zijn gerasp stierf weg en toen we het strooisel bereikten, stopte hij ook met trillen, twee dingen waarvoor ik zeer dankbaar was. Toen ik mijn been over hem heen zwaaide, kwam er een werkman aanrennen met Samsons lijn, die ik vastklikte aan zijn halsband. (Dit was alleen voor het publiek, aangezien een vrouw van nog geen vijftig kilo weinig kan uitrichten als een volwassen leeuw besluit ervandoor te gaan.)

Ik nam een stap. Ik wachtte tot Samson van het platform af zou lopen.

Ik nam nog een stap en voelde de lijn straktrekken. Ik draaide me om, keek Samson aan en toen gebeurde het: een poot schoot uit en greep mijn arm. Het gebeurde zo snel dat ik het niet eens zag aankomen.

De pijn was abrupt en fel, maar werd getemperd doordat het allemaal nog veel erger zou worden. Het publiek zat intussen te gieren, ze vonden het het leukste wat ze ooit hadden gezien, een leeuw die zijn voorpoot op de arm van zijn dompteuse legt alsof hij de piste niet wil verlaten. Wat het publiek uiteraard niet wist, was dat Samson zijn nagels flink diep in mijn arm had geslagen, zodat het bloed dik en warm door mijn mouw naar beneden stroomde en zich verzamelde bij de elleboog, waar de mouw een knik maakt. Zo stonden we elkaar aan te kijken, Samson en ik, maar ik wist heel goed wat er ging gebeuren: hij zou zo'n plotselinge en harde ruk aan mijn arm geven dat deze uit de kom zou schieten en alleen nog op zijn plaats gehouden zou worden door uitgerekte en daardoor flinterdunne huid. En dan zou hij hem gewoon voor de lol met een haal van zijn andere poot afbreken; in feite liet hij me zien wat er zou gebeuren als ik of wie dan ook nog eens zou proberen hem op dat rotplatform omhoog te takelen. Ik twijfelde er geen moment aan dat dit zijn bedoeling was; ik begon me zelfs af te vragen of ik kon leren een zweep te hanteren met mijn verkeerde hand. Het enige wat me tegenstond, was dat het zo lang duurde en dat vierduizend toeschouwers er lol om hadden. Ondertussen bleef Samson me recht aanstaren en loom hijgen; hij had er duidelijk plezier in en rekte zowel mijn arm als het moment, terwijl het gewicht van zijn poot een duidelijke boodschap was aan mijn pijnlijk uitgerekte schoudergewricht. En toen gebeurde er iets wat eigenlijk niet mogelijk is.

Samson trok drie nagels terug uit mijn arm. Dat is een beweging die een handigheid vereist die leeuwen niet hebben, maar ik kan het zonder meer bewijzen aan de hand van de vreemde littekens op mijn onderarm. Alleen zijn pink stak nu nog in mijn arm; zijn poot leek op de hand van een dame uit de betere kringen die een kopje thee vasthield. Ik sloeg mijn blik weer op naar die glinsterende goudgele ogen. Tijgers kunnen niet glimlachen, maar een leeuw kan dat wel en hij gaf me een brede glimlach, iets waardoor het publiek nog harder ging lachen. Hij drukte die enkele nagel er nog wat dieper in, door de opper- en lederhuid heen tot op de laag waar het weefsel week en blauw is. Toen trok hij en reet mijn arm open, even langzaam als jij of ik een brief zouden openscheuren, waarbij stof, huid, spier en pees netjes gescheiden werden en er een kaarsrechte vore achterbleef. Net voor de pols stopte hij, hij trok beheerst zijn pinknagel eruit en glimlachte en toen hij glimlachte, daagde het me dat hij kennelijk vond dat hij een beloning verdiend had, omdat hij mijn arm niet had afgerukt. Hij zat daar in feite gewoon te grinniken en te wachten tot ik hem op zijn kop zou kloppen en zou zeggen: 'Brave kat.'

Gek genoeg deed ik het ook nog. Ik krabde hem achter zijn oren en zei: 'Oké, Samson, je hebt je bedoeling duidelijk gemaakt.' Toen stond hij op en leidde me naar het blauwe gordijn, even keurig en beleefd als een Dalmatiër, terwijl het publiek klapte en brulde en zich de tranen van het gezicht veegde. Buiten de grote tent zagen mensen dat mijn kostuum vanaf de elleboog tot de pols rood was geworden. Er klonk wat geschreeuw, maar niet al te hard. Ik begon te wankelen van duizeligheid, er begon bloed over mijn vingers te stromen en de kleur rood mengde zich met aarde. Mijn goede hand, die grauwwit was geworden, hield nog steeds de lijn vast van die tevreden hijgende leeuw, aangezien Louis in de menagerie was en er geen sprake van kon zijn dat iemand anders Samson wegbracht. Minutenlang bleef ik staan en voelde me dom en zwak, terwijl het druppelende bloed uit mijn mouw een echt stroompje werd. Na een tijdje begon de grond als een wip op en neer te gaan en klonken de stemmen om me heen traag en onnatuurlijk zwaar.

Ik werd wakker in het donker, met circusgeluiden vlakbij. Mijn ogen pasten zich voldoende aan het duister aan om te zien dat ik in een treinwagon lag, al wist ik niet van wie, tot Louis binnenkwam met een brandende petroleumlamp in de ene hand, een kom in de andere en een doek over zijn schouder. Hij moest net de avondvoorstelling gedaan hebben, want hij was nog in zijn showplunje. Stoom uit de kom rees op naar zijn gezicht. Ik keek de coupé rond. Hij stond vol oud meubilair, veel donker hout en rood fluweel, aan de muren hingen ingelijste foto's van Louis: met zijn peloton in Hongarije, een optreden in de George R. Rawlings Show, met zijn hoofd in de bek van een leeuw, met een trio leeuwen die hij laat omrollen. Op een andere foto poseerde hij met Al G., die met een stralend gezicht zijn arm om Louis' schouder had gelegd, terwijl Louis er met een stalen gezicht en ongemakkelijk bij stond. Er hing ook een ingelijst artikel uit de *New York Times* uit 1905, waarin stond dat Louis de eerste was die ooit zijn hoofd in de bek van een leeuw had gestoken, wat pure flauwekul was, aangezien Van Amberg dat al ergens in de negentiende eeuw had gedaan.

Er lag een laken tussen mij en de beddensprei en mijn arm rustte op een mat van handdoeken. De wond stak, ongetwijfeld door het carbolzuur. Omdat het een wond was die door een dier was toegebracht, hadden ze hem niet verbonden, zodat hij kon opschuimen en schoonbloeden. Louis ging zitten. In plaats van mij aan te kijken, keek hij naar de wond en draaide voorzichtig mijn arm om, zodat hij hem van verschillende kanten kon controleren.

'Zo,' zei hij ten slotte, 'vai hebben ein ongelukje gehad.'

'Kennelijk.'

'Hmmmmmm. Iek heb vel erger gezien.'

'Blijft het een litteken?'

'Jazeker.'

'Prima.'

Hij pakte de doek, doopte hem in het warme water en begon de wond schoon te maken. De snee was lang en recht, als een uit roze houtlagen opgebouwde kano. Louis bleef ernaar kijken, hij kon zijn ogen er niet van afhouden en zou er misschien nog veel langer naar gestaard hebben als ze niet begonnen waren met het rangeren van de treinwagons. Hij ging weg en zei dat hij zo terug zou zijn; een uur later, toen de trein ingeladen was en we op het punt stonden door te reizen naar de volgende plaats, kwam hij met weer een kom warm water en een schone doek terug. Hij waste de buitenkant van de wond tot deze schoon en roze was en in het zachte licht van de petroleumvlam glinsterde.

'Zo,' zei hij, maar hij stopte niet, want vervolgens stak hij zijn wijsvinger in de doek en doopte de punt in de warme oplossing. Toen de trein het station uit reed, wachtte Louis tot het schudden was overgegaan in een gelijkmatige beweging voordat hij deed wat hij van plan was.

Zijnde: hij drukte de in carbolzuur en warm water gedrenkte doek, waar hij met zijn wijsvinger een punt aan had gemaakt, aan één kant in de wond.

'Vai moeten dit grondik schoonmaken', legde Louis uit. Hij gaf wat druk met zijn vingertop, waardoor de wondplooien van elkaar gescheiden werden, en duwde hem in de wond, wat een stekende pijn teweegbracht, die zich geenszins beperkte tot de lengte en breedte van de wond. Ik kron-

kelde een beetje en probeerde een dame te blijven, al viel dat niet mee, omdat Louis' vinger zich naar het midden van de wond bewoog en diepere
huidlagen openlegde, waardoor de pijn zo hevig werd dat het op wraak
begon te lijken. Lucht siste tussen mijn tanden door en ik trok mijn rug
krom, maar ik schreeuwde niet. Ik wilde hem tonen dat pijn iets was waarvoor ik een meer dan gemiddelde tolerantie had.

'Zo,' zei Louis steeds opnieuw, 'zo zo zo. Ies beter nou, denk iek. Kein
kans op ienfectie. Vai villen niet dat jai hersenvliesontsteking kraigt.'

Ik bleef nog een poosje liggen, ben zelfs misschien in slaap gevallen, terwijl Louis op een stoel in de hoek zijn laarzen en de knopen van zijn tu-
niek ging zitten poetsen. Toen hij ervan overtuigd was dat er geen vocht
meer uit de wond kwam, pakte hij een rol steriel gaas en wikkelde dat stevig om de arm, die hij vervolgens tot net onder de elleboog verbond.

'Iek denk jai kan beter wat slapen nu', zei hij. 'Ien de volgende plaats laten vai het misschien nog wat meer schoonbloeden en hechten, ja?' Net
toen ik akkoord wilde gaan, kwam er een gedachte bij me op.

'Louis,' zei ik, 'waar ga jij slapen?'

'Iek?'

'Ja, jij.'

'Dat ies kein probleem. Iek slaap ien de stoel. Dat heb iek al heel vaak
gedaan. Het ies ein talent dat iek ontviekkeld heb.'

'Louis, doe niet zo idioot. Dit is jouw wagon en als er iemand in de stoel
gaat slapen, ben ik het.'

'Dat ies onmogelaik. Jouw arm moet ondersteund blaiven, anders ies de
pain vreselaik. Iek sta dat niet toe.'

'Dan zit er niks anders op dan bij me te kruipen. Ik schik wel een stukje
op om plaats te maken. Ik ben gelukkig niet al te groot, dus ik neem niet
al te veel plek in.'

'Iek wiel niet…'

'Louis. Je bent beleefd en doodgewoon stom en dat jij in die stoel gaat
maffen, is alleen maar dom. Je bent dompteur. Als er iemand morgenochtend fris moet zijn, ben jij het wel.' Daarop kreeg hij een gemelijke trek
op zijn gezicht; hij zag de wijsheid ervan in, ook al kwam die wijsheid
van mij, en hij hield er duidelijk niet van om ongelijk te hebben. Hij
stond op en blies de lamp uit en ik hoorde kleren uit- en aangetrokken
worden in het donker. Ik schoof naar de zijkant van de coupé en hij stapte

met een lang wit flanellen nachthemd aan in bed.

Door de spanning was slapen uiteraard onmogelijk en heel lang lagen we zonder elkaar aan te raken enkel maar naast elkaar naar het plafond te staren en te luisteren naar elkaars lichte, snelle ademhaling. Pas na een godvergeten lange tijd hoorde ik Louis ten slotte fluisteren: 'Mabel?'

'Ja', fluisterde ik terug.

'Iek heb het je ien het begien niet makkelaik gemaakt. Het spait mai.'

'Geeft niks, Louis.'

'Veel mensen denken dat zai dompteur zain kunnen. Zai veten dat vai goed betaald worden en zai denken dat het glamour heeft. Als iek hen niet vegjaag, kunnen zai zwaar gewond worden. Het ies voor hun aigen bestwiel.'

'Dat weet ik, Louis.'

'Iek begreep niet dat jai de gave had.'

'Verleden tijd, Louis.'

Er viel een lange stilte, waarin Louis en ik luisterden naar spoorweggeluiden en ratelende wielen. Uiteindelijk zei hij: 'Al G. zegt dat jai een wees bent?'

Weer een lange stilte. Ik kon Louis' blik op de zijkant van mijn gezicht voelen. Ondertussen vroeg ik me af of ik echt op dat hele weesgedoe wilde ingaan.

'Nee, hoor. Geen idee waar hij dat vandaan heeft. Grappig hoe geruchten ontstaan.'

'Dus jouw ouders, zai leven nog?'

'Ja, hoor. In Kentucky. Ze verbouwen tabak.'

'Hmmmmmmm', zei Louis, terwijl hij iets deed wat ik niet meer verwacht had: een van zijn grote pezige handen stak de grote kloof over en pakte de twee kleinste vingers van mijn goede hand. Het woord *eindelijk* schoot door mijn hoofd en hoewel ik van moeheid bijna geen pap meer kon zeggen, schoof ik naar het midden van het bed en ging tegen hem aan liggen. Een seconde later voelde ik Louis' lippen op de mijne – zijn adem was warm en rook naar *sourmash* – en zijn hand in mijn blouse glijden.

Na een potje zoenen en masseren spoorde ik zijn hand aan om zuidwaarts te reizen; hoewel hij niets anders deed dan zijn hand en vingers te laten rusten op de plek waar ik ze had neergelegd, trilden ze zo hard dat er een natuurlijke vibratie ontstond die in het geheel niet onplezierig was. Ondertussen trok ik op mijn beurt zijn nachthemd omhoog en gaf hem een aai. Hij was klein, die man, misschien zo groot als een duim, iets waar ik blij om was, want het zou van mijn kant niet veel geestdrift vergen om hem te ontvangen. Na een heleboel gezoen en gestreel liet ik me terugrollen, waarna ik mijn hand tussen mijn benen stak en hem naar binnen leidde.

Na een paar langzame stootbewegingen – mannen doen dat om te laten zien dat ze hoffelijk zijn, hoewel je altijd merkt dat ze het vervelend vinden – begon hij als de gesmeerde bliksem te schokken, met één hand op mijn schouder en één op mijn linkerborst, zodat het bed sneller heen en weer schudde dan de spoorwagon waar het in stond, en al die tijd gaf Louis geen kik, enkel een ffffffffft-geluid helemaal aan het eind. Het klonk als een lekke band, maar ik vatte het op als een sein dat hij zijn portie had gehad en op het punt stond te gaan slapen.

Hij stapte uit bed en waste zonder naar mij te kijken zijn gezicht, zijn handen en geslacht even grondig als hij mijn wond had schoongemaakt. Toen kwam hij terug in bed, probeerde te zeggen dat hij van me hield, slaagde daar niet in en viel in slaap. Ik bleef wakker en telde spoorweglampen, terwijl mijn hart klopte als dat van een konijn en een enkele gedachte als een Zweven-is-leven-nummer steeds maar rondjes en loopings bleef draaien in dat blonde krullenkopje van mij.

Al G. zou dit te horen krijgen.

Hij zou het de volgende ochtend te horen krijgen.

Al G. deed zijn woord gestand en kocht een wilde Bengaal voor me van een Indiase kapitein, die met zijn vrachtboot in de baai van San Francisco lag. Ik noemde haar Duchess. Ze was zo wild dat het er een tijd lang naar uitzag dat ik een halsband en kettingen zou moeten gebruiken om haar te dresseren, wat een vreselijke dressuurmethode is, daar tijgers er praktisch een hobby van maken om wrok te koesteren. Uiteindelijk kreeg ik haar zover dat ze op haar ton sprong, al duurde het langer dan een maand, en de eerste keer dat ik haar met King en Queen in de kooi had, gaf ze Queen een haal over haar neus, en om orde te houden, moest ik Duchess harder met de zweep geven dan ik ooit een dier geslagen had. Ze viel me aan en haalde uit naar mijn hand en het had nog erger kunnen zijn als

Louis niet naast me had gestaan en de zweep hard op haar neus en ogen
had laten neerkomen, waardoor ze terugdeinsde tot net buiten aanvalsbe-
reik. Waar ze bleef zitten grauwen en vals kijken. Ondertussen stond
Queen te grommen bij het tunnelluik en bleef King op zijn ton zitten,
al waren zijn ogen tot spleetjes geknepen en strak gericht op iedere trilling
van Duchess.

Terwijl Red de katten terugbracht naar hun kooien, hield Louis mijn
gewonde hand in de zijne. De verwonding zou minder erg geweest zijn
als er niet een nagel achter de ring was blijven hangen die ik een paar weken daarvoor van Louis had gekregen; door de ring waren huid en spieren
doorgesneden en was het gewricht gebroken, zodat de vinger er nu scheef
bij hing en alleen nog met wat huid en weefsel aan de hand vastzat. Er
moesten meer hechtingen in dan een vinger volgens mij kan hebben en
hij functioneerde daarna nooit meer helemaal goed. De enige troost was
dat Louis me weer verpleegde en dat die verpleging tot meer nachtelijke
liefkozingen leidde, wat Al G. veel plezier deed, want hoe vaker Louis en
ik samen waren hoe minder Louis scheen te drinken. Zelfs ik was gelukkig, want ik wilde een baby en vond Louis even geschikt als wie ook om
een baby mee te hebben.

Later in het seizoen, in de staat Washington, kreeg Louis nog meer
wonden te verzorgen toen Al G. me een nieuwe hengst had gegeven voor
het ruiternummer. Al op de eerste oefendag wierp hij me af, waardoor
ik met mijn hoofd tegen de bevroren grond sloeg en een diepe snee boven
mijn oog en drie gebroken ribben opliep en een week lang in coma lag.
Toen ik eindelijk bijkwam, had ik erg veel last van pijn in mijn nek, ge-
deeltelijke blindheid en een duizeligheid die de ene dag weliswaar erger
was dan de andere, maar nooit helemaal wegtrok. Louis legde koude
kompressen op mijn hoofd en als ik me goed genoeg voelde, maakte hij
de kromme snee boven mijn oog schoon met een heel milde ammoniakoplossing. Om het zicht te herstellen, liet hij me slapen met een toverhaze-
laarkompres op mijn linkeroog, een remedie waar hij bij zwoer, maar die
enkel een zware geur van gefermenteerde boombast in de wagon achterliet. Een heel jaar had ik last van slecht zicht, tot de volgende tijger die Al
G. voor me kocht – Pasja heette ze – naar me uithaalde tijdens een matinee
in Leavenworth in Kansas. Ze bezorgde me een jaap die weliswaar niet
ernstig was, maar die bloedde zoals alleen een hoofdwond kan bloeden;

vrouwen vielen flauw en kinderen gilden. Gek genoeg begon daarna het zicht terug te komen in mijn linkeroog en het dubbelzien waar ik aldoor als ik mijn hoofd omdraaide last van had gehad, was ook weg. De dokter zei dat de kat een bloedklontertje, veroorzaakt door de val van het paard, moest hebben weggerukt. Wie weet. Terwijl ik in het ziekenhuis lag, ging Louis de stad in en kocht een half dozijn hoeden voor me om te bekijken, omdat ik iets op mijn hoofd nodig had zolang het haar op de kale plek nog niet was teruggegroeid. Ik zei dat ik niet kon besluiten, dat ze allemaal zo mooi waren. Louis liet zijn hakken klakken, ging weer de stad in en kocht ze allemaal.

Of: in 1916 stuurde Al G. Louis en mij naar San Bernardino om een leeuwennummer te doen voor een stel Oranjemannen. Halverwege het nummer besloot een van de suppoosten ons een beetje te helpen door zijn hand tussen de tralies door te steken en een koppige kat op zijn achterste te slaan. De leeuw gilde – hij brulde niet, hij gilde – en daarna brak de pleuris uit en vielen de katten alles aan wat ze zagen, inclusief de tonnen, de tralies, de andere katten en mij uiteraard en het enige wat ik me herinner, is dat ik aan mijn arm de kooi rond werd gesleurd tot Louis naar binnen rende om me te redden, waarbij hij zelf nogal woest in zijn rechterbeen gebeten werd. Het was een kabaal van paniekerige leeuwen, schreeuwende mensen en mannen die met geweren, geladen met losse flodders, naar binnen stormden, terwijl haren en kwijl alom in het rond stoven. Toen de katten ten slotte afgevoerd waren, bleven Louis en ik als bloedende hoopjes achter. We keken elkaar aan en, ik zweer het, we glimlachten.

Louis en ik herstelden samen, waarbij ik zíjn wonden schoonmaakte, voorzover mijn op twee plaatsen aan elkaar genaaide arm dat toeliet, en Louis míjn wonden verzorgde zo goed als hij kon, daar de minste beweging hem een pijn bezorgde die als een mes van boven naar beneden door zijn lichaam sneed. Ik was trots op hem. Het geslinger van de wagon 's nachts bezorgde hem zo'n pijn dat hij niet kon slapen en zelfs toen greep hij niet naar de fles. We zaten allebei onder de bijt- en krabwonden en Louis zei gekscherend dat ik hem geluk had gebracht, want tot dan toe hadden veel mensen hem omschreven als de beste circusdompteur zonder littekens, terwijl hij nu gewoon de beste was, punt uit.

We volgden min of meer een systeem. We hadden doeken die we in een boriumoplossing doopten en vervolgens grondig wasten en aan een dwars door onze wagon gespannen lijn te drogen hingen. Die gebruikten we om onze wonden schoon te maken. Ook maakten we verschillende jodiummengsels in steeds lichter wordende sterktes. We bewaarden ze in potten, die op een rijtje langs de muur op de grond stonden, en naarmate we verder herstelden gebruikten we een steeds minder sterke oplossing, tot er nog maar zo weinig vocht uit de wonden kwam dat we ze konden laten hechten en verbinden, zodat we weer wat rond konden lopen. Toen we met verband begonnen, verschoonden we dat iedere dag, waarbij Louis erop stond dat we onze handen in een ammoniakoplossing wasten. Als de wonden pijn deden, omdat we ons bijvoorbeeld overdag niet koest genoeg hadden gehouden, maakten we ze gevoelloos met ijs of met verkoelende crèmes, want ik had geen vertrouwen in pijnstillers en Louis was bang dat hij er na verloop van tijd niet meer buiten zou kunnen. Of we praatten ons erdoorheen, want afleiding is een veel machtiger wapen dan mensen in het algemeen beseffen. Het werkte als een bezwering, voor honderd procent. We kwamen er alle twee zonder zelfs maar een begin van een infectie vanaf en dat wil heel wat zeggen als je met kattenklauwen van doen hebt gehad.

In drie weken tijd waren we allebei min of meer hersteld en stonden we te popelen om weer aan het werk te gaan. Ik besloot bij Al G. langs te gaan en toen ik over het terrein liep, was de pijn die ik bij iedere stap voelde zo licht dat ik bijna kon doen alsof hij niet bestond. Nadat ik me langs Dan had gekletst, trof ik Al G. luierend in zijn wagon aan met een glimlach om de plek waar zijn sigaar tussen zijn tanden stak. We zaten op een derde van het seizoen 1916 en hij had veel reden tot lachen. Hij had zijn echtscheidingszaak min of meer gewonnen – hij hoefde veel minder te betalen dan Dollie aanvankelijk gevraagd had – en zijn circus was uitgegroeid tot vier pistes met ruim duizend dieren. Zelfs de matinees zaten vol, geheel volgens Barnes' theorie dat een heleboel jongemannen dolgraag nog een keer naar het circus wilden voordat Amerika soldaten naar Frankrijk begon te sturen. Hij had een privé-rijtuig gekocht met een badkamer en elektrisch licht, omdat zijn andere theorie luidde dat circusbazen af en toe de kranten moesten halen met wat hij 'uiterlijk vertoon' noemde. Aangezien de wagon eigendom was geweest van de miljonair William Holt, noemden we hem de Holtwagon. Maar Al G. vond dit niet in overeenstemming met zijn waardigheid en noemde hem Francesca.

'Ik heb het helemaal gehad met leeuwen', liet ik hem weten. 'Ik heb het gewoon niet in de vingers. Louis wel, maar ik niet. En ik weet dat het moeilijk te geloven is, aangezien alle dompteurs ter wereld zeggen dat leeuwen makkelijker te doorgronden zijn. Louis zelf ook, hij kan niet geloven dat ik een voorkeur heb voor tijgers, maar ik kan alleen maar zeggen dat mijn ervaring precies het tegendeel is. Die leeuwen zijn me een raadsel. Misschien doordat het groepsdieren zijn. Het enige wat ik weet, is dat ik hun signalen altijd weer verkeerd opvat. Tijgers, dat is wat ik wil. Als je er nog een of twee bij zou kopen, zou ik een voorstelling kunnen maken die even beroemd wordt als Louis' finale. Wat vind je ervan?'

Al G. deed of hij erover nadacht, waarbij hij zijn vingertoppen zo tegen elkaar drukte dat ze een torenspits vormden. Na enige tijd trok hij een wenkbrauw op en grijnsde.

'Was er verder nog iets, Kentucky?'

'Nou, toevallig wel, Al G. Er is nog iets.'

Een week later stapte ik het gemeentehuis van Boise City binnen als Mabel Stark, geboren in Venice, Californië, voorzien van een valse geboorteakte, die een van de zwendelaars ergens voor me geritseld had. En kwam naar buiten als Mabel Roth, echtgenote van de grootste dompteur aller tijden. De plechtigheid vond in de hoofdstad van Idaho plaats dankzij een storm, waardoor er een voorstelling moest worden afgelast en we een avond vrij hadden. We hielden de receptie op het terrein zelf en Al G. betaalde alles, dat had hij aangeboden toen Louis hem gevraagd had getuige te zijn. We hadden een stuk of wat geroosterde varkens en badkuipen vol bier en ijs. Iedereen kwam, van de circusartiesten, de werklui en de medewerkers aan de Wildwestshow tot en met de kermisexoten en daarom zie je, als je de foto's van mijn derde huwelijk bekijkt, een meisje met armen zo dun en harig als die van een spin; een Siamese tweeling uit Patagonië: Eco en Ico; een man uit Russisch Alaska, wiens lichaam bedekt was met schubben; onze beroemde hond-etende Ingorrotes van de Filippijnen; een half-om-half mens, Geraldine genaamd, met een baard die alleen de rechterhelft van het gezicht bedekte; en Bosco de beestenbijter, die de kop van een levende eekhoorn afbeet en vervolgens doorslikte als onderdeel van een heilwens aan de bruid.

De minstreelband installeerde zich en speelde tot de ochtend en we dansten allemaal, terwijl de wind aan onze haren en kleren rukte. In de verte lag de stad, die een zachte gloed verspreidde, en aangezien we een heerlijk ouderwets bacchanaal aanrichtten en allemaal aan het dansen en feesten waren, was het moeilijk ons niet als een groep dronken zigeuners te voelen, die aan de rand van de stad was neergestreken. Alles ging goed die avond. Hoewel de werklui zo dronken werden dat ze amper nog op hun benen konden staan, waren ze wel zo vriendelijk om het bakkeleien en het plunderen van de stad tot een minimum te beperken. Wat Louis betrof, die bleef nuchter, maar niet zo nuchter dat hij niet af en toe glimlachte en rond middernacht ook zelf een dansje waagde.

En Al G.?

Goeie ouwe Al G. Die liep te lachen en te glimmen en verhalen te vertellen, maar hij hield zich vooral bezig met het toezicht, hij liep om het terrein heen en bewonderde het stadje dat hij had gebouwd. Ergens rond een uur of één, twee in de ochtend merkte ik dat hij verdwenen was, maar een poosje later kwam hij met een regenjas aan terug en ik dacht eigenlijk dat hij die had aangetrokken vanwege de wind. Toen ik met een van de jongens van de Wildwestshow aan het dansen was, kwam hij naar me toe, bood mijn danspartner zijn excuses aan en vroeg of ik even mee kon komen. Ik verontschuldigde mezelf en volgde Al G. naar de rand van het terrein, weg van het feestgedruis. Daar keek hij me aan. Hij was zo stil en ernstig dat ik dacht dat ik misschien iets verkeerds had gedaan. Na een halve minuut kon hij zich niet meer inhouden en begon breed te glimlachen.

'Ik dacht: ik geef je je huwelijkscadeau nu maar.' Toen deed hij zijn regenjas open en liet me de ware reden zien waarom hij zich verkleed had: op zijn borst hingen twee Bengaalse tijgertjes, die hun klauwtjes in Al G.'s vest hadden geslagen. Ze miauwden en ze waren donzig en rood als aardewerk. Ik had in mijn hele leven nooit iets mooiers gezien. Tranen welden op in mijn ogen en ik sloeg een hand voor mijn mond en haalde tussen mijn vingers door adem en hoe ik het ook probeerde, ik kreeg het dankjewel, dat in mijn keel was blijven steken, niet uit mijn strot.

In plaats daarvan gaf ik ze beide ter plekke een naam. Die aan de linkerkant noemde ik Sultan. De andere noemde ik Radja.

6

Het Bengaalse tijgertje

De volgende dag zag Sultan er snotterig en rillerig uit en toen ik de ochtend daarop een kijkje bij de rieten mand nam, was er nog maar één tijgertje dat bewoog. Het andere lag stil. Sultan, wiens neusje aangekoekt was, had de geest gegeven. Gek hoe je altijd meteen ziet dat iets of iemand is doodgegaan: die krijgt een stilheid over zich die iets eeuwigs heeft.

Louis en ik vertelden het aan niemand, hoogstens aan een paar oppassers die mijn verwarring zagen. Op de een of andere manier verspreidde het nieuws zich toch en het duurde minder dan twintig minuten voor de kermisbaas ons kwam opzoeken en aanbood Sultan voor een schijntje te kopen, zodat hij hem in een glazen pot kon doen en hem aan zijn verzameling gepekelde beestjes kon toevoegen. Ook al was hij bijna een halve kop groter dan Louis en een stuk steviger, hij ging er gauw vandoor toen Louis hem zijn rijzweep onder de neus duwde en hem een harteloze idioot noemde.

Die middag gingen Radja, Sultan en ik wandelen in een bos vlakbij, Radja in de holte van mijn rechterarm en Sultan in een rieten mandje, dat ik als een fruitplukkersbak om mijn nek had hangen. Toen we op onze bestemming waren, zette ik het neer, zodat ik kon graven. De grond was stevig, maar niet zo hard dat ik de spade er niet in kreeg. Hoewel Radja oud genoeg was om rond te waggelen, bleef hij meestal dicht bij me en was druk bezig door de bladeren te rollen en in de zoom van mijn broekspijpen te bijten, in het algemeen zonder gepaste aandacht te schenken aan de omstandigheden. Ondertussen groef ik een kleine kuil en vermaakte ik Radja door tegen hem te praten.

'Ik weet heel goed wat jij denkt, kleine tijger. Dat het feit dat je broertje dood is, betekent dat je helemaal alleen bent, en geloof me, ik weet dat dat een angstaanjagend vooruitzicht is. Maar dat hoef je niet te denken, hoor, want je hebt ondergetekende om op je te passen en daarmee heb je het beter getroffen dan ik vroeger. En ik weet dat ik geen tijger ben, maar om een of andere reden kan ik wel zo denken; er zijn in feite momenten dat ik denk dat ik in een vorig leven misschien een tijger was. Er gebeuren godbetert wel gekkere dingen, dus je zou kunnen zeggen dat je de op een na beste getroffen hebt, vind je niet?'

En zo kwebbelde ik maar door over tijgers en eenzaamheid en hoe die twee samengaan, tot ik een mooi kuiltje had gegraven, waar ik de schoenendoos met de arme Sultan inzette. Ik schepte de kuil dicht, stampte de grond stevig aan en legde er toen ik klaar was wilde bloemen op.

'Zo. Da's een puik plekje. Het zal er 's zomers niet te heet worden, mooi uitzicht door de bladeren en die licht- en schaduwvlekken op de grond vind ik ook wel mooi.' We bleven nog een paar minuten staan, zodat Radja afscheid kon nemen, al had hij eerlijk gezegd meer belangstelling voor zijn eigen staart, waar hij nerveus aan zat te knagen, dan voor het rouwgevoel. Nadat ik een golf van verdriet over me heen had laten slaan, bukte ik me en hing de mand weer om mijn nek, maar ditmaal met Radja erin. We stampten door het bos terug naar het circus. Op het terrein ging ik op zoek naar Louis, die beloofd had me een levende geit te bezorgen, omdat Radja moeite had met het idee van een babyflesje en al twee dagen niet veel gegeten had.

Wat bleek? De geitentrainer had botweg geweigerd een van de zijne aan te bieden; hij had gezegd dat Radja zodra hij volwassen was de geit haar maag zou uitrukken. Daarop had Louis zich omgedraaid en was weggelopen, omdat hij het een oneerbiedige taak vond om iemand tot iets over te halen, een taak die beneden zijn waardigheid was. In plaats daarvan was hij het dorp in gegaan en had een boerderijgeit gekocht, die ons, vastgebonden aan een pen in de muur en kauwend op iets wat normaal gesproken niet als eten beschouwd werd, stond op te wachten toen we terugkwamen.

Het was een heidens karwei om Radja te laten kennismaken met de geit, want beide blaatten heftig toen we ze bij elkaar zetten. Ik bedacht dat ik Radja door wat zoete melk op mijn handpalm te doen naar de tepel van de geit kon lokken, die ik eveneens had ingesmeerd met zoetigheid. Na een paar mislukte pogingen begon Radja te sabbelen, maar de geit mekkerde over het feit dat er iets anders dan een geitenbekje met haar in contact kwam. Haar uiers waren niettemin pijnlijk gezwollen en toen

Radja die pijn eenmaal begon te verzachten, hield ze op met klagen en begon weer aan de schoenzool te knabbelen.

Naderhand zette ik Radja met een prairiehaas en een bastaardpup in zijn mand zodat hij warm zou blijven, omdat ik bang was dat hij net als zijn broertje aanleg had voor longontsteking. Die nacht lag ik bezorgd te woelen en te draaien en toen we eindelijk bij de volgende stad waren, rende ik naar de dierenwagon om me ervan te overtuigen dat Radja in orde was. Hoewel ik hem spelend aantrof met zijn twee slapies, waar hij overheen en onderdoor duikelde en naar wie hij vriendschappelijk hapte, beschouwde ik dit als bewijs dat ik gewoon geluk had gehad. Praktisch trillend van bezorgdheid vroeg ik Louis of hij er bezwaar tegen had als ik de drie dieren in hun mand in onze privé-wagon zette. En vooral omdat ik hem met mijn gewoel, gedraai en gezucht wakker had gehouden, vond hij dat goed.

Overdag draaide ik mijn voorstellingen en verzorgde mijn katten en als ik daar niet mee bezig was, was ik bij Radja, speelde en stoeide ik met hem en ging met hem uit wandelen. Af en toe nam ik hem mee de stad in en als de straten nat waren, droeg ik hem, zodat zijn pootjes droog bleven en hij het niet koud zou krijgen. Die winkelexpedities trokken altijd veel starende blikken en aandacht, daarom vond Al G. het prima, maar toen ik op een dag de tram wilde nemen en de conducteur zei dat ik er met een levende tijger op mijn arm niet in kwam, was dat afgelopen. Toen ik vroeg waarom niet, zei hij dat het honden en katten wettelijk verboden was om gebruik te maken van het openbaar vervoer in New Orleans. Vanzelfsprekend zei ik dat Radja een tijger was, dus kat noch hond, en daarom geen boodschap had aan de gemeentelijke verordeningen.

Ik had het uiteraard mis, een stand van zaken waarbij mensen over het algemeen nog heftiger hun opvatting gaan bepleiten. Daarom zei ik tegen de conducteur, die Louisiaans dik was en als gevolg daarvan hevig transpireerde, dat alleen een stomme idioot een Bengaals tijgertje en een doodgewone cyperse kat door elkaar zou halen, waarop hij zei dat dat hem geen moer kon schelen, al was het een paarse Chinese poema, een tijger is een katachtige en daarmee uit. Voor ik het wist, waren we in een schreeuwwedstrijd verwikkeld die ik niet van plan was te verliezen; het enige probleem was dat er een journalist in de tram zat, zodat het hele voorval de volgende ochtend in de krant stond.

('Mabel,' zei Al G., terwijl hij een wenkbrauw optrok, 'aan dit soort publiciteit heb ik geen behoefte. Heb je enig idee hoeveel die Dixie-agenten sowieso al opstrijken?')

Met al die frisse lucht en aandacht groeide Radja even snel als in het wild, al had hij nog steeds de neiging om van schrik op te springen als hij harde geluiden zoals claxons of een pistoolschot hoorde. Zijn tijgerinstinct ontwikkelde zich gelijk met zijn spieren. Op een ochtend toen hij ongeveer twee maanden oud was, werd ik wakker en zag Louis met een zuur gezicht over de mand gebogen staan. 'Chriestenezielen, Mabel,' zei hij, 'kaik nou vat jouw taiger gedaan heeft!'

Ik schoot uit bed en nam een kijkje. 's Nachts had Radja op zeker moment de haas afgeslacht en vervolgens de pup de strot afgebeten. Het feit dat hij dat gedaan had zonder ons wakker te maken, bewees dat hij ze bliksemsnel gedood had. Dit deed me deugd, want het wees erop dat hij een tijger aan het worden was en niet een of andere rare melkboerenhondenkruising, maar de glimlach bestierf op mijn lippen toen ik een van Louis' favoriete showjasjes, een zwaar gebrocheerde rijjas met epauletten en gouden knopen, aan een haak vlak boven de mand zag hangen. Op de een of andere manier waren de ingewanden van de haas in het strijdgewoel naar boven gespetterd, waardoor de mouwen en de ceintuur besmeurd waren en Louis nu in een takkenbui was.

'Jezus, het spijt me, Louis.'

Uiteindelijk pakte hij de jas, zwaaide hem voor mijn neus heen en weer en zei: 'Iek veet niet of die vlekken eruit gaan!' Omdat ik niets zinnigs wist te zeggen om me te verdedigen of hem op te beuren, zei ik maar helemaal niets, en nadat hij het kledingstuk lang genoeg heen en weer had gezwaaid om me zijn boosheid in te peperen, stormde hij de deur uit en liet me met een schuldgevoel achter om de troep zo goed als ik kon op te ruimen. Ondertussen zat Radja trots te miauwen.

Het seizoen eindigde twee dagen later. We keerden terug naar Venice, waar Al G. aan iedereen liep rond te bazuinen dat de voerprijzen waren gestegen in Portland en dat hij daarom het winterkwartier terug naar Venice had verhuisd. Louis en ik namen een kamer in het St.-Mark en omdat ik het idee om Radja in een kooi te stoppen niet kon verdragen, nam ik hem mee. Louis stond erop dat Radja aan mijn kant van het bed sliep en niet in het midden. Op die manier zou Louis geen last hebben van klauwende en krabbende poten als het dier droomde, wat best vervelend was, maar waar ík niet zo'n bezwaar tegen had, zolang mijn schatje maar veilig en gelukkig was.

Deze woonovereenkomst hield stand totdat de manager begon te klagen dat zijn kamermeisjes niet meer in de buurt van onze kamer durfden te komen, waarna we een gemeubileerd appartement met uitzicht op zee huurden aan Pacific Avenue. Vanuit het verhuurbureau kon je de golven en de meeuwen horen, geluiden die ik met Californië had leren associëren, met het buitenseizoen en tijd om op adem te komen. De naam van de bedrijfsleider was Randall en nadat hij onze namen had gevraagd, gaf hij ons een inschrijfformulier. Toen Louis bij het vakje kwam waarin naar huisdieren gevraagd werd, keek hij me met een grijns aan en schreef met een zeldzaam vertoon van humor: één.

We trokken er die dag gelijk in, ik met een enkele circuskoffer, Louis met dozen vol kleren, dompteurspullen, medailles en souvenirs. Alleen al zijn verzameling zwepen en karwatsen vulde bijna een hele hutkoffer. 's Avonds ging hij nog een keer naar het circusterrein en kwam terug met een klaaglijk miauwende Radja in een leren plunjezak. We openden de zak. Radja stak zijn kop naar buiten. Om te laten zien hoe vervelend hij het had gevonden om op die manier vervoerd te worden, stapte hij op het kleed en produceerde een straal als een Romeinse fontein.

In dezelfde plunjezak smokkelde ik Radja het gebouw uit en naar het winterkwartier, waar ik urenlang met hem speelde, waar ik hem over de grond rolde, achter zijn oren krabde en hem leerde met die kleine tandjes te bijten zonder mijn vel te beschadigen. Als we stoeiden, gilde ik als een kind, waardoor mensen bleven staan kijken, aangezien ik niet bekendstond als een type dat gauw kreten van verrukking slaakte. Als Radja vergat dat hij klauwen had, snorde ik zachtjes tegen hem of aaide ik hem over zijn onderbuik en zei: 'Nou, Radja...' tot hij leerde zo voorzichtig mogelijk met me te zijn. Rond deze tijd beloonde ik de geit voor haar trouwe diensten door Radja te spenen, omdat het volgens mij slechts een kwestie van tijd was voordat hij ook haar ingewanden zou uitrukken.

Die dag gaf ik Radja voor het eerst een schenkel, die King al helemaal had afgekloven. Radja snuffelde eerst een paar keer aan het bot voordat hij er een poot op en een poot onder zette en op het rechtopstaande gewricht begon te knagen. Hij likte zijn lippen af en begon vervolgens te snorren. De volgende dag gaf ik hem nog een kale schenkel en deze keer leerde hij de truc om het bot in tweeën te breken en het merg eruit te halen door van zijn tong een lepeltje te maken. Toen zijn tanden en maag wat sterker waren geworden, ging ik hem botten geven waar nog wat paardenvlees aan zat, precies zoals een moedertijger een welp speent, al moest ik hem midden in de nacht toch nog een volle fles warme geitenmelk geven, omdat hij anders vreselijk bleef janken. Het probleem was dat ik hiervoor met een kookplaatje en metalen lepels in de weer moest en hoe stil ik ook deed, Louis werd altijd wakker van het gerinkel. Hij ging rechtop zitten, deed zijn oogmasker omhoog en siste: 'Chriestenezielen, Mabel! Kan die klotentaiger niet ergens anders schlapen?'

En toen.

Het was vlak na nieuwjaar, 1917, een tijd waarin alles leek te veranderen. Het land maakte zich op voor de oorlog, dixielandmuziek kwam naar het noorden en voor het eerst werden er honkbalwedstrijden op zondag gespeeld. Mary Pickford was beroemd, evenals Charlie Chaplin, die een miljoen dollar per jaar opstreek, ongehoord veel geld voor die tijd. Zelfs John Ringling verdiende niet zoveel. De communisten stonden op het punt Rusland te veroveren en de charleston was een enorme rage. Dat wist ik allemaal doordat Louis zo dol was op kranten; hij vond het heerlijk ze hoofdschuddend door te bladeren en ffffffft te zeggen als hij iets las wat hem ergerde. Gek genoeg was het hetzelfde geluid dat hij maakte op het hoogtepunt van lichamelijk genot. Als ik een lijst zou aanleggen van alle dingen die ik me van Louis Roth het meest herinner, dan zou dat geluid erop staan, naast zijn drinkgedrag, zijn pietluttigheid, zijn accent en zijn kleine geslachtsdeel.

Wat me bij de avond brengt die ik me zo goed herinner. Na middernacht lagen we met ons allen in bed, waarmee ik bedoel Louis en ik en Radja, die inmiddels zo groot was als een golden retriever, maar veel sterker en van een schoonheid die geen hond ooit zal bereiken. Louis werd wakker met één bepaald iets in gedachten en begon aan mijn oor te knabbelen, een gevoel alsof je wordt lastiggevallen door een paardenvlieg, al deed ik net of ik het prettig vond, want Louis was nu eenmaal een man en zoals alle mannen onzeker op het gebied van damespleziertjes. Dit leidde tot zoenen in de nek, waarna hij een van zijn grote handen over mijn lichaam liet glijden, een borst pakte en erin kneep alsof hij een avocado op rijpheid testte. Na nog enig gefrunnik gleed die hand zuidwaarts, pakte mijn nachtpon bij de zoom en trok hem omhoog, waarbij ik een beetje meegaf, zodat hij hem over mijn heupen kon sjorren, tot hij als een zwemvest om mijn borst gerold zat.

Dit gaf Louis vrij spel en omdat ik zijn vrouw was en plichten had, fluisterde ik aanmoedigingen, geen al te expliciete dingen, maar woorden die bevorderend van toon waren. Ik voelde hem rommelen en knijpen en wrijven over plekken waar vrouwen volgens mannen graag wrijving voelen. Ik lag van het begin tot het eind met mijn rug naar hem toe en met mijn voorkant naar Radja, die in zijn slaap zijn lippen aflikte en hoge tijgersnurkgeluidjes maakte.

Louis' hand landde op de binnenkant van mijn linkerbeen. Hij zette er wat druk op om aan te geven dat hij wilde dat ik dat been optrok en optilde. Ik gehoorzaamde en een minuut later voelde ik hem zijn duimgrote mannelijkheid in me schuiven.

Er zijn altijd adjectieven die je kunt loslaten op iemands stijl van liefkozen en de adjectieven die de stijl van Louis Roth omschreven, waren: verwoed, geluidloos en onvermoeibaar. Hij ging aan het werk als een zuigermotor met schokdempers, waarbij er geen enkel geluid aan zijn lippen ontsnapte en hij zichzelf tot zo'n razernij opzweepte dat het bed furieus begon te piepen en te bokken. Ondertussen werd ik door al dat gestamp van Louis naar voren geduwd, zodat mijn voorkant tegen Radja begon op te wrijven, en als ik 'mijn voorkant' zeg, bedoel ik het deel aan de voorkant waar het om gaat, een gevoel dat des te bijzonderder was door het feit dat een tijgervacht een olielaagje heeft en die olie afgaf op mij en me glibberig en warm maakte als een in boter gebakken oester. Toen dat gebeurde, kon ik mijn adem niet meer inhouden en ontdekte ik voor het eerst wat een veilig en lekker gevoel het kan zijn als je je adem niet meer kunt inhouden. Ik droop praktisch van de tijgerolie, als ook van andere vloeistoffen. Ondertussen was Louis aan het rampetampen en lag Radja te snurken en daartussenin lag ik, hoewel het me tegelijkertijd weinig kon schelen wie of waar ik was, omdat ik mijn lichaam tot dan toe altijd als een noodzakelijkheid had beschouwd, iets wat je ronddraagt en verder niks. Die nacht ontdekte ik dat het ook iets was waar je een lekker ritje op kon maken, net als op het stenen paard van een carrousel, en dat in dat geval je lichaam je loslaat en je kunt zweven als je je ogen dichtdoet. Het gevoel werd alsmaar sterker tot het punt waarop ik me begon af te vragen of ik zou exploderen – geen beroerde manier om dood te gaan als je het mij vraagt – en terwijl die vraag zich steeds luider aan me opdrong, kneep ik mijn ogen dicht en zag ik een beeld voor me van een bed met een man, een vrouw en een tijger erin en een heftig gewoel onder de deken, waarna de vrouw haar mond opende en kreunde op een manier waar een dokwerker van zou blozen.

En daar werd Radja wakker van.

Hij sprong bijna tegen het plafond. Midden in de lucht draaide hij om zijn as, zodat hij op zijn poten terechtkwam en begon te blazen en te grommen en naar Louis uit te halen, hoewel hij niet echt veel kon uitrichten, aangezien ik me tussen hen in bevond, en Radja zijn doel – mij verdedigen – voorbij zou schieten als hij mij en passant aan flarden zou krabben. Radja's woede was uiteraard niets vergeleken bij die van Louis, want die werd gestoord in zijn gerampetamp en als er iets is waar een man giftig van wordt, is dat het wel. Dus sist hij: 'O, chriestenezielen, iek heb hier schoon genoeg van.' Hij stapt uit bed, grijpt Radja bij zijn staart en trekt zo hard dat ik dacht dat de staart los zou laten.

Radja kwam met een klap op zijn buik terecht en toen hij naar de deur gesleept werd, ontlokte het geluid van zijn nagels mij een schreeuw: 'Nee, nee, nee, alsjeblieft, Louis, je doet hem pijn', waarop mijn man antwoordde: 'Dieze kat ies niet meer te handhaven.' Toen deed hij de deur van het appartement open en smeet Radja aan zijn staart de gang in. Ik bleef minder dan een tel naar het gejank en gehuil en de angstkreten van mijn schatje liggen luisteren, toen sprong ik uit bed en rende de gang op, terwijl de zwaartekracht mijn nachtpon weer op zijn plek trok.

Radja zat ineengedoken in een hoekje te plassen. Ik ging naar hem toe. Stak mijn hand tussen zijn achterpoten en kietelde zijn pretplekje.

'Trek je maar niks van hem aan, hoor. Hij heeft in het leger gezeten, daarom past slapen met zijn vrouw en een tijger niet bij zijn ideeën over fatsoen. Wat ik wil zeggen, is dat het zijn schuld is, klein tijgertje, niet de jouwe.' Toen Radja dit hoorde, nestelde hij zich in mijn armen net als toen hij heel klein was. Hij trilde als een blad. Ik pakte hem op en kwam overeind, een beweging die al mijn beenkracht vergde en nog iets meer, aangezien hij bijna zeventig kilo woog. Op dit punt hoorde ik stemmen en voetstappen en ik kon aan de haast van die geluiden horen dat de mensen die ze maakten verre van ontspannen waren. Daarom deed ik het enige

wat op dat moment in me opkwam, namelijk de gemeenschappelijke wasruimte binnenstappen en in een donker hokje gaan zitten met Radja in
mijn armen en steeds weer tegen hem zeggen: 'Alles komt goed, liefje.
Maak je maar geen zorgen, je hoeft nergens bang voor te zijn zolang ik
bij je ben, liefje.'

Nou. Niet te geloven hoeveel mensen er komen aanrennen als je midden
in de nacht een blèrende tijger uit je kamer gooit. Politie. Brandweer.
Randall, met rechtopstaande haren en een broek over zijn pyjama. Buren
die allemaal zwaar gegriefd keken, alsof er bij ons een vetbrandje was uitge-
broken dat zich dreigde te verspreiden. Mensen van een of andere alarm-
dienst met dikke denim handschoenen aan en een bijl in de hand. Verslaggevers met opschrijfboekjes en hoeden op waarop 'Pers' stond. Een
hondenvanger met een buitenmaats vlindernet, die één blik op Radja
wierp toen ik de wasruimte uit kwam en er met een 'godskolere' snel vandoor ging. Zelfs een enkele slapeloze dronkelap kwam van de straat naar
binnen gedwarreld om te zien wat al die herrie te betekenen had. Het was
een vreselijke toestand en het beste wat ik kon bedenken, was om Radja terug naar de kamer te dragen, hem in mijn armen te houden en in zijn oor
te fluisteren. Ondertussen stond Louis, een vreemdeling met een duimgrote afdruk in de voorkant van zijn lange onderbroek, op de gang, waar
hij probeerde een reden te geven waarom men ons niet moest arresteren
voor het verstoren van de orde, het in gevaar brengen van anderen en het
leven als woeste, met dieren rondtrekkende zigeuners in het algemeen.

Na wat gesputter bedacht hij: 'Vai zain van het cirkoes. Vai zain van het
cirkoes van Barnes. Vai zain cirkoesmensen.'

Vreemd genoeg scheen men dat te accepteren als excuus.

Maar ook hier werden we er uiteindelijk uit gegooid, zodat we gedwongen waren in onze uitgerangeerde wagon te gaan wonen, wat Louis ergerde, omdat hij eraan gewend geraakt was om buiten het seizoen elektriciteit en een toilet met spoeling te hebben. Radja werd naar zijn eigen
kooi in de menagerie verbannen, wat hem ongeveer even gelukkig maakte als Louis: zodra ik hem opsloot, begon hij achter de tralies heen en weer
te lopen en te huilen. Toen ik de volgende dag bij hem ging kijken, zag
ik een paar plekken op zijn huid, die nog niet helemaal kaal waren maar
wel bijna: één hoog op zijn rechterschouder, één midden op zijn kop en

één op tweederde van zijn staart. De dag erop viel er nog meer haar uit en de dag daarop nog meer; binnen een week waren de dunne plekken veranderd in geheel kale plekken, zodat de arme stakker nu meer huid was dan vacht. Twee dagen daarna, toen hij zowat alle vacht kwijt was die God hem had gegeven, deed ik hem aan de lijn en liep met hem over het terrein naar de Holtwagon. Ik klopte en Dan liet me binnen.

Al G. zat binnen een sigaar te roken en leek erg in zijn nopjes met zijn nieuwste aanwinst, een boomlange blonde variétédanseres, Leonora Speeks genaamd. Ze was zo lang als een giraffe, doordat ze hoge hakken droeg en haar haar hoog opstak, zodat het eruitzag als een verlepte bos selderie, hoewel ze het zelf een waterval noemde. Om dat effect te verkrijgen, moest ze haar haar zo strak naar achteren trekken dat haar ooghoeken meegingen, zodat ze een vaag Shanghais uiterlijk kreeg. Exotisch was het woord voor miss Speeks, denk ik. Als ze liep, leek haar hele lichaam wel een gelatinepudding die tijdens een aardbeving in beweging was gekomen.

Ze was de eerste die haar mond opendeed toen we Al G.'s wagon binnenkwamen en hiermee bedoel ik dat ze één blik op Radja wierp, opsprong en begon te gillen, met haar handen in de lucht, alsof ze het slachtoffer was van een overval. Het was vooral effectbejag, aangezien miss Speeks elke kans benutte om op die hoge wankele schoenen op en neer te springen, een beweging waardoor haar boezem zo begon te deinen dat het bijna gevaarlijk werd.

'Wat is dat in 's hemelsnaam?' riep ze, terwijl ze zich op Al G.'s schoot wierp en haar armen strak om zijn hoofd sloeg, met als enig effect dat zijn gezicht in de grot tussen miss Speeks' borsten gedrukt werd, een stukje theater dat tot gevolg had dat Dan en ik elkaar aankeken en met onze ogen rolden. Al G. zei iets, wat ik door de dempende werking van de boezem van zijn nieuwste vrouw niet verstond.

Je zou denken dat een man zich zou generen als hij zo'n imbeciel als vriendin had, maar dat is dan natuurlijk vanuit een vrouw gedacht. Toen miss Speeks ten slotte opstond van Al G.'s schoot en haar jurk rechttrok, zag hij eruit alsof hij een oceaan bedwongen had, waarmee ik bedoel hoogrood en stralend. Deze uitdrukking hield hij uiteraard niet lang, omdat hij nu eindelijk Radja eens goed kon opnemen. Zijn blauwe ogen werden groot.

'Jezus, Kentucky. Dat arme beest.' Hij stond op van zijn bureau, liep naar Radja toe, ging op zijn hurken zitten en liet Radja aan zijn hand snuffelen, en omdat Al G. de gave had, kon je Radja praktisch zien ontspannen. Nadat Al G. zo een minuutje had zitten nadenken, zei hij uiteindelijk: 'Aandacht, Kentucky. Een dosis liefdevolle aandacht. Dat is zo'n beetje het enige wat ik kan bedenken.'

's Middags nam ik Radja mee uit wandelen langs Pacific Avenue. Om de vijf minuten kwamen er kinderen aangerend om te kijken met wat voor vreemde soort haarloze hond ik liep; die bleven dan op een meter of drie staan, werden bang en renden weg, een afwijzing die de arme Radja aanvoelde. Als hij begon te grommen, knielde ik naast hem neer, sloeg mijn armen om hem heen en zei: 'Let maar niet op die kinderen. Jij krijgt je haren terug, geloof me, en dan kijken ze allemaal bewonderend naar je om.' Hierop begon hij te hijgen en draaide zijn oren naar voren ten teken dat hij met die belofte voorlopig kon leven.

Iedere ochtend gaf ik hem een eierbad, iets wat hij niet prettig vond, maar leek te tolereren, omdat ik hem keer op keer vertelde dat zijn vacht ervan terug zou groeien. Ik gaf hem zwavel voor zijn bloed, limoenwater voor zijn maag, en levertraan, zodat zijn vacht bewonderenswaardig dik en glanzend terug zou komen. 's Zondags kreeg hij melk in plaats van vlees, wat goed is voor een kat, omdat het spijsverteringskanaal ervan tot rust komt. Als ik hem zover kreeg dat hij stil bleef staan, spoelde ik zijn ogen altijd met loodsuiker, een behandeling waarvan het oogwit zo wit als een wolk wordt, en als ik Radja terugbracht naar zijn kooi gaf ik hem altijd iets lekkers, een varkenspootje of het zachte eind van een rib, zodat hij zijn tralies met prettige dingen zou gaan associëren, iets wat we allemaal moeten doen als je erover nadenkt. Door deze behandeling begon Radja's vacht terug te komen, vreemd genoeg juist op die plaatsen waar mensen haren hebben: op zijn kop, in zijn oksels, een zachte pluk in zijn lendenen. Een tijd lang leek hij op een kruising tussen een tijger en een getrimde Franse poedel.

Hier. Ik zal je wat foto's laten zien. Die heb ik genomen met Al G.'s oude driepoot, waar vaak licht doorheen kwam, zodat alles een korrelig grijs waas kreeg; vandaar dat ze een stuk treuriger lijken dan de momenten die ze moesten vastleggen. In werkelijkheid waren het een paar van de ge-

lukkigste momenten die ik beleefd heb, al denk ik niet dat ik dat toen besefte, omdat ik barstensvol aspiraties zat en alsmaar dacht dat het leven
pas echt geweldig zou worden als Radja me beroemd had gemaakt. (Het
probleem met ambitie? Als je niet oppast, werkt het als de oogkleppen
bij een paard.)

Zie je dat het op al die foto's schemerig is, dat de zon óf net opkomt óf
net ondergaat, want omdat Radja zo groot aan het worden was, ging ik alleen met hem naar het strand als er niet al te veel stadsmensen in de buurt
waren. Deze vind ik leuk. Radja die net uit zee komt en het water van zijn
nieuwe vacht schudt. Zoals het zonlicht op al die druppeltjes valt en zoals
die oplichtende druppeltjes mijn tijger omlijsten en Radja die kijkt alsof
er geen problemen of zorgen bestaan. Met die glinsterende ogen, die, al
kun je dat hier niet zien, zo groen als smaragd zijn. Zijn slagtanden zo
wit als ivoor. En zijn snorharen... weet je, als je van dichtbij naar het zwart
van tijgersnorharen kijkt, blijken ze helemaal niet zwart te zijn, maar een
mengeling van paars, donkerblauw en wiergroen.

Of deze: als het strand verlaten was, wat in die tijd van het jaar en op dat
tijdstip vaak het geval was, deed ik Radja van de riem en liet hem achter
de zeemeeuwen aan jagen. God, wat vond hij dat geweldig, dat jagen en
springen en uithalen naar die vogels, daarom vliegt hij hier door de lucht,
met zijn achterpoten helemaal los van het zand, zijn lijf gedraaid en zijn
poot zo hoog als een tijgerpoot kan komen. Of deze: het lijkt wel of hij
een achterwaartse salto wil gaan doen; hij sprong precies op het moment
dat de vogel overvloog en bleef hem volgen tot zijn rug zo krom als een
hoepel was. Voor mij drukt die foto vastberadenheid uit, iets wat tijgers
en ik gemeen hebben.

Of deze. Enkel een leeg strand, hè? Kijk eens wat beter. En nog wat beter. Zie je die stip in de buik van de zon verdwijnen? Dat is geen stip. Dat
is Radja en wat er gebeurde, was dat ik hem van de riem had gedaan en
dat hij, toen we met z'n tweeën op het strand stonden, deed wat tijgers
doen in plaats van lachen. Hiermee bedoel ik dat hij een uitdrukking
van duidelijk begrip over zich kreeg: zijn oren spitsten zich, zijn ogen kregen een doordringende blik en straalden een puurheid uit die alleen tijgers
hebben. Toen ging hij ervandoor. Hij begon gewoon te rennen op jacht-
snelheid zonder acht te slaan op mijn geschreeuw dat hij moest stoppen.
Toen dacht ik: o, geweldig, daar gaan mijn roem en rijkdom, erger nog,

hij gaat waarschijnlijk de stad in en doodt een kind en dan krijg ik de schuld en word ik weggestopt op een plek waar de criminelen van geest nooit het daglicht zien. Het was zo'n somber moment dat ik niets anders wist te doen dan zuchtend onder de doek van de camera te verdwijnen, al was het maar om het moment te vereeuwigen. Radja bleef doorrennen. Ik had het gevoel dat hij de betekenis van eeuwigheid wilde ontdekken, een vraag die zowel dieren als mensen bezighoudt. Eindelijk, en dan bedoel ik éíndelijk, stopte de stip en bleef heel lang even groot, een oranje puntje in een wazig gouden verte. Toen leek hij een beetje groter te worden, daarna werd hij echt groter en vervolgens kwam Radja blij hijgend terug en wilde alleen nog maar in het zand rollen.

Toen bedacht ik dat ik maar beter met hem kon gaan trainen.

Nou. Als je een dier wilt selecteren voor een bepaalde truc, moet je kijken naar zijn natuurlijke gedrag. Heb je een tijger met een goed evenwichtsgevoel, dan maak je een balroller van hem. Heb je een tijger die het leuk vindt om met zijn poten in je gezicht te maaien, dan zet je die in het opzittende koortje. Heb je een kat die zwaar en lomp is, dan is het laatste wat je doet hem door een brandende hoepel laten springen. Radja had een natuurlijke neiging naar lichamelijk contact, want hij vond niets leuker dan boven op me te springen, boven op me te liggen en mij boven op hem te laten liggen, waarbij hij steeds naar me sloeg met de leerachtige onderkant van zijn poten. Daarom begon ik dat aan te moedigen. Daarna ging ik hem leren het op een teken van mij te doen, waarvoor ik hem alleen maar vlees hoefde te geven iedere keer als hij met me begon te ravotten, míts ik eerst had gefloten.

Enfin. Het is 15 februari 1917 en de première in Santa Monica is over drie weken. Amerika's officiële deelname aan de grote oorlog begint over zes weken. Een glimlachende en trotse Mabel Stark gaat op zoek naar een oppasser en vraagt hem om Al G. te verzoeken naar de trainingspiste in het roofdierenverblijf te komen. Met Reds hulp verplaatste ik de kooien en liet Radja in de piste. Nadat Radja een paar minuten op zijn ton had gezeten, hoorde ik voetstappen op de planken. Ik keek op en daar was Al G., knap en een tikje corpulent, aangezien hij de afgelopen tijd veel biefstukken en in boter gebakken aardappelen en ijscoupes had gegeten, omdat hij de overtuiging was toegedaan dat een meer dan groot man ook in letterlijke zin groot moest zijn (een overtuiging die hij natuurlijk had overgenomen van een andere beroemde circusdirecteur, je weet wel welke). Uiteraard was hij samen met Dan, die zelf onlangs ook driedelige pakken was gaan dragen, zij het van een iets mindere kwaliteit dan de pakken die Al G. droeg. Miss Speeks droeg een felrode jurk, wijd rond de boezem en strak om de achtersteven, al met al een jurk die ontworpen was om mannen te verleiden en vrouwen in verlegenheid te brengen. Het leek wel of we allemaal in kostuum waren die dag, want ik was in die tijd een strak zwartleren pak gaan dragen. En ongeacht wat je in oude circusfolders ziet, waarin wel honderd verschillende bijvoeglijke naamwoorden gebruikt werden om te suggereren hoe goed ik erin was om mannen het hoofd op hol te brengen – betoverend was een favoriet, net als bekoorlijk en verleidelijk – mijn pakken waren op geen enkele manier bedoeld om miss Speeks de loef af te steken op seksbommengebied. Voor mij was het simpelweg een zaak van veiligheid: het leer bood bescherming tegen klauwen en doordat het strak zat, konden er geen nagels in blijven hangen. Er zaten schoudervullingen in, omdat schouders een favoriete grijpplek zijn voor tijgers, en ik droeg een dikke zwartleren hoed, die ik had gemodelleerd naar de hoed die mijn tweede echtgenoot altijd droeg als hij in die T-Ford van hem reed.

(En waar was Louis Roth? Waar was de ex-Hongaarse legerofficier, thans hoofd roofdierenafdeling van het twaalfhonderd dieren omvattende Al G. Barnes Circus? De man die wist hoe hard ik gewerkt had en die me geen jota geholpen had ondanks het feit dat het zijn taak was toezicht te houden op alle roofdiernummers. De man met wie ik getrouwd was in de hoofdstad van de aardappelstaat en die me daarna voortdurend had lastiggevallen met zijn 'klein duimpje'. Waar was híj op de dag dat ik het beroemdste roofdierennummer in de geschiedenis van het Amerikaanse circus voor het eerst liet zien? Nou, hij was er niet, da's alles wat ik erover kan zeggen.)

Ik stapte de kooi in. Liep naar het midden. Keek naar Al G. en zijn entourage, die alledrie hun mond open hadden hangen van verbazing. Ik floot. Radja schoot van zijn ton, stormde op me af en ik liet hem zonder me zelfs maar te verdedigen boven op me springen, me bij de schouders grijpen, me neerdrukken en rondwroeten in de ruimte tussen mijn schouder en mijn kaak. Hij woog inmiddels al bijna honderdveertig kilo, want

Radja zou ondanks zijn ondermaatse start groot worden voor een Bengaal, misschien wel tweehonderdvijfentwintig kilo, en met zijn afmetingen rolde hij me met gemak over de vloer met die grote poten. Ondertussen begon miss Speeks te gillen en Dan te schreeuwen: 'O, mijn god, baas, hij vermoordt haar!'

Om te tonen dat dat niet zo was, trok ik mijn arm los en legde die om Radja's keel, ik hield hem vast, rolde hem om en ging op hem liggen en op dat moment voelde ik die achterpoten omhoogglijden naar mijn buik. De reactie om je darmen eruit te rukken, was dat, dus ik bracht mijn mond heel dicht bij zijn oor en zei: 'Nee, nee, nee, Radja', op die kalmerende toon die hij zo prettig vond. Toen zijn achterpoten weer weggleden, legde ik mijn linkerhand op zijn pretplekje en begon hem te kietelen, zodat hij zachtjes ging grommen en mijn gezicht begon te likken met zijn ruwe natte tong.

Toen hoorde ik Al G. lachen, want op dat moment besefte hij dat het hele gebeuren show was en dat ik nooit echt in gevaar had verkeerd, in ieder geval niet het soort gevaar dat ik niet onder controle had. Toen ik dat hoorde, worstelde ik nog even door, waarna ik mezelf van hem af duwde en brulde: 'Zitten!' Radja liep mismoedig naar zijn ton en terwijl ik de piste verliet, lokte Red hem eruit met stukjes paardenvlees.

Ik keek naar Al G. Hij en Dan hadden een ongekend brede lach op hun gezicht. Miss Speeks keek naar me alsof wat ik zojuist gedaan had dellerig en schandelijk was, wat denk ik wel toepasselijk was, aangezien ík zo dacht over ongeveer alles wat zíj deed. Ik zweette als een otter en mijn gezicht was plakkerig van het kattenspuug.

'Ga je hem bij de andere zetten?' vroeg Al G. op een toon die eerder lacherig dan vragend was.

'Ja, hoor,' antwoordde ik, 'ik laat hem op zijn ton zitten, terwijl King, Queen, Pasja en Duchess alle trucs doen, tot het publiek denkt dat Radja er voor spek en bonen bij zit en meer niet. Dan draai ik me om en fluit.'

'Weet je wat dat betekent?'

'Niet helemaal, Al G.'

'Het betekent dat je het eerste tijgervechtnummer in de geschiedenis hebt gecreëerd', waarop ik zei: 'O, dat', wat Al G. zo grappig vond dat hij naar me toe liep en me omhelsde en zoende, iets waar ik vooral van genoot omdat miss Leonora Speeks' gezicht ervan dichtklapte als een origamipaard. Toen Barnes wegliep, hield hij even de pas in en fluisterde in mijn oor: 'Een vechtnummer, Kentucky. Ik zou het fantastisch vinden...'

Wat codetaal was voor: Doe het en je krijgt meer kittens.

De volgende dag besloot ik Radja te laten kennismaken met de andere roofdieren. Nadat ik de kooien had verplaatst, haalde ik de tonnen uit de stalen piste, zodat die volkomen leeg was, iets wat de samenkomst, dacht ik, zou bevorderen. Zodra King de piste in stapte, wist ik dat ik een fout had begaan, want ik zag hoe Radja begon te trillen en te hijgen, terwijl King in een trage sluipgang om de jongere tijger heen liep. Ik had King al opdracht gegeven terug naar de tunnel te gaan toen hij een stap naar voren deed, brulde en Radja op de schouder mepte, een klap die niet bedoeld was om te verwonden, maar om er geen twijfel over te laten bestaan wie de baas was. Toch was de klap hard genoeg om Radja tegen de grond te slaan, en toen die weer probeerde op te staan, was hij zo in paniek dat zijn achterpoten geen greep op de run kregen en bleven maaien en wegglijden toen hij naar de zijkant van de kooi probeerde te komen. Daar begon hij te jammeren en te plassen en keek door de tralies waar ik was. King was al door het tunnelluik.

Ik stapte de piste in, liep naar hem toe en bracht Radja tot bedaren door uit te leggen dat King nou eenmaal zo was, dat hij hem wel aardig zou gaan vinden en voordat hij het wist het gezelschap van zijn eigen soort leuk zou gaan vinden. Radja bleef trillen, al werd het minder toen ik mijn arm om zijn nek sloeg, hem tegen me aan drukte en over het plekje op zijn buik wreef. Nadat ik dit meer dan tien minuten had gedaan, leek Radja tot rust te komen, een rust die ik geheel ten onrechte vertrouwde.

Ik kwam overeind en liet Red me een ton aangeven, die ik naar het midden van de piste sleepte. Radja ging er meteen heen, klom erop en begon zich schoon te likken. Na een minuut of zo besloot ik dat hij handelbaar genoeg was om een nummertje vechten te oefenen, zodat het niet helemaal een verloren dag was. Ik draaide mijn rug naar hem toe, floot en een seconde later voelde ik die poten hard neerkomen op mijn schoudervullingen en me tegen de grond slaan. Nou kun je iemand speels tegen de grond slaan en je kunt iemand tegen de grond slaan om hem iets in te peperen en dit was duidelijk het laatste. Mijn knieën en handpalmen deden zeer en ik had moeite om weer op adem te komen. Ik had het volle gewicht van een tijger boven op me en hoewel ik dat normaal gesproken prettig vond, koos Radja ervoor zijn gewicht niet op zijn poten te laten rusten maar mij zijn volle honderdveertig kilo tijger te geven. Ik had het gevoel dat ik verdronk in vacht en spieren. Hij brulde in mijn oor en toen voelde ik zijn kaken om mijn rechterschouder sluiten. En hoewel hij bij lange na niet zo hard beet als hij had gekund – als hij gewild had, had hij mijn schouder er met gemak af kunnen rukken – beet hij wel zo hard dat ik besefte dat ik onderworpen werd, iets waardoor de vraag 'met welk doel?' luid en levensgroot bij me opkwam.

Ik wil even iets absoluut duidelijk maken. Radja had me met gemak kunnen doden als hij dat gewild had, Red en ik zouden niks hebben kunnen uitrichten, en al was het fout wat hij deed, bedenk wel dat hij naar tijgermaatstaven zo voorzichtig mogelijk was, terwijl hij toch zijn grief overbracht. Wat hij deed, was: hij duwde een grote rubberachtige poot midden in mijn gezicht. Hij voelde aan als leer, als een opgevulde bokshandschoen, maar ruw, alsof er steentjes in zaten. Het ergste was dat ik geen lucht kreeg, omdat hij me zo hard tegen de grond drukte dat zijn poot om mijn neus en mond sloot, zodat ik in paniek raakte. Ik maaide met mijn armen en mijn benen, wat niet veel uithaalde tegen het gewicht en de kracht van een tijger.

Toen hij vond dat hij duidelijk genoeg was geweest, haalde hij zijn poot weg, en tot de dag van vandaag beschouw ik het feit dat zijn duimnagel achter mijn linkerooglid bleef haken als een ongelukje. Dat was natuurlijk niet wat ik op dat moment dacht. Ik dacht meer aan het schrapende gevoel van die grote harde oranje nagel over mijn oogbol, iets wat meer pijn doet dan je je kunt voorstellen, aangezien het oog zo'n beetje de allergevoeligste plek van je lichaam is. Ik dacht dat Radja hem er finaal had uitgerukt, iets wat een tijger soms doet om zijn prooi onbekwaam te maken. Sterker nog, die indruk werd bevestigd door alle adrenaline die in mijn lichaam werd rondgepompt; adrenaline is namelijk een stof waarvan de geest driftig op hol slaat, zodat die zichzelf voor de gek houdt. Met andere woorden: ik zou gezworen hebben dat mijn oogbol naar buiten plopte, langs mijn wang naar beneden rolde en in de run bleef liggen en doordat ik daar zo van overtuigd was, begon alles te draaien en een tel later werd alles donker.

Ik kwam bij in onze coupé. Louis stond over me heen gebogen en toen ik met mijn rechteroog naar hem gluurde, glimlachte hij flauwtjes, al zag zijn gezicht er golvend en dromerig uit. Er zaten zilveren klemmen om de winkelhaak in mijn linkerooglid en ik wist dat ze de wond met een verdovingsmiddel hadden behandeld, want ik voelde helemaal geen pijn (en geloof me, naderhand was de pijn niet om te harden zo erg). Uit angst voor infectie was het oog niet verbonden, dus ik lag daar met een wazig en raar gevoel in mijn hoofd, terwijl het vocht over mijn wangen sijpelde en Louis af en toe met een van zijn gedesinfecteerde doeken mijn dichtgeknepen oog depte.

'Mabel,' zei hij ten slotte, 'iek viend dat jai dat taigervechtnummer moet opgeven. Het ies onverstandig.'

Hierop schudde ik mijn hoofd, waardoor Louis zijn hand even moest terugtrekken.

'Ik had Radja en King niet zonder tonnen bij elkaar moeten zetten. Ik ging te overhaast te werk en dacht niet aan de katten. Het was mijn schuld, niet Radja's schuld.'

Louis lachte en ik ving een vleugje Tennessee's Finest op, al wist ik door dat warrige hoofd niet zeker of ik het me verbeeldde.

'Grappig. Dat zeggen alle dompteurs. Weet je, iek was erbai toen Marguerite Haupt verd doodgebeten. Door een valse ouwe kat. Veel erger dan King. Iek heb hem daarna moeten afmaken. Het was enkel en alleen sain schuld. Hoe dan ook, Marguerite liegt daar op de grond en je kunt je voorstellen vat er allemaal uit haar komt en met nog maar een minuut te leven, zegt zai tegen mai: "Het was main schuld, Louis. Ik had niet met die taiger moeten verken in deze hitte. Het was te heet voor de taiger, Louis."'

'Probeer je me bang te maken?'

'Ja.'

'Je weet denk ik best dat dat niet zal lukken.'

'Ja.' Hij gniffelde. 'Daar ben iek me van bewust.'

Louis zei lange tijd niets meer. En ik evenmin; ik concentreerde me liever op het prettige gevoel van warm water dat van de doek op mijn gezicht druppelde. Na nog enkele minuten besloot hij dat het meeste wondvocht er nu wel uit was, hij verwijderde de zilveren klemmen en liet me lekker lang slapen. Ik sliep goed en werd met een goed gevoel wakker. Louis bekeek de wond nogmaals en was zo tevreden dat hij het verband verving en het nieuwe verband met plakband vastzette. Toen hij klaar was, bedankte ik hem, al vermoed ik dat ik het een beetje te formeel deed, waardoor hij aan de problemen moest denken die we de laatste tijd hadden gehad.

'Het ies een taid geleden dat jai en ik als man en vrouw waren.'

'Ja, ik weet het. Het spijt me, Louis.'

'Iek heb je gemiest', zei hij. En omdat ik een vrouw ben en dat een stand van zaken is waar plichten bij horen, had ik opeens met hem te doen. Ik spreidde uitnodigend mijn armen en kuste hem. Na een minuut of twee gleed hij omlaag, maakte de knoopjes van mijn blouse los en begon me tedere kusjes te geven, maar ik genoot er helemaal niet van, want het plafond was een en al kleur en golfde op en neer en ik had geen idee wat er met me aan de hand was.

'Wat heb je me gegeven, Louis?'

Hij trok zijn lippen van mijn borst en zei: 'Je gegeven?'

'Tegen de pijn. Je hebt me iets gegeven tegen de pijn.'

'O, dat. Alleen een beetje morfine. Voor het oog. Je zult ontdekken dat niets zo pain doet als een schram over het oog.'

Mijn hart begon te bonzen. Gelukkig merkte Louis niks van mijn op hol geslagen hartslag; hij was verder naar het zuiden afgedwaald en ik zei niets, al was het maar omdat ik geen tekst en uitleg wilde geven. In plaats daarvan haalde ik een paar keer diep adem en zei bij mezelf dat ik hier doorheen zou komen, wat er ook voor nodig was, aangezien Louis de laatste tijd tekort was gekomen en hij nou eenmaal een man was en ik vastbesloten was het goed te maken. Toen ik hem zijn rijbroek omlaag hoorde doen en zijn penis te voorschijn hoorde halen, ging er een knop om, waarmee ik de knop bedoel die iets onplezierigs onmiddellijk opwaardeert tot nachtmerrie. Het ene moment doe je nog je best om door te zetten, het volgende moet je alles op alles zetten om niet te gaan gillen van ontzetting. Ik zag die tinnen rotsoldaatjes weer, snap je, die me gekleed in rode jassen waterig en grinnikend belaagden en beschimpten, en door de herinneringen die dat opriep, begon ik te huilen en te trillen en te piepen: 'Alsjeblieft, Louis, alsjeblieft...'

Hij liet zich van me af rollen, haalde zijn broek op en ging staan, terwijl ik jankend en naakt en zonder dat het me wat kon schelen op bed lag. Mijn handen had ik voor mijn ogen geslagen, al keek ik heel even met mijn goede oog door een spleetje tussen mijn vingers, net lang genoeg om de bezorgdheid en verwarring op zijn gezicht te zien.

'O', was het enige wat hij zei, al kon het ook ontsnappende lucht geweest zijn in plaats van een woord. Toen hij naast me in bed kroop, zei hij: 'Er zain dingen die iek niet van jou weet, Mabel Roth. Misschien wiel je mai die op een dag vertellen, hmmmmm?' En toen legde hij het volle gewicht van zijn in jasmouw gestoken arm over mijn borst, een stukje lichamelijk contact dat ik tegelijkertijd nodig had en absoluut niet kon verdragen.

Het seizoen ging van start in Santa Monica, Californië, in zulk warm en klam weer dat er wolkjes stoom van het hete beton sloegen toen de regen uiteindelijk begon te vallen. De voorstelling begon met een openingspantomime die 'De verovering van Nyanza' heette, waarbij Nyanza een verzonnen naam was, die Afrikaans moest klinken, omdat Al G. zich wilde onderscheiden van alle Verre-Oostenpantomimes die kriskras door Amerika trokken. Een in lendendoeken gehuld koor zwermde rond een goudkleurige strijdwagen, die getrokken werd door een stel als Masai van de savanne geklede beren, en als de verslaggevers van de *Santa Monica Reporter* al wisten dat er geen Afrikaanse beren bestonden, waren ze in ieder geval zo aardig om dat voor zich te houden. Ondertussen blèrde er een orkest en werd er overdadig getrommeld, gezongen en met speren gezwaaid en bereed de Woeste Man van de kermis, zonder dat ik daarvoor een goede reden kon bedenken, tegen wil en dank een lama. Midden in het strijdgewoel werd Leonora Speeks zelve, schaars gekleed in een afhangende holbewonersdoek en stevig vastgebonden aan een tentpaal, rondgedragen door barbaren alsof ze weggeleid werd om geofferd te worden. Ze vond het uiteraard fantastisch, want het gaf haar de gelegenheid om veel te gillen en te kronkelen en alle aandacht op zich te vestigen. Het gerucht ging dat de barbaren strikte opdracht hadden haar vanuit de grote tent regelrecht naar Al G.'s wagon te brengen, waar ze nog twintig minuten vastgebonden bleef, als je begrijpt wat ik bedoel.

Na de pantomime – ik speelde een vrouwelijk stamlid op een kameel, wat minder makkelijk is dan het klinkt, aangezien kamelen van nature valse, nare, luie beesten zijn, maar mijn ooglapje was er in ieder geval af en hoewel mijn oog nog steeds klopte, kon ik wel weer diepte zien – kwam ik pas weer op bij het twintigste nummer, waarin iedere artieste die gezond van lijf en leden was lief lachend op een gedresseerd paard rondjes moest rijden. Vijf nummers later presenteerde ik mijn nieuwe voorstelling met zeven tijgers, waarvoor Al G. twee nieuwe Bengalen had gekocht, Kitty en Ruby genaamd. Het was een leuk nummertje, waarbij alle zeven tijgers in een piramide opzaten, iets wat geen enkele andere dompteur destijds deed met tijgers. Plus dat ik vijf van de zeven om hun as liet rollen; de twee weigeraars waren Queen, die me iedere keer als ik haar iets nieuws wilde leren met wezenloos knipperende ogen aankeek, en King, die de neiging had te gaan vechten als de vacht van een ander dier hem raakte. Al maakte hij dat meer dan goed met hordespringen en op zijn achterpoten lopen.

Nummer dertig waren de clowns en daarna werd het donker in de grote tent; het circus van Barnes was het eerste in de geschiedenis dat met generatoren en elektrisch licht reisde, dus alleen al het plotseling donker worden van zo'n grote ruimte was genoeg om indruk te maken. Er was geen aankondiging, geen overdrijving, geen aanzwellende muziek, niets. Alleen een licht, dat plotseling op de stalen kooi scheen, en Radja die op zijn ton zat. Daarna kwam ik zelf binnen, gekleed in strak zwart leer met zwarte laarzen, die aan de binnenkant sloten en tot de knie reikten. Ik voelde me heel wat, want ik was sterk van alle noeste arbeid in de kooi en lenig van al dat wegspringen voor maaiende poten en als er één ding is waar het lichaam goed in is als het jong en gezond is, is het pronken met zichzelf.

Ik stond de menigte te bekijken alsof ik er volstrekt geen erg in had dat er een tijger achter me zat die inmiddels bijna tweehonderdvijfentwintig kilo woog. Ik stond te grinniken op een manier die suggereerde dat ik óf naïef óf dom was en in ieder geval uiterst kwetsbaar. Radja schoof ondertussen onrustig heen en weer, likte zijn lippen af, zette zijn poten in positie en gedroeg zich over het algemeen als een tijger die naar actie snakt. Het publiek werd stil. Volkomen stil. Het was een stilte die me zogenaamd in verwarring bracht en waarbij mijn onthutste blik uitdrukte: hé, we zijn hier in een circus, dit is geen plek voor rust. Ik zette zelfs mijn handen op mijn heupen en fronste om mijn verbijstering te benadrukken. De kreten begonnen: 'Kijk uit, achter je', en: 'Pas op de tijger', en: 'Godallemachtig, kijk eens achterom!' Als reactie boog ik me naar voren en zette een hand achter mijn oor alsof ik hardhorend was. Hierdoor gingen ze nog harder roepen en binnen afzienbare tijd zat iedereen in het publiek te schreeuwen alsof zijn leven ervan afhing, terwijl ik daar met een hand achter mijn oor stond en net deed of ik dat moment uitgekozen had om stokdoof te worden. Ik probeerde niet te lachen, want de oren zijn verbazingwekkende dingen, in die zin dat ze op de een of andere manier het lawaai filteren en de grappiger waarschuwingen naar binnen laten zeilen. Bijvoorbeeld: de man op de eerste rij strobalen, die met rood aangelopen gezicht verwoed stond te schreeuwen: 'In christusnaam, dame, je wordt straks met huid en haar opgevreten!'

Dat was het moment waarop ik floot. Niemand in het publiek wist dat ik dat deed, want ze maakten een heidens kabaal en ik had mijn hoofd gebogen, zodat niemand kon zien dat ik iets anders deed met mijn lippen. Het enige wat ze wisten, was dat hun grootste vrees bewaarheid werd en dat is iets wat mensen opwindt en een goed gevoel geeft: Radja stoof van de ton af en sprong met driekwart van zijn kracht brullend boven op me, zodat ik tegen de vlakte sloeg. De hele wereld verdween en zowel wat ik hoorde als wat ik zag, werd gesmoord in zacht oranje. Toen ik mijn hoofd eenmaal had gedraaid en weer lucht kon krijgen, was ik volkomen veilig, en zonder dat enorme gewicht boven op me, dat me iedere keer platdrukte als Radja ademhaalde, zou het zelfs aangenaam geweest zijn. Plus dat zijn buikhaar kriebelde.

Naderhand vertelden de werklui me dat het hele publiek dacht dat mijn nek gebroken was toen Radja sprong en mijn hoofd naar achteren klapte, een vermoeden dat bevestigd werd doordat mijn handen en voeten, de enige lichaamsdelen die onder de tijger uit staken, op geen enkele manier bewogen. Het geschreeuw en gegil moet oorverdovend geweest zijn, dames vielen flauw en kinderen begonnen te krijsen en enkele wat moedigere mannen bestormden de kooi om me te redden, al is het me een raadsel wat ze dachten te gaan doen als ze er eenmaal waren; er waren een twaalftal clowns en olifantenoppassers voor nodig om ze tegen te houden. Ondertussen deed Radja, die brulde en gromde en het achterste van zijn kiezen liet zien, zijn best zich te gedragen als een tijger die zijn prooi bewaakt. Ik lag onder die berg beest te denken dat het er van buiten de kooi waarschijnlijk vreselijk grappig uitzag. Na een poosje trok ik mijn rechterarm onder Radja's buik en kietelde zijn pretplekje, een teken voor hem dat alles prima in orde was en dat het ondanks de toevoeging van schreeuwend publiek hetzelfde spelletje als altijd was. Daarop rolde hij van me af, ging op zijn rug liggen, iets waar een kat normaal gesproken een hekel aan heeft, en liet mij boven op hem rollen, waarna hij zijn poten kruislings over mijn rug legde en me tegen zich aan drukte alsof we aan het schuifelen waren.

Nou. Er stak een storm van applaus op, een storm die voor een deel uit opluchting bestond, voor een deel uit wrevel, omdat ze zich rot geschrokken waren, en voor een deel uit teleurstelling, omdat ze er niet bij waren geweest de avond dat Radja de vechtende tijger zijn dompteuse aan stukken had gescheurd. Die drie delen werden opgeklopt tot een kabaal met een geheel eigen leven. Het kabaal zwol aan tot in de nok van de grote tent, waar het als een regenwolk in een dal bleef hangen en vanzelf steeds luider werd tot het uiteindelijk langzaam overging in lachen, en dan bedoel ik het soort lachen van mensen die beseffen dat ze in de maling genomen zijn en niet zo'n beetje ook. Zelfs nadat Radja en ik gestopt waren met rollebollen en het applaus in ontvangst hadden genomen, zaten ze nog te schuddebuiken van het lachen en hun tranen af te vegen, maar toen ik met Radja de piste uit liep naar het blauwe gordijn, begonnen ze ook te klappen. En te fluiten. En overeind te komen en te juichen; het was alsof ik hen zojuist het geheim van de onsterfelijkheid had verklapt. Achter het gordijn droeg ik de tijger over aan Red en keek naar Al G., die straalde en niet omdat hij zich net had verlustigd aan de vastgebonden verlokkingen van ene miss Leonora Speeks.

Hij moest schreeuwen om zich boven het applaus uit verstaanbaar te maken: 'Nou, schiet op, geef ze wat ze willen, Kentucky!'

Dus dat deed ik. Ik ging weer de piste in en boog. Enkel even een snel buiginkje vanuit het middel, want al was Al G. nog zo grootmoedig, een circusartiest belemmert nooit de voortgang van een voorstelling. Desondanks leek alles wat me ooit was overkomen plotseling zinnig en de moeite waard in die vijf of tien seconden, al was het maar omdat het me hier gebracht had. Ik schoot weg achter het blauwe artiestengordijn en zweefde tussen de dansende beren, de bokkende muilezels en de op het circusterrein paraderende en in gigantische tutu's gestoken olifanten door.

Toen kwam de finale, Louis' leeuwennummer, waarvan het aantal leeuwen van twintig was teruggebracht naar twaalf, omdat Al G. zich recentelijk zorgen was gaan maken of Louis zo'n grote groep nog wel aankon.

Hoewel het nummer soepel verliep, werd Louis gehinderd door een traagheid in zijn loop, die gevaarlijk had kunnen zijn als zijn katten niet zo goed afgericht waren. Het leek wel of hij door water waadde. Hoewel de katten zoals gebruikelijk opzaten, omrolden en piramides vormden, deden ze dat niet met de finesse waarmee een goed nummer zich onderscheidt van een nummer dat ermee door kan. Eerlijk gezegd zaten zijn katten een beetje te suffen en normaal gesproken was er in de wereld van Louis Roth geen ergere zonde dan dat. Ik keek met een half oog naar de voorstelling en met een half oog hoe Al G. naar de voorstelling keek: zijn ogen waren spleetjes en zijn kaakspieren waren gespannen onder de bepoederde huid, al sprong het mom van showman terug op zijn plaats toen miss Speeks kirde: 'Kijk die leeuwen nou toch, lieveling!' en op twee voeten op en neer begon te springen. Het nummer eindigde ermee dat de hele groep opzat, wat op het publiek indruk maakte, maar Louis leek uit te putten; hij moest alles uit de kast halen om te zorgen dat ze hun poten allemaal tegelijk in de lucht hielden.

Dat jaar bestond de toegift uit een serie goochelnummers en zang- en dansnummers, wat we een variétévoorstelling noemden, waarbij miss Speeks in eigen persoon de vrouw speelde die door een achterbakse illusionist doormidden werd gezaagd. Hij werd in de kermistent opgevoerd, zodat wij meteen konden beginnen met het neerhalen van de grote circustent. En als ik 'wij' zeg, bedoel ik dat letterlijk, want het was oorlog en het merendeel van onze werklui was als boerenknecht gaan werken, banen die vrij waren gekomen doordat in heel Amerika jonge boerenknechten uit vaderlandslievendheid in het leger waren gegaan. Ook sommige werklui hadden zich in de strijd geworpen, maar niet veel, aangezien de typische werkman te vaak aan alcoholisme, nervositeit of pederastie leed om langs een rekruteringsbureau van het leger te komen. Er waren nog maar zo weinig werklui over dat Al G. de artiesten had meegedeeld dat het opzetten en afbreken van de grote tent niet vanzelf ging en dat ze geacht werden hun steentje bij te dragen aan het werk.

De hoofdvoorstelling liep tot tien uur 's avonds. Normaal gesproken hadden de werklui de tent tegen middernacht afgebroken, opgerold en ingeladen. Bij ons duurde het de eerste nacht tot vier uur in de ochtend, want afbreken was een ingewikkelde klus, waar precisie en timing voor nodig waren en een heel team olifanten, die de tentharingen met hun slurf uit de grond trokken. De baas van de tentenbouwers, een vent die Peterson heette, schreeuwde zijn longen uit zijn lijf, maar alle geschreeuw van de wereld kon niets veranderen aan het feit dat wij absoluut niet wisten wat we aan het doen waren. Er waren vertragingen, miskleunen en takelongelukken bij de vleet. Die nacht was ik vooral bezig mensen te verbinden die geraakt waren door de glijringen van de verstaging en ijskompressen te leggen op koppen die een optater van een vallende tentpaal hadden gekregen (zoals je weet was ik verpleegster geweest, waardoor ik het een en ander wist van medische zaken). De hele operatie liep rond halftwee in de ochtend vast toen het middenpaalteam op de een of andere manier ver voor was geraakt op de anderen, waardoor het hele tentzeil omlaag kwam dwarrelen met iedereen er nog onder en als je wilt weten wat desoriëntatie is, moet je eens proberen een tentdoek zo groot als twee footballvelden op je hoofd te laten vallen. Plotseling bestond de hele wereld alleen nog uit geschreeuw en pikkedonker. De volgende twintig minuten waren we allemaal druk bezig eronderuit te kruipen. Meer dan eens botste ik tegen iemand op die de weg kwijt was en terugkroop naar het midden en toen wij er uiteindelijk allemaal onder vandaan waren, moesten we nog bedenken hoe we alle omgevallen tentpalen, trapezewerktuigen en lichtpalen eronder vandaan moesten krijgen. Jezus, wat een consternatie. Die stakker van een Peterson raakte zo over zijn toeren dat ik hem opdroeg zich koest te houden, in een papieren zak te ademen en aan plezierige dingen te denken.

Tegen de tijd dat we eindelijk klaar waren, was ik moe en verkleumd en had ik zere vingers. Ik ging naar ons privé-rijtuig; ik had mijn echtgenoot de hele nacht niet gezien en wist heel goed waarom. De stank was verschrikkelijk, het leek wel lichtgas, en Louis lag met armen en benen wijd midden op bed zonder maar enigszins last te hebben van zijn laarzen en zijn uniform, aangezien hij praktisch in coma was. Gelukkig was het een tijd waarin er zo veel goede dingen gaande waren in mijn leven dat ik als het ware een dosis rottigheid nodig had om het evenwicht te bewaren en de goden tevreden te houden. Ik sloot zijn ogen, duwde hem aan de kant en kroop onder de dekens. Die nacht droomde ik van de manier waarop applaus aanzwelt en wegsterft, een geluid dat zo muzikaal is als iets niet-muzikaals maar zijn kan.

We vertrokken allemaal zo moe en afgepeigerd als mogelijk was en arriveerden pas zo laat in San Diego dat de matinee moest worden afgelast, waar Al G. zwaar de pest over in had. Gelukkig stonden we er twee dagen en konden we wat slaap inhalen voordat we voor één avond naar Escondido en voor drie volle dagen naar Los Angeles moesten. Daarna gingen we door de Mojave-woestijn en via de Tehachapi-pas naar Bakersfield, waar we de gebruikelijke stadjes in de San Joaquin-vallei aandeden voordat we naar Noord-Californië en San Francisco trokken, een stad waar ik me altijd een beetje opgelaten voelde vanwege mijn huwelijk met die rijke voyeur James Williams. Maar alles ging goed en ook Al G.'s theorie over circusbezoek in tijden van oorlog bleef als een huis overeind, want het publiek bleef komen, in steeds grotere aantallen. Volgens *Bandwagon* waren ook Sells-Floto, John Robinson en Hagenbeck-Wallace voortdurend uitverkocht. Het enige verschil met vroeger was dat de gezichten nu allemaal van kinderen, grootouders en vrouwen zonder mannen waren, die allemaal makkelijk te vermaken waren, omdat ze het zo hard nodig hadden.

Al G. kocht nog drie tijgers voor me, waaronder een slechtgeluimde Sumatraanse, Jewel genaamd, die me bij verschillende gelegenheden probeerde te doden. Sumatranen zijn extra gevaarlijk omdat ze zo klein en snel zijn. Ik voelde me destijds echter zo goed dat ik kogels had kunnen ontwijken, daarom gebruikte ik haar natuurlijke aanleg om te springen en maakte een uitmuntende hoepelspringer van haar. Toen *White Tops* schreef dat ik het onmogelijke had gedaan door een Sumatraan bij negen Bengalen te zetten, veegde ik luid de vloer aan met het artikel. Er bestaat niet zoiets als onmogelijk, zei ik bij mezelf.

Radja wist dat ook. Tegen de tijd dat zijn eerste verjaardag op stapel stond, had hij zijn volwassen gewicht van tweehonderdvijftig kilo bereikt, wat gigantisch is voor een Bengaal; ik heb klein uitgevallen Siberische vrouwtjestijgers gezien die niet zo groot waren. Hij was de mooiste tijger die ik ooit heb gezien: hartvormige snuit, juweelgroene ogen, dikke glanzende vacht, lange gevoelige paarszwarte snorharen. En alles in de juiste verhouding, iets wat je niet vaak ziet bij een katachtig roofdier. Plus dat hij sinds Santa Monica iedere avond een daverend applaus had gekregen en reken maar dat een tijger daar verbeelding van krijgt. Hij had al gauw een koninklijke houding, die de andere tijgers misten (behalve King mis-

schien), waarmee ik bedoel dat hij een langzame pas had met zijn kin omhoog en zijn schouders naar achteren, een beetje als een debutante die leert
hoe ze moet lopen. Een statige houding had hij, een houding die me
enigszins deed denken aan Louis in de tijd dat hij nog niet dronk.

En dat brengt me op het onderwerp Louis.

Ik zit in de Holtwagon met Al G. te praten, Dan is met miss Speeks de
stad in.

Al G.: Die echtgenoot van je, Kentucky. Wat gaan we daaraan doen?

Ik: Haalde mijn schouders op, want het leek me ontrouw om als vrouw
ronduit toe te geven dat je man aan de drank is.

Al G.: Praat met hem, Kentucky. Peper het hem in. Maar doe het zo dat
hij niet doorheeft dat het hem ingepeperd wordt. Begrijp je wat ik bedoel?
Doe het met tact en vriendelijkheid en je godgegeven sluwheid.

Die avond leende Al G. me zijn wagon en ik maakte een goulashmaaltijd met knoedels voor Louis, die praktisch te dronken was om te eten.
Toen ik opperde dat zijn onmatigheid Al G. wel eens op de zenuwen
kon gaan werken en dat de zenuwen van de baas duidelijk geen dingen
waren waar je op wilde werken, ging hij in de verdediging en werd hij
boos en voordat ik het wist, beet hij me een onderwerp toe dat alleen maar
ten doel had pijn te doen: kinderen, of om precies te zijn, het feit dat we
geen kinderen hadden.

Ik liep rood aan. De ruzie was op het hele terrein te horen. Ik smeet zelfs
met één of twee borden, waar Al G. later erg de pest over in had, omdat
hij ze helemaal uit de Provence had laten komen. Ik besloot de nacht in
de menageriewagon door te brengen, naast Radja, met zijn poot op mijn
borst. 's Ochtends werd ik wakker met de afdruk van stro in mijn wangen.

Die dag trokken we een klein stadje in Zuidoost-Nebraska binnen, Falls
City. Hoewel het maar een stipje op de kaart was, was het voor de artiesten
van Barnes gedenkwaardig, omdat het de meest oostelijk gelegen plaats
was waar ze ooit voorstellingen hadden gegeven, aangezien het Barnes
Circus nou eenmaal een westkust-circus was. Het was eind juli en warm
en de geur van verse maïs hing als een overjas om de stad. Ik had nog
wat tijd voor de cavalcade begon, dus trakteerde ik mezelf op een uitstapje
naar de stad, met een hoed diep over mijn voorhoofd getrokken. Het
was een leuk plaatsje, Falls City. Dat waren de meeste plaatsjes natuurlijk
vóór de aanleg van snelwegen: op het stadsplein stonden een prieel, met

houtsnijwerk versierde banken en een kapel, waar op feestdagen een or-
kestje speelde. Plus een mooi klein gerechtsgebouw en een drugstore, waar
frisdranken verkocht werden. Het was zaterdag en omdat de winkels gesloten waren vanwege het circus, was er een kleine openluchtmarkt op
het plein, waar vrouwen met mutsen op jam en zelfgebakken deegwaren
verkochten.

Ondanks mijn ruzie met Louis had ik een goed gevoel over de wereld.
Na de cavalcade kwam de gebruikelijke meute verslaggevers om een interview vragen en geloof me als ik zeg dat het niet Louis was met wie ze wilden praten. Noch Cheerful Gardener, de olifantenman, of Captain Stone-
wall, de zeehondenman, of Al Crook, de hoofdclown, en ook niet de
charismatische eigenaar, een man die in de hele circuswereld bekendstond
als Lucky Barnes. Nee, hoor, geen van allen.

Die avond toen ik tijdens het vechtnummer – Radja zat nog achter me
op zijn ton – vanuit de kooi naar het publiek stond te turen en net deed
of ik doof of stom of allebei was, terwijl het publiek allerlei variaties
schreeuwde op 'Mijn god, kijk eens achterom!', stormde Radja na mijn
fluitje van zijn ton en sloeg me tegen de grond. En zoals soms gebeurde,
sprong hij boven op me voordat ik tijd had om me om te keren, zodat ik
met mijn buik op de grond lag en de rechterkant van mijn gezicht in de
run gedrukt werd. Ik betrad mijn wereld van diepe donzige stilte, maar
ditmaal gebeurde er iets anders. Radja gaf me wat lucht, hij liet zijn kaken
tot bij mijn oor zakken en liet een zacht gegrom horen, dat zowel liefko-
zend als gevaarlijk klonk. Hij likte de zijkant van mijn gezicht en op dat
moment voelde ik hem allebei zijn grote poten op mijn schouders zetten
en zijn nagels diep in de schoudervullingen drukken. Hij hield me tegen
de grond. Hij opende zijn kaken en sloot ze om mijn nek, zodat zijn hoek-
tanden in mijn huid stonden, terwijl ik zei: 'Radja, nee, nee, nee', wat hij
negeerde. Eén seconde dacht ik dat er iets volslagen fout ging en dat het
misschien waar was dat een tijger nooit te vertrouwen was, zelfs niet een
die je vanaf zijn geboorte hebt grootgebracht.

Radja begon zijn lijf tegen me aan te wrijven. Voor het publiek moet
het eruitgezien hebben alsof hij aanstalten maakte om me op te eten, wat
in zekere zin ook zo was: ik kon voelen hoe zijn mannelijkheid, zo groot
als het handvat van een zweep en bedekt met witte plukjes dons, een ingang zocht in mijn leer. Toen hij die niet vond, stelde hij zich tevreden

met tegen me aan te wrijven, een beweging die me als een lappenpop door elkaar schudde. Radja liet mijn nek los en brulde zoals een mannetjestijger brult als hij zo bezig is, terwijl het publiek gilde en om hulp riep en het gebruikelijke assortiment helden de kooi bestormde, waar ze tegengehouden werden door oppassers, kooihulpen en clowns, iets wat het publiek nog verder opzweepte. Radja begon sneller te bewegen en kwam klaar met een brul waar zelfs ik bang van werd, waarna hij me met zijn poot omrolde, zijn snuit in mijn nek drukte en een gorgelend geluid maakte. Ik omhelsde hem, waarna de kreten van het publiek overgingen in kreten van opluchting.

Hij rolde me nog wat heen en weer, totdat ik hem ten slotte van me afduwde. Ik maakte slechts een heel korte buiging. Om eerlijk te zijn, schaamde ik me dood, want zijn zaad zat over mijn hele rug en toen hij me had omgerold, waren de houtkrullen eraan blijven kleven, zodat mijn prachtige zwartleren pak zo vies was als maar zijn kon: eerlijk gezegd zag ik eruit alsof ik met pek en veren was besmeurd, iets wat ik met menige zwendelaar van het variété had zien gebeuren. Toen ik met een rood hoofd de piste verliet, passeerde ik twee mannen die vlak bij de deur hadden gestaan. De eerste was mijn tunnelman en kooihulp Red, die besefte wat er gebeurd was en stond te lachen en te wijzen en duidelijk lol had om mijn verfomfaaide uiterlijk.

De tweede was Louis, die ook wist wat er gebeurd was en dat allerminst grappig vond.

7

Jungleland

Jezus christus, ik ben blij dat je er bent. Het is zover. Als ik ooit een schouder nodig heb gehad om op te leunen, is het nu. Het was een paar dagen geleden. Twee mannen in zwart pak – ze leken wel begrafenisondernemers – liepen als een paar nieuwsgierige hufters rond te gluren en kooien, hutten en wagons te inspecteren, ik zag er zelfs één hoofdschuddend bij Annies stoom uitbrakende snackhut staan alsof hij zijn ogen niet kon geloven. Om de zaak nog wat te benadrukken, voor het geval er iemand keek, gaf hij er een trap tegen. Het zag er belachelijk uit, alsof het een tweedehands auto was, waar hij op af begon te knappen, zoals hij zijn voet terugtrok en díé bekeek in plaats van de veeg die hij op de zijkant van het gebouwtje had achtergelaten.

Ze zaten praktisch de hele dag bij Jeb en Ida en op de weinige momenten dat ze daar niet waren, zag je ze samen pauzeren, van hun ijsthee nippen en plannen smeden. Toen ik Roger vroeg: 'Wie zijn die twee in godsnaam?', zei hij dat hij geen idee had, dus stelde ik dezelfde vraag aan oom Ben. Die haalde ook zijn schouders op en zei: 'Het enige wat ik weet, is dat ze uit Omaha komen. Ik zou het aan Jeb vragen als ik jou was.' Dat was makkelijker gezegd dan gedaan, want ik kon Jeb niet aanspreken als Ida erbij was en ik kon hem al helemaal niet in zijn nekvel grijpen als hij die vreemden aan het rondleiden was, aangezien dat nou juist degenen waren over wie ik het wilde hebben. Met andere woorden, ik moest er zowat de hele dag op lopen herkauwen tot ik eindelijk, vlak voordat ik naar huis zou gaan, Jeb over de overloop zag stiefelen. Zoals gewoonlijk had hij een cowboyhoed op met daaronder de frons die je als eigenaar van een verlieslijdend bedrijf krijgt. Ik kiende het zo uit dat ik de hoek om kwam en we praktisch tegen elkaar opbotsten.

'Mabel!' zei hij na een snelle stap opzij.

'Jeb! Jezus, ik schrok me het apelazarus.'

Hij lachte en wilde om me heen lopen, waarop ik recht in de lijn van zijn gezichtsveld stapte, een teken dat ik in de stemming was voor een praatje.

'Mooie dag', zei ik.

'Mooie dag.'

'Zonnig. Niet te warm.'

'Ik wou dat het altijd zo was. Dan zouden de zaken vast een stuk beter gaan.'

'Wat we vroeger een echte circusdag noemden.'

'O, een circusdag is het zeker.'

'Ik zie dat je bezoek hebt.'

'Bezoek?'

'Die mannen in pak, die de hele dag achter je aan lopen.'

'O, die. Dat kun je nauwelijks bezoek noemen, Mabel. Bezoek wordt uitgenodigd. Zij belden gewoon op en zeiden dat ze zouden komen, dus ik had weinig keus.'

'Werkelijk?'

'Nou, Mabel, ik moet er…'

'Wie zijn het, Jeb?'

'Wie zijn wie, Mabel?'

'Godallemachtig, Jeb, die kerels in die doodgraverspakkies!'

Op dit punt haalde hij diep adem en keek me recht aan.

'Verzekeringslui, Mabel. Het bedrijf waar onze polis loopt, is verkocht en van het nieuwe bedrijf moeten ze rondkijken.'

'O.'

'Niks om je zorgen over te maken.'

'Nee, vast niet.'

'Waar we ons in ieder geval nooit zorgen over hoeven te maken, zijn jouw tijgers, Mabel, en zij ook niet. Als je ziet hoeveel werk je er insteekt.'

'Nee, ik maak me ook geen zorgen, ik ben enkel nieuwsgierig.'

Hierop volgden nog enkele ongemakkelijke seconden. Toen gingen we uiteen en liepen ieder een andere kant op, ik met een nerveus gevoel, alsof ik vol lucht zat.

Het probleem was dat hij gezegd had dat ik me nergens zorgen over hoefde te maken vóórdat ik gezegd had dat ik me zorgen maakte.

De volgende ochtend waren ze er weer; ze snuffelden rond en probeerden niet al te opvallend te werk te gaan, maar bereikten met hun laatste Nebraskaanse mode precies het tegenovergestelde. Iedereen zat zwaar in de rats. En toen wist Jeb me rond het middaguur te traceren in het roofdierenverblijf en zei: 'Uhhhhh, Mabel?'

'Ja, Jeb?'

'Of je even op kantoor kunt komen.'

'Waarvoor?'

'Die mannen. Ze willen even met je praten.'

Nu was het mijn beurt om me terughoudend op te stellen.

'Welke mannen bedoel je, Jeb?' hoewel ik daar al meteen spijt van had, want Jeb was niet mijn vijand, ongeacht met wie hij getrouwd was, en hij wierp me een vermoeide blik toe om me daaraan te herinneren. Ik volgde hem de oefenschuur uit en liep vervolgens in mijn eentje naar zijn kantoor, waar de mannen zich achter bergen papier aan een kaarttafeltje hadden geïnstalleerd. Ik ging naar binnen en vermoedde meteen al dat dit niet leuk zou worden.

De twee mannen: de een was langer dan de ander en had een modern kapsel, waarmee ik bedoel een raar kapsel, met een pony als Little Lord Fauntleroy en lokken die over zijn oren vielen en dan een slagje opzij maakten. Waarom een man van bijna veertig zich laat beïnvloeden door wat die hippies doen, is me een raadsel, maar het was een feit: hij had een kapsel dat me deed terugverlangen naar de jaren veertig, een tijd waarin mannen zich wisten te kleden in tegenstelling tot nu, een tijd waarin mannen dat absoluut níét weten. De andere man was ouder, in de vijftig of zo, en iets waardiger, met een iets grijzer en kaler hoofd, zodat hij minder geneigd was de mode te volgen. Beiden waren gekleed in een goedkoop, slecht gesneden, flodderig pak en de oudste van de twee had een ketchupvlek op zijn das, die het weinige dat hij aan waardigheid bezat, tenietdeed.

'John Fischer', zei langhaar.

'Mabel Stark', zei ik, terwijl ik hem de hand schudde.

'Kevin Taylor', zei ketchupvlek, waarop ik 'Mabel Stark' zei en zíjn hand greep. We gingen alledrie om de kaarttafel zitten, waarna de twee mannen met papieren begonnen te schuiven en een nogal zorgelijk gezicht trokken.

De jongste nam als eerste het woord: 'Tja, mevrouw Stark...'

'Júffrouw Stark.'

'Neem me niet kwalijk. Juffrouw Stark. Wij begrijpen dat u hoofd tijgerdompteuse bent hier in Jungleland.'

'De énige tijgerdompteuse hier in Jungleland. In ieder geval de enige echte. Al zesendertig jaar.'

'Werkelijk?' zei hij. 'Dat is een hele prestatie.'

'Ja,' zei de oudste, 'wij begrijpen dat u in de circuswereld een beetje een legende bent.'

'Dat kun je wel zeggen, ja.'

'Het is een hele eer met u kennis te maken.'

'Ja. Een hele eer.'

'We wilden enkel met u praten, omdat – en ik ben ervan overtuigd dat het een administratieve fout is of iets in die richting – maar er schijnt geen enkel bewijs te zijn dat u hier in dienst bent.'

Het was waar. Ik werd in feite altijd zwart betaald in Jungleland. Dat had ik ook liever, want ik had al eens eerder een contract getekend en dat was bijna mijn ondergang geworden. Louis had dat altijd begrepen, want angst voor regels en wettelijke aansprakelijkheid was nou eenmaal een gangbaar trekje bij ex-circusklanten.

'Zoiets vermoedden we al. We wilden het alleen even duidelijk hebben. Het in de kiem smoren zogezegd. Dus u bent hier officieel in dienst...'

'Tuurlijk. En ik zou het op prijs stellen als u uw insinuaties voor u hield. Misschien hebben ze het u niet verteld, maar ik ben een dame die liever niet op stang wordt gejaagd.'

Hierop leken ze een eigen bilateraaltje te beginnen.

'Natuurlijk niet.'

'Nee, natuurlijk niet.'

'Wie vindt het leuk om op stang gejaagd te worden?'

'Niemand. Nee. Niemand.'

'Het is alleen dat we wat vragen hebben met betrekking tot, nou ja, onze zaken hier en het is moeilijk om duidelijkheid te verkrijgen zonder de juiste papieren.'

'We trekken uw status hier bij Jungleland niet in twijfel – dat is ook helemaal onze bedoeling niet – het is alleen dat we wat inlichtingen nodig hebben om ons werk te kunnen doen.'

'Laat ik het vanuit een andere hoek benaderen. Volgens Jeb bent u ne-genenzestig. Is dat... eh, juist?'

Ik keek hen met knipperende ogen aan. Hoewel negenenzestig inderdaad mijn officiële circusleeftijd was, was het ook zo dat ik ongeveer tien jaar van mijn ware leeftijd had afgetrokken, zodat ik geen rekenschap hoefde af te leggen over jaren waarover ik liever geen rekenschap afleg. Om eerlijk te zijn lag mijn tachtigste verjaardag al in het verschiet, iets wat ik nooit verwacht had en wat ze zeker niet van mij te horen zouden krijgen.

'Ja,' zei ik, 'dat is juist.' En het feit dat ik dit met tot spleetjes geknepen ogen zei, gaf duidelijk aan dat ik het zat was om ondervraagd te worden. Ze schoven heen en weer op hun stoel en wierpen elkaar snelle blikken toe.

'Goed,' zei ketchupvlek, 'dat is alles wat we willen weten. Als u ons iets kan geven wat we kunnen kopiëren en op het hoofdkantoor kunnen laten zien, een geboortebewijs misschien, dan hoeven we u verder niet meer lastig te vallen.'

Bij die woorden kwamen ze allebei overeind, staken een hand uit een van hun goedkope donkere mouwen, zeiden gedag en deden alsof ze me een dienst hadden bewezen. Ik schudde allebei de hand en ging weg met de gedachte dat ik een keus moest maken. Ik had dan wel geen geboortebewijs, maar wel een rijbewijs, compleet met valse naam en valse leeftijd – geloof me, daar is niet moeilijk aan te komen – en ik ging ervan uit dat ze al tevreden zouden zijn als ik dat liet zien. Anderzijds vond ik het gevoel dat ze me gaven, aftands en over haar hoogtepunt heen, niet leuk, dus stond ik niet bepaald te trappelen om hun het werken makkelijker te maken. Ik dacht er de hele dag over na. Deed mijn tijgernummer op de automatische piloot. Liet alles op me inwerken. Vroeg mezelf steeds weer of dit een situatie was waarin mijn beleid om nooit toe te geven toegepast moest worden of dat dit een geheel andere situatie was. Uiteindelijk besloot ik dat het iets totaal anders was, daarom schoot ik de twee verzekeringskerels aan op een moment dat Ida bij hen was, zodat ik, dacht ik, dan ten minste het genoegen zou smaken om haar erachter te zien komen dat haar valstrik niet zou werken.

'Heren', riep ik, terwijl ik op hen af rende, wat iemand met beenspalken normaal gesproken niet kan. 'Ik loop u al de hele dag te zoeken.'

Ik overhandigde mijn rijbewijs aan de oudste, die inmiddels van das veranderd was en er iets minder idioot uitzag. Hij wierp er een snelle blik op en gaf hem aan de jongere man, die niets aan zijn haar gedaan had en er nog even idioot uitzag. Ze glimlachten alle twee en zeiden: 'Dank u, juffrouw Stark, we zullen zorgen dat u het in de loop van de dag terug heeft.' Waarop ik zei: 'Er is geen haast bij, heren. Prettige dag verder.'

En Ida?

Je had een ei op haar gezicht kunnen breken, zo strak stond het.

Of dit wel of niet gaat lukken, weet ik niet. Waarschijnlijk niet. Wat Ida aan het bekokstoven is, wordt toch wel bekokstoofd, ongeacht wat ik eraan doe en dat is een waarheid waarmee ik maar moet leren leven. Eerlijk gezegd kan het me niet zoveel meer schelen; als ik morgen aan mijn eind kom, hoef ik me in ieder geval geen zorgen meer te maken over spijt, iets waar veel burgerlui last van hebben als ze door ouderdom worden overvallen, daar ben ik van overtuigd.

Moet je nagaan wat ik allemaal gedaan heb. Moet je nágaan. Ik ben in alle steden van Amerika geweest, de grote en de kleine en in de meeste meer dan eens. Ik heb de bergen gezien, de moerassen van Zuid-Florida, de tafelbergen, beide oceanen. Alles was even mooi, tot de laatste aan toe. Ik heb alle soorten accenten gehoord, inclusief de grappige, en dan denk ik aan Zuid-Louisiana. Of dat dal midden in Connecticut, waar ze net zo praten als de koningin, maar dan een stuk gekker, alsof ze de hik hebben. Of Noord-Minnesota, waar we doorheen trokken toen we met een omweg naar Canada gingen; je zou gezworen hebben dat het allemaal Zweedse houthakkers waren, wat velen natuurlijk ook waren.

Zeg eens. Heb je ooit een verdwijnpunt boven water gezien? Natuurlijk heb je dat gezien. Art zei altijd dat als iemand niet van tijd tot tijd over water uitkeek het diepe gevolgen kon hebben voor zijn geestelijke gezondheid, iets wat ik zelf ook begon te geloven. Toch weegt het niet op tegen het zien verdwijnen van ruimte boven land, zoals op de vlakten van West-Canada, waar geen boom, geen gebouw of tafelberg te bekennen valt. Dat was iets wat ik ieder jaar bij het circus van Barnes zag en ik kan in alle eerlijkheid beweren dat het uniek is.

Of: de zon die brandweerwagenrood ondergaat boven de woestijn, waar hij urenlang staat te branden en een paarse gloed over de cactussen, het zand en de amarant werpt tot hij uiteindelijk over de rand wipt. Veel mooier dan Key West, waar je de kans loopt de hele show te missen als je op het verkeerde moment met je ogen knippert. Dat weet ik, want ik heb ze alle twee meer dan eens gezien.

Ik ben bij Cecil B. DeMille thuis geweest. Ik heb samen met Mae West in de cavalcade gereden, ik heb Douglas Fairbanks gekust (zij het zonder enige bijbedoeling). Ik heb paardgereden in een twaalftal films, zo vaak dat het idee om een ster te zijn geen indruk meer op me maakt, waarschijnlijk omdat ik er zelf een geweest ben. Ik ben een vrouw die bloemen kreeg van John Ringling. Ik heb de Tower van Londen bezocht, ik heb slagroom uit Devonshire geproefd, ik heb het aflossen van de wacht gezien. Ik ben een vrouw die bier op kamertemperatuur heeft gedronken. Ik ben een meid die in goede restaurants rauwe biefstuk heeft gegeten, die in een zoutmeer heeft gezwommen, nota bene. Ik ben een vrouw die met lovertjes afgezette kostuums heeft gedragen, die in limousines heeft gereden, die boven op bergen ontbeten heeft, die oorverdovend applaus heeft gekregen. Ik ben ook een vrouw die op een nevelige dag in Bangor haar verdiende loon kreeg en door tijgers ledemaat voor ledemaat uiteen werd gereten, en als er iets is waarmee een leven sneller pit krijgt, moet je het maar zeggen.

Sorry. Het is een onderwerp waarvan ik helemaal over de rooie ga, het kwijtraken van mijn schatjes. Het is een kwelling, als je het echt wilt weten. Zonder hen zit ik alle dagen urenlang met mijn armen over elkaar en ik weet heel goed dat ik dan niet zit te denken aan alle plaatsen waar ik geweest ben, alle dingen die ik gezien heb en alle waardevolle dingen die ik gedaan heb. In plaats daarvan is het 1927 en lente in Noord-Carolina en is Mabel eindelijk verliefd op een man met wie ze getrouwd is, er is een zware storm op komst, het circus wordt op de verkeerde waterleiding aangesloten en er worden mensen ziek. Was het soms mijn schuld dat ik verpleegster was? Was het soms mijn schuld dat ik kon helpen? Was het soms mijn schuld dat ik genoegzaamheid simpelweg niet kon verdragen?

Nou?

Jezus. Daar ga ik weer. Schuldgevoel. Wat een opdonder krijg je daarvan. Het is erger dan verscheurd te worden door een tijger, dat kan ik je meteen wel vertellen. Als je het met je aan de haal laat gaan, kun je binnen de kortste keren niet meer slapen en niet meer met normale trek eten en ga je je afvragen waarom je nog de moeite neemt om ermee door te gaan. Daarom belde ik de praktijk van dokter Brisbane.

Omdat hij me al jaren behandelde en omdat hij een sympathieke secretaresse had, kon ik de volgende dag meteen komen. In mijn lunchpauze reed ik met mijn grote ouwe Buick naar zijn praktijk. Ik parkeerde, nam de lift en ging een wachtkamer vol andere oude circuslui binnen. Ik gaf een serie halfbakken knikjes en ging zitten. Tegenover me zat Luigi Concello, de laatste van de oorspronkelijke Concello's, die zoals alle oude trapezewerkers verschrikkelijk veel pijn had in zijn ellebogen en schouders en waarschijnlijk bij de dokter zat voor zijn wekelijkse verdovingsprikken. Twee stoelen verderop zat een dwerg die ik alleen van gezicht kende, hoewel ik gehoord had dat hij voor Yankee Robinson gewerkt had toen dat circus nog meetelde. Hij leed nu aan de rugpijn waar dwergen op oudere leeftijd last van krijgen; ik zag hem vaak boodschappen doen bij de Safeway en bij iedere stap verrekken van de pijn. Links van me zat een veteraan van de Cole Brothers, Eddie 'de Kanonskogel' Frecoldi. Wat er met hem gebeurd schijnt te zijn, was dat hij tijdens een matinee zo raar in het net terechtkwam dat zijn hoofd op één plek bleef, terwijl zijn hele lichaam omsloeg en een luid knappend geluid maakte ergens tussen de nek en de schouder. Er was kennelijk een hele lading pillen nodig tegen zijn pijn, zodat Eddie altijd of een béétje van de wereld of totáál van de wereld was, afhankelijk van een aantal factoren, zoals hoe vochtig het weer was of hoe inspannend de dag ervoor of hoe sterk hij zich die dag toevallig voelde. Toen ik naar hem knikte, knikte hij met een angstige blik in zijn ogen terug; je kon zien dat hij hoopte dat hij deze persoon echt kende en dat het niet iemand was die hem voor aap wilde zetten.

Ik ging een van de *Billboards* zitten lezen die dokter Brisbane slim genoeg altijd neerlegde. Er stond meer nieuws in over de nieuwe eigenaar van Ringling met de vraag of de heer Feld er echt een succes van kon maken en het circus in Amerika kon redden. Mijn sombere stemming in aanmerking genomen dacht ik waarschijnlijk van niet. Gek. Ik was in de gouden tijd bij het circus gegaan en er direct of indirect de rest van mijn leven gebleven. Het gaf me het gevoel dat het verhaal van het circus ook mijn verhaal was en andersom en dat ik daarom in een museum thuishoorde. Hetzelfde kon natuurlijk gezegd worden van vrijwel iedereen in die wachtkamer met oranje vloerbedekking.

Terwijl ik opschoof op de wachtlijst, kwam er een hele rits oude circusartiesten binnen, die allemaal een halfbakken knikje van ondergetekende kregen; een triestere verzameling mankepoten, gemangelden en mensen die gewoon niet op een normale manier bewogen, heb je nooit bij elkaar gezien. Hoewel ik al tientallen keren bij dokter Brisbane geweest was, hinderde het wachtkamerschouwspel me om de een of andere reden meer dan gewoonlijk, daarom was ik opgelucht toen zijn secretaresse eindelijk opkeek van haar bureau en met luide, schorre stem riep: 'Mabel Stark.'

Ik ging naar binnen. Hij had zijn bureau en boekenplanken in de ene hoek staan en een onderzoekstafel in de hoek ertegenover. Zoals gewoonlijk zat hij aan zijn bureau, dus nam ik de stoel tegenover hem en wachtte nog een paar tellen, terwijl hij iets noteerde met een pen die zo dik was dat hij me onhandig leek om mee te schrijven. Hij droeg een witte doktersjas met een stropdas eronder en zijn zwarte plastic Steve Allen-bril.

'Mabel!' zei hij. 'Wat leuk om je te zien. Hoe gaat het?'

'Goed', zei ik. 'Heel goed.'

'Zijn de tijgers lief voor je? Heb je nog schrammen opgelopen de laatste tijd?'

'Niet één.'

'Mooi. Mooi. Een dezer dagen kom ik een keertje naar Jungleland met mijn achternichtje. Een echt schatteboutje. Twee jaar oud en ze woont hier in Thousand Oaks.'

'Nou, als u komt, zeg maar dat u mij kent, dan kunt u een kijkje achter de coulissen nemen en de katten in eigen persoon ontmoeten.'

'Dat zal ik zeker doen, Mabel. Dat zal ik zeker doen. Wat is het probleem?'

Ik liet een stilte vallen om duidelijk te maken dat ik het gesprek in een andere versnelling wilde zetten.

'Slapen. Slapen is het probleem.'

'Hebben we een beetje last van slapeloosheid?'

'Ja.'

'De soort waarbij je niet in slaap kunt komen of de soort waarbij je midden in de nacht wakker wordt en dan niet meer kan slapen?'

'De soort dat ik midden in de nacht wakker word en wakker blijf.'

Hij greep al naar zijn pen en receptenboekje.

'Ik zou me er niet al te druk om maken, Mabel. Dat gebeurt vaak met het klimmen der jaren.'

'Nee', onderbrak ik hem. 'Dit is… eh, dit is iets anders. Ik kan niet meer in slaap komen, omdat er herinneringen opkomen waar ik niet langer omheen kan. U zult wel geen medicijn tegen herinneringen hebben, hè?'

Hij keek me een seconde verbaasd aan, tot hij weer een uitdrukking aannam die vertrouwen en troost uitstraalde. Ik heb mezelf vaak voorgehouden dat ik zelfs naar dokter Brisbane zou gaan als die uitdrukking het enige was wat hij te bieden had op het gebied van medicatie. Gelukkig was dat niet zo, want hij gaf me een met hanenpoten volgekrabbeld papiertje en zei: 'Eén voor het slapengaan. En als dat niet helpt, twee.'

Moe als altijd kwam ik de dag door, hopend dat er iets zou gebeuren, omdat alles beter was dan dit helse wachten. Op weg naar huis ging ik bij de apotheek langs en kreeg een buisje rood-witte capsules. Meteen na *Gilligan's Island* nam ik er twee in met een biertje en kroop onder de dekens. Voordat ik het wist, was het ochtend en hoewel ik een koude douche en een extra kop koffie nodig had om de mist te laten optrekken, moest ik toegeven dat ik me beter voelde, waarmee ik bedoel uitgerust en minder gespannen. De enige bijwerking was een wat pluizig gevoel op de tong.

Dus staan die pillen nu op mijn nachtkastje. Naast een zilveren haarborstel, een glas water, een 38 mm-pistool, dat ik jaren geleden in Kansas heb gekocht, en een zilveren lijst met een meer dan veertig jaar oude foto erin. Die is genomen op onze trouwdag, mijn láátste trouwdag, dankjewel, wat verklaart waarom Art een smoking en een roze overhemd met ruches draagt. De glimlach van die man! Je hebt glimlachjes die voortkomen uit beleefdheid en je hebt glimlachjes die voortkomen uit een besef van hoe beroerd dingen kunnen lopen en ik hoop dat ik je inmiddels niet meer hoef te vertellen welke ik het meest aantrekkelijk vind. God, ik zou je zo willen laten zien wat ik bedoel, maar zijn foto hangt in mijn slaapkamer en in de zesendertig jaar dat ik hier woon, heeft niemand anders dan ik een voet in die kamer gezet. Ik zou het van schrik waarschijnlijk besterven.

Maar als ik je die foto zou laten zien, zou je een glimlachende man zien, die op een doorleefde manier knap is, met grijsblauwe ogen, een rossige huid en een dikke, maar niet belachelijk dikke snor en ik garandeer je dat het eerste wat je bij jezelf zult zeggen, is: 'Jezus maria, is dat mascara?'

8

De knappe bigamist

Drie jaar lang zag noch hoorde ik iets van Louis Roth. Maar zelfs toen kwam hij als een donderslag bij heldere hemel: een brief van het Great Wortham Carnival, een louche circusje met dieren, dat, dacht ik, al jaren geleden was opgedoekt. Hij wilde scheiden. Met drie echtgenoten op mijn naam had ik er geen bezwaar tegen om de menigte wat uit te dunnen.

De brief ging verder met het voorstel om de papieren op 20 mei 1920 in Portland te tekenen, een dag die samenviel met de aankomst van het Barnes-circus. We zouden het rond elf uur 's ochtends doen, tussen het opzetten en de matinee, voordat het druk werd.

Ik stuurde hem een telegram waarin ik met alles akkoord ging.

Die ochtend werd ik vroeg wakker (zenuwen), ik gaf Radja een kus op zijn kop en drukte zijn oorplooien tegen elkaar, een gebaar dat hem kietelde en in een tamelijk meegaande bui bracht. Toen hij wakker werd, woelde ik met mijn vingers door de donzige vacht op zijn onderbuik en zei dat mama het die dag druk had en dat hij naar zijn k-o-o-i moest, een woord dat hij begreep zelfs als het gespeld werd, daarom gromde hij zachtjes, zette droevige ogen op en liet zijn staart hangen.

'Ksst', zei ik om mijn woorden kracht bij te zetten. 'Ga weg, ksst', waarop hij zijn kop van zijn voorpoten tilde en van het bed af ging, achterwerk eerst.

Nadat ik hem aan de lijn had gedaan, liep ik helemaal met hem naar het circusterrein, waar hij rondrende tot de werklui klaar waren met het opzetten van het dierenverblijf. Toen hij er genoeg van had, trakteerde ik hem op een stuk runderborst, borstelde hem en gaf hem een dikke kus op zijn snuit voordat ik hem in zijn kooi zette. Rond tienen gaf Al G. een van de vrachtwagenchauffeurs opdracht ons naar de stad te rijden. Tien minuten later stapten we uit bij het adres dat Louis me gegeven had. Het was in een achterbuurt met smerige gebouwen en open riolen en er hingen gelijk een paar schooiertjes aan Al G.'s arm om centen te bedelen. Hij gaf ze kwartjes en zei: 'Nou, Kentucky, succes.'

'Ga je niet mee?'

'Moet wat mensen opzoeken, Kentucky. Mensen opzoeken...' Een uitspraak die me niet had hoeven te verbazen, want hij was niet in het gezelschap van Dan of miss Speeks en Portland was een stad die hij goed kende (als bron van goedkoop hooi en zo). Hij wandelde er fluitend vandoor, een lange man in een mooi pak die een pikzwart souterrain in kuierde, en als je een totaalbeeld wilt van Al G. Barnes, komt dat aardig in de buurt.

Ik ging naar binnen. De trap was gammel en een van de lampen in het portaal was doorgebrand. Ik durfde niets aan te raken, want alles was vies en er gingen destijds een paar tamelijk misplaatste geruchten betreffende de manier waarop je ziekten opliep die onder arme mensen veel voorkwamen. (Schurft bijvoorbeeld en omstandigheden die toiletbezoek tot een verschrikking maakten.) Na wat speurwerk vond ik het kantoor dat ik moest hebben, op de eerste verdieping, net voorbij het trapgat. Hier opende ik een deur en trof een wachtkamer die verrassend schoon en goed verlicht was.

Ik trof er ook Louis Roth, die een tijdschrift zat door te bladeren.

Hij schonk me een allerflauwste glimlach. In drie jaar was zijn gezicht een stuk rimpeliger geworden en zo mager dat het bijna hol te noemen was en holheid was iets wat een man als Louis heel slecht stond; de huid van zijn gezicht trok strak als de emmervormige onderkaak omlaagging, wat een doodskopeffect gaf en een tikje eng was. Zijn dikke donkere haar was wat dunner geworden en grijs bij de slapen, iets wat hem dwars zal hebben gezeten, want op dat punt was hij altijd erg ijdel geweest.

'Mabel', zei hij.

'Louis.'

Hij stond op, pakte mijn hand en schudde hem alsof we op het punt stonden de verkoopakte van een stuk grond te tekenen; hij klakte zelfs even met zijn hakken voordat hij zijn stoel weer opzocht. Eerlijk gezegd wou ik dat hij me gekust had. De hele situatie zou er wat minder ongemakkelijk door geweest zijn.

Nu zaten we naar de deur van het advocatenkantoor te staren en naar het eentonige gezoem van een plafondventilator te luisteren. Als Louis al aan hetzelfde dacht als ik, had het te maken met het feit dat twee mensen de ene minuut zo intiem kunnen zijn dat ze elkaars wonden schoonmaken en de volgende minuut meer dan volslagen vreemden voor elkaar zijn. Het was een sentimentele gedachte en om de tijd te doden, bleef ik erop herkauwen, omdat ik sentimentaliteit altijd een van de oprechtere emoties heb gevonden.

Na enkele minuten ging de deur open, een klein kreukelig kegelmannetje met bakkebaarden nodigde ons uit binnen te komen en overhandigde ons de papieren. Ik had al een kopie gezien, die had Louis met zijn brief meegestuurd, en ging akkoord met de bepaling dat we allebei genoegen namen met wat we ingebracht hadden in het huwelijk en dat er geen geld, goed of kwaadwillendheid van eigenaar zou verwisselen.

'Nog vragen?'

We schudden allebei onze kin van nee. Toen vroeg Louis: 'Ies er nog iets anders?'

De advocaat schudde zijn hoofd. Louis stak zijn vulpen terug in de zak van zijn jasje, stond op, trok zijn jasje recht en zei: 'Dag, Mabel. Het vas leuk jou veer te zien.'

Hij stampte naar buiten. De sentimentele dwaas in me voelde een steek van pijn bij het tikken van Louis' laarzen op de houten vloer; ik denk dat ik dacht dat als zijn laarzen nog steeds die klank van autoriteit hadden, er een goede kans was dat Louis zelf die ook nog ergens in zich meedroeg.

Na enkele seconden bleef er niets anders over dan de advocaat de hand te schudden en hem te bedanken voor zijn tijd. Toen ik dat deed, deelde hij me mee dat ik hem de helft van het honorarium verschuldigd was, wat me eerlijk leek, dus betaalde ik hem, bedankte hem opnieuw en vertrok. Toen ik op straat kwam, was Louis nergens meer te bekennen.

Het hele gedoe had een minuut of vijf geduurd. Zowel Al G. als ik was ervan uitgegaan dat het veel langer zou duren, daarom hadden we de vrachtwagenchauffeur gevraagd over anderhalf uur terug te komen. Omdat ik tijd over had, nam ik een taxi naar de andere kant van de spoorweg en kocht een sorbet in een mooi warenhuis. Toen ik hem op had, bestelde ik er nog een, aangezien mijn gewicht of liever gezegd het gebrek eraan altijd een probleem was geweest. Vervolgens bladerde ik een paar tijdschriften door en praatte met mensen die me herkenden van mijn foto op de posters die de impresario's in de hele stad hadden opgehangen. Daarna ging ik de winkel uit en wandelde wat rond; ik was blij, want ik ontdekte dat er na een scheiding een gevoel van bevrijding intreedt dat helemaal niet vervelend is. Had ik dezelfde kans maar gehad met makkers één en twee.

Het was een aangenaam warme dag met een aangenaam warme bries. Ik deed mijn hoofddoek af en liet de wind door mijn blonde haar spelen en toen ik langs een winkel kwam met een lichtblauwe jurk in de etalage, ging ik naar binnen, waar bleek dat hij me perfect paste. Omdat de winkelier een circusfan was, stond hij erop dat ik hem gratis meenam, op voorwaarde dat hij een foto van mij in de etalage mocht zetten met een bordje waarop stond: 'Mabel Stark de tijgerkoningin winkelt hier'.

Met andere woorden: ik voelde me goed, iets waar ik normaal gesproken zenuwachtig van word, maar die dag om een of andere reden niet. Ik liep verder tot ik bij een vervallen deel van de stad kwam, daar nam ik een taxi terug naar de ontmoetingsplaats, waar Al G. en de vrachtwagen al stonden te wachten. Al G. was in een joviale bui, waarmee ik bedoel een echt joviale bui en niet de joviale bui die hij altijd voorwendde als hij iets van anderen nodig had; hij zat te fluiten en te lachen en over sport te praten met de chauffeur en mij te plagen dat ik weer een vrije vrouw was. Hij zei zelfs dat ik vaker moest lachen, omdat ik er zo mooi uitzag als ik blij was. Om dat te benadrukken, legde hij zijn hand op mijn knie en gaf me snel even een vers-broodkneepje, wat de eerste keer in tijden was dat hij probeerde vrijpostig te zijn. Ik lachte erom, duwde hem weg en vond het helemaal niet erg.

'Mabel,' zei hij, 'hoe komt het toch dat jij en ik nooit echt samen zijn geweest? Het ligt zo voor de hand.'

'Het ligt helemaal niet voor de hand', zei ik. 'Het is gewoon gezond verstand.'

Hier moest hij zo hard om lachen dat hij zijn ogen bijna helemaal dichtkneep en zijn rimpels, veroorzaakt door talloze uren zon op het centrale plein, te voorschijn sprongen als woestijnkloven. We voelden ons allebei vrolijk en jonger dan onze werkelijke leeftijd – ik rond de dertig, Al G. iets van vijfenveertig – toen we het terrein op reden en Dan kwam aanrennen.

Hij zei niets. Toonde Al G. alleen zijn 'er is iets mis'-uitdrukking, een uitdrukking die Dan in het beste geval al op zijn gezicht had, maar die dag extra uitgesproken was. Al G. sprong uit de wagen en liep met hem mee. Tien minuten later liep Dan het centrale plein op en neer met zijn handen als een toeter aan zijn mond en riep: 'John Robinson, John Robinson', wat circustaal is voor storm op komst, dus voorstelling snel afwerken.

Heel raar, hoor. Ik keek omhoog en er was geen grijze wolk te bekennen.

Maar bevel is bevel, want het circus heeft nou eenmaal meer van een leger weg dan de meeste circusklanten willen toegeven (zij het een leger dat misdadigers, druggebruikers, dwergen, communisten en kontneukers niet discrimineert). 'De verovering van Nyanza' werd tot minder dan tien minuten ingekort, enkel een snel rondje om het hippodroom en we waren allemaal weer terug achter het blauwe gordijn. Het clownsgedeelte werd gereduceerd tot één taart in het gezicht en één autootje waar een dertigtal armen en benen uitstaken. De trapezewerkers, de publieksoptocht en de fantastische bokkende muilezels sloegen we over. Al G. haalde ook de pantomime halverwege de voorstelling eruit: een Afrikaanse jachtpartij met Spaanse hengsten, Indische olifanten en bruinhuidige meisjes met een diamant in hun navel en een rode stip op hun voorhoofd geplakt. Lotus het nijlpaard, het bloed zwetende monster uit de Heilige Schrift, maakte een rondje op een kar in plaats van zijn normale sukkelgang rond de tent. Er waren ongetwijfeld nog andere inkortingen, maar die ben ik vergeten. Ik weet alleen dat ik bij de finale net lang genoeg onder Radja bleef liggen om hem zijn ding te laten doen, waarbij ik mijn zwarte leren pak had vervangen door een wit om me de schande te besparen van de eerste avond waarop Radja me als een wrijfpaal was gaan gebruiken.

Na een korte mededeling werd de toegift afgelast en waren we klaar. Twee uur en twintig minuten in minder dan anderhalf uur gepropt. Tegen de tijd dat ik Radja naar de trein had teruggebracht, hadden de werklui de veldkeuken en de gebakkraam afgebroken en waren ze al een eind gevorderd met de grote tent. Maar er was nog steeds geen wolkje aan de lucht en terwijl de vrachtwagens werden ingeladen, stonden wij er met ons allen omheen te speculeren dat het echte probleem waarschijnlijk met een vrouw te maken had, die Al G. in de nesten had gewerkt. Misschien een zwangerschap of een andere echtgenote, waar wij niks van afwisten, want Al G.'s zwakte was niet zozeer dat hij van vrouwen hield, maar dat hij ervan hield met ze te trouwen, als middel om ze tegemoet te komen.

We vertrokken vóór vier uur 's middags uit Portland, een dag te vroeg, in een staat van diepe verwarring. Om de tijd tot de volgende voorstelling, in Tacoma, op te vullen, maakten we een ongeplande tussenstop in een plaats die Cape Disappointment heette, in Washington, waar we onvoorbereid een voorstelling gaven op een veld dat een kilometer of dertien van het dorp lag; zonder sponsors, zonder posters of met een gratis barbecue gelokte krantenlui hadden we een publiek van niet meer dan vier- of vijfhonderd mensen. Er waren in feite zo weinig toeschouwers dat de aanvangstijd twintig minuten werd verschoven, terwijl alle circusmensen zich achter hun oren krabden en zeiden: 'Hoe staat het ervoor vanavond?' Het antwoord was zo klaar als een klontje. Het stond er slecht voor.

Het was krankzinnig, dit, verbijsterend krankzinnig en luidkeels waanzinnig. De enige verklaring was dat we ons schuilhielden, een verklaring die ondersteund werd door het feit dat niemand Al G. of Dan had gezien. Zelfs de sterren werden aan het zicht onttrokken door een lucht vol grijze aardappelpureewolken, waardoor alles er schimmig uitzag. Na de voorstelling laadden we zoals altijd de vrachtwagens in. Midden in de nacht, terwijl iedereen sliep – ik met mijn arm om Radja heen geslagen, die zachtjes snurkte – denderde de trein dwars door Tacoma, een stad die bekendstond om grote publieksaantallen, redelijke politieagenten en nog goede restaurants ook. Moet je je voorstellen hoe verbaasd we waren toen we onze ogen openden, de gordijnen in onze wagons openschoven en we in plaats van gebouwen, lichten en de geneugten van een stad motregen en lage poepbruine bergen met hier en daar een pioniershut zagen. Dat was als we aan de linkerkant uit het raam keken. Als we aan de rechterkant uit het raam keken, zagen we aardappels. Kilometers in de omtrek zagen we aardappels, wat prima geweest zou zijn, ware het niet dat een aardappelveld ongeveer net zo interessant is om naar te kijken als een aardappel zelf.

Sandpoint heette deze plaats in Idaho. Hoewel ik de plaats zelf nooit gezien heb, hoorde ik dat het zo'n dorp was dat niet echt een dorp is, maar enkel een naam voor een kale kruising, zodat mensen post konden ontvangen. We speelden voor precies honderdtachtig mensen die middag. En iedereen, kinderen incluis, pruimde tabak. Na afloop verdiende een team van werklieden een extraatje met spuug van de banken te schrobben.

We bleven er nog twee dagen staan, een zondag en een maandag nota bene, terwijl de woorden 'ongeplande vakantie' in de veldkeuken, de ge-bakkraam en de blauwe wagon rond gonsden. Rond die tijd dook het ge-rucht op dat Al G. gek geworden was van syfilis of van stress of een com-binatie van die twee. Wat niet moeilijk te geloven was, want Al G. zat nog steeds verschanst in zijn wagon, ontving niemand en hield zijn mond stijf dicht, gedrag dat normaal gesproken niet in zijn aard lag. Dan stuurde alle bezoekers weg. Het enige moment waarop ik enigszins bij Al G. in de buurt kwam tijdens die twee vreemde dagen was toen ik miss Leonora Speeks met wiegende heupen en vuurrode wangen over de overloop zag lopen. Ze glimlachte ook nog, waarmee ze suggereerde dat wat zij en Al G. uitspookten in die luxe treinwagon zeker geen pinokkel was.

'Kom op', zei ik tegen Radja, ik gaf een rukje aan zijn riem en we haal-den haar in. We liepen een paar tellen naast elkaar zonder dat Leonora op-keek, tot ik ten slotte zei: 'Nou, wat is er aan de hand, juffrouw Speeks. Waarom staan we midden in dit druilerige niemandsland stil?'

Ze bleef staan en tuurde me door de witte voile die aan haar hoed hing aan. En passant vielen me voor het eerst haar ogen op: oranje, als van een cyperse kat, met contrasterende zwarte vlekjes. Zelfs ik moest toegeven dat ze heel apart waren.

'Quarantaine, Mabel', zei ze, het woord uitsprekend alsof ik niet goed bij mijn hoofd was. 'Qua-ran-tai-ne.'

Daarna glimlachte ze naar me alsof ze wilde zeggen dat het haar niet kon schelen of ik het wel of niet geloofde en wiegde er neuriënd vandoor.

Het was best mogelijk dat ze de waarheid sprak: toen er in 1918 griep uit-brak in het noordwesten nam het circus een andere route om plaatsen te mijden waar de ziekte heerste en ging het twee maanden lang dicht tot de paniek over was. Maar er was geen enkele reden waarom Al G. dit niet aangekondigd had; het was een aloude circustraditie om de gezondheids-inspectie een stap voor te blijven. 's Avonds, toen de trein stilstond op het spoor, sloten een paar oppassers een radio op een generator aan en luister-den naar eventueel nieuws over de rode dood of een door water overge-brachte ziekte. Als daar al sprake van was, werd er die avond niets over ge-meld; het enige nieuws kwam uit Europa: dat ze opschoten met het opruimen van gebombardeerde gebouwen.

Midden in de nacht begonnen we weer te rijden. Hoewel ik er normaal gesproken niet wakker van geworden zou zijn, moet ik erg naar wat beweging verlangd hebben, want mijn ogen gingen open en ik voelde me uitgerust als een jonge meid die goed geslapen heeft. Radja deed ook zijn ogen open, hij murmelde wat, draaide zich naar me om en geeuwde, zodat zijn naar vlees riekende adem me in het gezicht sloeg.

Hij draaide zich om en viel weer in slaap, met zijn snuit in mijn nek. Terwijl de trein naar het oosten ratelde, bleef ik wakker, wachtend op een verandering van richting, tegen beter weten in hopend dat we naar de beschaving zouden gaan in plaats van naar de uitgestrekte leegte van het westen van Canada. Helaas. Na vijftien of twintig minuten klonk er een fluit en voelde ik dat de trein langzaam een bocht maakte en zich daarna weer strekte, zodat we meer naar het noorden reden dan ergens anders heen.

We reden die nacht niet lang door, een uur of zo, en toen we stopten, stonden we op een miezerig stationnetje, waar een enkele lamp de woorden Grand Forks verlichtte. Daarbuiten heerste een duisternis die alleen doorbroken werd door het licht van vuurvliegjes.

De zon kwam op, het was een mistige koele dag, zoals alle andere dagen die we de afgelopen week gehad hadden. De vrachtwagens brachten ons langs kleine boerenhutjes naar een braakliggend veld midden in een niemandsland. Er hing een sfeer van onbehagen op deze plek, want hij was volkomen verlaten, er was niets wat op winkels, bars of ontmoetingsruimten duidde, enkel een grote houten kerk met Russische letters op de rand van de toren. We lieten de optocht achterwege, dus we zagen de dorpsbewoners pas een uur voor de matinee, toen ze in groepjes naar de hoofdingang kwamen. Het waren net spoken die in de mist opdoemden, gekleed in lange witte soepjurken met een sjerp om het middel, de mannen met baarden die duidelijk jarenlang niet getrimd waren, de in kap gestoken vrouwen kleurloos en met vermoeide blik.

Na lang geschuifel en gekrab op het hoofd begonnen de soepjurkdragers naar binnen te druppelen; binnen enkele minuten werd duidelijk dat een ander typisch kenmerk van de Doechoboren, naast hun vreemde kledingvoorkeur, was dat ze aan de sobere kant waren. Er werd die dag niet één vals behendigheidsspelletje gespeeld. Er werd door de kwakzalvers niet één druppel tinctuur, elixer of wonderdrank verkocht. Er werd niet één kaartje voor het variété verkocht, ondanks de inspanningen van de boniseur en het gratis nummer, van ene Jorge, die een vuistvol degens kon inslikken en dan evengoed nog het Hondurese volkslied kon zingen. Ik zag een in een witte soepjurk gestoken meisje een levende kameleon kopen van een van de beestjesventers, maar toen haar vader erachter kwam, maakte hij het lucifersdoosje open en draaide het om. Het zompige geluid toen hij hem doodtrapte, bracht tranen in haar ogen.

Eindelijk was het showtime en stroomde 'De verovering van Nyanza' met schetterende geluiden en kleuren het hippodroom in en ik herinner me dat ik dacht dat dit hen wel uit hun verdoving zou halen. Niet dus. We stonden met ons allen buiten de artiestentent naar de stilte te luisteren, tot een van de ruiters van de pantomime de spanning verbrak en zei: 'Misschien zitten ze op hun handen om ze warm te houden.' En het werd er niet beter op ook; elk nummer eindigde met nog niet eens een kuchje (al oogstten de clowns hier en daar een lachje van de kinderen). Tijdens mijn nummer met twaalf tijgers, dat zo spannend was dat het publiek aan het eind meestal stond, klonk er geen kik; tijdens het hele nummer kon ik mezelf er niet van weerhouden af en toe even opzij te kijken, al was het maar om te ontdekken waarom ze eigenlijk de moeite hadden genomen te komen. De katten deden hetzelfde. Met hun pupillen in hun ooghoeken deden ze zenuwachtig hun nummers – opzitten, balrollen en hoepelspringen – alsof ze bang waren dat er iets bekokstoofd werd in die stilte. Toen we aan onze finale toe waren, was die stakker van een Radja zo van slag dat hij van zijn ton sloop, naar me toe wankelde en op zijn achterpoten ging staan, meer alsof hij me omarmde dan alsof hij me aanviel. Ik moest het overdrijven door hem boven op me te trekken en met mijn hand achter mijn rug zijn pretplekje te kietelen om hem op te winden. Ik wriemelde zelfs een beetje met mijn onder hem uitstekende armen en benen alsof ik in moeilijkheden verkeerde.

Het werkte niet. Radja lag alleen maar een beetje op me te hijgen en te trillen en rond te kijken. Toen het orkest een minuut later inzette, klonk het tien keer harder dan normaal.

Ten slotte was het voorbij en restten nog slechts het volkslied en de attracties na de voorstelling. Maar aangezien het duidelijk was dat deze mensen niet van plan waren nog een cent uit te geven, bleef alleen het volkslied over. Het orkest zette 'O, Canada' in en toen gebeurde het: er klonk gebrom en geschreeuw en alle mannen, vrouwen en kinderen stopten hun oren dicht en stormden naar de uitgang. Ik zag zelfs een vrouw

met een baby, die tegelijkertijd haar eigen oren en die van de baby probeerde te bedekken en uiteindelijk maar de sjerp van haar witte soepjurk
trok en die strak om het hoofd van de baby wond. Binnen twee minuten
was werkelijk iedereen 'm gesmeerd.

Dit gedrag bezorgde alle leden van het vier pistes grote Al G. Barnes
Wilde Dieren Circus de kriebels. We begonnen zo snel we konden in te
pakken, terwijl de werklieden de grote tent zo rap neerhaalden dat hij
het risico liep in tweeën te scheuren. Binnen anderhalf uur rolde de laatste
vrachtwagen naar de stilstaande trein. Ondertussen had de hele bevolking
van Grand Forks een staande wacht gevormd aan de andere kant van de
tent, waar ze met de armen over de buik gevouwen en dreigend gefronste
gezichten toekeken. Het leek wel of ze zich ervan wilden vergewissen dat
we zo snel mogelijk zouden vertrekken, een dienst die we hen, wat ons betrof, graag wilden bewijzen. De werklui begonnen de vrachtwagen op
de diepladers te laden en ze op hun plaats te krikken. De gezichtsuitdrukking van onze toeschouwers veranderde ondertussen geen moment, noch
ten goede noch ten slechte, en heel even vroeg ik me af of het hele dorp
misschien hetzelfde persoonlijkheidsdempende medicijn gebruikte als ik
in het zenuwhospitaal had gekregen.

Alsof dat nog niet gek genoeg was, zaten we nadat de hele trein ingepakt was en er geen sprietje hooi of kruimeltje dierenvoer was achterge-
bleven met onze duimen te draaien alsof we niet weg konden zonder de
bescherming die de duisternis bood. Radja en ik nestelden ons op het
bed en ik kalmeerde mezelf door mijn gezicht in zijn vacht te drukken.
Zo bleven we uren liggen. Radja viel in slaap en aangezien ik te nerveus
was om te lezen of te breien, bleef ik tegen hem aan liggen met mijn neus
in zijn vacht, terwijl ik met mijn hand door het dikke witte haar tussen
zijn voorpoten woelde.

Tegen de avond klonk er een klop op de deur. Ik dacht gelijk dat het een
groep van die boerenkinkels was, die me wilden grijpen vanwege mijn
strakke pak en het feit dat ik krullen had die mannen mooi vonden. Heel
even overwoog ik om niet open te doen. Er werd weer geklopt en omdat
Radja er ditmaal wakker van werd, besloot ik toch maar open te doen,
want tweehonderdvijftig kilo tijger moest voldoende zijn om ontstemde
dorpelingen te kalmeren, dacht ik. Ik duwde mijn deur open en zag een
enorm grote in witte soepjurk gestoken Doechobor met een kap op het

hoofd staan. Hij zag eruit als een gestoffeerd heuveltje.

Er kwam een stem onder het beddenlaken vandaan die helemaal niet klonk zoals ik me de stem van een Doechobor had voorgesteld. Hij klonk beleefd en had een keurige, geschoolde uitspraak.

'Ik vroeg me af ', zei de stem, 'of ik even met u zou kunnen spreken, mevrouw.'

Ik slikte.

'Waarover?'

'Het is een... een delicate zaak. Hebt u er bezwaar tegen als ik binnenkom?'

'Ja, daar heb ik bezwaar tegen. U kunt ook waar u staat uw zegje doen. Ik heb een dier hier binnen dat niet bepaald dol is op vreemden.'

Hij tilde zijn kin op en wat me verbaasde, was dat hij gladgeschoren was en tamelijk vlezige wangen had.

'Alstublieft...' zei hij en het was zijn Barnes-achtige charme, waardoor ik onwillekeurig een stap naar achteren deed. Hij moest bukken om onder de deurpost door te kunnen en toen hij binnen was, raakte zijn in kap gestoken hoofd bijna het plafond. Hij moet een meter of twee zijn geweest, drie keer zo zwaar als ik, en hij had donkere ogen, volle lippen en de kaak van een vechter. Hij was niet knap, maar had wel een air van gewichtigheid. Toen ik zijn gezicht nauwkeurig in me opnam, bekroop me het vreemde gevoel dat ik hem al eens eerder had ontmoet. Hij duwde zijn kap naar achteren, zodat zijn dikke zwarte haar, golvend van de pommade, te voorschijn kwam.

'Goeie hemel. Ik begon al bijna te denken dat we elkaar nooit zouden ontmoeten. Die Al G. Barnes toch. Een sluwe vos, dat moet je hem nageven. Maar daar is hij natuurlijk circusdirecteur voor.'

Daarbij bukte hij zich, zodat hij de zoom van zijn soepjurk kon pakken, een inspanning die hem een kreun ontlokte. Hij begon hem over zijn hoofd heen uit te trekken, waarna er een spiksplinternieuw, prachtig gesneden kamgaren pak onder vandaan kwam. Dat op zijn minst vijfhonderd dollar gekost moest hebben.

'Zo,' zei hij, 'dat is beter. Nu kunnen we misschien praten.'

Hij streek zijn haar glad, ook al was het niet in de war geraakt, en trok zijn das recht. Toen hij zijn hand in de zak van zijn colbert stak om een dikke corona te pakken, wist ik opeens waar ik zijn gezicht van kende. Mijn hart begon wild te kloppen en ik voelde het bloed naar mijn wangen en voorhoofd schieten. Omdat ik het risico liep ter plekke flauw te vallen, haalde ik een paar keer diep en langzaam adem om mezelf die schande te besparen. Ondertussen hield hij de vlam van een massief gouden aansteker bij de punt van zijn sigaar; de vlam danste op en neer toen hij aan de sigaar zoog. Binnen een minuut vulde mijn rijtuig zich met zulke verfijnde tabaksrook dat je er de appel en het sandelhout in kon ruiken.

John Ringling wees naar Louis' oude cilinderbureau en zei: 'Zeg, is dat echt Boheems vuren?'

Een halfuur later liep ik de hele stilstaande trein langs. Aangezien het een zeer aangrijpend moment was, in goede en in slechte zin, precies zoals ik het graag heb, maakte vrijwel alles aan die wandeling indruk. Mijn voeten maakten zuigende geluiden in de modder. Ik rook olifantenpoep, donkere aarde en regen. Toen ik opkeek in de motregen, lag er een katoenachtige grauwsluier over de velden. Ik kwam langs groepjes werklui, die op omgekeerde kratten zaten te kaarten; ze lachten en lieten flessen rondgaan en maakten zich niet druk om het weer, want het was altijd nog beter dan opeengepakt in hun wagon te zitten, met drie man per kooi. Door de lage, nevelige lucht kreeg je het gevoel dat je een theemuts op je hoofd had.

Ik bereikte de voorkant van de trein en stopte voor de Holtwagon. Daar wachtte ik een paar tellen om mijn moed bij elkaar te rapen, terwijl Radja gaapte alsof hij zich verveelde en uit de mist weg wilde. Ik klopte op de deur in de hoop dat Dan uit het raam zou kijken, dat hij zou zien dat ik het was en zou opendoen. Toen dat niet gebeurde, klopte ik nog een keer, ditmaal harder, en riep: 'Jezus christus, Al G., ik weet dat je er bent', en toen dat niet werkte, ging ik aan de zijkant van de wagon onder een raam staan en siste: 'Al G., doe godverdomme die deur open. Ik weet wat er gaande is.'

De stilte hield nog even aan. Toen ging de wagondeur open en draaiden Radja en ik het hoofd met een ruk naar rechts, waar Dan met zijn zorgelijke gezicht onder de luifel stond. Ik liep langs hem heen naar binnen. Hij zei niet: 'Hoe gaat het vanavond, miss Stark?' Hij zei zelfs geen hallo.

Al G. zat achter zijn bureau met een berg spoordienstregelingen, kaarten en circuspapieren voor zich; het verbaasde me dat hij er zo gebogen en tobberig bij zat. Hij keek op en onze blikken ontmoetten elkaar. Hij leunde naar achteren, vouwde zijn handen over zijn buik en wierp me, nadat hij er een paar tellen wat misselijk had uitgezien, een gepijnigde glimlach toe.

'Hij heeft je gevonden, hè?'

Radja trok me naar een stukje vloerkleed bij de haard, dus liet ik hem los, waarna hij naast een brandend houtblok ging liggen.

'Ja.'

Hier moest Al G. om lachen, zoals mensen lachen als iets helemaal niet leuk is. Dan stond naast me, terwijl Leonora Speeks op een antieke sofa haar nagels zat te vijlen. Alledrie keken we hem alleen maar aan, bezorgd om zijn wispelturige reactie.

'Laat me raden', zei Al G. tussen zijn gierende lachbuien door. 'Hij... hij heeft een vermomming gebruikt, is het niet?'

Ik knikte.

'Ha! Ik wist het. Je moet toch wel respect hebben voor een vent die zó ver gaat om te krijgen wat hij hebben wil. Hij zit al sinds Portland achter ons aan, weet je.'

'Zoiets vermoedde ik al.'

'Dat geloof ik zonder meer, Kentucky. Dat geloof ik zonder meer. Dit kón ik natuurlijk ook niet winnen. Een heel circus kan één man met een eigen locomotief niet afschudden. Met een eigen spóórlijn, verdomme. Heb ik gelijk of niet, Dan?'

'U hebt helemaal gelijk, baas.'

'Het gevecht aangaan, dat is het leuke ervan. Dat is de hele zin ervan. Weet je nog dat hij per se die Peruaanse trapezewerkers van de Cole Brothers wilde hebben een paar jaar geleden? Dat hele circus wist door omkoping de Mexicaanse grens over te komen. Dertig spoorwagons vol circus, die een maand lang rond Chihuahua en Sonora zwierven, vierhonderd mensen uitgeschakeld door *Montezuma's revenge*[3] en de werklui allemaal dronken van de mescal. Die wonnen ook niet, maar ik wed dat het de moeite waard was. Of de Robbins Brothers. Heb je dat verhaal wel eens gehoord, Kentucky? Die betaalden een plaatselijke sheriff om hun allerbeste koorddanser op te sluiten en toen verspreidden ze het gerucht dat hij gekidnapt was door bolsjewisten. Ze deden het toch maar. Heb ik gelijk of niet, Dan?'

'U hebt helemaal gelijk, baas.'

'Zeg op, Dan. Hoe lang zei ik dat het John Ringling zou kosten om Kentucky op te sporen?'

'U zei drie dagen.'

'En hoe lang hebben we ons verborgen weten te houden?'

'Vijf dagen.'

'Dus dan hebben we het best goed gedaan, hè, Dan?'

'Jazeker, baas.'

'Ik denk dat Ringling misschien een beetje te oud en te dik is geworden voor dit spelletje. Het maakt hem traag. Laat me raden, Kentucky. Hij heeft je twintig tijgers aangeboden? Stuk voor stuk Bengalen, opgegroeid in een kooi en even mooi als Radja? Plus twee keer zoveel als je hier verdient? Nee. Laat me raden. Drie keer? Plus je eigen tent op het terrein. Een tent met iedere dag verse bloemen, net als Lillian Leitzel. Is dat zijn aanbod, Kentucky? Nou?'

Op dat moment viel me iets op wat ik niet voor mogelijk had gehouden. Ondanks zijn blauwe ogen, hoge jukbeenderen en smalle rechte neus was Al G. op dit moment niet knap te noemen en de gedachte kwam bij me op dat hij al een hele tijd niet geslapen had. Zijn gelaatstrekken waren door frustratie en vermoeidheid aangetast, waardoor ze saai waren geworden. Hij moest het zich gerealiseerd hebben, want het duurde niet lang. Het was alsof hij dat moment op pure wilskracht naar de vergetelheid verwees en een halve tel later was hij weer dezelfde Al G. die in iets meer dan tien jaar tijd een rondtrekkend hond-en-ponynummer had uitgebouwd tot een van de grootste circussen van Amerika, even groot als de Cole Brothers of John Robinson of Hagenbeck-Wallace, die allemaal al sinds de vorige eeuw bestonden.

'Ach wat, Kentucky, ik heb gewoon een beetje de pest in. Dat kun je me toch niet kwalijk nemen. Ik zou blij moeten zijn dat ik nummers produceer die John Ringling graag wil inpikken. Dat is een teken van vooruitgang. Nee, echt. Ik ben blij dat jouw tijd gekomen is. Niemand verdient het meer dan jij. Ga je meteen weg?'

'Ik ga erheen als ze in hun winterkwartier zijn.'

'Dan blijf je dus nog even bij ons.'

'Ja.'

'Nou, laten we dan maar op je succes drinken. Dan nemen we een glaasje calvados, geïmporteerd uit Frankrijk. Wil je?'

'Graag, Al G.'

Daarop stond Dan op en haalde een karaf groenig vocht uit het dressoir, samen met vier ballonvormige glazen. Vervolgens zaten we allemaal een tijdje van een warme alcoholische drank te nippen die hemels smaakte, terwijl Al G. Dan en Leonora verhalen vertelde over hoe we elkaar ontmoet hadden. Als een echte heer liet hij de gênante en compromitterende gedeeltes weg, zoals dat ik was weggelopen uit een psychiatrische inrichting en dat ik een bigamist en een stripteuse was. Nu ik erover nadenk, moest hij eigenlijk heel wat weglaten, zo veel dat hij het hele verhaal zowat moest verzinnen. In zijn vertolking was ik een prestigieuze, getalenteerde jonge danseres in plaats van een meisje dat haar brood verdiende door haar haremtopje te laten zakken in een Superba-tent. Zo te horen had hij me met beloften van rijkdom, beroemdheid en luxe kleedkamers moeten paaien voordat ik zelfs maar overwogen had me bij zijn armzalige onderneminkje aan te sluiten.

Toen Dan me nog een glas aanbood, dat ik aannam, drong het met ieder warm slokje dieper tot me door wat er zojuist gebeurd was. Leonora en Dan namen ook een tweede glas, waarna Leonora een tikje dronken en aanhalig werd en zelfs Dan flauwtjes begon te glimlachen. Net toen ik dacht dat Al G. ons er misschien nog een zou aanbieden, liet hij zijn handpalmen met een klap op het schrijfblok op zijn bureau neerkomen en kwam met dezelfde beweging overeind. Hij stond te stralen met zijn handen op zijn heupen.

'Nou. Het is zinloos om hier te blijven staan en kolen te verspillen. Als we nu omdraaien, halen we die voorstellingen in Chicago misschien nog.'

Het volgende moment liep ouwe Dan de hele trein langs en luidde de grote koperen bel die gebruikt werd om aan te kondigen dat de veldkeuken open was of dat het een kwartier voor aanvang van de voorstelling was of dat de trein op het punt van vertrek stond en dat dit hét moment was om in te stappen als je mee wilde.

En bovendien klonk er blijdschap door in de manier waarop hij hem luidde.

Zo vertrokken we uit Canada en snel ook. We verbruikten een hele ton stukkool toen we door de noordelijke staten denderden. Al G. legde zijn

waanzin van de afgelopen vijf dagen aan niemand anders uit, maar hij verontschuldigde zich door de trein in Noord-Dakota te laten stoppen en
een enorme barbecue te geven met biefstukken en bier. Een groepje india-
nen, van wie sommigen ingehuurd waren om oorlogskreten te slaken in
de Wildwestshow, stond op kleine afstand nieuwsgierig toe te kijken. Zolang we stilstonden, bleef Al G. naast me zitten en ervoor zorgen dat mijn
bord gevuld bleef met aardappelsalade. Ik vermoedde dat hij zo wilde bewijzen dat hij geen wrok koesterde.

Een groepje werklui had uiteraard de benen genomen of was voorzover
ik weet bij squaws ingetrokken of omgekomen bij caféruzies, zodat we
in Bismarck moesten stoppen om Dan gelegenheid te geven in de pensions en druiperklinieken personeel te rekruteren. Toen we midden in
Minnesota opnieuw stopten om de dieren te laten drinken, gingen we
met z'n allen in vrachtwagens naar een dorpje in de buurt, waar Zweedse
gehaktballen op het menu stonden. Daarna – het was eind mei – tuften
we in één keer dwars door Wisconsin naar Oak Park in Illinois voor twee
dagen van voorstellingen.

Na de eerste matinee deed ik Radja aan de riem, kietelde zijn oren en
zei: 'Jij en ik hebben iets belangrijks te bespreken met Al G. Over jóú,
schatje. Laten we maar eens kijken of hij thuis is.' Doordat we het terrein
overstaken op hetzelfde moment dat het publiek de variétévoorstelling
verliet, trokken Radja en ik een hele menigte aan, allemaal mensen die
dicht in de buurt probeerden te komen, zodat ze ons goed konden zien,
maar niet zo dichtbij dat ze het risico liepen te worden gebeten. Radja likte
aan zijn lippen alsof hij naar zijn ontbijt keek, iets waar iedereen om moest
lachen. Ze volgden ons langs de banieren van de exoten naar Al G.'s tent
bij de hoofdingang.

Dan was er ook toen Radja en ik binnenkwamen, dus vertelde ik hem
zo beleefd mogelijk dat Al G. en ik iets persoonlijks te bespreken hadden.
Na deze mededeling kreeg hij een stugge blik in de ogen – plotseling deed
zijn gezicht denken aan pruttelende erwtensoep – en hij keek Al G. aan.

Al G. knikte dat het goed was en Dan vertrok.

'Zo, Kentucky', zei hij. 'Ik heb je finale gezien vandaag.'

'O, ja?'

'Ja, uit nostalgie. Geen wonder dat de Ringlings je zo graag willen.
Zelfs ik schrik iedere keer dat ik het zie en ik heb het toch al minstens hon-

derd keer gezien. Ben je niet bang dat Radja vandaag of morgen onhandelbaar wordt?'

'Radja? Die weet niet eens wat onhandelbaar betekent.'

'Laten we hopen dat dat zo blijft. Ik zou niet graag zien dat je verscheurd wordt voordat je op weg gaat naar je roem en rijkdom.'

'Daar wilde ik eigenlijk met je over praten. Meneer Ringling wil Radja kopen. Hij zegt dat hij je meer zal geven dan hij waard is.'

Dit zette Al G. aan het denken, maar ik wist niet zeker of het echt denken was of dat Al G. net deed of hij het plan ter plekke bedacht. Hij tuitte zijn lippen, vormde een torentje met zijn vingers en richtte de langste vingers op zijn voorhoofd. Hij keek op en zei: 'Het is zondag, Kentucky. Er is vanavond geen voorstelling. Waarom gaan jij en ik niet samen uit eten? We kennen elkaar nu al bijna tien jaar en we zijn nog nooit samen uit eten geweest. Lekker de bloemetjes buitenzetten. Wat vind je ervan?'

Hierop keek ik omlaag naar Radja; ik was van plan geweest om de avond met hem door te brengen, omdat hij een beetje van slag was geweest door de hysterie van de afgelopen week en zich had aangewend in mijn ondergoedlade te snuffelen en wat hij vond aan flarden te scheuren. Maar ik kon hem niet mee de stad in nemen en tegelijkertijd wilde ik deze afspraak met Al G. voor geen goud missen. Nadat ik het aanbod had aangenomen, gingen Radja en ik terug naar de wagon. Terwijl ik mezelf optutte, legde ik hem uit dat ik weg moest, maar dat ik om het goed te maken een van de slagers een heupbot zou laten langsbrengen. Toen Radja dat hoorde, bromde hij zachtjes en keek wat minder kniezerig.

Een halfuur later bekeek ik mezelf in de spiegel. Dat was iets wat ik bijna nooit deed, want naar mezelf kijken zonder een knoop in mijn maag te krijgen, was een talent dat ik nooit echt ontwikkeld had. Voorzover ik kon zien, zat alles goed. Een jurk met verlaagde taille, strak van boven en van beneden, met een ceintuur waardoor mijn taille eruitzag alsof het mijn heupen waren. Een Japanse parasol van geolied papier; waarom vrouwen zoiets nodig hadden voor uitstapjes vroeg ik me maar liever niet af, want ik had mode al lang geleden afgedaan als iets wat tot doel heeft zinloos te zijn. Avondmuiltjes met gesp en zogenaamde wc-hakken. (Nogmaals: snap jij het, snap ik het.) Lange fluwelen handschoenen. Een *chapeau* die als een geëlasticeerde slabak om het hoofd zat, zodat ik het mooiste van mezelf alleen maar kon laten zien door twee strakke krulletjes te pommaderen, zodat ze onder de rand van de hoed vandaan staken en om mijn oren krulden. Ter bekroning een stola, een vos met een klem in zijn bek genaaid, zodat hij zelfs dood kon voorkomen dat hij weggleed door op zijn eigen staart te kauwen.

Toch viel niet te ontkennen dat de roos op het einde van de bloei was. Het grootste probleem waren mijn armen en benen, die er niet zo erg aan toe waren als nu, maar ook toen al onder de littekens zaten; hoewel het mode was om je mouwen tot aan de ellebogen op te rollen, moest ik de mijne helemaal tot op de pols houden, waardoor ik er een beetje als een omaatje uitzag. Hetzelfde gold voor jurken, waarvan de zoom langzaam optrok naar de knie, maar om voor de hand liggende redenen niet bij ondergetekende. En hoewel ik een paar onbetekenende krassen en deuken in mijn gezicht had die ik met foundation kon maskeren, had die jaap over mijn oog iets blijvends gedaan met de spieren in mijn ooglid. Om eerlijk te zijn, hing dat een klein stukje lager dan zijn partner, waardoor je, als je langer dan een paar tellen nadacht over mijn gezicht, besefte dat het een beetje scheef was. Toen ik dat zag, kneep ik mijn ogen stijf dicht en ademde een paar keer diep in; in Hopkinsville hadden mensen gezeten die er zo uitzagen, waarmee ik bedoel: niet helemaal goed snik. Ik kon de tijgers tenminste nog de schuld geven.

Ik liep van de spiegel vandaan en knielde voor de plek waar Radja lag. Ik nam die kop in mijn handen, zodat de snorharen het kleine stukje pols kietelden dat nog bloot was. Twee smaragden keken op toen ik zei: 'Moet je eens zien wat je me aandoet, stoute tijger. Door jou krijg ik straks geen man meer.' Hij grijnsde, likte aan zijn neus en deed in het algemeen of hij een bengel en een Bengaal tegelijk was.

Toen ik uitgeplaagd was, zoende ik hem, stond op, wierp een laatste blik in de spiegel en haalde diep adem om tot rust te komen. Toen ik naar buiten stapte, zag ik dat er een auto stond te wachten. Een chauffeur hield het portier voor me open, maar wat ik binnen zag, waren vooral schaduwen. Uit het donker stak echter een been naar buiten, gestoken in gestreepte stof en eindigend in een gepoetste overschoen, en mijn inschatting was dat die aan Al G. toebehoorde.

Ik stapte in en bleek gelijk te hebben.

Die avond nam Al G. me mee naar een van de beste restaurants in Chicago en al weet ik de naam niet meer, ik herinner me wel dat het menu helemaal in het Franse Frans was en niet het rare Frans dat ze in de bayou spreken. De tafel was opgesmukt met kaarsen en verse bloemen en echt tafelzilver en er liepen mannen in smoking rond die alles wat je maar wilde op de viool speelden, zolang je ze na afloop maar een dollar gaf. Al G. zei voor de grap dat we om iets fluiterigs in mineur moesten vragen, waar ik om moest lachen, maar uiteindelijk betaalde hij voor 'I Dreamt I Dwelt in Marble Halls', een populair lied destijds, een lied dat ik mooi vond, omdat het iets was waar ik ook van gedroomd had.

Het waren de jaren twintig, hè, en met al dat geld dat rond begon te zweven, zochten mensen naar nieuwe manieren om het uit te geven. Alles wat ik die avond at, had namen waarvan ik nog nooit gehoord had: Waldorfsalade, kreeft Newburg, oesters Rockefeller en gebakken Alaska. Vooraf kregen we een gloednieuw drankje dat in een kegelvormig glas met lange steel zat. Het heette een martini en het smaakte een beetje als de ethylpropeen waar we de generators op lieten lopen (maar dan met een vleugje olijf, die ze erin gegooid hadden). Bij het zien van al die mensen in dure pakken en stola's van vossenbont, die van die drankjes zaten te nippen alsof het godennectar was, geloofde ik direct dat de oude P.T. Barnum het bij het rechte eind had gehad toen hij zei dat je het publiek alles kon wijsmaken. Ik probeerde er zelf ook eentje. Na de tweede had ik jodelend van een bergtop kunnen roetsjen.

Hoe dan ook.

Ik vond dat we hier waren om zaken te bespreken en rond de tijd dat de witte wijn op tafel kwam, samen met een vreemde salade boordevol noten, appels en plakjes selderie, kwam ik ermee voor de draad: 'Al G., we moeten over Radja praten. Meneer Ringling wil graag weten wat hij ongeveer gaat kosten.'

Al G. keek een tikje verslagen. Zijn mond trok samen, zijn ogen werden rond en zijn wenkbrauwen gingen omhoog en naar het midden, zodat ze een beetje op de zijkanten van een veldtentje leken. Hij veegde zijn mond af aan een linnen servet en zei: 'Kentucky, alsjeblieft...' en zonder me de tijd te geven om erachter te komen wat dat 'alsjeblieft' zou moeten betekenen, begon hij te vertellen over de eerste extra attractie die het Barnes hond-en-ponynummer erbij had genomen, een goochelaar met een ziekte die hem ertoe bracht dingen in de fik te steken. Op een keer, na een optreden in een vertrek boven een zaal van de Oddfellows[4], ging die goochelaar midden in de nacht terug naar de zaal en stak hem inderdaad in brand, zodat er van het gebouw binnen een paar minuten alleen nog een berg as over was. De hele stad was in rep en roer en toen Al G. ervan hoorde, begreep hij meteen wat er gebeurd was. In een mum van tijd pakte hij zijn hond, zijn pony's, zijn showmuilezel en zijn Edison-vitascope[5] bij elkaar en smeerde 'm voordat Jan Publiek erachter zou komen dat het rondreizende gezelschap de boosdoener was. Tijdens zijn vlucht bleef hij steeds omkijken, hij zag rookpluimen opstijgen en wou dat hij een span paarden had in plaats van twee kortbenige pony's die niet voluit konden draven.

Het was een verhaal waar ik natuurlijk hartelijk om moest lachen, want achternagezeten worden door Jan Publiek was een angst die ik zelf ook wel eens had ervaren. Al lachend bedacht ik dat dit de beste verhalen waren: dan eens verdrietig, dan weer grappig, met kilometers terloops opgepikte waarheden erbij.

De vis kwam en vervolgens een enorme plak vlees, château nogwat, die Al G. en ik moesten delen. Ik raakte de tel kwijt van de glazen wijn die de ober bracht, maar ik weet nog wel dat ze van kleur veranderden, van wit naar granaatrood naar een lichtgroene, die we bij ons brandende ijs kregen. Al die tijd vertelde Al G. het ene na het andere verhaal en naarmate de wijn me meer en meer verdoofde en zijn verhalen me meer en meer duizelden, begon ik me een steeds grotere spelbreker te voelen, omdat ik het over zakelijke dingen wilde hebben. Na afloop maakten we een wandeling langs Michigan Avenue, waarbij de Winderige Stad zijn naam geen eer aandeed, want het was zacht weer en windstil en alle trottoirs waren vol slenterende mensen. Het gaf een goed gevoel om met iemand samen te zijn die ik al bijna tien jaar kende en met wie ik nooit onenigheid had gehad. Het was alsof het mezelf iets goeds bewees.

Toen Al G. me eindelijk terugbracht naar de trein was het over enen en was ik zo dronken als een tor en voor het eerst van mijn leven wou ik dat ik de matinee van de volgende dag op iemand anders kon afschuiven. Misschien kwam het door de leuke avond die Al G. en ik net gehad hadden of misschien kwam het doordat ik binnenkort zou vertrekken, in beide gevallen doen mensen dingen die ze altijd al hadden willen doen, maar waarvan ze nooit wisten dat ze dat wilden.

Wat ik bedoel is: het scheelde maar een haartje of ik had Al G. binnen gevraagd, maar godzijdank gaf ik mezelf een ram voor mijn kop en nam ik genoegen met een zusterlijk kusje op de wang voordat de woorden uit mijn mond kwamen. 'Welterusten, Al G.' waren de laatste woorden die ik uitbracht. Ik ging mijn coupé binnen, eerst zachtjes om Radja niet wakker te maken, maar toen bedacht ik dat het genot van een warm en zacht lijf precies was wat ik nodig had. Ik kleedde me uit, kroop onder de dekens en streelde Radja's kattenoren en toen hij begon te snorren, wreef ik me tegen hem aan, zodat ik van voren helemaal glibberig werd van de olie in zijn vacht.

De volgende dag ging de reis naar Clinton, een plaats in Illinois, en daarna begon het circus lange afstanden in zuidelijke richting af te leggen, waarbij het dwars door de westpunt van Kentucky en door Mississippi ging, totdat het de staat Florida binnenreed in een tropische storm die het Barnes Circus in een regelrecht modderbad veranderde. We legden een hele ton run neer op het centrale plein en toen dat in de drab was weggezonken, gingen we over op stro en toen dat niet werkte, namen we uiteindelijk onze toevlucht tot hooi, enkel om ook dat verslonden te zien worden door de modder en de regen. Maar het was geen ramp. De mensen konden geen genoeg krijgen van het circus en niet alleen zaten alle voorstellingen vol, maar de mensen wilden ook hun zakken lichter maken. Dat jaar verdiende iedereen die aan het circus verbonden was meer dan hij ooit voor mogelijk had gehouden, van de snoeptenthouders en de kameleonverkopers tot aan de kermisexoten. Er waren zwendelaars die zo veel geld verdienden dat ze halverwege het seizoen het circus verlieten om een klein boerderijtje te kopen en die naar eigen zeggen vast van plan waren zich te vestigen, op het rechte pad te blijven en misschien zelfs een of twee kinderen te nemen. De meesten verloren hun fortuin weer door hoge inzetten bij het pokeren en waren voor het eind van het jaar alweer terug, zonder dat ze spijt leken te hebben.

Van Tallahassee en Baton Rouge gingen we verder naar Natchez, Mississippi, gevolgd door Port Gibson, Vicksburg, Greendale en Clarksville, totdat we een zondagse sprong van tweehonderd kilometer naar Wynne, Arkansas, maakten, waar kou en nattigheid alweer geen effect hadden op de publieksaantallen. Dit werd gevolgd door weer een sprong van meer dan honderdvijftig kilometer, ditmaal naar Yellville, een plaats in Kansas.

De Yellvillianen hadden blijkbaar nog nooit een nijlpaard in levenden lijve gezien en ze waren zo gefascineerd door Lotus dat we ze bijna het dierenverblijf niet uit kregen om met de hoofdvoorstelling te kunnen beginnen. Daarna ging het door naar Colorado, Utah en Nevada, alvorens over het noorden terug te keren naar Californië.

Dit zijn allemaal algemeen bekende dingen. Maar wat ze bij *Billboard* en *White Tops* en de kranten niet wisten, is dat in het noordelijke puntje van Mississippi, in het plaatsje Holly Springs, miss Leonora Speeks het vier pistes tellende Al G. Barnes Wilde Dieren Circus verliet. Niemand wist waarom; er werd gezegd dat haar moeder dood was gegaan, iets wat niemand geloofde, omdat ze eerder een gekrenkte dan een verdrietige indruk maakte. Het enige wat we wisten, was dat ze de ene dag nog Al G.'s breedgebouwde vrouw was en de andere dag met een buitengewoon verongelijkte blik naast Al G.'s spoorwagon stond, omringd door hutkoffers, gewone koffers, kledingtassen en hoedendozen. Toen haar taxi kwam, liet ze de chauffeur alle bagage inladen, terwijl zij er ongeduldig bij stond te kijken. Daarna stapte ze in, waarbij ze de werklui voor de laatste keer op een stukje been vergastte.

Er was nog iets wat ze bij *Billboard* en *White Tops* niet wisten. Terwijl de weelderig geschapen miss Speeks in Oregon een echtscheidingsprocedure voorbereidde, begon Al G., een man wiens rijkdom met grote sprongen toenam, zijn pijlen op een zekere blonde tijgerdompteuse te richten, die wat uiterlijk betrof misschien wel of misschien ook niet op haar retour was.

Als we een bijzonder goede voorstelling achter de rug hadden, als ik bijvoorbeeld weer een kat zover had dat hij een bal kon rollen of kon opzitten, kreeg ik bloemen met een gelukwens. Soms liep hij de veldkeuken binnen als ik zat te eten en kwam hij bij me zitten en omdat dit me een managementstatus gaf, kon ik het moeilijk niet waarderen. Tijdens een avondvoorstelling ergens in Colorado kreeg een van de katten, Lady heette ze, ergens een beetje de pest over in en haalde uit naar mijn arm. Het was niet ernstig, maar ze had met haar nagels een flinke scheur in mijn witleren pak gemaakt. Voordat ik mevrouw Mac, het hoofd van de kostuumafdeling, had kunnen vragen het gat dicht te naaien, vond ik bij terugkomst in mijn coupé drie gloednieuwe leren pakken met een briefje van Al G. waarin stond dat hij het zich niet kon permitteren om zijn topnummer er armoedig uit te laten zien (ook al was het maar voor de rest van het jaar).

En toen. Tijdens een matinee in Carson City kreeg ik die gemene kleine Sumatraanse zover om op een bal te lopen. Het had meer dan twee jaar dressuur gekost en het was iets wat je alleen voor je eigen plezier doet. Hoewel *Billboard* een kort berichtje wijdde aan Jewels nieuwe truc, besefte de overgrote meerderheid van het publiek niet dat het een truc was die ooit voor onmogelijk werd gehouden, omdat Sumatranen zo nijdig en opvliegend zijn. Maar Al G. zag het. Twee ochtenden later, toen ik in mijn coupé zat uit te rusten, werd er geklopt. Al G. stond voor de deur, in zijn eentje. Hij had een ronde kartonnen koker bij zich.

'Goedemorgen, Kentucky.'

'Morgen.'

'Mag ik even binnenkomen?'

'Ja, hoor', zei ik, terwijl ik opzij ging. 'Kom verder.'

Hij kwam breed lachend binnen en zei: 'Ik dacht dat je mijn nieuwste reclame misschien wel wilde zien.'

Ik zei dat ik dat wel wilde en hij liep naar Louis' oude bureau, haalde het origineel van een poster uit de koker, legde hem op het bureau en hield hem plat door er met beide handen op te leunen. Ik liep erheen, evenals Radja, die voelde dat er iets interessants stond te gebeuren. Ik stond links van Al G. en Radja plantte zijn voorpoten rechts van Al G., iets waar Al G. een beetje zenuwachtig van werd, want hij had altijd geloofd dat het en-kel een kwestie van tijd was voordat Radja zich als een normale tijger zou gaan gedragen.

Ik keek omlaag. Mijn ogen werden wazig.

Onder op de poster stond de zin: *De koningin van de jungle presenteert een belangrijke bijeenkomst van de meest woeste circusleeuwen en -tijgers ter wereld.* Daar-boven prijkte mijn gezicht, dat de hele poster besloeg. Bovendien was het een foto van voordat ik al die ongelukken had gehad, toen ik nog on-geschonden en volmaakt was, met een huid als porselein en ogen zo blauw als de lucht van Kentucky. Het was mijn gezicht van toen ik achttien was en toen ik ernaar keek, bleef er steeds één woord in me opkomen: voordat. *Voordat voordat voordat.*

Plus dat het een goudkleurige poster was. De rand was van goud en mijn haar en mijn pak waren van goud, dik en puur en massief goud.

Dat was iets wat je toentertijd nooit zag, omdat goud een kleur was waar drukkerijen moeite mee hadden en het moest Al G. een fortuin gekost hebben. Maar daar stond ik, lachend, mooi en achttien jaar, op de allereerste goudkleurige poster uit de geschiedenis van het circus. Het was pure stupiditeit natuurlijk, omdat Al G. hem nog maar twee maanden kon gebruiken, maar het was een stupiditeit die me een warm en gewenst gevoel gaf en dat is een gevoel dat maar weinig vrouwen kunnen weerstaan. Zelfs Radja begon te spinnen, al moest ik hem uit de buurt van de poster houden, zodat hij hem niet aan flarden zou scheuren.

Toen we later die week in San Francisco aankwamen, nam Al G. me weer mee uit eten. Het was bijna net als de eerste keer, met een violist, Frans eten op het menu en iedere fles wijn een andere kleur dan de vorige. Tegen de tijd dat we aan het vleesgerecht begonnen, bestond er geen twijfel meer over wat er zou gebeuren als we bij de trein terugkwamen, iets waardoor de rest van de maaltijd praktisch in ernst verliep. We sloegen het toetje over en reden zwijgend terug naar de trein. We stopten voor de Holtwagon en hij hield de deur voor me open. Ik keek eens goed om me heen, terwijl Al G. appelbrandewijn inschonk: het plafond was van donker hout met koperen armaturen en er lag een enorm ijsberenvel op de beukenhouten vloer. Er was een open haard en er stond een achtpersoons eettafel. Het bed waar hij me heen leidde, had een ombouw van mahonie.

We nipten niet eens van ons drankje, want wat volgde, was een stormachtig zoenen en uittrekken van kleding en het volgende moment lag ik op mijn rug, naakt op mijn sieraden na en dankbaar dat het licht gedempt was en Al G. mijn littekens niet kon zien. Hij nam er de tijd voor, hoor. Ik kon wel zien dat hij zichzelf als een Casanova van de bovenste plank beschouwde, want hij gaf zwierigheden en delicate strelingen en achtjes ten beste die helemaal nergens voor nodig waren. Hij sabbelde zelfs aan een deel van mij waaraan mannen, dacht ik, nooit sabbelden, wat meer een gevoel van verbazing wekte dan iets anders. Ik mocht denk ik niet klagen, want hij ging te werk met een langzame zekerheid die ik nooit eerder had meegemaakt bij een man. Plus dat hij zo knap was dat hij zijn mooie trekken zelfs niet kwijtraakte op het moment suprême, een moment waarop het gezicht van de meeste mannen een beetje gaat flubberen en zijn scherpte verliest. Hij was ook teder, waarmee ik bedoel dat het allemaal best lang duurde, zodat ik een milde kramp in mijn omhoogstekende benen begon te voelen toen hij eindelijk vaart maakte en 'O, moeder Maria' riep. Om hem een nog beter gevoel te geven, riep ik zelf ook iets, iets wat met de hemel boven ons te maken had, en drukte mijn nagels in zijn schouders.

Op dat moment trok hij zich terug en gebeurde er iets raars. Toen er geen begeerte of verlangen meer tussen ons was, diende de zo pas ontstane situatie zich aan met de helderheid en zekerheid van een nieuwe dag. Op precies hetzelfde moment beseften we waarom we samen waren in Al G.'s luxueuze spoorwagon en daarmee diende zich een zwaarte aan. Die ons bekroop als een hittegolf. Het was een zwaarte die voor zich sprak, zodat we niets hoefden te zeggen; de zwaarte voerde het gesprek voor ons.

Hij: Ben je nog steeds van plan naar Ringling te gaan?

Ik: Weiger je nog steeds Radja te verkopen?

Hij en ik als een harmonisch koor: Ja.

Ik kleedde me zwijgend aan met een hoerig, gebruikt en schuldig gevoel. Al G. voelde zich waarschijnlijk net zo. Bij de deur wierp ik een snelle blik achterom en keek voor het laatst naar die o zo knappe man, die daar naakt onder een laken naar het plafond lag te kijken en waarschijnlijk amper kon geloven dat hij niet gekregen had wat hij wilde. Het moest een schok voor zijn gestel zijn geweest. Het was de enige keer dat ik hem verdrietig heb gezien (en ik vind het nog steeds vreemd dat die verdrietig kijkende Al G. de Al G. is die ik voor me zie als ik aan hem denk).

En hoe zat het met mij? Hoe zat het met Mary Haynie schuine streep Mary Williams schuine streep Mabel Roth schuine streep Mabel Stark, Ringling-ster in de dop? Wat deed ík? Ik ging terug naar mijn wagon, drukte mijn gezicht in Radja's vacht en jankte om het vooruitzicht hem te moeten achterlaten. Radja werd wakker, maar werd niet speels of boos. Hij bleef gewoon stilletjes liggen luisteren en likte misschien een paar keer zijn lippen. Het was dat beetje troost dat me deed besluiten dat ik niet zonder hem kon. Dus stond ik op, kleedde me aan, gooide wat kleren in een tas, trok Radja van bed en deed hem aan de lijn. Ik deed de deur van mijn wagon open en keek links en rechts.

Het probleem was dat ik nog nooit van mijn leven iets gestolen had en als je iets wilt stelen ter grootte van een tijger van tweehonderdvijftig kilo is het handig om van tevoren even te oefenen. Na al die jaren van hard werken en pogingen mijn leven op orde te brengen, stond ik nu wéér in het donker klaar om te vluchten, met niets anders om op te vertrouwen dan instinct en lef. Dat gaf me een heel ellendig gevoel, dat ik moest negeren als ik dit voor mekaar wilde krijgen, dus sprak ik mezelf moed in en fluisterde: 'Kom mee, Radja, wees eens een brave jongen.' En verdomd als Radja niet dat moment koos om plotseling een band te voelen met het Al G. Barnes Circus, want hij keek om, bleef naar de trein staan staren en liet zijn snorharen hangen als een bedroefd mens. Of misschien zag hij in hoe dwaas het was dat een vrouw en haar tijger zonder enig plan een donker veld in liepen; dieren vertonen soms een zelfbeschermingsdrift die de meeste mensen ontberen. Wat het ook was, hij plantte zijn koninklijke oranje-zwarte voorpoten stevig in de grond, zette zich schrap en weigerde van zijn plaats te komen.

'Kom mee, Radja', siste ik, terwijl ik hard aan zijn lijn trok. 'Kom méé.'

Zelfs een grote kerel krijgt een dier ter grootte van een volwassen Bengaal natuurlijk niet in beweging, maar op wanhopige momenten hebben simpele feiten soms de neiging zoek te raken in de opschudding. Toen er nog een halve minuut van geruk verstreken was en ik in een hoek van vijfenveertig graden ten opzichte van de grond met mijn voeten diep in de aarde gedrukt uit alle macht stond te trekken, smeekte ik hem door mijn tranen heen: 'Kom mee, schatje, alsjeblieft, alsjeblieft, alsjeblieft, we moeten gaan.'

En toen verscheen Dan uit het niets.

'Mabel', klonk een stem.

Ik hield op met trekken, keek op en zag hem staan met een uitdrukking op zijn gezicht waaruit sprak dat wat ik aan het doen was goedkoop en misdadig was en tegelijkertijd mededogen verdiende. Ik kon het niet geloven. Ik was het terrein nog niet af of het spel was al uit. Met een gevoel alsof alle energie die ik mogelijkerwijs nog in me had met een speldenprikje uit me gelopen was, liet ik de lijn los, zodat ik met een plof op de grond belandde. Ik kon Dan of Radja niet aankijken, ik kon alleen maar met mijn ellebogen op mijn knieën en mijn gezicht in mijn handen op de grond zitten met een gevoel alsof ik een oude afgeleefde vrouw was, ook al was ik nog maar net over de dertig. Ik huilde niet eens, daar had ik de fut niet meer voor, en geloof me, ellendiger dan dat kan iemand zich bijna niet voelen.

De tijd deed er lang over om te verstrijken. Het voelde alsof we minutenlang in die stand bleven, verstijfd als schaakstukken, al waren het waarschijnlijk maar seconden. En die hele tijd stond Dan daar de situatie in zich op te nemen, terwijl Radja om een of andere rotreden met een voldane blik in zijn ogen stond te hijgen. Ten slotte stond ik op, liep terug naar de wagon en liet de deur openstaan en toen Radja me naar binnen volgde, deed ik de deur dicht en zei met nijdige stem dat hij op de grond moest slapen.

Ik sliep die nacht diep, zonder te dromen, en werd laat en met een stijf en moe gevoel wakker. Tegen de tijd dat ik het terrein op kwam, had Red al meer dan de helft van het werk gedaan en aangezien hij al kwaad op me was omdat ik met Al G. aanpapte en niet met hem, was dat knap vervelend.

Wat er daarna gebeurde, is me nog steeds een raadsel. Misschien had Dan een woordje met Al G. gesproken. Misschien was Al G. gaan inzien hoe ik me zou voelen als Radja me afgenomen werd. Of hij was 's ochtends wakker geworden en had zich herinnerd dat een circusdirecteur in de eerste plaats zakenman was en dat Radja min of meer waardeloos zou zijn op het moment dat ik naar Ringling vertrok. Of (en dit vond ik het meest aannemelijke) hij kon het idee niet verdragen dat hij een nare smaak achterliet, met name bij een vrouw met wie hij de nacht had doorgebracht. Het enige wat ik weet is dat ik een envelop met mijn naam erop op de deur van mijn wagon geprikt vond. Ik opende hem. Het was een aanbod om Radja de Vechtende Tijger voor tienduizend dollar te verkopen, ruwweg vijfentwintig keer zoveel als wat in 1920 gangbaar was voor een gezonde gedresseerde volwassen Bengaal.

Maar het was hoe dan ook een aanbod en ik liet het meteen bij John Ringling bezorgen, die blijkbaar zonder nadenken een cheque uitschreef. Ik kreeg niet eens de kans om Al G. te bedanken, want Dan vertelde me dat hij naar Nevada was vertrokken om toezicht te houden op de bouw van een huis, dat hij ergens midden in de woestijn liet neerzetten. Ik werkte het seizoen verder in alle stilte af. Het nieuws dat ik Barnes zou verruilen voor Ringling verspreidde zich en ook al kreeg ik alom een hoop felicitaties en schouderklopjes, men vond ook dat ik er niet echt meer bij hoorde, wat resulteerde in een lichte afstandelijkheid telkens als ik een groepje mensen tegenkwam. Of misschien was het wel jaloezie, iets wat het slecht-

ste naar boven brengt in de mens. Ik bracht mijn tijd vooral door bij de tijgers waarvan ik afscheid zou moeten nemen.

De laatste voorstelling was ergens eind november in Tempe, Arizona.
Ik ging niet eens naar het afscheidsfeest. Ik deed mijn deur op slot en luisterde naar het gebrul en geschreeuw buiten, terwijl Radja en ik die avond
lekker rustig binnen bleven. De volgende dag brak het circus op en verkaste het naar het tijdelijke winterkwartier in Phoenix, Arizona. Het gerucht ging dat de in huwelijksrecht gespecialiseerde advocaten die Leonora Speeks in de arm genomen had, al bezig waren alles in Venice én
Portland uit te pluizen.

Ik bracht de daaropvolgende anderhalve dag lezend en breiend en wan-
delend met Radja door. Het was een gelukkige tijd, in mijn eentje met
een kat en een zonnige toekomst. Halverwege de volgende middag kwam
de trein naar het oosten. Er stapte een zwarte kruier uit, die opdracht
had gekregen uit te kijken naar een blanke vrouw met een hutkoffer en
een huiskat zo groot als een divan.

Deel twee

Het circus van Ringling

9

De accountant van Ringling

Het kostte drie dagen om Radja helemaal naar Bridgeport te krijgen. Op ieder stationnetje kalmeerde ik hem en kirde ik tegen hem door het gevlochten staaldraad heen en als de kruiers flirtgevoelig waren, deed ik hem aan de lijn en maakte een wandelingetje met hem rond het spoorwegemplacement, en als ik hem daarna terugbracht, begon hij te brommen en te piepen. Hij viel af en moest de hele tijd piesen als een ouwe vent.

Tegen de tijd dat we in Bridgeport aankwamen, begon hij al kale plekken op zijn huid te krijgen. Een ander winterkwartier met andere mensen hielp ook niet veel. Binnen anderhalve week was hij zo kaal als een biljartkeu, voor de tweede keer, zodat ik de gebruikelijke grappen te horen kreeg over mijn toptijger en hoe de ouwe P.T., als die nog leefde, hem zou aanprijzen als een zeldzame haarloze sabeltandtijger van de noordelijke vlakten van Mantsjoerije. Ik verbleef in een hotel in het centrum van Bridgeport, waar huisdieren niet toegestaan waren en zeker geen wilde, en hoewel Radja me de hele dag achternaliep, moest ik hem 's nachts toch in een kooi opsluiten. Langzaam, met de nadruk op langzaam, wende hij aan zijn nieuwe leven; we zaten er inmiddels een maand en er waren enkel wat plukjes haar ter grootte van een pruim teruggekomen, zodat zijn vacht er eerder als een dambord dan koninklijk uitzag. Twee weken na nieuwjaar begon ik me zorgen te maken dat mijn beroemde vechttijger misschien niet klaar zou zijn voor de opening van het seizoen in New York City. Zenuwen of geen zenuwen, hij moest weer aan het werk.

Die middag deed ik Radja aan de lijn en liet hem in de oefenpiste. Hij ging naar zijn ton, leek er zelfs erg veel zin in te hebben, wat waarschijnlijk de reden was dat ik niet op mijn hoede was. Ik draaide me om en gaf het teken en een tel later had ik een tijger op mijn nek, die de plek tussen mijn oren en mijn rug besnuffelde. Hij leunde met zijn volle gewicht op me, wat Radja's manier was om me op de grond te drukken en me onder zijn vacht en lijf te smoren. Toen ik onder hem lag, voelde ik me goed, dus ik zei: 'Goed zo, Radja, dat is heel goed', en om te laten zien dat hij het begrepen had, snorde hij en begon aan een serie kronkelende en warm golvende bewegingen.

Op welk punt er een tapir voorbij kuierde.

Nou weet ik niet of je wel eens een tapir gezien hebt. Vandaag de dag heb je in praktisch iedere redelijk grote stad wel een dierentuin en de gemiddelde mens weet heel wat meer over dieren dan de gemiddelde mens in 1921, dus ik neem aan van wel. Maar zo niet, geloof me dan als ik zeg dat een tapir best eens het lelijkste dier kan zijn dat ooit op deze groene aarde is gezet en dat wil heel wat zeggen als je bedenkt dat we ook mopshonden, vogelbekdieren en naaktzakratten hebben. Met andere woorden: rimpelig zwart lijf, een beetje als een ezel, een beetje als een paard en een beetje als geen van beide, met een kop die alleen maar chagrijnig zou zijn als er niet een soort van lange piemel hing op de plek waar eigenlijk een neus had moeten zitten. Je kunt je natuurlijk afvragen waarom die tapir daar in alle vrijheid liep te kuieren, maar soms lieten de oppassers de wat zachtmoediger dieren vrij rondlopen als ze de kooien schoonmaakten. Hoewel het streng verboden was, betekende het dat ze geen andere kooien hoefden te gaan zoeken om ze in te stoppen.

Hoe dan ook, ik lag daar door de kier tussen tijger en vloer heen te gluren toen die tapir stil bleef staan om naar ons te kijken en uit nieuwsgierigheid die piemel aan zijn kop heen en weer liet zwaaien. Ik denk dat hij nog nooit een grote naakte kat boven op een vrouw had zien liggen en ik neem aan dat dat bizarre tafereel hem inspireerde tot het krasserige geblaf dat tapirs laten horen als ze ergens commentaar op willen leveren. Plotseling voelde ik Radja's spieren verstrakken en wist ik dat er iets mis was. Hij gromde, stond op en begon naar de tapir te lopen, die balkte als een gestoken ezel en zo woest met zijn piemelding zwaaide dat het bijna een vlek leek. Wat de tapir níét deed, was bij de tralies weggaan; gezond verstand is nou eenmaal geen eigenschap van dieren die zich verweren door er zo raar uit te zien dat je er bang van wordt.

Ondertussen sloop Radja met zijn oren plat in zijn nek en zijn lijf dicht tegen de grond gedrukt in de richting van de buitenste kooi. Zodra hij bij de tralies kwam, zou hij uithalen en het piemelding van de tapir er finaal afscheuren, en zijn kop erbij waarschijnlijk, dat was duidelijk. En hoewel de gedachte aan een dode tapir me niet echt verontrustte, was het ook zo dat ik nog niet veel aanzien genoot bij de Ringlings, aangezien mijn wereldberoemde nummer vooralsnog alleen bestond uit een kale tijger, die met zijn treurige gebrom de andere dieren de hele nacht uit hun slaap hield. Radja zou onder geen beding die tapir mogen doden. Tegen de tijd dat ik dat had bedacht, was hij nog maar één tijgerstap van zijn prooi verwijderd, zodat me niets anders restte dan naar voren te springen, 'Radja, nee!' te roepen en hem bij zijn staart te grijpen.

Het was pure stommiteit – ik vergat dat Radja een tijger was – want hij koos dat moment om alle agitatie van de afgelopen zes weken op me te verhalen. Wat inhield dat hij zich omdraaide en zijn poot met volle kracht tegen mijn hoofd sloeg. Hij hield zijn klauwen ingetrokken, wat bewees dat hij alleen maar een grief wilde overbrengen (maar ook al had hij me gedood, dan zou ik het hem nog niet kwalijk genomen hebben, want het was mijn eigen schuld dat ik hem weer zo snel aan het werk probeerde te krijgen). Uiteindelijk maakte het niet veel uit wiens schuld het was of wiens schuld het niet was, want ik lag plat op mijn rug, volkomen van de wereld. Maar ik was in ieder geval beter af dan de tapir.

Ik werd wakker op de Ringling-ziekenboeg met een hoofd als een drilboor. Toen ze me vroegen hoe het ging, verzekerde ik ze dat ik me goed voelde, al werd ik in werkelijkheid al snel gekweld door hoofdpijn, duizeligheid en, en dat was het meest zorgelijk, periodes waarin mijn gehoor het liet afweten, zodat iedereen klonk alsof hij een heel eind van me vandaan stond te mompelen. Rond deze tijd hield ik op mezelf wijs te maken dat Radja klaar zou zijn voor de opening van het seizoen in New York. Als ik mijn reputatie wilde redden, moest ik iets interessants en katachtigs vinden om af te richten en snel ook.

Daarom ging ik maar eens een flink eind lopen door de Ringlingmenagerie. Ik had dat al eerder gedaan, maar ditmaal had ik mijn ogen wijdopen en dan is het een totaal andere ervaring. Ik zag zwarte beren, bruine beren, grijze beren en ijsberen die uit eskimodorpen op Groenland waren gehaald. Ik zag nijlgaus, zwarte bokken, manenschapen, gemsbokantilopen en de tapir die aangekocht was om de tapir te vervangen die door Radja onthoofd was. Ik zag zes giraffes van de vlakten van Ethiopië; vanwege de speciaal daarvoor gebouwde wagon moest het Ringling Circus een route nemen waarop geen smalle tunnels of lage bruggen voorkwa-

men, wat alleen maar mogelijk was omdat de Ringlings het halve spoor-
wegnet in het land bezaten. Ik zag nijlpaarden uit de Transvaal, orang-oetans uit Borneo, brulapen uit Brits-Honduras en piepkleine rhesusaapjes
uit de wildernis van India (overigens de enige apen ter wereld die vriendelijk van aard zijn; chimpansees zijn opvliegend, gorilla's humeurig en
orang-oetans ronduit vals). Ik zag Peruaanse lama's, Ecuadoriaanse poema's, Mexicaanse ara's, Nicaraguaanse toekans en pauwkalkoenen die
regelrecht uit de wildernis van Guatemala geplukt waren. Ik zag zeeleeu-
wen, zeeolifanten en zeeschildpadden. Ik zag neushoorns, olifanten en
Jumbo het nijlpaard (dat net als Barnes' nijlpaard alleen roodgekleurd water te drinken kreeg, omdat het voor circusnijlpaarden destijds in de mode
was om zogenaamd bloed te zweten, zodat ze leken op iets uit het boek
Openbaringen). Ik zag kangoeroes, koala's en wombats met harige neuzen. Ik zag vleermuizen en slangen en spinnen en adders en salamanders,
allemaal bestemd voor de kermis. Ik zag kamelen en paarden en zebra's
(al werden zebra's destijds door circusmensen bajesklanten genoemd vanwege hun strepen). Ik zag yaks en bizons en Vietnamese waterbuffels. Ik
zag een witte hengst met een hoorn van papier-maché, die als eenhoorn
op het affiche gezet zou worden als iemand een manier wist om te voorkomen dat de hoorn los trilde als het paard de hik had. Ik zag varkens en Siciliaanse ezels en geiten en herten. Ik zag zelfs een of twee wilde zwijnen,
met hun kleine varkensoogjes en hoorntjes zo lang als wijnkurken.

Plus ik zag Nikker.

Nou weet ik best dat dat tegenwoordig een vies woord is, maar toentertijd gebruikte men het voortdurend en als je wilt dat ik me verontschuldig
voor de zonden van een eeuw... nou, misschien moet ik dat dan maar
doen. Maar het valt hoe dan ook niet te ontkennen dat ik de eerste keer
dat ik hem zag, getroffen werd door hoe donker hij was, donkerder dan
de donkerste van de zwarte staakdrijvers. Zelfs in het volle licht was er
geen zweem van paars in zijn vacht of in de vlekken onder zijn vacht; ik
besloot ter plekke om hem af te richten, want zo'n pure zwartheid is een
uiterst zeldzaam en prachtig gezicht.

Ik geef toe dat er van mijn kant ook een gezonde dosis ijdelheid meespeelde, want tot dan toe was er in de hele geschiedenis van het circus geen
dompteur geweest die geprobeerd had een jaguar af te richten, waarschijnlijk omdat in de hele geschiedenis van het circus alle andere dompteurs

zo snugger waren geweest om dat niet te doen, aangezien jaguars valse beesten zijn met een plat voorhoofd, die behalve extreem agressief ook nog eens zo snel als de gesmeerde bliksem zijn. Het enige pluspunt is dat ze zo klein zijn dat je het waarschijnlijk overleeft als ze je aanvallen.

Deze was door een Ringling-jager gekocht in Barbados en in een houten krat naar Bridgeport verscheept. Omdat hij tijdens de reis steeds had geprobeerd met geweld te ontsnappen, hadden de creoolse dekknechten spijkers door de planken geslagen. Met als resultaat dat de kat zich onderweg geschramd, geschaafd en geprikt had, iets wat zijn gemoedstoestand geen jota ten goede kwam.

Ik begon hem te temmen. Gelukkig was de rest van het nummer al geoefend, want het kostte de hele winter, elke dag urenlang met een zweep in de ene hand en een afgezaagde bezemsteel in de andere. Het duurde eeuwen voordat ik Nikker zover had dat hij het idee om op een ton te gaan zitten ook maar in overweging nam en zelfs toen moest ik een tweede ton tussen ons in zetten, omdat hij de slechte gewoonte had zich te gedragen als een rustig jong poesje en dan plotseling een felle uithaal naar je ogen te doen. De clou was natuurlijk om hem steeds te belonen als ik dichtbij kwam en hij níét met een van die brede gespierde voorpoten naar mijn ogen mepte (jaguars hebben zulke brede poten dat ze een Sumatraan niet zouden misstaan).

Ik vertelde hem wel honderd keer per dag dat hij een brave schat was. Ik wierp hem genoeg brokken rundvlees toe om een volwassen leeuw te voeden, maar hij was zo nerveus dat hij zijn voer even snel verteerde als hij het naar binnen kon schrokken. Als hij op zijn achterpoten in de lucht stond te maaien, kietelde ik zijn pretplekje met het uiteinde van de bezem, een aardigheidje waarvan hij in de war raakte en ging blazen. Maar op een dag gebeurde het. Je bent een brave kat, ging er door hem heen. Je kon het idee bezit van hem zien nemen. Hij zat daar met zijn kop schuin het hele idee te overdenken. Alsof ik hem ervan overtuigd had dat biefstuk helemaal niet lekker was.

Daarna was Nikker nog bij lange na niet tam, maar hij begon wel de mogelijkheid te overwegen zich meegaand op te stellen bij gelegenheden waarop er wat te halen viel voor hem. Ik kreeg hem zover dat hij ging opzitten, iets wat hij aldoor al had gedaan, maar wat hij nu voor het vlees deed en niet omdat hij zijn klauwen in mijn gezicht wilde slaan. Daarna begon ik hem door hoepels te laten springen, wat hij door zijn grootte en soepelheid twee keer beter kon dan een tijger. Plus dat ik hem in de stalen kooi trucs liet doen met de Bengalen, wat voor onmogelijk werd gehouden met een jaguar, in ieder opzicht.

Op een namiddag, ongeveer twee weken voor de opening van het seizoen, net toen ik de laatste Bengaal aan het eind van de middag de tunnel had in gestuurd, rook ik een sigarenlucht. Ik keek opzij en besefte dat John Ringling het hele gebeuren had staan bekijken. Hoewel het winter was en het in de kattenloods fris was, was er geen enkele reden om een lange overjas van Italiaanse lamswol te dragen en nog geitenleren handschoenen ook. Hij keek me een paar seconden aan, sabbelend aan zijn sigaar. Toen haalde hij hem uit zijn mond en liep weg, waarbij hij er helemaal niet ontevreden uitzag.

Enfin.

22 April 1921, Madison Square Garden, Ringling Brothers Barnum & Bailey Circus, het grootste schouwspel ter wereld. We openden met een pantomime die de Ringlings al jaren opvoerden: De durbar van Delhi. Zoals de naam al aangaf, was het nummer Oost-Indiaas van sfeer en het omvatte vier dozijn olifanten, die elk een howdah op de rug droegen met daarin een wuivend meisje met een rode stip op het voorhoofd, twee dozijn door hengsten getrokken Romeinse strijdwagens en een praalwagen die zo opgetuigd was dat hij op Chu Chin Chow de gouden draak leek.

Daarna kwamen de trapezewerkers, een kijkshow puur voor het plaatje, meer bedoeld om de zintuigen te strelen dan om het publiek te laten sidderen. De kapelmeester, Merle Evans, zette het orkest aan tot iets weelderigs en romantisch. Dan gingen de zesendertig meisjes, allen in Andalusische stijl gekleed in een rood rokje en zwarte netkousen en met een roos tussen de tanden, op hun kop hangen met het touw in de knieholte. Ze draaiden langzaam en syncopisch in de rondte, badend in rood, groen en goud licht, met gestrekte armen en een bijna lichtgevende glimlach. Het was een prachtig gezicht om al die jonge vrouwen achter elkaar in de rondte te zien draaien, vooral als je langzaam precisiewerk een vorm van schoonheid vindt. Plus dat er veel borstoppervlak door rondwarrelend licht beschenen werd, een leuk aandenken voor de papa's in het publiek nu de fatsoensridders het pikante variété min of meer hadden teruggedrongen naar kermissen, revuetenten en de eenvoudiger reizende voorstellingen. Na een paar minuten stierf de muziek weg en liet men de meisjes naar de vloer van de grote tent zakken, waarna Fred Bradna – met hoge hoed en monocle – aankondigde: 'Hooggeëerd publiek, kijkt u naar de stalen kooi in de middelste piste.'

Met andere woorden: naar mij. De Ringlings vonden dat de dompteur zo gauw mogelijk op moest, zodat ze de stalen kooi snel weer weg konden halen. Onder orkestgeschetter kwam ik binnen in mijn witleren pak, wuivend en glimlachend en met mijn zweep knallend ter verhoging van het effect. Daarna kwamen de tijgers, die allemaal rundvlees te eten kregen, op stro sliepen en enorme poten hadden, acht prachtige Bengalen wier vacht glom van de eierbaden en de bezoekjes aan een echte dierenarts. Daarna was het de beurt aan Nikker, die links en rechts kijkend door de tunnel schoot.

Het publiek werd stil, want Nikker begon als een gekooid dier in de piste heen en weer te lopen, wat denk ik redelijk te verwachten was, maar waarvan ik toch in de war raakte. Ik volgde hem op eerbiedige afstand en schreeuwde: 'Zit, Nikker! Zit!' Toen dat niet werkte, probeerde ik hem de pas af te snijden om hem naar zijn ton te dwingen, wat uiteraard onmogelijk is in een ronde piste. Nikker draaide zich om en liep achter het rijtje Bengalen langs de andere kant op. Uiteindelijk kreeg ik hem rond de grens van zeven minuten, de tijd waarop het nummer normaal gesproken voorbij was, op de ton.

Om eerlijk te zijn begon ik goed nerveus te worden, want de Ringlings waren vurige voorstanders van punctualiteit, omdat ze geloofden dat een circus groot werd door tempo en niet door de bijdrage van een bepaald nummer of een bepaalde artiest (met uitzondering misschien van de olifanten). Dus maakte ik haast. Althans, dat probeerde ik. Ik liet de Bengalen zo snel mogelijk opzitten, om hun as draaien en door de hoepel springen en vergat Nikker volkomen tot het tijd was voor de finale. Dat was de enige truc waarvan ik hem niet kon ontslaan, want hij moest bovenop en zonder hem zou ik enkel een paar raar op een kluitje zittende tijgers hebben in plaats van 's werelds eerste tijgerpiramide met jaguartop.

Hij deed het niet. Hij weigerde botweg. Terwijl de Bengalen hun positie innamen, bleef hij steeds vanaf zijn ton naar me uitvallen en ik weerde hem af door de bezemsteel in zijn bek te duwen. Of ik trok mijn pistool en vuurde losse flodders in zijn gezicht, aangezien katten niet dol zijn op harde geluiden en de lucht van kruit. Dan sloop hij grauwend en grimmig kijkend terug naar zijn ton en deed er alles aan om er dreigend uit te zien. Om en nabij dat moment werd het stil.

Ik kon me er niet al te druk om maken dat mijn gehoor precies dat moment uitkoos om me in de steek te laten, want door alle lawaai en herrie buiten te sluiten, kon ik me beter concentreren op het voorliggende probleem, iets wat ik dringend nodig had met een pissige jaguar die om de paar seconden naar me uitviel. Het was alsof we enkel met ons tweeën waren, alles was net zo stil en dof als onder water. Ondertussen moest ik ook een oogje op de Bengalen houden, want zelfs de beste tijger ter wereld wordt een beest als hij een zwakte in zijn dompteur bespeurt. Met andere woorden, ik had veel op mijn bordje. Op de tien-minutengrens was ik doorweekt. Om en nabij de twintig-minutengrens verliet John Ringling in eigen persoon zijn loge, hij kwam naar de piste en begon te roepen: 'Geef het op, Mabel!' Om je de waarheid te zeggen, ik hoorde hem niet, ik wist niet eens dat hij er was, hoewel ik naderhand te horen kreeg dat hij roze aanliep en dat de kwabben onder zijn kin begonnen te lillen. Maar zelfs als ik hem wel gehoord had, zou ik waarschijnlijk niet gehoorzaamd hebben, want als een kat de strijd maar eenmaal wint, kun je nooit meer met dat dier werken. Na de dertig-minutengrens was ik zo ontzettend kwaad dat het me geen moer meer kon schelen wie er zat te kijken en op wiens tenen ik trapte. Ik liep op die grauwende duivel met zijn amandelogen af, staarde hem recht aan en bracht hem van zijn stuk door te glimlachen.

Het was een gevaarlijke en roekeloze zet, waartoe je alleen uit absolute frustratie overgaat, want ik bood mijn lichaam aan als prooi. Als hij gesprongen had, had ik niets, maar dan ook helemaal niets kunnen uitrichten. Dat was ook precies de bedoeling, want ik had in het verleden ontdekt dat het een kalmerend effect kan hebben als je een dier laat zien dat je hem volkomen vertrouwt. Al had ik die theorie natuurlijk wel bij Radja en goed afgerichte Bengalen opgedaan en niet bij een verbitterde zwarte jaguar die nog steeds naar palmbomen en warme passaatwinden smachtte. Ik probeerde het toch. In plaats van te springen keek hij me stomverbaasd aan, alsof hij zeggen wilde: Wat is die nou van plan? Toen ontspande hij. Je kon de spanning praktisch uit zijn schouders en kaken zien wegvloeien. En voor ik het wist, sprong hij van zijn ton en verkaste naar de top van de piramide, en vlug ook. Het applaus kwam in de vorm van gebrul, dat ik hoorde omdat mijn gehoor was teruggekomen, maar alleen in mijn linkeroor, waardoor ik heel even dacht dat de truc bij de ene helft van de tent in de smaak was gevallen en bij de andere helft om de een of andere reden niet. Door slecht zicht, dacht ik.

Toen ik door het blauwe gordijn af ging, klopten de artiesten van het volgende nummer me allemaal op de rug en zeiden: 'Dat zal ze leren, Mabel! Goed dat je je poot stijf hebt gehouden!' Het was hun manier om aardig te zijn, denk ik, daarom liep ik linea recta naar mijn wagon, liet me naast Radja op bed vallen en bracht een lange ellendige avond door met mijn tijger in mijn armen. Ze hadden me betaald om vaart en spektakel te leveren en in plaats daarvan had ik dertig minuten nodig gehad om een dier dat niet groter was dan een flinke hond van de ene plek naar de andere te krijgen. Verdomd indrukwekkend. Omdat ik niet goed had geslapen, sliep ik uit. Ik werd wakker van een klop op mijn deur.

Gekleed in kamerjas deed ik open. Een sjouwer van Ringling zei dat hij iets af te geven had van meneer John Ringling en toen ik opzij ging, droeg een tweede sjouwer, die ernaast had gestaan, het grootste boeket rozen naar binnen dat ik ooit van mijn leven had gezien, allemaal even lang en even stekelig als ondergetekende. Ik kon de tweede sjouwer amper zien, zo veel bladeren had het boeket, dat eruitzag alsof er een stel benen uit groeide waarop het naar binnen liep. Ik was de daaropvolgende tien minuten bezig ze te tellen, wat ik opgaf bij de grens van honderd, maar ik vermoedde dat ik naar een gros bloemen keek, die alle denkbare kanten op staken uit een bronzen vaas zo groot als een tobbe, die de achterste helft van mijn coupé grotendeels in beslag nam.

'Kijk eens, Radja', piepte ik en hij sprong van bed, liep erheen en beet in een van de bloemen, om vervolgens jammerend achteruit te springen toen er een doorn in zijn lip prikte. Toen ik dat zag, moest ik lachen en stelde ik voor een luchtje te gaan scheppen, al had ik eigenlijk meer het gevoel dat ik naar buiten moest om mezelf te bewijzen dat dit echt was. Ik kleedde me aan, deed Radja aan de lijn, liep naar de krantenbak op de hoek en daar was het: een voorpagina-artikel in de *New York World*, waarin stond hoe een meisje van amper vijfenveertig kilo voor een enorme sensatie had gezorgd tijdens de openingsvoorstelling van het Ringling Brothers Circus, seizoen 1921. Let wel: niet Codona of Con Colleano, niet Emil Pallenberg of May Wirth, niet Bird Millman of Luciano Christiani, niet Poodles Hannaford of de primadonna Lillian Leitzel. Maar ik.

Later die week kwam er iemand van het tijdschrift *Liberty* naar de voorstelling kijken, die een artikel schreef over Mabel Stark. Dit werd gevolgd door stukjes in *Collier's, The Saturday Evening Post, Harper's* en talloze plaatselijke kranten. Ik deed ook radio-interviews, waarbij ik mijn boerse accent zoveel mogelijk verdoezelde. In ieder interview beloofde ik dat ik halverwege het seizoen een vechtnummer klaar zou hebben, wat ze uiteraard geloofden, omdat ze alles over Radja en mijn tijd bij Barnes gehoord hadden. Op een dag, ongeveer een week nadat we uit New York City waren vertrokken, ontdekte ik toen de wagons aan elkaar gekoppeld werden dat mijn coupé een andere plaats had gekregen, zodat ik nu vlak bij de koorddanseres Bird Millman en de ruiteracrobate May Wirth zat, maar nog wel een heel eind bij de complete wagons die door John en Charles Ringling bewoond werden vandaan. Er kwamen broodschrijvers langs, die mijn levensverhaal wilden schrijven, die bestsellers beloofden en misschien zelfs een film. En dat alles omdat ik beroemd was, omdat ik een vinnige jaguar had overgehaald om op een ton te gaan zitten. Als ik Radja eenmaal weer aan het vechten had, zou ik, dacht ik, nog beroemder worden, een mogelijkheid die me zo opwond dat ik mezelf telkens als ik eraan dacht, moest dwingen diep adem te halen.

Het rare aan beroemdheid is dat je gaat geloven dat het door jou komt en niet door de vertegenwoordigers van de pers. Je leest de artikelen en je gelooft ieder woord, vooral als ze vermoedens overstemmen die je al zolang als je je kunt herinneren probeert te overstemmen. Geloof me, de keerzijde van het feit dat je vanbinnen gevormd bent door verdriet is dat je jezelf al na een minimale stimulans als de wederopstanding gaat beschouwen, iemand voor wie ze hoogstwaarschijnlijk een middel tegen ouderdom gaan uitvinden. Dit is zo'n voorbeeld van hoe verwrongen en wrak je denken wordt van dat gedoe om beroemdheid, vooral als het je besluipt en vanuit een hindernis bespringt zoals bij mij het geval was: niet één keer is het bij me opgekomen dat het misschien niet zo'n goed idee was om met mijn kop in iedere krant van het land te prijken; ik was nou eenmaal een vrouw met een verleden, die in bepaalde delen van datzelfde land nog steeds als een voortvluchtige beschouwd werd.

Vanaf New York begonnen we een echt circus te zijn, we braken na iedere avondvoorstelling op, reisden door de nacht en baanden ons werkend een weg door Pennsylvania, Maryland en de Virginia's. We verbleven in steden met mooie circusterreinen en genoeg inwoners om een tent te vullen waar twaalfduizend mensen in konden, met strobalen op de grond erbij nog meer. We gingen in zuidwestelijke richting, sliepen op goede matrassen en aten van tafels gedekt met linnen, porselein en verse bloemen. (In de veldkeuken van de werklieden was het natuurlijk allemaal wat minder verfijnd.) Tegen maart reden we Kentucky binnen, waar we een voorstelling in Lexington deden alvorens verder te trekken naar Louisville, en als die knokige ouwe tante van me al in het publiek zat, had ze zeker geen spandoek mee om het me te laten weten. Van daar maakten we een sprong naar Bowling Green, dat midden in de staat ligt, maar iets verder naar het westen, vlak bij de grens met Tennessee. We moesten er twee keer strobalen bij leggen, zo vol was het; mensen hadden iets nodig om hun geld aan uit te geven nu drank geen optie meer was (althans geen legale). Dienstplicht, oorlog, drooglegging, alles – rotdingen, leuke dingen of iets ertussenin – leek destijds goed uit te pakken voor het circus.

Na mijn avondnummer was ik een beetje moe en een beetje bezorgd om Radja, die, als ik er niet was, steevast mijn la met ondergoed plunderde en alles wat hij in zijn poten kreeg aan flarden scheurde. Ik had al eens geprobeerd het met bleekwater te wassen, omdat ik dacht dat zijn neus misschien een luchtje oppikte dat er met normaal wassen niet uit ging. Toen dat niet werkte, had ik het uiteindelijk in zakken gedaan en opgehangen aan twee haken die ik in het plafond van het rijtuig had geschroefd. Vaak trof ik bij thuiskomst Radja op zijn achterpoten aan, luid snuivend en maaiend naar de zakken.

Met in mijn achterhoofd het idee om mijn ondergoed te redden, besloot ik vlak na de pauze te vertrekken, vóór Bird Millmans koorddans, May Wirths achterwaartse salto van het ene dravende paard naar het andere, Lillian Leitzels linkshandige tourbillons en Alfred Codona's driedubbele salto. Omdat ik zo vroeg vertrok, stond de lilliputterbrigade nog niet klaar om alleenstaande dames naar de trein terug te brengen, dus ging ik in mijn eentje. Het was een korte wandeling door een buurt met gammele houten huisjes, verlicht door kale peertjes, in een uitgestorven en daardoor stil deel van de stad, wat denk ik vooral kwam doordat het een circusavond was.

Ik kon mijn hakken op de straatstenen horen tikken, terwijl uit roosters in het plaveisel stoom ontsnapte en cyperse katten miauwden. Na een paar blokken kwam ik op een punt waar ik de keus had de hoofdstraat te blijven volgen, na een paar blokken links af te slaan en dan weer een stuk terug te lopen om via de wat bredere straten op het spoorwegemplacement te komen. Dat zou me twintig minuten extra kosten. Of, en dat was de andere mogelijkheid, door een steegje te sluipen dat uitkwam op een lange smalle donkere ruimte tussen een dozenfabriek en een appartementenblok. Deze route zou twee minuten kosten; de terreinbaas had ons gewaarschuwd die niet te nemen. Maar iedereen deed het toch.

Ik liep de steeg in. Links van me hoorde ik mensen praten, ruziën, lachen en hitsig zijn. Rechts van me hoorde ik gerammel. Ik liep snel, met een groot vertrouwen in mijn eigen vaste tred, en was me bewust van het vuil op de muren, maar enkele centimeters van mijn schouders. De steeg maakte een flauwe bocht en nadat ik een stikdonkere binnenplaats was overgestoken, pikte ik de steeg aan de andere kant weer op. In de verte zag ik een rechthoek van licht met daarachter de treinwagons. Het kan zijn dat ik een pietsie langzamer ben gaan lopen, maar dat weet ik niet zo goed meer. Wat ik me wel herinner, is hoe de hand rook die uit een nis te voorschijn schoot en zich om de onderste helft van mijn gezicht sloot, de holte tussen duim en wijsvinger stevig onder mijn neus. Op zulke momenten worden je zintuigen scherper en ik rook zweet en leer en tabak en vuil en het zout van mannelijk zaad. Het was een grote hand, vlezig en plomp, niet onbekend met het ruwere werk. De andere hand greep mijn rechterpols en draaide die op mijn rug, zodat de spieren in mijn bovenarm het uitschreeuwden. Zonder een woord te zeggen, enkel luid snuivend, draaide hij me om en duwde me in de richting vanwaaruit ik gekomen was. Er druppelde een traan uit mijn linkeroog, die op zijn hand viel, en ik vroeg me af of die nattigheid zijn snode plannen wat kon verzachten.

Hij dirigeerde me naar de binnenplaats, maar in plaats van de andere kant van de steeg in te slaan, duwde hij me rechtsaf het donker in, waar ik na een paar stappen een oud brik geparkeerd zag staan. Hij duwde me naar de auto, haalde zijn hand van mijn mond, legde hem achter op mijn hoofd en sloeg mijn wang met een klap tegen de motorkap. Ondanks de pijn gaf ik geen kik, ik dacht dat mijn leven ervan afhing. Er werd geen woord gezegd, hij greep gewoon ruwweg de band van mijn rok en mijn onderbroek en trok ze met een ruk op mijn enkels, zodat mijn blote kont de nacht in stak en ik plotseling besefte wat er ging gebeuren. Ik wilde wel doodgaan.

Toen bracht de man zijn rechterhand omhoog en liet hem met zo'n harde klap op mijn bil neerkomen dat het een blok verderop te horen zou zijn geweest als de fabriek niet zo'n lawaai had gemaakt. Ik slaakte een gil en zette me schrap voor sodemieterse vernederingen, maar toen bukte hij zich, greep de tailleband van mijn rok en onderbroek en trok ze met een enkele woeste ruk weer omhoog. Daarna werd mijn arm op mijn rug gedraaid en de andere ernaast gedwongen, en toen mijn polsen kruislings op elkaar lagen, voelde ik hoe er een touw omheen werd geslagen waar een strakke schurende knoop in gelegd werd. Hij haalde een lange rode halsdoek te voorschijn, die hij ronddraaide zodat er een soort buis ontstond. Toen dat gebeurd was, bond hij hem met zo'n kracht voor mijn mond dat hij mijn kaken uiteen duwde en mijn mondhoeken schaafde. Mijn tong werd achter in mijn mond geduwd, waardoor ik begon te kokhalzen. Dit in combinatie met blinde angst had tot gevolg dat de tranen langs mijn wangen en kaaklijn stroomden, tranen die waren afgekoeld tegen de tijd dat ze in mijn nek druppelden. Hij trok me aan mijn kraag omhoog en draaide me snel om. Hij hijgde helemaal en terwijl hij op adem kwam, wierp ik, met ogen die zo wijd openstonden dat ik ze niet dicht zou hebben gekregen al zou ik het geprobeerd hebben, mijn eerste blik op zijn ongeschoren kop. Ik voelde een bult komen opzetten op mijn wang en een handpalmvormige blauwe plek op mijn bil en toen het tot me doordrong dat dit geweld echt plaatsvond, begon ik zo te snotteren dat ik amper nog door mijn neus kon ademen. Zijn arm schoot uit en ik zette me schrap voor de klap, maar in plaats daarvan greep hij me nogmaals bij mijn kraag, draaide me weer om en dwong me naar het rechterportier te lopen.

Hij opende het, drukte mijn hoofd omlaag, duwde me in de auto en beval me te blijven zitten, omdat ik anders zo'n pak slaag zou krijgen dat mijn kont er net zo blauw van zou worden als Noord-Dakota in de winter. Mijn voet hing nog een stukje buiten de auto en de man gaf er een trap tegen, zodat ik hem binnenboord trok. Hij smeet het portier dicht en draaide het op slot.

Hij stapte in en startte de motor, die daarbij boerde en pruttelde en geluiden maakte als een ouwe kerel aan het eind van zijn dutje. Hij reed achteruit en sloeg een weggetje in dat de duisternis aan de andere kant kruiste. Ik had geen flauw idee waar mijn redding van zou kunnen afhangen, dus knipperde ik mijn tranen weg en dwong mezelf goed om me heen te kijken. Ik nam aan dat ik naar een ander grauw appartementenblok gereden werd of misschien naar een huis ergens op het platteland, waar ik gevangen gehouden zou worden, nauwelijks te eten zou krijgen en dag en nacht onderworpen zou worden aan sodomie tot al het leven uit me gevaren was. Met andere woorden, ik zocht naarstig naar ontsnappingsmogelijkheden. Maar doordat ik gekneveld was als een varken op weg naar het slachthuis en ik maar moeilijk iets kon bedenken, werd ik geplaagd door één enkele allesoverheersende gedachte: waarom heb je in 's hemelsnaam Radja niet meegenomen? De rest van de rit stelde ik me voor wat Radja met de chauffeur gedaan zou hebben en geloof me, het was bloederiger dan bloedig.

We reden door straten met kapotte lantaarns. Ik bleef hopen dat we zouden stoppen naast een patrouillerende smeris, die zou zien dat de vrouw naast de chauffeur gekneveld was met een halsdoek, nat van slijm, snot en tranen. Dat gebeurde natuurlijk niet, want altijd als je een smeris nodig hebt, zijn ze in geen velden of wegen te bekennen (en bovendien lieten smerissen zich destijds meestal voor het karretje spannen van privé-personen, die hen onderhands betaalden.) Ik wierp voortdurend steelse blikken op de chauffeur, een donkere man met een harige nek. Hij droeg een overjas die hard aan reparatie toe was, wat ik meld om te bewijzen hoe raar het brein gaat doen op momenten van extreme stress: ik zag die rafelige bruine stof en voelde heel even medelijden met hem vanwege de omstandigheden waaronder hij was opgegroeid, waardoor hij zo'n smerige onwelriekende man was geworden. Ondertussen keek ik ook goed waar we heen gingen, speurend naar informatie die nuttig kon zijn, mocht zich een ontsnappingsmogelijkheid voordoen. Onmogelijk. De auto, die een groot plastic stuur had, gegroefd, grijs en naar achteren gekanteld als van een bus, ging keer op keer op keer de bocht om.

Toen we voor een politiebureau stopten, viel eindelijk het kwartje.

Hij zette de motor uit, die, toen hij achter de auto langs liep, zo erg na rammelde en sputterde dat de hele auto ervan trilde. Nadat hij het portier had opengegooid, greep hij me bij mijn bovenarm en trok er hard aan, waarbij hij voor de tweede en tevens laatste keer iets tegen me zei: 'Eruit.'

Toen werd ik overeind gehesen en het bureau in geleid. Ik had de indruk dat ik niet de eerste was die zo'n behandeling te beurt viel, want toen hij de deur opensmeet en we binnenkwamen, keek er geen mens op of om. De man duwde me in de richting van de agent van dienst en weer kreeg ik een harde zet, zodat ik tegen de houten balie klapte.

'Alsjeblieft', blafte hij en hij liep naar buiten.

Ze hadden me verwacht. De agent van dienst, een man met brede kaken en een kop als een uil, zonder haar maar met een breed middenrif, knikte, liep om de balie heen, pakte me bij mijn arm en bracht me in looppas naar achteren, waar de cellen waren. We kwamen langs de petoet waar het legertje dronkaards en onverlaten van die avond in zat, dat bij het zien van een vrouw met gebonden handen uiteraard alle obsceniteiten begon te roepen die ze maar konden bedenken. Ik gluurde opzij en herkende een paar van onze werklieden en ik was blij dat ze me de gunst bewezen geen smerige, geile dingen te roepen, zoals de anderen.

We hielden ten slotte halt bij een kleine cel, waar één andere vrouw in zat. De brigadier zei dat ik me moest omdraaien en toen ik dat deed, maakte hij de knevel en het touw om mijn polsen los. Mijn kaken deden pijn en mijn polsen waren geschaafd en deden zeer. De brigadier maakte vervolgens de celdeur open en ik vond het best aardig van hem dat hij me eerder naar binnen léídde dan dúwde. Hij sloot de deur met een klik en liep weg. En toen de arrestanten begonnen te schreeuwen dat hij een vet varken was en bovendien nog zo rook ook, schreeuwde hij: 'Koppen dicht!'

Het werd stil in de nor. Ik ging op het bed zitten dat niet gebruikt werd door mijn celgenote, die duidelijk in dezelfde straten gewerkt had als waarlangs wij hierheen waren gereden: haar zware make-up sprak boekdelen. Nu het directe gevaar geweken was, sprong mijn hart in de hoogste versnelling en begonnen de zenuwen in mijn hoofd zo snel te schakelen dat de cel zich met flitsende kleuren vulde. Het kostte me een minuut van langzaam en gelijkmatig ademhalen om mezelf te kalmeren tot net onder paniekniveau. Ik sloot mijn ogen en probeerde mijn lippen nat te maken. Ik overwoog hallo te zeggen tegen de vrouw, maar ik kon wel zien dat ze niet in de stemming was voor een praatje, want ze had nog niet één keer mijn kant op gekeken. Ongeduldig, die indruk maakte ze, want ze zat luidruchtig op haar kauwgum te kauwen en met haar voet te wippen.

Om kort te gaan, ik zat er de hele nacht zonder dat ik een telefoongesprek aangeboden kreeg, zonder dat er een woord gezegd werd en zonder dat er water en brood gebracht werd. Ik was veel te nerveus om te kunnen slapen en het gevoel van verveling en onvrijheid werd al snel moeilijker te verdragen dan de gedachte aan wat me de volgende ochtend te wachten zou staan. Ergens midden in de nacht, toen de arrestanten lagen te snurken als houthakkers, kwamen er twee bewakers naar de cel. Ik hield me gedeisd en hoopte dat de reden waarom ze daar waren niets met mij te maken had. Mijn celgenote haalde de kauwgum uit haar mond, plakte het op het metalen veldbed en ging naar de tralies. Er werd wat gefluisterd tussen de bewakers, waarna de een een beetje opzij ging en de ander zich tegen de tralies drukte.

Ook al was ik over de dertig en werkte ik alle dagen zij aan zij met werklui, op sommige punten was ik nog steeds een tikje naïef. Toen de vrouw naar de tralies slenterde, dacht ik werkelijk dat haar tijd erop zat en dat ze vrijgelaten werd; ik vond het alleen raar dat ze dat midden in de nacht deden.

Voor ik het wist, had de vrouw zich op haar knieën laten zakken en hoorde ik het geluid van een rits die omlaaggetrokken werd en pas toen besefte ik dat wat er gebeurde hetzelfde was als wat ik lang geleden op die sepiakleurige foto van Dimitri had gezien. Het geslurp duurde misschien een minuut, waarna de bewaker zijn hoofd in zijn nek gooide en een geluid maakte als een oprisping na het eten. Hij trok zijn gulp dicht en een tel later drukte de andere bewaker zich tegen de tralies om ook de sepiabehandeling te ondergaan; hij kwam vrijwel net zo klaar als de eerste, waarna de vrouw opstond en met de rug van haar hand haar mond afveegde. De eerste bewaker haalde vervolgens een ring zo groot als een etensbord van zijn riem. Hij opende de celdeur en liet de vrouw eruit. De drie liepen weg en dat was het laatste gezelschap dat ik had tot de ochtend, toen een andere bewaker me een rood houten dienblad bracht met een schaaltje koude havermoutpap, geroosterd brood en ersatz-koffie die even dik en smakelijk was als gravel.

Ik zat somber te kauwen. Toen ik opgegeten had wat ik wilde, wat niet veel was, zette ik het dienblad op het andere bed en bleef met mijn handen in mijn schoot gevouwen zitten, ik miste de treinen, het publiek, de katten, Radja, het applaus, de lucht van olifanten, kortom alles wat met het circus van doen had wanhopig. Ondertussen werd het steeds lawaaiiger om me heen. Mensen schreeuwden dat ze eruit moesten, dat ze hun advocaat moesten bellen, dat ze onschuldig waren en hun rechten kenden. Anderen schreeuwden om drugs, wat nog erger was, want die voegden er een laag herrie aan toe die hoog en heftig van toon was en als een krassende vork op je zenuwen werkte. Om de pakweg tien minuten liep er een bewaker door de gang, die met zijn gummiknuppel op de cellen bonkte en riep: 'Koppen dicht, godverdomme, koppen dicht!' en dan hield het lawaai twee of drie minuten op. Daarna begon het weer, eerst wat mompelend, dan aanzwellend tot gebrul. Het was een soort cyclus en de vroege uurtjes bracht ik door met luisteren naar hoe het geluid aanzwol en wegstierf, en weer aanzwol en wegstierf. Buiten stond de zon nog maar net boven de horizon.

Naarmate de ochtend vorderde, werd het warmer en benauwder op het politiebureau, waardoor ook de factor geur ging meespelen; na een tijdje begon ik me zo te vervelen en werd ik zo nerveus dat ik overwoog zelf ook een potje te gaan schreeuwen en ik zou dat waarschijnlijk ook gedaan hebben als ik me niet nog steeds vastklampte aan het idee dat ik een circuskoningin was en me dienovereenkomstig moest gedragen. Op dat moment kwam er een stel bewakers de gang in lopen in het gezelschap van een man met een warrige bos haar en de chagrijnige uitdrukking van iemand die voortijdig uit zijn slaap gehaald was. Hij droeg een pak en had een paar autohandschoenen in zijn hand, waarmee hij wapperde alsof hij het verkeer stond te regelen.

Ze bleven alledrie voor mijn kooi stilstaan. Ik keek op en had meteen het gevoel dat ik de man die geen bewaker was herkende; het inmiddels wat dunner geworden zandkleurige haar, het metalen brilletje, de breedte van de onderste helft van het gezicht. Het leek op een gezicht dat ik een godganselijke tijd had proberen te vergeten en toen die gedachte door mijn hoofd schoot, wist ik meteen wie hij was. Ik keek naar Horace B. Sights, directeur van het West State Hospitaal voor Geesteszieken in Hopkinsville, Kentucky.

Die godvergeten lamzak stond me aan te staren en het moment te rek-

ken, want het was duidelijk dat hij hier heel lang op gewacht had en dolblij
was dat het eindelijk zover was. Hij zette zelfs met veel bombarie zijn bril
af en poetste hem met een gesteven witte zakdoek op voordat hij hem
weer op zijn neus zette, alsof hij wilde zeggen: Ik wil me niet vergissen,
heren, nee, dat zou ik absoluut niet willen... Toen liet hij zijn regenwolk-
kleurige kraalogen van top tot teen over mijn lijf dwalen en het zou me
niet verbaasd hebben als hij fantaseerde dat ik naakt was, vooral die delen
van me waar hij in had zitten prikken en poeren telkens als hij me onderzocht op vrouwelijke onvolkomenheden. Hij streek zelfs met zijn hand
over zijn kin alsof hij een nadenkende kant had, die hij wilde tonen.

Hij wendde zich tot een van mijn cipiers en knikte.

'Weet u het zeker?'

'Ja', antwoordde Sights.

De drie bleven nog een tijdje staan staren en toen de hoofdbewaker zich
omdraaide en gebaarde dat hij kon gaan, aarzelde Sights even en zei:
'Mag ik even met haar praten?'

De twee bewakers keken elkaar aan, heel lang in feite, alsof ze elkaars
mondhoeken inspecteerden op eigeel. Uiteindelijk haalde de hoofdbewaker zijn schouders op, pakte zijn sleutels, opende de celdeur en zei: 'Vijf
minuten.'

Sights ging zitten. Hij keek me aan, hij stáárde me aan in feite en liet een
rimpelig kronkelwormig grijnslachje de rechterkant van zijn lippen infec-
teren. Hij was waarschijnlijk in jaren niet zo gelukkig geweest. Ik hield
mijn blik voornamelijk op de vloer gericht, al gluurde ik af en toe stiekem
naar zijn zelfgenoegzame grijns, omdat ware lelijkheid nou eenmaal iets
is waar je je ogen maar moeilijk van kunt afhouden.

Hij zei: 'Ik wil u één ding duidelijk maken, mevrouw Aganosticus.'

Kennelijk wilde hij dat ik nu zou mompelen: 'O, werkelijk, wat dan?'
dus zei ik geen boe of ba, al rilde ik wel toen ik mezelf met Dimitri's achternaam aangesproken hoorde worden.

'Het was niet moeilijk om erachter te komen hoe u ontsnapt bent, mevrouw Aganosticus. Uw lieve dokter Levine bekende zodra we hem ermee
confronteerden. Hij leek er zelfs trots op te zijn. Hij beschuldigde mij
van barbaarse methoden. Het is uiteraard verboden om een gek te helpen
ontsnappen, dus eigenlijk wil ik alleen maar weten wat u gedaan hebt
om hem zover te krijgen, hmmmmmm?'

Hij bekeek me van top tot teen met een blik zo geil als menselijkerwijs mogelijk is.

'Vier maanden in de gevangenis. Jammer. Het was een begaafde man. Vriendelijk, gevoelig, zachtmoedig. Een jood, en u weet vast hoe dol die zijn op de geneugten van de geest. Wetenschappelijke activiteiten lagen hem beter. Hij was totaal ongeschikt voor het gevangenisleven, vrees ik.'

Hij stond op, kwam naar mijn kant van de cel en ging zo dicht naast me zitten dat onze benen elkaar raakten. Ik schoof opzij en toen zag ik het vanuit mijn ooghoek: een bobbel in zijn broek zo groot als een banaan. Sights begon op een paar centimeter van mijn oor te fluisteren: 'Niemand neemt mij in de maling. Niemand. Over twee dagen bent u terug onder mijn hoede. Over twee dagen, mevrouw Aganosticus. Onder míjn hoede.'

Toen ik dat hoorde, bleef ik recht voor me uit staren en besloot hem op geen enkele wijze iets van voldoening te schenken, ook al zat ik vanbinnen te trillen als een espenblad. Ik gedroeg me zoals een tijger zich gedragen zou hebben, wat inhield dat ik mijn ogen tot spleetjes kneep, mijn kaakspieren aanspande en met een zo verbitterd mogelijke stem zei: 'Krijg de pest maar.'

Hierop probeerde hij te lachen, maar dat klonk zo vals dat ik het als een piepkleine overwinning beschouwde. Toen stond hij op, liep naar de tralies en wachtte tot de bewakers hem zouden zien.

Enfin. Wat dééd Mary Haynie schuine streep Mary Aganosticus schuine streep Mary Williams schuine streep Mabel Roth schuine streep Mabel Stark schuine streep Mabel de bajesklant toen? Ik deed wat mensen altijd doen op momenten van diepe, ernstige stress: ik wachtte tot Sights zich uit de voeten had gemaakt, voordat ik op mijn knieën zonk, mijn handen vouwde en omhoogkeek als een misdienaresje. Mijn ogen waren nat van pure angst.

'Lieve Heer,' begon ik, 'ik weet dat ik slechte dingen heb gedaan in mijn leven, maar volgens mij ben ik al genoeg gestraft, vooral als je bedenkt dat ik wel probéér een goed mens te zijn, echt, U moet toch toegeven dat ik mensen laat lachen en dat ik ze de droogtes en de prijs van veevoer laat vergeten en de oorlogen die in Europa woeden. Alstublieft, Heer, ik zou U liever niet lastigvallen, maar ik kan het niemand anders vragen, echt niet, en als U me voor deze ene keer helpt uit deze knoeiboel te komen, beloof ik dat ik nooit meer een beroep zal doen op Uw goedheid en dat ik mijn uiterste best zal doen om het goed te maken.'

Daarna was ik hondsmoe. Ik had een lange dag, een nog langere nacht en een nog veel langere ochtend achter de rug en plotseling had ik het helemaal gehad. Ik ging op het papierdunne matrasje liggen met mijn knieën als een baby opgetrokken tot aan mijn borst en had een lange gelukkige droom over dat ik een normale vrouw was. Een vrouw met kinderen en een echtgenoot en een huis en rust in haar hoofd. Toen ik wakker werd en uit het kleine raampje achter in de cel keek, zag ik dat de bomen inmiddels lange schaduwen hadden. Een vrouw die erg veel leek op de vrouw die hier de afgelopen nacht had doorgebracht, zat op het bed tegenover het mijne, ongetwijfeld in afwachting van het moment waarop ze zichzelf met een sepiabehandeling vrij kon pleiten.

Omdat ik nog steeds moe was, ging ik weer liggen, maar ik werd gestoord door een bewaker, die me een bord gerookt rundvlees en gortdroge aardappels bracht. Nadat ik tevergeefs geprobeerd had iets te eten, ging ik met open ogen weer op bed liggen. Een minuut of twintig later kwam er een bewaker. Meer een jongen dan een man, een slungel die nog last had van jeugdpuistjes. Terwijl hij de celdeur openmaakte, keek hij me aan en zei: 'Mevrouw, deze kant op, alstublieft.'

Ik vocht tegen opkomend gesnotter en stond op. Voorzover ik wist, stond er een bus te wachten om me terug te brengen naar Hopkinsville en alle verschrikkingen die Sights met genoegen voor me zou bedenken. Toen ik naar buiten schuifelde, hield ik het hoofd gebogen, ik probeerde alles buiten te sluiten en moed te verzamelen. In het daglicht, al was het tanende, ging ik me nog beroerder voelen, want ik wist dat het het laatste licht was dat ik voorlopig zou zien. Heel even overwoog ik de benen te nemen, om genade te schreeuwen of als een klein meisje in huilen uit te barsten, al zou niets van dat alles geholpen hebben. De bewaker liep vlak achter me, zijn voetstappen in de maat met de mijne. Vlak voor hij de buitendeur openduwde, zei hij op een toon die me zowat mijn tong deed inslikken van verbazing: 'Ik ben een groot fan van u, mevrouw.'

Hij duwde de deur open, waarmee hij te kennen gaf dat ik naar buiten ging en hij binnenbleef. Ik neem aan dat hij de verwarring zag die op mijn hele gezicht geschreven stond, want hij zei: 'U mag gaan, mevrouw', en hij gaf een knikje naar de straat. Daar, geparkeerd naast de stoeprand, stond een auto. Een mooie auto. En daarnaast een man die met zijn linkerhand het portier openhield. In zijn andere hand hield hij een bos witte tulpen, die hij me overhandigde toen ik naderbij kwam.

'Goedenavond, juffrouw Stark', zei de man, die glimlachend zijn hand uitstak. 'Mijn naam is Ewing, Albert Ewing. Ik ben de accountant van Ringling Brothers. John en Charles Ringling hebben mij gevraagd om deze zaak persoonlijk te regelen. Ik kan u verzekeren dat ze nijdig waren. Razend zelfs. Het is me een genoegen u eindelijk te ontmoeten.'

Ik schudde hem de hand. Het was de handdruk van een man die nog nooit van zijn leven iets stevig had aangepakt en vergeleken met de laatste hand die ik op mijn lijf gevoeld had, was dat een welkome afwisseling.

'Namens meneer John, meneer Charles en mijzelf wil ik graag verontschuldigingen aanbieden voor eh... al het ongemak dat u hebt ervaren tijdens uw detentie. Ik kan u verzekeren dat we alles hebben gedaan wat in ons vermogen lag om uw vrijlating op de kortst mogelijke termijn te bewerkstelligen. Wilt u met mij meegaan?'

Hij ging opzij en ik stapte in. Nadat hij het portier had dichtgedaan, liep hij om de auto heen, stapte in en gaf de chauffeur opdracht te rijden. Toen richtte hij zich tot mij en zei: 'Helaas is het circus al vertrokken uit Bowling Green, dus we zullen ons pas in Nashville weer bij hen voegen.'

Ik liet me achterover zakken, genietend van het zachte leer. De hele auto rook als nieuw.

'Weet u,' zei hij, 'hopelijk neemt u het me niet kwalijk dat ik dit zeg, maar misschien moet u een manager zoeken voor uzelf. Op die manier kunt u dit soort gebeurtenissen in de toekomst misschien voorkomen.'

'Zál dit soort gebeurtenissen dan weer gebeuren?'

'Waarschijnlijk niet. Er zijn onderhandelingen geweest. En die verliepen, alles in aanmerking genomen, tamelijk soepel.'

'En Sights?'

'Ik denk niet dat die u nog zal lastigvallen.'

Ongetwijfeld hadden de Ringlings ook zíjn medewerking gekocht. Let wel, er was een mogelijkheid dat Sights uit dorst naar wraak geweigerd had, daarom vroeg ik wat er besproken was. Hierop kreeg de accountant een paar olijke rimpeltjes rond zijn mond en ogen.

'Tja, dat weet ik natuurlijk niet. Ik was er niet bij. Kennelijk zijn er gesprekken gevoerd. Aanvankelijk begreep meneer Sights niet dat een

Ringling-vedette nou eenmaal, eh, onaantastbaar is.'

'Over wat voor gesprekken hebben we het, meneer Ewing?'

Hierop begon hij breed te grijnzen.

'Voorzover ik het begrijp, waren het, eh, nou ja, gesprekken.'

Grappig hoe een eufemisme je soms als muziek in de oren kan klinken. Een diepe voldoening schoot wortel, het soort dat voortkomt uit een gevoel van macht. Het was alsof ik bevriend was met gangsters of politici of mensen met geld en dat is iets wat je ooit in je leven meegemaakt moet hebben. Ik sloot mijn ogen en bedankte God dat hij me geholpen had. Tijdens de rit bleef ik lang zo zitten, zonder te slapen, maar wel ontspannen, en toen ik mijn ogen weer opendeed, kon ik meneer Ewing uitgebreid van opzij bekijken. Het was een middelgrote man met een sproetige babyzachte huid, dun krullend haar en een licht bobbelige kaaklijn. Aan de pluskant had hij kuiltjes in zijn wangen, hoge jukbeenderen en groene ogen. Ook al was hij iets jonger dan ik, hooguit dertig, hij gedroeg zich als iemand van vijftig en eerlijk gezegd heb ik vermoeidheid altijd goed vinden staan bij mannen. Plus dat zijn resterende krullen een aangename goudsbloemenkleur hadden.

Ik vermeld dit allemaal omdat hij uitgebreid de strakheid van mijn leren pak zat te bestuderen toen ik mijn ogen opendeed, en wel over de volle lengte van mijn linkerbeen. (Ik heb altijd mooie benen gehad; komt doordat ik de hele dag achter tijgers aan ren.) Als hij geweten had dat ik naar hem keek, zou hij ongetwijfeld gedaan hebben of hij geboeid was door de bodemplaat van de auto of door het vakmanschap waarmee mijn laarzen gemaakt waren. Maar aangezien hij níét wist dat ik naar hem keek, viel een zeker simpel feit niet te ontkennen en daar kon ik óf iets mee doen, óf het laten voor wat het was.

Een en al oog was hij.

We trouwden halverwege het seizoen, tijdens een driedaags verblijf in Portland, dat ik uitkoos omdat ik daar gescheiden was en omdat mijn scheiding me een stuk beter was bevallen dan al mijn huwelijken. Er kwamen zowel artiesten van Ringling als van Barnes, maar meer van de laatste, aangezien ik pas zes maanden bij het Ringling Circus zat en zoals altijd moeite had met het maken van vrienden. Ik droeg wit – brutaal, ik weet het – maar tegen die tijd was wit mijn herkenningskleur, dus vond ik dat ik een aan wettigheid grenzend excuus had. Radja was mijn getuige en er werd heel wat afgestaard toen hij me naar het altaar leidde. Daar gaf ik hem over aan de tunnelman die ik bij Barnes had gehad, Red, die Radja altijd had gemogen en gerespecteerd en wiens buik hij nooit had proberen open te rijten. Ze gingen samen op de voorste rij zitten en Radja gedroeg zich voor het grootste deel netjes, hoewel Albert en ik later wel een rekening kregen voor een stuk geknaagde bijbel en een aan flarden gescheurd huwelijkspsalmenboek.

Er waren slingers en narcissen en een sopraan met een fluitist, alles even smaakvol en gedistingeerd en eigenlijk te goed voor een boerenmeid uit het lelijke deel van Kentucky. Mijn enige teleurstelling was dat Al G. er niet was, maar hij stuurde wel een telegram met zijn condoleances; gelukkig liet hij daarin doorschemeren dat zijn heibel met Leonora Speeks de boosdoener was, zodat ik het niet toeschreef aan de last die op ons was neergedaald de laatste keer dat we elkaar gezien hadden. De enige andere genodigden die niet konden komen, waren John en Charles Ringling; meneer John was naar Italië afgereisd om kunst te kopen en meneer Charles was naar een vierhonderd jaar oude viool kijken die iemand op een zolder in Durban, Zuid-Afrika, had opgeduikeld. Bij wijze van verontschuldiging stuurde meneer John me weer een gros rozen. Dat moest meneer Charles ter ore gekomen zijn, want die stuurde op de dag van het gebeuren zelf een uit twee gros bestaand boeket ter grootte van een Ford.

Toen we bij het gedeelte kwamen waar de dominee de vraag stelde die je met ja moet beantwoorden, moest hij hem twee keer stellen, omdat mijn gehoor precies dat moment uitkoos om er de brui aan te geven. Na een ongemakkelijke stilte besefte ik waar iedereen op zat te wachten en zei ik 'ja' en daarna zei Albert 'ja' en tekenden we allebei het boek en toen gingen we met zijn allen naar het New Westminster Hotel, waar we een diner voor veertig gasten hadden met toespraken, dans en gekkigheid toe. Fred Bradna, de van origine Franse presentator, was de ceremoniemeester en hij bracht een heildronk uit waarin hij ons een lange gelukkige toekomst toewenste, nadat hij voor de grap gezegd had dat hij ervan overtuigd was dat Albert 'even mak en plooibaar zou zijn als alle andere pupillen in Mabels stal'. Hier moest werkelijk iedereen om lachen.

White Tops en *Billboard* waren er ook – vraatzuchtig is het woord dat bij me opkomt als ik aan verslaggevers denk – dus om ze iets goeds te geven,

deed ik een snel dansje met Radja, die, zag ik, een paar slokjes van de ille-
gaal gestookte drank had gehad die door de dienstingang werd binnenge-
bracht. Hij was bijna vreedzaam en volgde beter dan anders. Hij knipperde
niet eens met zijn ogen toen er flitslampen af gingen.

We dansten tot drie uur in de ochtend, wat waarschijnlijk langer was
dan Albert gewild had, gezien het feit dat hij om één uur al stond te popelen om naar boven te gaan, naar onze kamer. Dat druiste uiteraard recht tegen mijn wens in om zo lang mogelijk úít die kamer te blijven, gezien
het feit dat ik een vrouw was die nooit veel geluk had gehad op huwelijks-
nachtgebied. Hoe dan ook, er kwam een moment waarop hij me benaderde met die blik die mannen dan krijgen, half Valentino, half kind dat
een koekje wil, en ik realiseerde me dat ik er vroeg of laat toch aan moest
geloven. We gingen naar boven. Natúúrlijk stonden er bloemen en natúúrlijk stond er champagne in een emmer. Na wat inleidend gezoen vroeg
ik Albert de lampen uit te doen. We kleedden ons alle twee uit, klommen
in bed, kwamen samen en het was:

Prima. Geen onbekwaamheden of rare geluiden. Niets wat ik te veel
voelde of helemaal niet. Niets waarom ik moest lachen. Niets wat schaaf-
plekken of blauwe plekken naliet. Niets wat gore luchtjes afgaf of luchtjes
in het algemeen. Het was gewoon een goeie ouderwetse vrijpartij-met-
man-bovenop zonder al te veel frutsels en fratsen, wat tot voordeel had
dat het niet de hele nacht duurde. (Sorry, Al G., waar je ook moge zijn.) Albert was zelfs beleefd genoeg om wakker te blijven totdat ik in slaap viel,
iets wat ik nooit eerder had meegemaakt; er is iets met mannen die hun
zaad verschieten; het maakt ze zo duf als een slang bij warm weer.

De rest van het seizoen van 1921 leidden Albert en ik een leven van rusti-
ge alledaagsheid, in ieder geval zo alledaags als een circuskoppel maar
kon verwachten. Ik bracht mijn dagen tuttend met mijn Bengalen en
Radja en Nikker door. Albert bracht zíjn dagen in de rode wagon door,
stoeiend met de boeken, want hij was speciaal aangenomen om te zoeken
naar mogelijkheden om te snoeien in het budget. Dat was geen makkelij-
ke opgave als je bedenkt dat hij voor een circus werkte dat alle dagen driehonderd pond boter verbruikte, twaalfhonderd liter melk, vijfentwintig-
honderd pond vers vlees, tweeduizend broden, vijftienhonderd pond
verse groenten en van havermout, ijs, koffie en losse thee elk tweehonderd
bushel. 'En dat', klaagde Albert op een avond, 'is alleen nog maar voor de

mensen. Heb je wel eens geteld hoeveel olifanten er in die menagerie staan? Vier dozijn. Vier dozíjn. Natuurlijk heb ik tegen meneer John gezegd dat het al veel zou helpen als hij er een paar zou verkopen. "Fantastisch idee, Al", zei hij. "Fantastisch idee. Ik ga er meteen werk van maken." De volgende dag kocht hij er nog een half dozijn bij van een circus dat failliet was gegaan en midden op het land van een boer in Oklahoma gestrand was. Hij zei dat hij het zich niet kon veroorloven ze níét te kopen.'

Ik luisterde aandachtig en gaf Albert dan een nekmassage, want mijn nieuwste echtgenoot was een man die alles veel te serieus nam voor zijn bestwil. Ondertussen keek Radja met scheve kop toe vanuit het hok dat ik aan de achterkant van ons luxe rijtuig had laten inbouwen. Als Radja 's avonds eenmaal was ingedommeld, vroeg ik Albert of hij zin had om de overmaat aan spanning weg te werken. Als hij geen zin had – hij klaagde meestal over vermoeidheid of spanningshoofdpijn – deed ik eerst de lampen uit en kleedde me dan pas uit, om eventuele toekomstige verlangens niet te doven met mijn littekens. Als hij wel zin had, sprongen we in bed en gingen aan het werk, zo stil als een stel met een baby in de kamer. Na een paar maanden zonder resultaat ging ik na afloop handstandjes doen, al vertelde ik Albert dat het een manier was om mijn schouderspieren te trainen. Of ik zette mijn handen in mijn middel en deed een schouderstand, waarbij mijn benen recht in de lucht staken. Bij zulke gelegenheden zei ik tegen hem dat ik yogaoefeningen deed, die ik bij Colombo de Indiase Rubberman had opgepikt.

We sloten het seizoen af op 4 november in Richmond, Virginia. Terug in Bridgeport trokken Albert en ik in een bungalowtje in een buurt waar veel circuslieden woonden, zodat niemand raar opkeek van een stel met een Bengaalse tijger in plaats van een kleuter. Korte tijd later ging ik naar het ziekenhuis, waar ze met een röntgenapparaat foto's maakten van de binnenkant van mijn hoofd; daar vertelden ze me dat een abces in het hersenweefsel waarschijnlijk de oorzaak was van mijn hoofdpijn, duizeligheid en periodieke doofheid. Ze zeiden ook dat ik er waarschijnlijk aan doodgegaan zou zijn als ik drie dagen later was gekomen. Nou was het natuurlijk bij lange na niet de eerste keer dat dokters me zeiden dat ik nog maar een paar dagen te leven had; dokters hebben nou eenmaal de gewoonte om dat te zeggen, zodat je dolgraag betaalt voor de kostbare behandeling die ze voorstellen. Een uur later incideerden ze het abces met een lange glazen buis, die in mijn neus geduwd werd. Toen de kater van de ether een paar dagen later was weggetrokken, was alles weer in orde.

Vlak na nieuwjaar brak er brand uit in de menagerie, waardoor een hoop dieren omkwamen, een tragedie die een enorm bedrag aan de debetkant van het circus toevoegde en Albert pijn in zijn nek, irritatie en stress-gerelateerde maag- en darmstoornissen bezorgde. Een van de dieren die omkwamen, was Nikker. Hoewel hij niet verbrand was, had hij net iets te veel rook in zijn longen gekregen, en ondanks al mijn inspanningen om hem weer op te lappen, ging hij drie dagen later dood aan longontsteking. Ik voelde me het grootste deel van die ochtend snotterig en huilerig, maar na één of twee blikjes bier in de blauwe wagon liep ik terug naar onze bungalow, waar ik Radja aan de lijn deed en te kennen gaf dat hij genoeg vertroeteld was. 's Middags gingen we naar de oefenschuur en liet ik Radja in de kooi en een minuut later lag ik languit onder tweehonderdvijftig kilo bonkende haren en spieren. Toen Radja over mijn rug heen golfde, kreeg ik het gevoel dat alles weer een beetje normaal werd.

Drie maanden later liet ik hem zijn debuut maken in Madison Square Garden. Je had het geschreeuw, het applaus, het gejuich eens moeten horen. Daarna kon ik geen beha meer buiten te drogen hangen of er dook een verslaggever uit de struiken op die vroeg wat gedresseerde tijgers liever hadden: mét kant of zónder kant.

Wat ik probeer te zeggen is: het lukte Albert en mij een soort situatie van eb en vloed in stand te houden die, als je het circus buiten beschouwing liet, heel veel op een getrouwd leven leek. We hadden problemen, maar pas als we die niet gehad zouden hebben, zou ik nerveus geworden zijn. Hij had zíjn werk en ik had míjn werk en aan het eind van de dag praatten en aten we met elkaar en op zondagavond gingen we naar de film. Er waren middagen waarop we uit wandelen gingen, soms met Radja, soms zonder, en 's avonds speelden we cribbage of backgammon, want Albert was dol op spelletjes die inzicht in kansberekening en cijfers vereisten. Hij was altijd beleefd, nooit verhief hij zijn stem of leverde hij kritiek en als hij al een minder dan gepassioneerde belangstelling voor mijn tijgers toonde, kwam dat omdat hij meer dan genoeg problemen van zichzelf had. Al die tijd bleef ik hopen dat mijn handstandjes en yogaoefeningen op een dag effect zouden sorteren; in de kern van de zaak praten we over hoop als we denken dat we het over geluk hebben.

Een maand later kwamen we in Boston aan voor de enige andere open-luchtvoorstelling van het seizoen. Na de avondvoorstelling gingen een paar van de andere artiesten uit en nodigden Albert en mij uit om mee te gaan. Hoewel ik er niet echt veel zin in had, had ik onlangs bedacht dat vrienden maken, vrienden die geen echtgenoten of tijgers waren, onderdeel zou moeten zijn van mijn poging om een normaal leven te leiden. Plus dat Albert een moeilijke tijd doormaakte, omdat meneer Charles een jacht van vijfenzestig meter had gekocht, dat hij Zalophus noemde. Toen meneer John daarachter kwam, kocht hij een jacht van zeventig meter, dat hij Symphonia noemde. Beide boten werden als circusonkosten geboekt, wat betekende dat Albert wel enige ontspanning kon gebruiken en snel ook.

Dus trok ik die avond na de voorstelling mijn mooiste avondkleding aan, waaronder mijn vossenbontstola, mijn jurk met verlaagde taille en mijn tot aan de ellebogen reikende galahandschoenen. Albert trok een pak aan dat hem aan de knappe kant van het spectrum plaatste. Daarna troffen we elkaar bij de kaartverkoop en gaven een paar werklieden wat geld om ons de stad in te brengen. Wij, dat waren Bird Millman, de koorddans-sensatie die nooit ergens heen ging zonder haar papegaai op haar schouder; May Wirth, de Australische ruiteracrobate; de Spaanse koorddanser Con Colleano; de acrobatische clown Poodles Hannaford; de berendompteur Emil Pallenberg en die bazige kleine tourbillondraaier Lillian Leitzel, die uiteraard haar idiote echtgenoot meebracht, de trapezekunstenaar Alfred Codona.

We stopten voor de deftigste nachtclub die sinds de drooglegging zijn deuren had geopend in Boston. Je moest óf beroemd óf van de maffia óf een hoge politiefunctionaris zijn om binnen te komen, en aangezien we in de eerste categorie vielen, werd het roodfluwelen koord voor de ingang weggehaald en werden we welkom geheten. De portier droeg witte handschoenen en een smoking en toen hij Leitzel zag, begonnen zijn ogen te glinsteren en leidde hij ons naar een grote ronde tafel vlak voor het podium, waarop een groep zwarte musici een nieuw soort muziek speelde op piano, drums en een scala aan blaasinstrumenten. Voor mij klonk het als gezwoeg op een springverenmatras.

Dat was mijn eerste kennismaking met de woelige jaren twintig. Ik kan niet zeggen dat ik het erg leuk vond, want het was lawaaiig en erg rokerig en ik voelde me niet op mijn gemak bij zulke hooghartige mensen als Leitzel. Plus dat ze allemaal in verschillende talen zaten te kwekken, van het Frans naar het Duits overschakelden en naar het Spaans en naar rare Oost-Europese talen en om het compleet te maken er zelfs wat van dat Hongaarse Esperanto doorheen gooiden. Ik daarentegen was de opperste rariteit onder circusartiesten: Amerikaans van geboorte en dus belast met de vloek die op alle Amerikanen rust. Hoeveel verschillende talen ik ook hoorde, de enige waar ik een touw aan kon vastknopen, was Engels. Leitzel daarentegen kende er wel acht of negen. Die gebruikte ze vooral om dramatischer te vloeken als ze iets wilde.

Dus toen ik aan die grote tafel zat, te midden van al die rook, dat gelach en de muziek, voelde ik me vooral alleen en verlangde ik naar onze coupé. Eerlijk gezegd verschilde het met al die herrie en al die verschillende talen niet veel van doofheid en mijn enige gesprek van betekenis was het moment waarop Leitzel zich naar me toe boog en zei: 'Jai moet die man van jou eens vat beter ien de gaten houden. Volgens mai ies hai ervandoor gegaan. Je weet toch vat ze zeggen, Mabel. De stillen zain degenen voor wie je moet oppassen.'

Ze probeerde me op de kast te jagen, niet omdat ze iets tegen me had, maar omdat ze het type was dat daar nou eenmaal lol in had. Het werkte ook nog, maar niet omdat ik me zorgen maakte over Albert. Het kwam meer omdat ik vond dat iemand Leitzel eens op haar nummer zou moeten zetten. Gelukkig was ik slim genoeg om geen gehoor te geven aan dat gevoel, daarom zei ik op een toon vol valse waardering: 'Ja, natuurlijk, je hebt gelijk, Lillian. Ik zal eens even gaan kijken waar hij is.'

Dus verontschuldigde ik me. Als de anderen het al merkten, interesseerde het hen te weinig om op te houden met kwekken, roken en lachen. Ik liep langs tafels bevolkt door politiecommissarissen en maffiabazen, sprong uit de weg voor sigarettenverkoopsters in modieuze jurkjes, stapte opzij voor zwarte musici, die een soort tabak rookten die zoeter was dan alles wat ik tot dan toe geroken had. Ik vond Albert bij een van de roulettetafels. Ik ging naast hem staan. Eerst zag hij me niet, omdat hij zich zo sterk op het witte balletje concentreerde dat zijn gezicht één diepe frons werd, net als wanneer hij zich op zijn boeken concentreerde. Na enige tijd boog hij zich naar me toe en gaf me een kus op mijn wang, maar hij zei nog steeds niets.

Omdat ik niet echt zin had om terug te gaan naar de anderen keek ik naar hem, terwijl hij keek hoe anderen inzetten op dat ronddraaiende balletje, waarbij ik me afvroeg wat daar in 's hemelsnaam nou zo interessant aan was. Albert daarentegen kon zijn ogen er niet van afhouden, hij was helemaal gefixeerd, met verkrampte kaakspieren en ogen als brandende kolen.

Uiteindelijk, en dan bedoel ik uiteindelijk, want ik had zowat twintig minuten naast hem gestaan, boog hij zich naar me toe en fluisterde luid in mijn oor: 'Zie je dat, schat?'

'Wat moet ik zien?'

'Het rad. Ik heb alle spelletjes bekeken het afgelopen uur en ik heb gemerkt dat er een patroon in zit. Bepaalde nummers hebben de voorkeur. Kijk. Nu weer. Het rad neigt naar hoge even getallen. Van rood. Ik weet het zeker.'

'Echt?'

'Ja... kijk.'

Ik keek en de bal sprong in een vakje met een laag even nummer in zwart, maar toen ik Albert daarop wees, zei hij: 'Patroon, Mabel. Let op.' Ik lette op en weer ging zijn theorie niet op, maar de derde keer wel. Hij zei dat zijn theorie zeven van de laatste twaalf keer was opgegaan, maar dat hij daarvoor tien keer achter elkaar niet was opgegaan, wat een ander deel van zijn theorie was, want kennelijk waren er tijden dat het patroon van het rad werkte en tijden dat het niet werkte.

'Werkt het patroon nu?' vroeg ik.

'Ja.'

'Waarom zet je dan niet wat geld in?'

Hij keek me met opgetrokken wenkbrauwen aan. 'Echt?'

'Misschien heb je mazzel.' Ik maakte natuurlijk maar een grapje, want zoals de meeste mensen geloofde ik niet echt dat mazzel de reden was dat dingen gebeurden. Wat ik dacht, was dat Albert een gokje zou wagen, dat het balletje in de rondte zou draaien, dat we allemaal opgewonden zouden raken, dat hij wat geld zou verliezen en we ons dan weer bij de anderen zouden voegen. 'Je moet een beetje leven', zei ik zelfs en dat was een aanmoediging die Albert maar met moeite kon negeren, aangezien accountants mensen zijn die hun hele leven moeten bewijzen dat ze noch saai noch gierig zijn. Daarom draaide hij zich om en kocht wat fiches van een vrijgevochten meisje, dat zo luidruchtig kauwgum kauwde dat je het boven de muziek uit kon horen.

Net voor het *rien ne va plus* zette Albert de fiches op een enkel nummer. Het witte balletje tolde rond en rond, totdat het langzamer ging draaien en de randen van de nummervakjes raakte, waardoor het op en neer sprong en uiteindelijk precies bleef liggen op het nummer waar Albert op gegokt had. De man die het balletje liet draaien, bevestigde met een knikje de winst en schoof een bergje fiches in Alberts richting. Albert pakte ze met een opgewonden en blij gezicht op en ik volgde hem naar een van de loketten. Hij schoof zijn domino's door het loket. En er werd een pak twintigjes teruggeschoven. Hij pakte ze met een zo nonchalant mogelijke blik op en vouwde ze dubbel, zoals gangsters doen. Even later, in een hoek van de clandestiene tent, telde hij ze. Zevenhonderd dollar en wat kleingeld.

Toen ik het bedrag hoorde, maakte ik een klein sprongetje, begeleid door een gilletje waarvoor Albert zich geneerde, maar dat hem tegelijkertijd deed glimmen van plezier. Zijn winst leek de avond een geheel nieuw tintje te geven, want plotseling had ik het idee dat de mensen met wie we gekomen waren mijn beste vrienden waren, die absoluut moesten delen in dit meevallertje. Dus stoof ik op hen af en stak mijn hoofd in hun kring, waarbij ik ervoor zorgde vlak naast Leitzel te staan.

'Jullie geloven niet wat er net gebeurd is. Albert heeft zevenhonderd dollar gewonnen met roulette!'

Er steeg gejuich op, Colleano riep: 'Olé!' en Millmans papegaai krijste. Hoewel Albert doorging met spelen, behield hij het grootste deel van zijn winst, dus gingen we aan het eind van de avond naar een andere illegale tent, die Poodles Hannaford kende, een tent waar ze champagne serveerden en een zalmontbijt op wit linnen, waarvoor Albert uiteraard betaalde. We kwamen allebei met een opgewonden en gelukkig gevoel thuis en voordat ik Radja in zijn kooi zette, kneep ik hem in zijn kattenwangen, gaf hem een kus en zei: 'Hij is een genie, die papa van jou, een geboren genie!'

Het was acht uur 's ochtends. Ik dutte een paar uur voordat de hoorn voor de optocht schalde. We hoefden die avond niet weg, dus namen Albert en ik ons gemak ervan en bleven thuis cribbage spelen. Om een uur of tien zei ik Radja welterusten en deed hem in zijn kooi en toen zijn flanken als golven op en neer deinden, besteedden Albert en ik wat tijd aan el-kaar, waarna ik op mijn kop ging staan, zodat het zaad ergens heen zou lo-pen waar het zich nuttig kon maken. Inmiddels was hij er wel achter waar-om ik zo geïnteresseerd was geraakt in handstandjes en yoga en het was een hele opluchting dat hij mijn plan steunde. Hij hield zelfs mijn hand vast tijdens die omkeringen en daarna hield hij míj vast. We babbelden wat, vooral over plaatsen waar we nog eens heen wilden, mensen die we nog eens wilden ontmoeten en dingen die we nog eens voor elkaar wilden krijgen. Met andere woorden: dingen van de toekomst. Hoopvolle din-gen. Na een tijdje zakten mijn gedachten weg in onzin.

Midden in de nacht werd ik wakker van de dorst en greep ik het glas water dat altijd op mijn nachtkastje stond. Ik nam een slok en keek naar Radja. Maanlicht sloop naar binnen door de ramen van de coupé en een deel viel op Radja's vacht en gaf die een spookachtige oranje glans. Op dat moment voelde ik het, zoals je de aanwezigheid voelt van iets wat an-ders is: het begint achter in je nek, kriebelt in je haren, een rust die té rustig is.

Ik draaide me bliksemsnel om. Alberts kant van het bed was leeg.

10

De voormalige ijsberenman

Nou. Wat het probleem is als je het verhaal op deze manier vertelt en niet als een oud mens? Als je het verhaal vertelt alsof de tijd een rechte lijn is met een begin, een midden en een einde? Alsof de tijd zelf volgens een soort plan werkt? Alsof die een doel heeft?

Dat zal ik je eens haarfijn uitleggen. Je kijkt naar die lijn en denkt: hmmmmmm. Kan wel een opknapbeurt gebruiken. Hmmmmmm. Kan wel een likje verf gebruiken. En voor je het weet, sleep je er toppen en dalen bij om de tijd een betekenis te geven die hij waarschijnlijk niet verdient. Je kiest bepaalde momenten op die lijn en geeft ze een gewicht dat enkel en alleen gebaseerd is op wat ervoor of erna kwam. Sterker nog, je gaat naar betekenis zoeken, naar een allesomvattende reden, en als je ergens gek van wordt, is dat het wel. Ik zeg niet dat die er niet is. Ik zeg alleen dat het iets is wat je nooit zult vinden.

Toch blijf je zoeken. Dat doe je nou eenmaal. Eerlijk gezegd doe je alles om die betekenis te ontdekken. Ik kijk terug op het moment waarop ik Alberts kant van het bed leeg aantrof en ik zie een top, daar kan ik niets aan doen, alles daarvoor vertoont een stijgende lijn en alles daarna een dalende lijn. Eén seconde ervoor had ik het beste dierennummer in Amerika. Een seconde later was ik op weg mijn Ringling-schepen achter me te verbranden en was ik vijf jaar lang gebonden aan een contract waarin stond dat ik 'algemeen inzetbaar' moest zijn en niet veel meer dan dat. Dus dan denk je bij jezelf: hoe heeft er zoveel kunnen gebeuren tussen die twee seconden in? Hoe heeft er zich zo veel pech naar binnen kunnen wurmen? En dan, omdat je een mens bent en behept met een brein ter grootte van een broodrooster, komt de enige vraag bij je op die het echt waard is gesteld te worden.

Wiens beslissing was dat eigenlijk?

Om eerlijk te zijn, is het allemaal nogal warrig. Bovendien is het vragen om somberheid, want je hebt daarnaast de neiging om naar die lijn te kijken, dat hoge punt te zien en alles wat daarna gebeurde met dezelfde donkere kwast te verven. Dat klopt natuurlijk niet, want hoewel mijn ster inderdaad begon te dalen na dat ene volgepropte moment tussen die twee seconden in, waren er daarna ook nog genoeg mooie momenten. Er waren nog genoeg sterrennachten en warme dagen en zwempartijen in meertjes. Er waren nog genoeg echte circusdagen. Ook zonder dat moment bleef ik een circusartieste, en al maak je lange dagen en zijn de omstandigheden belabberd, ook de hoogtepunten duren lang. Jezus, na dat moment ontmoette ik Art en dat was het mooiste wat me ooit is overkomen.

Oeps. Daar ga ik weer. Nergens raak ik zo van uit de koers als van de naam van die man. In feite zijn we nog bij het onderwerp Albert Ewing, de accountant van Ringling, een onderwerp dat ik normaal gesproken uit alle macht probeer te vergeten. De trieste waarheid is dat het niet lang duurde voordat Albert door zijn geld, door mijn geld en door geld dat aan geen van ons beiden toebehoorde, heen was en ik er op een avond in Bridgeport schoon genoeg van had.

'O, nee,' zei ik, 'genoeg, de bron is opgedroogd, de bank is gesloten, je financieel adviseur is met pensioen en als je tot diep in de nacht wilt gokken, moet je vooral je gang gaan. Maar niet met mijn geld.'

'Alsjeblieft, Mabel, wees nou redelijk. Het is een spelletje met boerenkinkels. Ik verdriedubbel onze inzet in twee uur. Geloof me, Mabel, dan zijn we uit de problemen. Twee uur en we zijn uit de rode cijfers, Mabel. Mijn geluk is aan het terugkomen. Ik voel het. Twee uur, ik beloof het je.'

'Dat heb ik eerder gehoord.'

'Mabel, ik meen het.'

'Nee.'

'Mabel, ik doe het voor óns.'

Heel even keek ik hem aan, geneigd toe te geven, want er waren inderdaad avonden waarop hij uitging en deed wat hij beloofde, avonden waarop hij met rode konen van de overwinning terugkwam (het enige probleem was dat er maar heel weinig van die avonden waren). Plus dat de zin *ik doe het voor óns* op aarde gezet is om vrouwen van het verstand te beroven; het is een appèl op ons verlangen naar veiligheid, denk ik, iets wat mannen leren rond de tijd dat ze de baard in de keel krijgen.

'Albert,' zei ik ten slotte, 'je doet het voor jezelf, enkel en alleen voor jezelf.'

Daarop stormde hij naar buiten en sloeg de deur met een klap achter zich dicht om zijn standpunt duidelijk te maken. Midden in de nacht kwam hij uiteindelijk terug, sloop naar binnen, waarbij hij zo min mogelijk lawaai probeerde te maken, en stapte heel voorzichtig en schaapachtig in bed. Als hij gewonnen had, zou hij met veel bombarie binnengekomen zijn, Radja en mij wakker gemaakt hebben, elk potje van a tot z naverteld hebben en zich er uitgebreid in gekoesterd hebben.

Hij vroeg me daarna nooit meer om geld. God mocht weten waar hij het vandaan haalde; ik wist alleen dat hij het ergens vandaan haalde en dan uitging en het verloor. Ik werd er zo pissig van als een orang-oetan en een tijd lang droeg het bij aan hoogst uitzinnige nachtelijke activiteiten, het soort dat de plaats kan innemen van joggen of schaduwboksen. Dat hield natuurlijk een keer op. Op een nacht, toen Albert met slappe kaken op me lag te bonken, keek hij in mijn ogen en ik keek in zijn ogen en wat we zagen deed ons bloed bijna bevriezen. Hij trok zich terug, we gingen ieder aan onze eigen kant van ons grote bed liggen en daar bleven we voortaan. Ik nam zelfs de gewoonte aan om Radja uit zijn kooi te halen en hem tussen ons in te laten liggen, iets waartegen Albert geen bezwaar had zolang ik de lakens maar waste.

Met praten was het ook gedaan. Ik kon de man amper aankijken zonder de pest in te krijgen, daarom vond ik het onzinnig om nog te proberen met hem te communiceren. Het kwam zelfs zo ver dat ik mijn eten uit het Hotel haalde (zo noemden de Ringlings hun veldkeuken) en het bij Radja in de coupé opat, zodat we anderen de eetlust niet benamen met onze afstandelijkheid. En mocht je je afvragen waarom we er niet meteen een punt achter gezet hebben, dan was dat omdat het winter was en circusartiesten volgens een lange traditie altijd een beetje gek worden tussen seizoenen in. Al dat stilzitten maakt ons prikkelbaar. Hoewel ik niet voor Albert kan spreken, was mijn strategie om het volgende seizoen af te wachten en te zien of de situatie zou verbeteren.

De buitenvoorstellingen in New York City vielen dit jaar een beetje vroeg, begin april als ik het me goed herinner, en de meeste topartiesten pronkten met nummers waar ze 's winters aan hadden gewerkt. Die eerste avond deed May Wirth een voorwaartse salto, min of meer een wonder op een merrie in korte galop. Poodles Hannaford wist een zadel om de buik van een paard te leggen, waarop hij fladderend met zijn armen als een dronkelap in volle galop rondreed, terwijl hij zich vastklemde aan de onderbuik van het paard (maar hoe hij dat deed zonder een hoef tegen zijn hoofd te krijgen, was iedereen een raadsel). Con Colleano deed een eenarmige handstand op een slap koord, waardoor Jan Publiek zich andermaal afvroeg wat wel en wat niet mogelijk was, iets wat mensen die gevangenzitten in een stads bestaan af en toe nodig hebben. Lillian Leitzel, die zich de loef niet wilde laten afsteken, draaide honderdzestig linksarmige tourbillons, waarbij het publiek na de vijftigste begon mee te tellen. En als klap op de vuurpijl debuteerde Alfred Codona met de eerste viervoudige salto in de geschiedenis van de trapeze, een prestatie die tientallen jaren geen navolging zou vinden.

En hoe zat het met mij? Hoe zat het met juffrouw Haynie schuine streep mevrouw Aganosticus schuine streep mevrouw Williams schuine streep mevrouw Roth schuine streep mevrouw Ewing? De volgende avond, toen ik onder mijn brullende en wrijvende Bengaal lag, besefte ik dat het grote nadeel van het werken bij het grootste circus dat ooit had bestaan, was dat nummers snel afgezaagd werden. Toen ik me uiteindelijk onder Radja vandaan liet rollen, in mijn leren pak zo kleverig als een suikerspin, klonk er een applaus dat je formidabel zou kunnen noemen. Maar er werd niet gegild, er waren geen dames die flauwvielen en geen kinderen die huilden.

Een week later vertrokken we van het Grand Central Station; het Ringling Circus was inmiddels zo groot dat er in totaal vier locomotieven nodig waren om alle wagons te trekken. Het steeg ons naar het hoofd, want elk jaar veranderde de route en dat betekende andere steden, andere landschappen, andere mensen. Andere verrassingen ook: dat jaar werden we in Philadelphia opgewacht door een groep demonstranten, aanhangers van Jack London, een heleboel boos schreeuwende mannen, vrouwen en kinderen die met protestborden zwaaiden. Het was iets wat ik niet al te serieus nam, want het idee dat het circusleven zwaar is voor een dier is ronduit gezwam, een gevolg van het feit dat een bepaald overbevoorrecht deel van de maatschappij te veel tijd om handen heeft. We hadden evengoed een volle bak en toen we uit Philadelphia vertrokken, was het of die protestborden er nooit geweest waren.

Maar het beste van alles was dat Albert tot rust leek te komen en zijn werk wat serieuzer leek te nemen. Hij begon op tijd op te staan en vermeed de pokerspelletjes die onophoudelijk plaatsvonden bij de wagons van de werklui. In plaats daarvan speelde hij solitair, waarbij hij het met lucifers als fiches opnam tegen een denkbeeldige bank, wat ik niet echt geweldig vond maar een verdomd stuk beter dan echt geld te verliezen. Om mijn dankbaarheid te tonen schoof ik op naar het beleefde eind van het spectrum. We begonnen weer samen te eten en aangezien we elk aan een kant van de tafel zaten, vonden we denk ik allebei dat we dan ook wel weer een gesprek konden aangaan.

Aanvankelijk waren het lichte gesprekken. Het weer, kattenpraat, roddels over wie met wie neukte. Maar op een ochtend in Baltimore keek mijn man schuine streep manager op van zijn koffie en sneed het onderwerp aan dat het nodigst aangesneden moest worden.

'Mabel. Ik weet dat we een beroerde tijd achter de rug hebben, maar ik denk dat ik alles nu onder controle heb, echt, en ik weet dat ik het verdiend heb om zo behandeld te worden als jij me behandeld hebt, maar nu het wat beter gaat, vind ik ook dat we ons best moeten doen om elkaar weer aardig te vinden.'

Ik keek hem aan en liet mijn ogen zeggen dat ik niet overtuigd was, maar dat ik hem desondanks wilde aanhoren. Hij smeerde wat marmelade op zijn geroosterde boterham en zei: 'Ik heb een voorstel. Het circus van Hagenbeck zit op een uur hiervandaan in Annapolis en ik dacht, misschien kunnen we dat nieuwe gemengde nummer gaan zien waar iedereen zo enthousiast over is. Clyde Beatty heet hij, geloof ik. Ik dacht, misschien kunnen we er vanavond heen gaan. Misschien kunnen we wat ideeën opdoen voor welke kant jouw nummer op moet. Wat vind je ervan?'

'Da's allemaal goed en wel, Albert, maar misschien kun je je nog herinneren dat ik 's avonds werk.'

Er kwam een lichte grijns op zijn gezicht. 'Ik heb met Curley gesproken en gezegd dat je vanavond vrij moest hebben. Vaktraining. De Argentijn leidt je Bengalen door hun nummer. Je hebt die katten zo goed gedresseerd dat zelfs ík het waarschijnlijk zou kunnen. Dus het enige wat het publiek niet te zien krijgt, is Radja, maar ik denk dat ook Radja wel eens een pauze kan gebruiken.'

Ik keek hem aan en vroeg me af of ik mijn mans gezelschap een paar uur lang kon verdragen, maar tegelijkertijd woog ik het af tegen het feit dat ik ronduit stond te popelen om te zien met wat voor nummer die voormalige ijsberenman op de proppen was gekomen en waarom iedereen er zo over liep te kakelen. Na de matinee stapten Albert en ik in een van de bedrijfsauto's en om alleen te zijn, reed Albert zelf in plaats van een van de werklui. We praatten bijna de hele weg. Albert zei dat hij tot de slotsom was gekomen dat zijn gokgedrag het gevolg was van werkstress, van het feit dat het een beroep deed op zijn rekenkundige kant en van de spanning omdat het ons niet gelukt was kinderen te krijgen. Je moet je voorstellen hoe Albert praatte: hij legde je alles op zo'n precieze logische manier voor dat je je na een tijdje onredelijk begon te voelen, omdat je het niet eens was met alles wat er uit zijn mond kwam. Op driekwart van de route stopten we bij een wegrestaurant. Bij een met saus overladen bord kip met doperwten zei ik dat we ons misschien weer als man en vrouw konden gaan gedragen als hij op het rechte pad bleef, met de nadruk op áls. Alleen die woorden al vrolijkten hem zo op dat hij de hele weg naar Annapolis zat te fluiten en op het stuur zat te tikken.

Welnu. Het Circus Hagenbeck-Wallace was een oud bedrijf, in Amerika opgericht door een Duitse dierenfokker, Karl Hagenbeck. Jarenlang was Circus Hagenbeck een gerenommeerde en eerlijke dierenshow geweest, wat natuurlijk de reden is waarom het failliet was gegaan. Bij een openbare veiling werd het gekocht door ene Ben Wallace, een van de meest louche en waardeloze zwendelaars in een bedrijfstak vol louche en waardeloze zwendelaars. Om pr-redenen hield hij de naam Hagenbeck aan, een beslissing die de oude Karl Hagenbeck zo veel hartzeer bezorgde dat hij een proces aanspande om zijn naam te laten verwijderen, maar de rechter besliste dat de naam van het circus bij de koop was inbegrepen en dat Ben Wallace ermee kon doen wat hij wilde. Hagenbeck verhuisde terug naar Duitsland en stierf korte tijd later aan een hartziekte, ongetwijfeld veroorzaakt door de diepe vernedering.

In 1923 was Wallace ook dood en had zijn circus een ongeveer even goede naam als alle andere circussen van het tweede garnituur in Amerika, min of meer. Het was ongeveer even groot als Barnes, Sells-Floto, John Robinson en Cole Brothers, het had vier pistes en een fatsoenlijke menagerie en met strobalen erbij konden er een man of achtduizend in. Toen

242 DE LAATSTE BEKENTENIS VAN MABEL STARK

Al en ik bij de kaartjeswagon kwamen, werd ik herkend en verwelkomd als een speciale gast van het circus en naar de voorste rij stoelen met sterren op de rugleuning geleid.

Een paar tellen later gingen de lichten uit. Een pantomime in oriëntaalse stijl werd gevolgd door het trapezenummer, geen van beide zo groots als hun tegenhangers bij Ringling, maar geenszins iets om je voor te schamen. Toen werd het donker in de tent en brulde de spreekstalmeester: 'Kijkt u naar de stalen kooi in de middelste piste...' want rond die tijd volgde iedereen het idee van Ringling om het roofdierennummer als derde op te voeren. Daarna lichtte de centrale piste op en werden er drie mannetjesleeuwen de kooi in geleid. God weet dat ik geen leeuwenfan ben, maar deze zagen er zo verlopen en onverzorgd uit dat zelfs ik me voor hen schaamde, een gevoel dat nog verergerde toen er daarna twee grauwende sjofele tijgers de kooi in geleid werden. Alle vijf de roofdieren gingen langzaam naar hun plaats en zelfs toen ze daar alleen maar zaten, maakten ze een nijdige en ongemakkelijke indruk door de manier waarop ze af en toe naar elkaar uithaalden. Om de paar tellen begon een van de leeuwen te brullen en ik zag dat beide tijgers helemaal doodstil waren geworden, een teken dat ze niet aan de leeuwen gewend en niet goed gedresseerd waren.

Om eerlijk te zijn was ik opgelucht, want ik had gehoord dat Hagenbeck-Wallace een gemengd nummer had dat je gezien moest hebben om het te geloven. Maar zodra ik zag hoe prikkelbaar en slecht verzorgd de roofdieren waren, wist ik dat het allemaal een verzinsel van de persagent was, iets waar het publiek ogenblikkelijk doorheen zou kijken.

Een spotlicht volgde Clyde Beatty door de grote tent. Het was een knap joch, een jaar of vijfentwintig, met een sterke kaaklijn en golvend donker haar, maar zoals alle dompteurs was het een onderdeurtje. Hij droeg een wit overhemd, een rijbroek en hoge zwartleren laarzen en hield een zweep in zijn rechterhand. In zijn linkerhand hield hij op de een of andere manier zowel een pistool als een houten keukenstoel, een merkwaardigheid die nogmaals duidelijk aangaf hoe slecht zijn nummer wel niet moest zijn. Maar wat me verbaasde, was hóé slecht het wel niet was; hij had een van de leeuwen nog niet van zijn ton gewenkt of de leeuw stond te brullen en met zijn voorpoot in de lucht te maaien zonder dat hij iets deed wat maar enigszins in de buurt kwam van wat hem was opgedragen. Beatty begon te schreeuwen en liet om het roofdier in beweging te krijgen zijn zweep boven zijn hoofd rondzwaaien en hem ergens bij de schouder van het beest knallen, wat hem inderdaad in beweging bracht; hij stormde recht op Beatty af. Hij zou hem verscheurd hebben ook, ware het niet dat Beatty een van de stoelpoten in zijn keel ramde, waardoor de leeuw zo begon te schrapen en te kokhalzen dat ik er misselijk van werd. Het roofdier kauwde er even op en zat toen hij klaar was alleen maar angstig en verbitterd te kijken, terwijl de andere roofdieren gromden, met hun voorpoten in de lucht sloegen en er over het algemeen pissig uitzagen. Beatty gaf aan dat hij om zijn as moest rollen; opnieuw weigerde de leeuw en opnieuw liet Beatty de zweep knallen en prikte hij naar hem met de stoelpoot tot het beest uiteindelijk één enkele keer slordig en halfslachtig om zijn as rolde, waarna het meppend, maaiend en brullend overeind kwam. (Ter vergelijking: ik kon acht tijgers zo perfect als je ooit gezien had simultaan om hun as laten rollen en dat deed ik met een enkele beweging van mijn kin.)

Na het omrollen probeerde Beatty een van de andere leeuwen over te halen naast de nijdige leeuw op de pistevloer te komen zitten, wat hij deed door te schreeuwen en zijn zweep vlak bij de leeuw te laten knallen tot het dier uiteindelijk geen andere keuze meer had dan brullend van zijn ton te komen, waarna hij een losse pistoolflodder in zijn gezicht geschoten kreeg. Op deze manier kreeg Beatty twee leeuwen zover dat ze niet zozeer naast elkaar gingen zitten, als wel dat ze min of meer hetzelfde stukje grond innamen, maar toen het moment kwam waarop ze moesten opzitten, moest hij met de zweep naar hun ogen slaan, tegen hun poten trappen en ze afweren met zijn stoel tot ze als het ware achteruit deinsden en hun voorpoten een halve seconde of zo optilden en niet eens simultaan. Op dat punt brak de hel los, want hoewel tijgers een bloedhekel hebben aan leeuwen, denk ik dat een ervan had doorgekregen wat haar te wachten stond, want ze vloog van de ton af met de bedoeling te doden en kwam zo dicht in Beatty's buurt dat hij geen andere keuze had dan het pistool voor haar kop te houden en te vuren, zodat het kruit haar schroeide. Ze gilde, een geluid waar je bloed van stolt, en toen vlogen de tijger en de leeuw die nog op de tonnen zaten elkaar aan en vervolgens vlogen de twee leeuwen die nog op de grond zaten elkaar aan, hoewel ze ook om de beurt op Beatty af gingen, die maar bleef schreeuwen: 'Zitten! Zitten! Zitten!'

al was moeilijk te zien tegen wie hij dat nou precies schreeuwde, want hij was de controle over zijn dieren totaal kwijt en wist zich alleen nog te handhaven door zijn pistool af te vuren, zijn zweep te laten knallen en iedere kat die binnen bereik kwam een stoelpoot in de strot te duwen. Beatty zweette zo erg dat zijn natte roze huid door zijn doorweekte overhemd heen schemerde, een situatie die er niet beter op werd toen hij de laatste mannetjesleeuw, die tot dan toe niets ergers gedaan had dan vechten met de tijger naast hem, van zijn ton probeerde te krijgen. Hij heette Bongo en toen Beatty zijn naam riep en hem een mep met de zweep verkocht en probeerde hem van zijn ton af te laten komen, bleef hij gewoon zitten, terwijl hij steeds kwader werd, en uiteindelijk kwam hij van zijn ton op zo'n manier dat duidelijk was dat alleen een raketwerper hem kon tegenhouden. Op dat moment nam Beatty de benen. Hij vluchtte, rende de piste door en dook in een kleine veiligheidskooi, die aan de zijkant bevestigd was, waarna de leeuw hem naar de achterkant van de veiligheidskooi dwong door telkens luidkeels brullend met zijn poot tussen de tralies door te meppen, terwijl Beatty zich tegen de tralies drukte en erbij keek of hij in zijn broek zou plassen.

Tien minuten had deze anarchie geduurd en in die tijd had Beatty één leeuw zover gekregen dat hij zich slapjes om zijn as liet rollen en twee leeuwen zover dat ze opzaten, maar zo slordig dat het eigenlijk nauwelijks telde. De roofdieren hoorden de tunnelman met het luik rammelen en ze schoten er allemaal vandoor, maar niet zonder elkaar nog een laatste keer aan te vliegen bij de nauwe doorgang, waar de kooihulpen de dieren naar buiten dwongen door stokken door de tralies te steken en in hun flanken te prikken.

De lichten gingen uit en kwamen terug als spotlicht op de middelste piste. Ondertussen was Beatty uit de veiligheidskooi gekomen. Ik draaide me om naar Albert, sloeg mijn hand voor mijn mond en probeerde niet te lachen, ook al had ik te doen met Beatty, die niet het benul had gehad zich bij ijsberen te houden. Ik had ook te doen met Hagenbeck-Wallace; het moest wel verdomde weinig voorstellen als de persagenten Beatty's nummer breeduit op alle nieuwe posters hadden gezet. Maar ik had vooral te doen met de roofdieren, omdat ze moesten werken met een man die er geen been in zag ze te provoceren in plaats van ze fatsoenlijk te dresseren. Geen wonder dat de Jack London-aanhangers zich zo opwonden.

Net toen ik commentaar wilde leveren op Beatty's armzalige nummer, zag ik volgens mij iets in Alberts blik waardoor me iets opviel wat me tot dan toe nog niet opgevallen was. Er klonk applaus in die grote tent, applaus dat allesbehalve subtiel, zacht of terughoudend was. Ik keek van Alberts grauwe gezicht naar de middelste piste. Beatty stond midden in de stalen kooi, zijn kostuum was roze geworden in het blauwe spotlicht. Zwaaiend en lachend maakte hij de ene na de andere buiging, legde toen als een Spanjaard zijn arm voor zijn middel en boog diep voorover. Hij moest wel. Het gejuich hield niet op. Het hield gewoon niet op. Het weigerde op te houden. En het zou nog eindeloos doorgegaan zijn als een dwergclown er niet mee aan de haal was gegaan en het had omgebogen naar gelach en algemeen enthousiasme voor het nummer dat erna kwam.

Op weg naar huis kregen Albert en ik ruzie, een ruzie die al meer dan een jaar broeide, over gokken en baby's en mijn schijnbaar ongezonde band met tijgers en dat ik zo stom was ze te dresseren, maar na een poosje ging het niet meer zozeer om de argumenten als wel om het elkaar doorboren met woorden en te zien wie de speer er het diepst in kon steken. Ik kon het Albert niet eens echt kwalijk nemen, want het is een spel dat ik graag speel als ik de pest in heb. Toen we allebei een zere keel hadden, hielden we op elkaar de oren te wassen en zeiden de rest van de rit geen woord meer. Op het Ringling-terrein aangekomen, parkeerden we de auto voor de coupé. Het eerste wat Albert deed, was naar binnen gaan, zich omkleden en weer weggaan. Radja lag op bed te slapen, maar toen hij de deur hoorde dichtslaan, tilde hij zijn kop op, spitste zijn oren en gromde. Toen Albert zich omkleedde, keek ik niet, maar toen hij uiteindelijk wegging, trok ik mijn nachtgoed aan en schonk mezelf een glaasje Tennessee's Finest in, waarna ik, hoewel ik helemaal niet moe was, in bed kroop en Radja dicht tegen me aan hield.

De volgende dag stond ik vroeg op en ging naar de veldkeuken, maar in plaats van te ontbijten, vroeg ik de Nicaraguaanse voedseluitdeler om een broodje gebakken ei waar het vet uitgedrukt was en een thermosfles zwarte koffie. Met mijn meeneemmaaltje in de hand liep ik naar de oefenschuur. Daar trof ik mijn kooihulp Bailey, die me hielp de kooien te verplaatsen, zodat de Bengalen de oefenpiste in konden. Ik gaf ze niet eens eerst te eten, in de hoop dat ze een beetje knorrig zouden worden. Pakte mijn zweep en dresseerstok en gespte een met losse flodders geladen pistool aan mijn riem. Daarna ging ik de kooi in.

Ze heetten Zoo, Queen, Princess, Dolly, Rowdy, Ruggles, Pasja, uit de Himalaya, plus de tweeling Boston en Beauty. In heel Amerika bestond er geen mooiere groep tijgers, reden waarom ik alle dagen met plezier bij zonsopgang wakker was geworden. Die ochtend was ik totaal niet onder de indruk van hun schoonheid, die irriteerde me zelfs een beetje, zoals ze allemaal als opwindbare konijnen naar hun ton schoten en daar kaarsrecht en mooi op opdrachten wachtten.

De grootste van de groep en de enige die bij benadering iets van een kwaadaardig trekje had, was Zoo, want die had de leeftijd bereikt waarop een tijger meestal onhandelbaar wordt en tekenen van norsheid begint te vertonen. Hij was ongeveer zo groot als een Bengaal maar kan worden, bijna zo groot als Radja zelfs, en door zijn grote brede poten en zijn zware schouders was hij niet bepaald goed in trucjes. Waar ik hem vooral voor gebruikte, was als top van de piramide aan het eind van het nummer, maar alleen daardoor was hij zijn kostje al meer dan waard, want hij had de fierheid, de schoonheid en de grootte van een Siberiër, maar met de mooie vormen van een Bengaal. Hij genoot er ook van, want zoals de meeste mannetjes (tijgers en mensen, als je het mij vraagt) was hij ijdel en werd hij graag aangegaapt.

Die ochtend besloot ik dat hij mijn volgende balroller zou worden.

'Zoo', blafte ik. 'Kom.'

Hij liep op een drafje naar het midden van de piste en ging met opgeheven kin zitten. Ik stapte de kooi uit en haalde de grote rode bal van Indiaas rubber en legde die dertig centimeter van hem af op de grond. Hij keek naar de bal door zijn pupillen opzij te draaien. Hij fronste.

'Zoo', blafte ik nogmaals, zonder enige reden, enkel om de scherpte in mijn stem te laten horen en duidelijk te maken dat het er vanaf vandaag anders aan toe zou gaan. Ik stak een stuk paardenvlees op de dresseerstok en liet de punt van de stok op de bal rusten. Dit was allemaal volkomen belachelijk, want de beste manier om een goed gedresseerde tijger te verpesten, is hem tegenstrijdige signalen te geven: hij wist niet beter dan dat hij de top van de piramide was en dat Pasja de balroller was en als antwoord op mijn rare opdracht liet hij een gegrom diep in zijn borst horen.

'Zoo!' schreeuwde ik nogmaals, waarbij ik voor extra effect de zweep liet knallen op een centimeter of twintig achter hem. Dat geluid joeg hem allerminst angst aan, want Zoo was van het bedaarde soort en schrok niet gauw. Na een minuut te hebben nagedacht, zette hij beide poten op de bal, maar daarvóór deed hij iets waar je me niet kwader mee kunt krijgen: hij gaapte. Hij opende gewoon die grote tijgerbek van hem, liet zijn tong eruit hangen en stootte een wolk naar vlees riekende adem uit om duidelijk te maken dat hij me verdroeg, niets meer en niets minder. Toen likte hij zijn lippen en liet een slaperige blik in zijn ogen komen.

Ik beloonde hem niet, een daad van verraad die een ontstemde blik in zijn ogen bracht. Toen gaf ik een teken dat hij wel honderd keer gezien had als ik Pasja trainde: ik tikte met de dresseerstok op zijn achterwerk ten teken dat ik zijn achterpoten op dezelfde plek wilde hebben als zijn voorpoten. Hij keek me uitdrukkingsloos aan, trok vervolgens heel rustig de rechterkant van zijn bovenlip op en liet zijn hoektand zien. Dit maakte me zo kwaad dat ik 'Zoo' schreeuwde en hem nog een tikje op zijn achterwerk gaf. Hij liet me weer zijn hoektand zien, maar ditmaal liet hij er een laag gegrom op volgen.

Mooi, dacht ik, nu maken we vorderingen. Om hem te laten zien dat ik het meende, brulde ik: 'Zoo! Bal!' en ik gaf een tik op zijn achterwerk, eigenlijk meer een klap dan een tik, wat louter en alleen tot gevolg had dat hij zijn voorpoten van de bal haalde en ze neerzette waar het hém goed uitkwam. Hij draaide zich om, keek me grommend aan en liet me in mijn vet gaar koken, al moest hij kwaad genoeg geweest zijn om me aan te vallen.

Op dat moment deed ik het. Ik liet de zweep rondtollen en voor het eerst in mijn hele loopbaan sloeg ik een dier zonder geldige reden; de punt raakte Zoo pal op zijn kont en mijn plan was om óf de dresseerstok in zijn keel te steken óf het pistool recht in zijn snuit af te vuren als hij aanviel. Maar in plaats van zijn volle tijgerwoede op me te laten neerdalen, deed hij iets veel wreders, iets waarmee hij me duidelijk maakte dat hij een tijger was, niets minder dan een tijger, en dat hij op zijn eigen manier altijd degene zou zijn die het voor het zeggen had.

Hij zat daar. Zwiepte niet eens met zijn staart. De boodschap in zijn ogen was: Ik zou je binnen een seconde in piepkleine stukjes kunnen scheuren, maar ik doe het niet, omdat ik daar geen zin in heb. Je bent me te miezerig. Je verdient de nobelheid van mijn tijgerwoede niet, niet zoals je je vandaag gedragen hebt. Jij bent het beest. Niet ik.

Daarop draaide Zoo zich om en liep, om te laten zien dat hij voor geen enkele zweep bang was, tergend langzaam terug naar zijn ton en sprong erop. Toen hij eenmaal zat, keek hij me aan en zuchtte. Ik rende met gebogen hoofd de piste uit, zodat Bailey me niet zou zien huilen.

De volgende dag verwende ik Zoo zoals hij nog nooit verwend was, ik kocht brokken nijlpaard voor hem van mijn eigen geld en zei telkens weer dat hij de (op een na) mooiste kat was die ik ooit had gezien. Daarna deed ik min of meer hetzelfde met de andere tijgers. Als mijn show enkel een mooi plaatje was, dan was dat maar zo; ik was vastbesloten er de beste show van het land van te maken en de spanning kwam dan wel van mijn vechttijger. Ik verwerkte er een precisie en een gratie in die nooit eerder vertoond waren. Plus dat ik mijn voorkant zoveel mogelijk naar het publiek gericht hield en de katten met handbewegingen achter mijn rug hun tekens gaf, want van een afstand was ik nog steeds blond, nog steeds soepel en nog steeds min of meer jong. Met andere woorden, ik vond dat ik nog steeds een stijlvol nummer kon maken, iets waartoe Beatty nooit in staat zou zijn.

Dus werkte ik. Je voelt dat dingen je ontglippen en dan doe je dat: je zet je schrap en je gaat ertegenaan. Ik werkte door tijdens de siësta, iets wat onredelijk was ten opzichte van mijn kooihulp, dus begon ik Bailey fooien te geven iedere keer als hij me hielp. Maar ondanks de extraatjes die ik hem gaf, begon hij steeds later te komen en steeds harder te mopperen, wat ik best begreep, want het was een arbeider en die hadden nou eenmaal niet het besef dat een beetje extra geld goed van pas kan komen in de toekomst. Ik was ervan overtuigd dat hij het sowieso allemaal uitgaf aan de pokerspelletjes die de negers alle avonden deden in de goederenwagons, dus na een tijdje dacht hij waarschijnlijk: waar zou ik me druk om maken?

Op een ochtend kwam hij niet opdagen en verplaatste ik de kooien in mijn eentje. Ik raakte eraan gewend om alleen te werken en het duurde niet lang voordat die twee uren mijn favoriete uren waren; het is heerlijk rustig voor het volk komt en ik heb altijd gevonden dat alles simpeler en vrediger lijkt als er niet zo veel herrie is.

Ik begon mijn twee beste springers, Boston en Beauty, te leren niet door één maar door twee brandende hoepels te springen. Daarna vroeg ik de treinopzichter een wip te maken met zitjes op tijgergrootte, want ik had

bedacht dat het een prachtig gezicht zou zijn om een stel volwassen Bengalen – ik dacht aan Ruggles en Rowdy – te zien ravotten als kinderen in
een speeltuin. Plus dat rond deze tijd het idee bij me opkwam dat ik Pasja
met haar evenwichtsgevoel er misschien toe zou kunnen verleiden over
twee dikke boven de grond gespannen touwen te lopen. En als dat goed
ging, wie weet, zou ik misschien zelfs een van die touwen weg kunnen halen.

Wat ik wil zeggen, is dat de hele volgende maand volledig in het teken
van mijn nummer stond, voor de rest at ik, sliep ik en ademde ik alleen
maar. De trucs vorderden met een slakkengang, maar als je bedenkt hoe
moeilijk ze waren, gaf het feit dat ze überhaupt vorderden me het gevoel
dat ik misschien wel een nieuw soort training had ontwikkeld. Het was
spannend en zenuwslopend tegelijk. Het viel natuurlijk niet te ontkennen
dat al dat werk als bijkomend voordeel had dat het mijn gedachten afleidde van mijn andere probleem, te weten mijn echtgenoot. Op een
avond, toen mijn gedachten daar níét van afgeleid werden, ging ik zitten
en schreef klaagbrieven aan de Christelijke Vrouwenbond voor Geheel-
onthouding, de Anti-Café Liga én die idioot van een Henry Ford, waarin
ik uitlegde waarom mijn ellende hun schuld was. Door die verdomde
drooglegging, schreef ik, is het exploiteren van cafés zo profijtelijk geworden dat je geen dooie kat kunt wegslingeren of je raakt er een en God weet
hoe zwak mannen zijn als ze in verzoeking gebracht worden. Toen ik de
volgende ochtend wakker werd, zag ik hoe verwrongen mijn logica was
geworden door mijn wanhoop. Ik verscheurde de brieven en werkte die
dag twee keer zo hard met de tijgers als de dag ervoor. Dat was mijn manier om mezelf te beloven dat ik tot het einde van het seizoen niet meer
aan het nieuwste probleem op een lange lijst van echtelijke problemen
zou denken, een belofte waaraan ik me min of meer met succes wist te
houden.

Totdat.

Hier plaats ik het circus in Denver, want ik herinner me bergtoppen in
de verte en frisse lucht zoals je die alleen maar in de Rocky's vindt. Ook
meen ik me te herinneren dat ik zowel vrouwen als mannen in flanellen
overhemden heb gezien, een duidelijk teken dat je in Colorado, Wyoming
of Utah bent. Vlak na aankomst liep ik over het achterterrein en overwoog
ik Radja aan de lijn te doen en een wandelingetje met hem te maken en

hem dan op tijd terug te brengen naar de coupé, zodat ik voor de voorstelling nog wat met de Bengalen kon oefenen; ik zorgde er daarbij voortdurend voor uit de buurt te blijven van de rode wagon, waar mijn lapzwans
van een man de hele dag met zijn neus in de boeken zat. Er ging een brij
van gedachten door mijn hoofd, zodat ik toen ik mijn naam hoorde roepen het gevoel had alsof ik door een buis gezogen werd.

Ik bleef staan en keek om me heen en besefte dat ik naast Lillian Leitzels
privé-kleedtent stond. Het was uiteraard zowel de grootste tent als de tent
die het dichtst bij het artiestengordijn stond. Leitzel zat buiten op een sofa
een sigaartje te roken. Ze zwaaide met haar linkerarm, de arm die gespierd
was van al haar tourbillons, en riep nogmaals. Ik liep erheen. Haar twee
bulldogs, Boots en Jerry, lagen aan haar voeten te snurken. Haar tent stond
vol bloemen, met de groeten van John Ringling, die haar een toewijding
betoonde waar niemand veel van begreep, behalve dat hij grensde aan
het slaafse. Zoals de meeste mensen mocht ik Leitzel niet zo, maar gaf
het me een goed gevoel als ze aandacht aan me besteedde.

'Goedemorgen, Mabel', zei ze. 'Kom je even een sigaartje met mai roken?'

Ze bood me een van die dunne donkere dingen aan die ze zat te paffen
en omdat ik niet ondankbaar wilde lijken, nam ik hem aan. Lillian gaf
me vervolgens een Ronson en toen ik opstak, was het alsof ik boom-
schorsrook inademde. Ik deed mijn uiterste best om geen gezicht te trekken. Leitzel rookte ondertussen gewoon door en toverde een glimlach te
voorschijn rond de plek waar het sigaartje tussen haar lippen stak. Na
een paar tellen haalde ze het sigaartje uit haar mond en gebaarde ermee
naar de lege sofa naast haar.

'Ga zieten', zei ze. 'Hou me gezelschap.'

Omdat ze het op zo'n gebiedende toon zei, wilde ik haar wel een mep
verkopen, maar inmiddels was ik zo nieuwsgierig dat ik reageerde alsof
het een vriendelijke uitnodiging was. Dus ging ik zitten roken, terwijl
we alle twee naar de drukte keken van een circus dat nog maar voor de
helft was opgebouwd. We hoorden zwarte tentenbouwers zingen bij het
in de grond hameren van de staken en we hoorden iemand het stoomorgel
opwarmen.

'Iek heb laatst je show gezien', zei Lillian Leitzel ten slotte. 'Het ies echt
geweldig hoe je die taigers onder controle hebt. Iek hoop dat je nog lang

bai het cirkoes blaift. Iek weet dat meneer John, ja, hoog van je opgeeft. Alfred en iek hebben met hem gedineerd vlak voor hai naar Sarasota ging en hai heeft het zelf tegen mai gezegd. Hai zai: "Weet je, Lillian, dat ik Mabel Stark bij Barnes heb weggehaald, was een van de slimste zetten die iek ooit heb gedaan." '

'Echt?'

'O, ja. Hai zai dat hai naar nog meer taigers ging kaiken voor jou. Hai wil je het grootste taigernoemmer van het land geven.'

'Zei hij dat?'

'Op main woord, ja.'

'Goh, ik eh... dat verbaast me. Ik dacht al... nou ja, je ziet hem eigenlijk nooit.'

'Nee, nee, nee. Hai was vastbesloten. Hai heeft mai gevraagd jou te vragen waar je de voorkeur aan geeft: een taiger die in een kooi is opgegroeid of in de jungle.'

'Maakt mij niet veel uit, zolang het maar tijgers zijn.'

'Oké, dan zal iek hem dat vertellen.'

Op dat moment slenterde Con Colleano voorbij en begonnen de twee in het Spaans te kletsen, een taal die Leitzel van haar gestoorde Mexicaanse echtgenoot had opgepikt. Na een minuut zeiden Colleano en Leitzel *adios* en liep Colleano met stijve passen weg, een gevolg van het feit dat zijn stierenvechtersbroek zo strak zat en zo dik bestikt was met lovertjes.

'Ach.... wat een man. Voor hem zou je je aigen man willen vergeten en uit de band willen springen, zo ies het toch, Mabel? Zain de Spanjaarden niet de meest fantastische mannen? De Spanjaarden en de Roessen. Allebai zo emotioneel als hyena's, met als enige verschil de manier waarop ze het uiten, hmmmmmm?'

Omdat ik niet goed begreep waar ze heen wilde, mompelde ik iets wat noch ja noch nee was. Leitzel keek om zich heen.

'Over mannen gesproken. Tja. Wat koennen die een bezoeking zain, nietwaar? Iets waar wai vrouwen mee opgezadeld zitten, nietwaar? Het zain soms zoelke kienderen.'

'Lillian', zei ik. 'Over wiens man hebben we het nu eigenlijk?'

'De jouwe, de maine...' Hier wapperde ze met haar gespierde arm en glimlachte. 'Wat maakt het uit?'

Opeens was mijn hoopvolle stemming als sneeuw voor de zon verdwenen, ik staarde Leitzel aan en sprak tegen haar op een toon die erg ongepast was als je bedenkt hoe rijk en beroemd ze was en hoe streng het rangensysteem in het circus was. 'Lillian,' zei ik met bijna opeengeklemde kaken, 'als je iets te zeggen hebt, zeg het dan. Ik heb tijgers die nog moeten eten. Wat ik niet heb, is de hele dag de tijd.'

Ze blies sissend een rookwolk uit en keek me met samengeknepen ogen aan. Toen drukte ze haar sigaartje uit, leunde achterover op haar sofa en staarde voor zich uit. Haar stem was laag en gepikeerd.

'Mabel,' zei ze, 'wil je luisteren? Iek probeer je te helpen.'

Toen vertelde ze me wat iedereen in het circus duidelijk was, behalve mij.

Het lawaai dat sommige woorden kunnen maken! Het was alsof ze een tweehonderd kilo zware koperen klok had geluid; haar woorden echoden een volle minuut later nog na. Ik kon de luchtverplaatsing zowat horen, zo galmden die woorden door. Godzijdank waren de twee Ringlings de afgelopen drie maanden in Sarasota geweest om de bouw van hun paleizen te inspecteren.

'Dank je', zei ik zwakjes.

Ik nam de kortste weg, door de half opgebouwde grote tent, terwijl de bouwers waarschuwingen riepen waar ik niet naar luisterde, tot ik bij het centrale plein kwam, waar ik rechts afsloeg, om vervolgens half rennend langs de verzameling exoten bij de rode wagon te komen, die naast de hoofdingang geparkeerd stond. Ik deed de deur open en begon, omdat ik hem in zijn eentje aantrof, meteen te slaan en te stompen en te schreeuwen: 'Je moet het terugbetalen, Albert! Je moet het terugbetalen! Je weet toch wat ze met je doen als je betrapt wordt!'

Vanachter een latwerk van vingers riep hij: 'Rustig, Mabel, wat terugbetalen?' Waarna ik als reactie op dat valse vertoon van onschuld dubbel zo hard ging stompen en slaan en schreeuwde: 'Doe niet zo schijnheilig, Albert! Je steelt van de Ringlings, wat op zich al erg genoeg is, maar je bent ook mijn manager. Hoe denk je dat dat overkomt?'

Albert had vervolgens het lef om te roepen: 'Echt, Mabel, ik heb geen idee waar je het over hebt!' Ik kreeg een rood waas voor mijn ogen en pakte zelfs een grote ijzeren gaatjesprikker op, waarmee ik hem een flinke heiter op zijn kneiter gaf, zodat hij op zijn knieën viel en met twee handen naar zijn kop greep. Plotseling was hij een en al oor.

'Luister goed. Je moet dat geld terugbetalen.'

'Oké,' jammerde hij, 'oké. Ik zal het terugbetalen. Oké. Christenezielen, Mabel, ik zal…'

Ik liet de gaatjesprikker vallen, die met zo'n klap neerkwam dat het hout van de vloer versplinterde. Daarna bleef ik hijgend staan en wou dat er zoiets bestond als een man vermoorden zonder onaangename gevolgen of schuldgevoel. Na enige tijd kwam Albert overeind, liet zich weer in zijn kantoorstoel zakken en sloot zijn ogen, terwijl hij nog steeds het beurse deel van zijn voorhoofd vasthield. Ik had hem een bult bezorgd die zou opzwellen tot de grootte van een paasei en ik beklaagde hem om de hoofdpijn waar hij straks last van zou hebben, maar niet zo erg dat ik naliet te zeggen: 'Zoek maar een andere slaapplek voor vannacht, zielig mannetje.'

Daarna liep ik naar buiten, hopend dat hij door een goede dreun op zijn kop misschien bij zijn positieven zou komen. De wens was hierbij uiteraard de vader van de gedachte, want als een man het gevoel heeft dat hij is mishandeld en te kijk gezet, voedt dat alleen maar de vlam van zijn waanidee, vooral als hij door zijn eigen vrouw is mishandeld en te kijk gezet.

Om een lang verhaal kort te maken, Albert verhuisde en nam zijn intrek in een hotel, tot er ruimte vrijkwam in een van de wagons voor stafleden. Hij bleef gokken. Nu hij uit mijn leven verdwenen was, ontdekte ik dat ik het best aankon mijn oren open te houden voor het gefluister, de geruchten en de roddels. Daaruit blijkt wel hoe stom Albert was, want hij ging altijd naar de beste tent in de stad en met tweeduizend circusmensen was er altijd wel iemand die 's avonds uitging en hem ergens zag zitten. Er werd beweerd dat hij tot in de vroege uurtjes pokerde met gangsters, dat hij roulette speelde en in één ronde honderden dollars won, die hij in de volgende ronde allemaal weer verloor, dat hij blackjack speelde, aan de fruitmachines stond en zelfs baccarat speelde, wat wel bewijst hoe overdreven die praatjes waren, want baccarat bestond toen nog helemaal niet in Amerika. Maar het viel niet te ontkennen dat hij de weg kwijt was. Sterker, ik vond af en toe nog steeds dat ik hem moest redden, want je kon de jongens van de ordedienst hun knuppels praktisch al horen afstoffen in afwachting van meneer Johns of meneer Charles' bevel.

Op driekwart van het seizoen, toen het circus naar het oosten trok, kreeg ik een bericht van de manager van Ringling, Charles Curley, dat hij me wilde spreken. Omdat ik net met Radja aan het wandelen was, nam ik hem mee naar Curleys kantoor, een tent naast de tent waarin normaal gesproken Charles Ringling verbleef als hij niet in het zuiden was.

'Mabel', zei Curley met een ernstig gezicht.

'Charles', zei ik, terwijl ik op een van de stoelen voor zijn bureau plaatsnam. Radja ging met een tevreden blik in zijn ogen en likkend aan zijn snorharen op de andere zitten.

'Ik neem aan dat je weet waarom ik je gevraagd heb hier te komen.'

'Ik zou het niet weten, Charles.'

'Het gaat over je man.'

'Míjn man is hij niet meer. Het is dat er tijdens de tournee geen tijd voor is, anders zou ik het allang geregeld hebben. Geloof me, mijn advocaat staat klaar in Bridgeport. Zodra we aankomen, ben ik geen Mabel Ewing meer.'

Hier leek het even of er een schaduw over Charles' gezicht viel. Hij tuurde naar een paar grootboeken op zijn bureau en zei niets, maar hij haalde diep adem en liet de lucht in de vorm van een zucht ontsnappen.

Met droge mond vroeg ik: 'Hoeveel is het?'

'Ongeveer zevenduizend dollar, Mabel. Dat is niet niks.'

Het bleef een paar seconden stil. Voor zevenduizend dollar zouden ze hem 'achterlichten', een straf die erop neerkwam dat je van een rijdende trein werd gegooid, zodat je ledematen over kilometers verspreid werden en de smerissen zo verbijsterd zouden zijn dat ze niet eens zouden proberen de stukjes en beetjes bij elkaar te leggen.

'Oké. Ik zal zien wat ik doen kan.'

Wat bitter weinig bleek te zijn. Ik bezocht Albert die avond in zijn hotelsuite, enkel om te constateren dat het tamelijk lastig is om je mening over te brengen als geen van tweeën iets zegt. Uiteindelijk gooide ik eruit: 'Christenezielen, Ewing, je zou op z'n minst de benen kunnen nemen. Dan blijf je misschien gezond.'

Dat maakte hem pisnijdig. Hij kwam overeind en begon te tieren. 'Potverdrieduiveld, hoe vaak moet ik het je nog zeggen? Ik heb geen cent gestolen. Ik ben accóúntant hier. Ik heb een paar kortetermijnrekeningen anders opgesteld, zodat bepaalde hoge Ringling-functionarissen enig werkkapitaal hebben. Ik mág dat doen, Mabel. Dat staat in mijn contráct. De boeken kloppen heus wel aan het eind van het seizoen, al zie ik volstrekt niet in waarom dat jou iets zou aangaan, dus waarom ga je niet fijn met je katten spelen, daar ben je toch zo dol op.'

Hij ging maar door; zijn ware gevoelens voor de waarde van mijn vak kwamen in grote dikke brokken naar buiten en daar was ik blij om, want dat maakte het makkelijker om op te staan en weg te lopen. Natuurlijk bleef hij gewoon doorgaan met gokken. Voorzover ik weet, ging hij zelfs nog erger gokken, ongetwijfeld omdat hij wanhopig probeerde het geld dat hij geleend had terug te betalen en voortdurend het gevoel had dat dat zou gaan lukken. Ik begon geruchten te horen dat het bedrag gestegen was tot acht en een half duizend dollar en tegen oktober zelfs tien.

Toen voegde John Ringling zich weer bij het circus.

Ik zag hem nooit – hij sliep de hele dag en werkte de hele nacht – maar dat hoefde ook niet. Je kon zijn aanwezigheid voelen. Overal waar ik kwam, ving ik op dat meneer John met die-en-die gesproken had, dat hij dit-of-dat gedaan had of dat er iemand 's avonds laat langs zijn wagon was gelopen en hem met bulderende stem tegen de beurstikker tekeer had horen gaan. Plus dat er veranderingen waren in de circusverrichtingen. Artiesten puntten hun nummer aan en lachten meer, voor het geval meneer Johns privé-loge gebruikt werd. De dieren zagen er beter uit. Hoewel het orkest altijd al speelde tijdens maaltijden, begonnen ze nu liedjes te spelen die ten doel hadden meneer John te behagen voor het geval hij binnen gehoorsafstand was. De dag waarop hij terugkwam, speelden ze zowel bij de lunch als bij het avondeten 'For He's a Jolly Good Fellow'. Er gingen verschillende dagen voorbij, maar geen hele week. Ik wist niet zeker wat Albert in zijn schild voerde en praatte mezelf aan dat het me absoluut niets kon schelen. Toen ik op een avond na de voorstelling in het damesdeel van de kleedtent was, kwam een van de ruiters van de pantomime binnen en zei: 'Er staat iemand buiten voor je, Mabel.'

Dus ging ik met mijn leren pak nog aan naar buiten en daar stond Bailey; hij stond dicht bij een lamp, zodat ik kon zien dat zijn neerslachtige kop nog neerslachtiger was dan anders. Ik zei maar drie woorden: 'Waar is hij?' waarop hij antwoordde: 'De trein, juffrouw Stark. Hij's bij de trein.'

Aangezien het spoorwegemplacement die avond dichtbij was en de vrachtwagens pas over twintig minuten zouden gaan rijden, zette ik het op een lopen. Na een meter of veertig herinnerde ik me mijn ontvoering in Bowling Green, daarom draaide ik me om, rende terug, haalde Radja en zette het samen met hem op een rennen. Radja, die dacht dat dat gehol door een veld midden in de nacht een soort spelletje was, had de grootste pret.

Tegen de tijd dat ik de stationslamp in de verte zag, was ik buiten adem. Dichterbij gekomen, zag ik iets waarvan ik vreselijk geschrokken zou zijn als ik mezelf dat had toegestaan. Aan het postplatform hing een zak en afgaand op de grootte ervan zat daar geen post in.

Ik stond ervoor en er was geen twijfel mogelijk, het kon alleen maar een lichaam zijn. Ik durfde hem niet open te maken, ik dacht dat hij dood zou zijn of bijna dood, daarom bleef ik daar gewoon staan rillen. Er kwamen warme herinneringen boven, al moest ik daarvoor wel helemaal terug naar die avond achter in de auto met chauffeur, toen Albert zijn ogen niet van mijn linkerbeen kon afhouden. Bij deze gedachte begon ik luid te snotteren, waarop er een gedempt geluid uit de zak kwam: 'Mmmm mmmm, mmmmm mmmm mmmmmmmmmmm...'

Ik keek verbaasd omlaag naar Radja, die met gespitste oren naar mij opkeek. Ik stak mijn hand uit en ritste de zak open. Ja hoor, Albert zat erin. Hij had een vuurrode kop, hing naakt ondersteboven te kronkelen als een gek en probeerde dwars door het plakband dat over zijn mond geplakt was te praten. Zijn lichaam was op een of andere manier zwart gemaakt, zodat ik heel even dacht dat de jongens van de ordedienst hem geblakerd hadden. Deze gedachte hield echter maar een halve tel stand, want Albert hing zo wild te kronkelen en zich in allerlei bochten te wringen dat je zou zweren dat iemand hem met een veer onder zijn voeten kietelde. Dus stak ik mijn hand uit en streek met mijn wijsvinger over zijn middenrif. Toen ik hem terugtrok, was hij nat van de motorolie.

Er is nog iets wat de moeite van het vermelden waard is: aan al die motorolie kleefden veren. Honderden en honderden kleine veertjes, van kippen waarschijnlijk. Het zag eruit als een ouderwets pak pek-en-veren, de traditionele straf voor zwendelaars, valsspelers en kwartjesvinders. Het enige verschil was dat er motorolie gebruikt was in plaats van hete pek, dat vaak zulke erge brandwonden naliet dat de persoon later aan een infectie kon overlijden. Al met al bleek hieruit dat John Ringling zowel gevoel voor humor had als respect voor ondergetekende.

Ik deed een dankgebedje en schoot in de lach, iets waar Albert erg pissig om scheen te worden, want zijn ogen gingen wijd open en hij begon op meisjesachtige toon te mmmm-mmmm-mmmm'en. Door de razernij in zijn stem moest ik nog harder lachen en na een paar tellen moest ik gaan liggen om mijn buik vast te houden en alle spanning van het afgelopen jaar weg te lachen. Eerlijk gezegd lachte ik zo hard dat de tranen over mijn wangen rolden; ik kwam niet meer bij en mijn hoofd ontplofte zowat, maar op een goede manier. Radja begon te brommen, die was waarschijnlijk bang dat ik gek geworden was. Dit ging zo een tijdje door: Albert piepte, ik lachte en Radja bromde. Rond de tijd dat de eerste vrachtwagens van het circusterrein kwamen, stond ik op en kwam weer bij zinnen; ik liep weg en liet Albert en zijn geslachtsdelen ondersteboven hangen, zodat iedere artiest, oppasser, menagerieman en staakdrijver hem kon zien.

De volgende ochtend was hij voorgoed verdwenen.

Die dag schoot ik Charles Curley aan toen hij over de overloop liep en ik zei: 'Ik moet meneer John spreken.'

Hij bleef staan, keek me aan en zei: 'Hij heeft het druk, Mabel. Het is het eind van het seizoen...'

Ik legde mijn hand op zijn onderarm om aan te geven dat het me ernst was en zei: 'Charles... alsjeblieft.'

Hij knikte.

Dit had natuurlijk nog wel enige voeten in de aarde, want John Ringling stond pas om tien uur 's avonds op en weigerde zaken te doen voor hij ontbeten had. Toen het zover was, reed de trein al en de enige wagon die aan de zijne was gekoppeld, was die van zijn broer, die nog in Sarasota was om ervoor te zorgen dat de paleizen goed gebouwd werden. Daarom moest ik tot zondagnacht wachten, een nacht die de slapeloze nacht werd genoemd, omdat de trein stilstond en iedereen moeite had met slapen zonder al dat gedreun en geratel onder zich. Er werd me verteld dat ik rond middernacht naar zijn rijtuig moest gaan, dat hij tegen die tijd klaar was met eten wat hij altijd at: cornedbeefburgers, weggespoeld met Old Curio-whisky.

Ik klopte op de deur en, geloof het of niet, de man deed persoonlijk open met zijn linnen servet nog in de kraag van zijn hemd gestopt.

'Mabel!' riep hij uit, alsof ik wel vaker zomaar even langs wipte. 'Wat leuk om je te zien!'

Hij stak zijn hand uit en toen ik die schudde, verdween mijn kleine witte pootje helemaal in al dat vlees van hem. Hij schudde mijn hand zo lang en zo hartelijk dat het toepasselijker is om te zeggen dat ik hem uit de zijne moest bevrijden dan dat hij losliet.

Hij bood me een stoel aan en ik ging zitten, terwijl hij om de een of andere reden achter zijn bureau bleef staan. Een ober in een zwarte broek, wit overhemd en een gilet van rood velours zette meneer Johns vuile borden op een zilveren dienblad, waarna meneer John zijn lippen afveegde en het vuile servet boven op de borden gooide. Ik wachtte tot zijn butler terug was in de privé-keuken achter in meneer Johns rijtuig voordat ik zei: 'Meneer Ringling, ik wil u bedanken voor de manier waarop u de situatie met mijn man hebt aangepakt. Als hij zijn verdíénde loon zou hebben gekregen, was hij veel slechter af geweest en ook al is het een valse hond, ik wil u toch laten weten hoe dankbaar ik ben en ik hoop dat wat hij gedaan heeft geen invloed zal hebben op uw mening over mij.'

Hij stak een vette corona op, waardoor ik niet zeker wist of het door de sigarenrook kwam of door mijn onbetamelijke verontschuldiging dat hij zijn ogen een beetje dichtkneep. Toen hij klaar was, doofde hij de lucifer door ermee in de lucht te wuiven, maar tegelijkertijd leek hij het gespreksonderwerp weg te wuiven. Van waar ik zat, leek hij wel drie meter lang.

'Hoe gáát het met je, Mabel?'

'Goed, meneer Ringling.'

'En je show? Hoe staat het met je show?'

'Fantastisch. Ben hard bezig met een paar nieuwe trucs. In het nieuwe seizoen hebben we een tijger die door twee brandende hoepels springt, een stel tijgers op een wip en met een beetje geluk een koorddanser.'

Hier zette John Ringling grote ogen op.

'Een koorddansende tijger? Echt waar? Mabel, je neemt me toch zeker in de maling? Welke is het?'

'De Himalayaan.'

'Mijn god, dat is nog een prachtbeest ook, hè?'

'Al mijn katten zijn prachtbeesten, meneer John. En bij dit circus is het niet moeilijk ze zo te houden.'

'O, nee, geen sprake van, Mabel. Als die katten gezond zijn, is dat helemaal jouw werk.' Hier dronk hij in één keer een groot glas Old Curio voor de helft leeg; hij pakte het op en goot de whisky in zijn keel alsof het vruchtenbowl was. Pas toen hij zijn glas terug op tafel zette, zag ik dat zijn hand gezwollen en een beetje roze was.

'Luister, Mabel, ik weet dat ik je een nummer met twaalf tijgers beloofd heb toen ik je bij Barnes weghaalde; je bent heel geduldig geweest en ik wil je geduld belonen. Ik heb een oogje op vijftien tijgers, waar een jachtopziener in India de hand op heeft weten te leggen. Zodra hij een manier gevonden heeft om ze eh... het land uit te krijgen, zijn ze voor jou. Het is alleen nog een kwestie van tijd. Denk je dat je een nummer met tweeëntwintig tijgers kunt maken, Mabel?'

'O, meneer John, óf ik dat zou kunnen!'

'Mooi. Heel mooi. Ik dacht wel dat je er blij mee zou zijn. Ik hoop ze hier te hebben als we ons winterkwartier betrekken. Geeft dat je genoeg tijd om ze af te richten voor de opening in het nieuwe jaar?'

'Daar zorg ik wel voor!'

'Ik vermoedde al dat je dat zou zeggen. Mooi. Dat is dan geregeld. Je krijgt de grootste roofdierenshow in heel Amerika. Hoe vind je dat?'

'Fantastisch, meneer John. Absoluut fantastisch!'

'Mooi, mooi, mooi, ik dacht al dat je dat zou zeggen.'

Een paar minuten later ging ik weg, omdat John Ringling me bezwoer dat hij een hele nacht werk voor de boeg had. We moesten gauw maar weer eens bij elkaar komen. Het was mijn tweede ontmoeting geweest met meneer John en ik snapte absoluut niet hoe hij aan die reputatie van spijkerharde, grillige man was gekomen, want altijd als hij zijn neus in mijn zaken prikte, leek mijn leven een dramatisch goede wending te nemen.

Vier dagen later arriveerden we in Bridgeport; de meesten van ons voelden zich ziek, zwak en misselijk van het afscheidsfeest de avond ervoor in Richmond, Virginia. Drie dagen daarna werd ik vroeg wakker en nam Radja mee naar de winkel op de hoek, aangezien Bridgeport de enige stad ter wereld was waar ik met Radja kon wandelen zonder opzien te baren. Ik kocht de *Billboard* en zou ook nog de *White Tops* gekocht hebben, ware het niet dat ze die nog niet binnen hadden. Ik ging aan de toonbank zitten met Radja op de kruk naast me; het viel de winkelbediende nauwelijks op. Ik bestelde een sorbet en bekeek de voorpagina.

Plotseling kreeg ik geen lucht meer. Ik las de woorden steeds opnieuw en hoewel ze volstrekt duidelijk waren, waren ze dat tegelijkertijd ook niet.

John Ringling bleek alle roofdierennummers in zijn reizende voorstelling geschrapt te hebben, naar verluidt vanwege het risico voor de dompteurs en de recente protestdemonstraties van de aanhangers van Jack London. Hij bleek altijd al gevonden te hebben dat roofdierennummers de vaart uit de show haalden, al dat gehannes met die stalen kooien. Het bleek een effectieve kostenbesparende maatregel te zijn, want het Ringling Brothers Barnum & Bailey Circus was de duurste theaterproductie in de geschiedenis van de mensheid, een show waar op elk verkocht kaartje geld moest worden toegelegd. Hij bleek nog wel een roofdierenshow te willen, maar alleen in de openluchtvoorstellingen in New York City en Boston en de show bleek niet die van Mabel Stark te zijn, 's werelds grootste dompteur, maar die van een nieuwkomer met een warrige haardos, die ze van Hagenbeck-Wallace hadden gehuurd.

Het bleek dat je de naam van de jongen uitsprak als 'Beetie' en niet, zoals iedereen dacht, als 'Bietie'.

II

Jungleland

Het was zover. Ik had aldoor geweten dat het eens zover zou komen en toch... nou ja, je blijft hopen. Diep vanbinnen denk je: nee, ik heb al genoeg voor mijn kiezen gekregen. Ik heb mijn portie wel gehad. Je stelt je een grote weegschaal voor – van brons, met fijne schakels en glanzende schalen, prachtig om te zien – en je denkt: als ik er nou zelf wat in leg aan de slechte kant, zal degene die het voor het zeggen heeft daar wel rekening mee houden en er niet nog meer in leggen. Dat doen we om orde te scheppen. Het helpt ons om net te kunnen doen of dingen niet zomaar gebeuren, wat een tamelijk beangstigend concept is en de reden waarom mensen nerveus worden als het goed gaat; in al die kalmte kunnen ze het praktisch horen: het onheil dat zwaar ademend om de hoek op de loer ligt, klaar om toe te slaan. Art heeft me eens verteld dat eskimo's een woord hebben voor het gevoel dat je krijgt als je ervan overtuigd bent dat je kano gaat omslaan, ook al is het water kalm en staat er geen wind en is er geen donker wolkje aan de lucht. Als dat vermoeden hen overvalt, laten ze hun kajaks opzettelijk achter vanuit het idee dat de goden hen dan niet met iets ergers zullen treffen. Wat het hele gebeuren nog lastiger maakt, is dat ik zo langzamerhand begin te geloven dat de hemelse machten interessante opvattingen hebben over wanneer de weegschaal in evenwicht is. Mijn moeder was niet gelovig, maar mijn vader was katholiek tot op het bot en toen ik klein was, nam hij me altijd op schoot en vertelde me verhalen uit de bijbel. Dat was fantastisch, lekker dicht tegen hem aan zitten en luisteren naar dat zachte, kalmerende accent. Bij speciale gelegenheden – zeg Pasen of de zondag voor Kerstmis – nam hij me helemaal mee naar Louisville, zodat ik kon biechten en een echte mis kon bijwonen. Tijdens die tochtjes leerde ik hoe geloof in een hogere orde je kan helpen tot rust te komen en je kan helpen blauwe schimmel, vroege vorst en al het andere dat een tabaksoogst kan vernietigen, te vergeten. Maar toen werd ik na mijn moeders overlijden naar mijn tante afgevoerd, die zo streng en presbyteriaans was als iemand maar zijn kon: zwarte jurk, zwarte opoeschoenen, spelden in haar haar zo lang als vingers, een nek zo broos als een verdorde tak. Voor haar betekende religie donderslagen en harde woorden (terwijl het voor mijn vader genade en poëzie had betekend, een duidelijk bewijs dat religie iets is dat alleen geeft wat een mens kan ontvangen). Ze stuurde me alle zondagen naar de kerk, de hele dag, en als ik doordeweeks uit school kwam, moest ik nog een uur bijbelstudie doen. Daarom ken ik het Boek der Boeken vanbinnen en vanbuiten en kan ik met volle overtuiging zeggen dat je je bijna geen boek kunt voorstellen dat zo tjokvol rotzooi, corruptie, schunnigheden en zonden staat als dat. Tegelijkertijd is het een boek vol woorden als oordeel, boetedoening, wraak, woestijn der gerechtigheid en zo kan ik nog wel even doorgaan. Na een tijdje kun je je heel goed voorstellen dat die twee concepten hand in hand gaan, zodat de dingen uiteindelijk in balans zijn.

Let wel: ik heb mijn puberteit in dat huis van vroomheid doorgebracht en ik geef toe dat ik dat boek af en toe mee naar bed nam om de wat sappiger gedeeltes bij kaarslicht te lezen en als dat fout was, zeg ik alsnog sorry. Toch had ik destijds niet het idee dat het verkeerd was, want mijn tante had er geen bezwaar tegen, wat ik wel vreemd vond, omdat ze bezwaar had tegen vrijwel alle andere dingen, zoals dansen, schunnige verhalen vertellen en praten boven een bepaald volume. Terwijl ze het tegelijkertijd niet erg vond dat ik een boek las met een heel hoofdstuk over wat zich in Sodom afspeelde.

Uiteraard werden de Sodomieten gestraft, wat me wel eerlijk leek, als je bedenkt hoe smerig en vunzig het in de stad toeging en hoe welig het ongedierte tierde. Plezier is plezier, maar er zijn grenzen, dat begrijp ik. Wat ik altijd maar moeilijk kon begrijpen, was dat de onschuldigen gestraft werden om hun geloof op de proef te stellen. Dan heb ik het over sprinkhanen en kikkers en zulke erge zandstormen dat je er blind van werd of een of andere rare ziekte waar kinderen bij bosjes aan doodgingen. Wat ik bedoel is: wat hadden die gedaan om dat te verdienen? Een zonde uit het verleden, waar de bijbel aan voorbijgaat omdat hij te onsmakelijk is? (Moeilijk te geloven als je bedenkt wat er allemaal in staat.) Of was het sowieso zondig om een sterveling te zijn? Dat is dan tamelijk wreed. Als ik die verhalen las, stelde ik me altijd voor hoe ík me zou voelen na zo'n vloek en ik kan je wel zeggen: als die sprinkhaan-, kikker-, zandstorm- en babysterfteplagen dan eenmaal opgeheven werden, zou ik me niet bepaald dankbaar voelen. Ik zou in plaats daarvan bang zijn.

Ik zou in plaats daarvan denken: godallemachtig, hoe werkt dit systeem eigenlijk?

Zoals alle bouwsels op het terrein van Jungleland was het kantoor van Jeb en Ida zo gemaakt dat het op een strooien hut in Afrika leek. Op ansicht-kaarten zag het er best echt uit, maar daar was dan ook alles mee gezegd.

Ik ging naar binnen. Ida, Jeb en mijn persagent Parly Bear waren er al. Ik taxeerde de tegenstander. Parly was een oude vriend en zou hoe dan ook aan mijn kant staan. Ida was een vals kreng en zou mijn ogen uitkrab-ben als het niet tegen de Californische wet was. Jeb was het vraagteken, want hij en ik hadden altijd goed met elkaar overweg gekund, aangezien hij altijd waardering had gehad voor wie ik was en me dienovereenkom-stig had behandeld. Daarom was moeilijk te zeggen waar hij stond in het probleem Mabel Stark. Ja, Ida was zijn vrouw en had dus buitensporig veel invloed. Tegelijkertijd begreep hij dat ik in de centrale piste van het Ring-ling Circus van de jaren twintig had gestaan en dat mijn ontslag een klap in het gezicht van het circus zou zijn op een moment dat het zo'n klap ab-soluut niet kon gebruiken.

Dat was natuurlijk een strohalm waar ik me aan vastgreep, want nie-mand deed zijn mond open toen ik ging zitten en hen alledrie groette. Ida rookte een menthol, die een lucht verspreidde waarvan ik bijna moest niezen. Jeb en Parly wierpen elkaar voortdurend steelse blikken toe. Uit-eindelijk nam Parly het woord, maar toen hij zijn mond opendeed, klonk zijn stem zo krakerig dat hij net moest doen of hij had willen hoesten. Hij begon opnieuw.

'Mabel,' zei hij, 'het gaat niet alleen om jou. Ook om Chief en Tyndall. Het is je leeftijd, Mabel. Die stomme verzekeringsmaatschappij vindt je een te groot risico. Vinden ze ook van Chief en Tyndall. En je kunt nou eenmaal niet je hele leven werken, Mabel. Je moet er eens mee stoppen. Je moet een keer rustig aan gaan doen.'

Hierop werd ik tamelijk hysterisch, wat onder andere inhield dat ik op-stond, me over het bureau heen boog, zodat mijn gezicht zich vlak voor dat van Jeb bevond, en gilde dat hij een onbetrouwbare vuile leugenaar was en dat ik, als hij of Ida ooit, óóit zou proberen me mijn katten af te pakken, terug zou komen en de stalen kooi in zou gaan en een van de fellere beesten, zeg Mommy of Tiba, een nijlpaardsteak zou proberen af te pakken. Toen hij dat hoorde, begon Jeb te sputteren en te stamelen, tot Ida een sissende rookpluim uitblies en zei: 'Kom, Jeb, hier hoeven we niet naar te luisteren.'

Ze stonden allebei op en liepen de deur uit, al zei Jeb nog wel: 'Het spijt me, Mabel', voordat zijn elleboog er half afgerukt werd door zijn vrouw. Ik ging zitten en barstte in snikken uit. Ik zat maar te huilen en te huilen. Parly liep om het bureau heen, trok een stoel bij en zei: 'Luister, Mabel. Jeb en Ida, nou ja, vooral Ida eigenlijk, wilden dat je vandaag al zou vertrekken en dat ik je zou begeleiden. Stante pede. Maar ik heb gezegd: O, nee, dat gaat niet; we hebben het hier wel over de grootste vrouwelijke dompteur die ooit geleefd heeft, misschien wel gewoon de allerbeste, punt, en als uitlekt dat je haar zo behandeld hebt, krijg je daar spijt van. Je móét haar de kans geven afscheid te nemen van haar katten. Je moet haar de gelegenheid geven ze morgen nog een keer te wassen en eten en drinken te geven. Ik heb er lang voor moeten soebatten, Mabel, want Ida was er absoluut op tegen. Ze zei dat je iets kapot zou maken of een van de tijgers iets zou aandoen, dat bewijst wel dat ze er niks van afweet. Dus door te zeggen dat je jezelf met de tijgers van kant maakt, maak je het er niet makkelijker op. Je maakt het er absoluut niet makkelijker op. Je moet me beloven dat je je morgen gedraagt, zodat ik tegen Jeb en Ida kan zeggen dat ze je met een gerust hart een laatste ochtend bij de tijgers kunnen laten. Kan ik dat tegen hen zeggen, Mabel? Kan dat?'

Ik raakte in een soort verdoving, dezelfde verdoving die ik heel lang geleden gevoeld had bij de kuipbeurten in Hopkinsville, waarbij de zenuwen zo overbelast werden dat ze zichzelf uitschakelden en er een kalmte intrad die aanvoelde als totale uitputting. Opeens kon het me niet meer schelen. Mezelf niet, Jungleland niet, de tijgers niet. Het kon me absoluut niets meer schelen. Ik had me de afgelopen zestig jaar alleen maar druk gemaakt en nu was ik op en moest ik nodig even gaan liggen.

'Ja', zei ik tegen Parly. 'Dat kan.'

Parly reed me naar huis, parkeerde mijn grote ouwe Buick op de plek achter mijn huis en vroeg toen of ik zeker wist dat alles goed met me was.

Ik zei ja en dat het alleen maar grootspraak was geweest daar in Jeb en Ida's hut, maar voordat hij me naar binnen liet gaan, moest ik beloven geen domme of onbezonnen dingen te doen. Ik was zo in de war dat het helemaal niet bij me opkwam dat hij geen vervoer had en tot op de dag van vandaag heb ik eigenlijk geen idee hoe hij thuisgekomen is. Hij is waarschijnlijk naar een van de buren gegaan, Pauline de kokkin, denk ik, en heeft een taxi gebeld.

Ik ging naar binnen, pakte een Hamm's en ging in mijn leunstoel zitten. Ik zat alleen maar het interieur van mijn huis te bewonderen: gordijnen, bank, ingelijste borduurwerkjes aan de muur. Grappig. Het was de ellendigste dag van mijn leven en het enige waaraan ik kon denken, was hoe tevreden ik was over de kleur die ik gekozen had voor het behang. Veel mensen houden niet van groen, maar ik vind een mooie lichte tint groen rustgevend voor de ogen. Het doet denken aan bossen of gemaaide gazons of tijgerogen.

En zo bleef ik heel lang zitten. Niet zozeer in gedachten als wel gebiologeerd door het behang. Na een tijdje ging de bel; ik stond op en Pauline stond voor de deur met mijn avondeten. Er rees zo veel stoom op door de kieren in de aluminiumfolie dat de onderkant van haar kin er nat van was. Ze wierp één blik op me en begon te snotteren, haar ogen vulden zich met tranen, net als Parly's ogen tijdens de bijeenkomst. Ik vroeg haar ten slotte maar binnen te komen, ik gaf haar een stoel en een kopje koud water en zei dat het echt allemaal beter was zo, dat ik eerder op de dag van slag was geweest, maar dat het nu weer goed ging en trouwens, wie had ooit gehoord van een vrouw van mijn leeftijd die deed wat ík deed voor de kost? Het kwam eigenlijk heel goed uit, zei ik tegen haar, want nu zou ik eindelijk de tijd hebben om een beetje te breien en te tuinieren, plus dat ik nog een hele stapel *Billboards* en *White Tops* en nieuwsbrieven van de Bob Denver-fanclub had waar ik me doorheen moest werken.

Na een tijdje ging ze weg, maar niet voordat ik haar nog een paar van dezelfde maak-je-geen-zorgen-met-mij-gaat-het-goed-verzekeringen had gegeven als ik Parly had gegeven. Ik had een wollig gevoel in mijn hoofd. En ik had geen trek, ook al had ze mijn lievelingsgerecht gemaakt, runderstoof met theebiscuitjes om het vocht op te deppen. Wat denk ik geen toeval was.

In plaats van te eten nam ik nog een Hamm's, keek naar *Gilligan* en lachte harder dan ooit. De tranen rolden over mijn wangen en ik moest mijn buik vasthouden zo grappig vond ik het. Daarna nam ik twee van dokter Brisbanes pillen en sliep als een os en de volgende ochtend nam ik er nog een paar om me te helpen de dag door te komen. Ik at mijn maïsbrood met spek, dronk mijn zwarte koffie en ging net als alle andere dagen met mijn grote ouwe Buick de weg op. Ik reed de Ventura Freeway op, waar ik de strook voor langzaam verkeer aanhield, want waar ik nooit echt dol op geweest ben, is autorijden en met name hard rijden. Daarom rijd ik in een auto die even lang is als mijn huis breed is; het geeft me een gevoel van bescherming.

Ik kwam om precies tien voor halfzeven op mijn werk. Het leek nauwelijks mogelijk dat dit mijn laatste dag met Goldie, Tiba, Toby, Ouda, Mommy, Prince en Khan zou worden. Toen ik daaraan dacht, voelde ik een tikje heimwee naar Dale, een schitterende ouwe kat met een kop als een beer, die een jaar daarvoor gestorven was. Rogers auto was uiteraard de enige andere auto die er stond. Ik ging voor de laatste keer naar binnen, waar hij met een tobberig gezicht bij mijn kooien zat te wachten; hij deed me aan Dan denken, de bekwame dienstknecht, door de manier waarop iedere gedachte die bij hem opkwam breeduit op zijn gezicht geschreven stond. Het eerste wat hij deed, was op me af schieten en zeggen hoe erg hij het vond en dat het een schande was dat ze me ontslagen hadden en dat iemand er wat aan zou moeten doen. Toen zweeg hij en kwam een stukje dichterbij, zodat hij ook te verstaan was als hij fluisterde, wat me onnodig leek, aangezien er het eerstkomende uur nog niemand zou komen.

'Mabel,' zei hij, 'je gaat toch niet... ik bedoel... je bent toch niet van plan...'

Ik keek hem streng aan en zei: 'O, godallemachtig, Roger. Wat mankeert iedereen? Het wordt hoog tijd dat jullie je gaan realiseren dat ik een oude dame ben en oude dames hebben nou eenmaal de gewoonte om af en toe stoom af te blazen. Dat heet chagrijn, Roger. Het heet zere gewrichten, slecht slapen en spijsverteringsproblemen. Het heet weten dat het beste zo ver achter je ligt dat het net zo goed niet gebeurd kan zijn. Het heet geen man gehad hebben sinds 1932. Allejezus, ik red me wel, hoor.'

Inmiddels lachte hij en hoewel het niet mijn bedoeling was geweest hem te vermaken, vond ik het niet erg. We gingen aan de slag. Ik pakte mijn gereedschap, zette Goldie in de oefenkooi en Toby en Tiba in de piste en begon kooien te vegen, terwijl ik waar nodig tijgers verplaatste. Zoals we al honderd keer eerder gedaan hadden, maakten we om zeven uur de kruiwagen schoon en begonnen met voeren, erop lettend dat Goldie haar schouderblad kreeg en Mommy haar scheenbeen. Terwijl de dieren aten, schrobden wij de bloedgoot en maakten alles blinkend schoon, daarna namen we een kop koffie en vertelde Roger me wat hij van de aflevering van gisteravond vond, want hij was enkel om mij een plezier te doen fan van *Gilligan's Island* geworden, en verdomd, ik zat daar gewoon met hem te kletsen alsof dit een dag als alle andere was.

Om kwart voor negen haalden we de botten weg en om negen uur keek ik hoe mijn tijgers in slaap sukkelden en dacht ik: nooit, nooit meer; al had ik tegelijkertijd het gevoel dat het iemand anders was die dat dacht. Misschien was het de stem van mijn moeder die me dwong niets te voelen, misschien waren het de pillen van dokter Brisbane die me dwongen niets te voelen. Hoe dan ook, ik keek naar klauwen, snorharen, staarten, prachtige oranjezwarte vachten en natte roze neuzen, maar niets van dat alles betekende tijger. Of me iets onthouden of iets bespaard was gebleven, is moeilijk te zeggen.

Er ging enige tijd voorbij – hoeveel kon ik met geen mogelijkheid zeggen – maar na een tijdje merkte ik dat Roger aan de ene kant van me stond en Parly aan de andere kant en dat een meter of vier verderop de linke eigenaars van Jungleland met een grimmig gezicht naar ons stonden te kijken.

Met andere woorden, het was tijd.

'Mabel,' zei Parly, 'we hadden bedacht dat Roger en ik je misschien even veilig thuis zouden kunnen brengen.'

'Ja,' echode Roger, 'veilig.' En toen ik akkoord ging, was ik in ieder geval blij dat er ditmaal enige consideratie aan vooraf was gegaan en Roger mijn auto bestuurde en Parly ons volgde in zijn Ford. Toen we bij mijn huis kwamen, keken ze allebei zo zorgelijk en schaapachtig dat ik dacht: ach, kan mij het schelen, ze kunnen net zo goed even binnenkomen.

'Jongens, zin in een Hamm's?'

Er moest iets vreemds geweest zijn aan de manier waarop ik het zei, want ze keken elkaar stomverbaasd aan voordat ze opgelucht ja zeiden. Om eerlijk te zijn, was het ook vreemd, want ik was de afgelopen zesendertig jaar gewend geweest om het huis mannenvrij te houden. Veel van mijn buren zijn ex-circuslui en veel ook niet en het laatste wat ik wil, is dat ze mannen in en uit zien banjeren en zich rare ideeën in het hoofd halen over die oude circusvrouw op nummer 3076.

Roger en Parly kwamen binnen. Ze keken een beetje benauwd, alsof ze een museum binnen waren gelopen, tot ik zei dat ze maar lekker moesten gaan zitten. Ik gaf hun elk een blikje bier en keek hoe ze het lipje eraf trokken en begonnen te slurpen. Toen maakte ik een zak Cheezies open en was het alsof we een feestje hadden, alleen zonder dat er veel gepraat werd. Als het vrouwen geweest waren, zouden ze me denk ik wat opgepept hebben of een beetje om me gesnotterd hebben of er zou er een weggegaan zijn en teruggekomen zijn met cake en koffie. Maar het waren geen vrouwen, dus zaten ze daar gewoon een beetje sip te kijken, bier naar binnen te klokken en mistroostig te babbelen over het weer en honkbal en de algemene stand van zaken in de circuswereld. Hoewel ze het goed bedoelden, was het hartstikke deprimerend, dus toen ze allebei hun bier op hadden, stond ik op en zei: 'Nou, jongens, het was leuk om jullie te zien, maar ik neem aan dat het druk is in Jungleland. Jullie hebben vast een heleboel te doen.'

Ze keken elkaar verbijsterd aan. Parly zei: 'Zullen we niet nog wat langer blijven? Je misschien even met de afwas helpen?', waarop ik zei: 'En welke afwas moet dat dan zijn, Parly? De schaal met de Cheezie-kruimels? Kom nou. Ik ben een ouwe vrouw en ik heb dan misschien geen baan meer, maar ik ben gezond en ik heb ze allemaal nog op een rij en dat is heel wat meer dan veel andere dames van mijn leeftijd. Weet je wat? Jullie hebben geen medelijden met míj en ík heb geen medelijden met mezelf, afgesproken?'

Hierdoor vertrouwden ze erop dat ik geen rare dingen zou doen, dus trokken ze hun jas aan en het was een moment waarop het voor beiden toepasselijk geweest zou zijn om me te omhelzen of te zoenen. Het was ook een moment waarop ik spijt had van de muur van afweer die ik jarenlang om me heen had opgebouwd, de muur die de wereld duidelijk maakte dat Mabel Stark geen menselijk contact accepteerde. Dus liep ik in plaats daarvan met hen mee naar de deur. Vanaf mijn stoep keek ik hoe ze allebei even naar me zwaaiden voor ze in Parly's Ford stapten en wegreden.

Wat er vervolgens gebeurde, was dit. Ik ging naar binnen, zette de tv aan, zette de radio aan en opende de ramen, zodat ik grasmaaiers en dartelende kinderen en het gezoef van de nabijgelegen snelweg hoorde. Toen liet ik me in mijn leunstoel vallen, sloot mijn ogen en liet mijn hoofd volstromen met herrie.

Het duurde drie dagen vol zelfmedelijden voordat ik begon in te zien dat activiteit het beste medicijn was (althans, het enige dat ik kon bedenken), dus reed ik naar het tuincentrum en kocht, toen ze opengingen, een schep, een troffel, een paar eenjarigen en een paar zakken tuinaarde. Thuisgekomen laadde ik het spul zelf uit en droeg het allemaal naar het kleine vierkante achtertuintje naast de plek waar ik mijn auto altijd parkeer. Ik had al een jaar of dertig naar dat achtertuintje zitten kijken en altijd gedacht dat het leuk zou zijn om er in het voorjaar wat bloeiende planten in te zetten, een klus die makkelijker gezegd dan gedaan was als je roofdieren had die alle dagen verzorgd moesten worden, weekends niet uitgezonderd. Nu dat excuus niet meer opging, was de tijd rijp. Ik ging de tuin in en begon te wroeten. Ik wist niet precies wáár ik naar wroette, dus deed ik gewoon na wat ik mijn buren had zien doen, onkruid uitsteken, aarde in het gat gooien en grond van beneden naar boven halen en dan weer van boven naar beneden brengen. Uiteindelijk zag het perk er omgewoeld, zwart en klaar uit en kwamen er geurherinneringen boven aan West-Kentucky tegen zaaitijd. Ik harkte het mooi glad. Ging op handen en knieën zitten en plantte de petunia's en toen ik klaar was, ging ik naar de keuken en pakte een Hamm's. Daarna ging ik weer naar buiten om in de achtertuin mijn werk te bewonderen. Op dat moment keek ik op mijn horloge. Het was halfelf 's ochtends.

Het was echt een schok hoe langzaam de tijd kan verstrijken als lichaam en geest niets te doen hebben. Er ging een minuut voorbij, toen kreeg ik een droge mond en werd bang, zo begint het altijd. Ik deed mijn ogen dicht en wreef erin, maar niets hielp, ik beleefde het in gedachten allemaal opnieuw, het weigerde weg te gaan: kletterende regen, het groen van de lente, rookbruine bergen en die klop op de deur, omdat May Wirth ziek was en ik misschien kon helpen, want ik was toch verpleegster en zo. Half huilend werkte ik de Hamm's naar binnen en pakte er nog een en nam twee van dokter Brisbanes pillen om het gevoel wat te dempen. Toen belde ik Parly en zei: 'Godverdomme, Parly. Jij bent toch mijn agent, zorg dan dat ik werk krijg.'

Hij klonk opgetogen. 'Reken maar, Mabel. Wacht maar af. Je mag dan wel niet meer met tijgers werken, maar dat zal niemand je aanrekenen. Je bent nog altijd Mabel Stark. Je bent nog altijd de tijgerkoningin. Ik dacht aan iets als persoonlijke presentaties. Wat zou je daarvan vinden?'

'Moet ik er de deur voor uit?'

'Ja.'

'Dan vind ik het prima.'

Ik hing op en begon te wachten. Ik viel in slaap, werd wakker, maakte wat maïsbrood, dat lang niet zo lekker was als Paulines maïsbrood, en keek op Net 6 naar de dagelijkse herhaling van *Gilligan*, die ik normaal gesproken altijd miste: een spin zo groot als een nijlpaard zette hen allemaal klem in een grot en het zag ernaar uit dat ze eraan zouden gaan tot Gilligan per ongeluk struikelde, daardoor per ongeluk tegen het volgens de professor kwetsbare plekje van de spin trapte en hem doodde. Toen het afgelopen was, speelde ik een potje patience. Deed boodschappen. Vijlde mijn likdoorns. Smeerde olie op mijn littekens, waardoor ze soepeler werden en minder snel verhardden. Later ging ik bij Pauline, de kokkin, op de koffie en terwijl ik daar zat te babbelen over stomme dingen als naaien en de verschillende smaken van daiquiri's, dacht ik steeds: is dit wat vrouwen doen? Houden ze zich hiermee bezig? Een dag later, toen ik in mijn tuin een Hamm's stond te drinken en te overwegen of ik de petunia's zou verplaatsen om iets te doen te hebben en te voorkomen dat mijn herinneringen boven zouden komen, ging de telefoon. Ik rende naar binnen, althans, ik verplaatste me zo snel als een vrouw van mijn leeftijd zich mag verplaatsen.

Het was Parly.

'Goed nieuws, Mabel.'

'Hoezo?'

'Je hebt weer werk.'

'Godzijdank.'

'Nou niet al te enthousiast worden, Mabel. Ik zeg er meteen bij dat het niet veel voorstelt. Eigenlijk had ik het bijna geweigerd omdat ik dacht dat je je er te goed voor zou voelen. Maar het is een begin, Mabel. Wat ook meetelt, is dat je nooit eerder persoonlijke presentaties hebt gedaan en nog ervaring moet opdoen. Snap je?'

'Tuurlijk, Parly. Een oppasser wordt ook niet van de ene op de andere dag dompteur. Dat begrijp ik. Maar ik neem het hoe dan ook aan.'

'Zeker weten?'

'Absoluut.'

'Zorg dan dat je om negen uur bij het Beurscentrum bent.'

'Moet ik nog iets meebrengen?'

'Heb je je oude kostuum nog? Het kostuum waaraan mensen denken als ze aan Mabel Stark denken?'

'Het ligt boven in de mottenballen.'

'Trek dat maar aan.'

Die nacht had ik dokter Brisbanes pillen niet eens nodig, want ik voelde me beter dan ik me in lange tijd had gevoeld. Ik ging op mijn normale tijd naar bed, iets over halfacht, en terwijl ik wegdoezelde, dacht ik dat het misschien inderdaad wel belachelijk was, een vrouw van mijn leeftijd die tijgers africht, en dat mijn hele aanvaring met Ida misschien wel eens een verkapte zegen zou kunnen blijken. Persoonlijke presentaties. Ik zei het telkens opnieuw, als om te oefenen wat ik zou zeggen als mensen me zouden vragen wat ik na Jungleland gedaan had.

Toen ik wakker werd, begon het net licht te worden aan de oostelijke horizon. Ik had alle tijd, dus ik nam mijn koffie mee de tuin in en keek hoe de zon van een dunne strook paars in een dieprode strook veranderde en daarna in een laaghangend oranje gordijn. Nadat ik ontbeten had, toog ik naar zolder en snorde een van de oude witleren kostuums op waar Radja zich zo graag tegenaan had gewreven. Natuurlijk was ik bang dat het niet meer zou passen; zoals ik al zei, ben ik een onderdeurtje en als ze de kans krijgen, vallen de kilo's er zo vanaf. Eerlijk gezegd is mijn gewicht de reden dat ik minstens twee blikjes bier per dag drink; dokter Brisbane heeft ooit gezegd dat ik dat nodig heb om mijn gewicht op peil te houden, hoewel ik me destijds afvroeg of hij mijn tengerheid niet gewoon gebruikte als een excuus om een oude vrouw te vertellen wat ze horen wilde.

Met andere woorden, ik was bang dat het rotding op alle plaatsen waar het ooit strak zat, zou lubberen en ik er dientengevolge zou uitzien als een idioot. Ik ging naar de slaapkamer en trok de gordijnen dicht, want mezelf in de spiegel bekijken, heb ik altijd bij voorkeur bij weinig licht gedaan. Toen trok ik mijn kleren uit, wat op mijn leeftijd niet meer lukt zonder een zekere mate van gepiep en gekraak en kleine grommende ademstootjes. Ik trok het rotpak aan. Bekeek mezelf in de spiegel. En verdomd als ik er niet uitzag als een slang die op het punt staat te vervellen.

Doordat het ding overal lubberde, verschrompelde mijn enthousiasme abrupt, want het enige waar ik niet toe bereid was, was me te laten uitlachen. Ik stond al op het punt Parly te bellen en te zeggen dat de hele zaak van de baan was toen ik opeens een idee kreeg. Ik stroopte het pak af, wat nog meer gepiep en gekraak en gegrom opleverde, en zocht in mijn ladekast naar een oude maillot en een trui. Die trok ik aan met het pak eroverheen en hoewel ik een beetje op een opgezette kip leek, zag ik er minder belachelijk uit dan daarvoor, dus ik dacht: ach wat, als ze een in leer geklede vrouw op leeftijd niet aankunnen, kijken ze maar niet.

Op dat moment gebeurde er iets grappigs. Ik liep bij de spiegel vandaan om mijn sleutels van de ladekast te pakken. Met de sleutels in mijn hand draaide ik me om en zag mijn spiegelbeeld aan de andere kant van de kamer. Het licht was gedempt, weet je nog, en mijn ogen begonnen al wat zwakker te worden en ik stond een aardig eind van de spiegel af, waardoor mijn spiegelbeeld enigszins dof en wazig was toen ik ernaar keek. Opeens trof het me: hoe ik eruitgezien moest hebben toen ik mijn strakke pak voor het eerst droeg. Ik zag het glashelder voor me. En ik zag het voor het eerst, want in mijn jonge jaren had ik mezelf altijd nogal minachtend bekeken en gedacht dat ik truttig en saai was, gewoon een teutebel uit Kentucky. Ik bleef minutenlang staan, kon mijn ogen er niet van afhouden, van dat ding in de spiegel, alsof het een verschijning uit een ander tijdperk was. Om je de waarheid te zeggen, het zag eruit als een spook, dat dat moment koos om een vraag te beantwoorden die me altijd gekweld en verbijsterd had.

Godallejezus, geen wonder dat zo veel mannen me hadden willen neuken.

Terwijl deze gedachte nog na-echode, sprong ik in mijn grote ouwe Buick. Ik was al vroeg bij het Beurscentrum, heel vroeg in feite; ik was de enige die met mijn grote ouwe auto op de parkeerplaats stond, maar na een poosje kwamen er bestelbusjes bij de laadperrons voorrijden, waar mannen in overall allerlei dingen in bruine kartonnen dozen uit begonnen te trekken. Het was iets voor zevenen. Het enige andere voertuig op de parkeerplaats was een vrachtwagen met een lichtreclame waarop de woorden 'Conejo Valley Huishoudbeurs' aan en uit flikkerden, gevolgd door een peloton marcherende uitroeptekens.

Het werd alsmaar drukker op de parkeerplaats en ik zat daar maar een beetje met vlinders in mijn buik naar alle activiteit te kijken. Eindelijk, om een uur of acht, kwam Parly opdagen, die zijn auto naast de mijne parkeerde. Hij stapte uit, ik stapte uit en er vond een uitwisseling plaats van goedemorgens. Parly had een soort pasje waarmee we toegang kregen tot het gebouw, waar werklieden bezig waren kabels te leggen, binnen- en buitenvloerbedekking vast te spijkeren en uitstalkasten in elkaar te timmeren. We liepen door de hal, langs stalletjes waar reclame gemaakt werd voor stofzuigers, vruchtenpersen, haardrogers, vloerwasapparaten, autowasapparaten, voegsluierverwijderaars, pannengrepen die je onder de kraan kon afspoelen, stereo-installaties, elektrische salademengers, houtpolijstmachines op batterijen, zelfs een snorrende schoenpoetsmachine, die zichzelf oplaadde als je hem onder een gloeilamp hield. Hoe meer ik rondkeek, hoe meer apparaten ik leek te ontdekken die enkel bestonden om de simpele reden dat mensen het geld dat eenmaal de weg naar hun zakken gevonden had, weer moesten uitgeven.

'Hier is het', zei Parly.

We stonden voor een tafel met een rood-wit geblokt tafelkleed waarop een of ander apparaat stond. Erachter, op iets wat leek op een kamerscherm uit een bordeel, hing een serie foto's: een heel stel van mij uit mijn hoogtijdagen bij Ringling, plus nog een paar van de Barnes-show, de John Robinson-show en het Mills Circus in Londen. Ze waren gegroepeerd rondom een bord dat aan het brein van de oude P.T. Barnum zelf ontsproten had kunnen zijn: De koningin der tijgers ontmoet de koningin der keukenmachines – Mabel Stark demonstreert het geheel nieuwe roestvrij stalen snijdende en hakkende Keukenwonder van Ronco.

Ik stond naar het Keukenwonder van Ronco te staren, een groot plastic geval met een snijblad ergens onderin, terwijl Parly op zoek ging naar enige assistentie. Die kwam ten slotte in de vorm van een vrouw in een groen broekpak en een kattenogenbril, die kwam aanrennen en ons buiten adem de hand schudde. Die van haar voelde wasachtig aan van de crème.

'O, hallo', zei ze. 'Ik ben zo blij dat u er bent. Ik ben Theresa Gains, productvertegenwoordiger van Ronco.'

'Ik ben Parly Bear', zei Parly, 'en dit is dé Mabel Stark.'

Dat gaf aanleiding tot een nieuwe ronde handdrukken, maar toen juffrouw Gains besefte dat ze al met ons gekwispelhand had, bloosde ze en raakte nog meer buiten adem. Inmiddels was er iemand langsgekomen die een witte plastic bak, het soort dat tafelafruimers in eettenten gebruiken, naast het Keukenwonder had neergezet. De bak zat vol tomaten, aardappels, sla, radijzen, wortelen, uien, koolrapen... zo'n beetje alle groenten die je maar kunt bedenken.

'Die zijn bedoeld voor de demonstratie', zei juffrouw Gains. 'Mijn advies is om eerst zelf vertrouwd te raken met het apparaat en wat gesneden groenten op een van de presentatiebladen te leggen die onder de tafel staan. Dan kom ik straks nog even bij u kijken.'

Ze draaide zich om en was verdwenen.

Parly en ik keek elkaar geamuseerd aan, tot Parly zei: 'Nou, je hebt gehoord wat de dame zei, Mabel. Laten we maar eens gaan snijden en hakken.'

We inspecteerden de machine. Aan de voorkant zat een aan-en-uitknop. Naast deze knop zat een grote draaischijf met de standen dik, middeldik, middel, middeldun, dun, superdun, flinterdun. Hij stond op dik en Parly zei dat hij dik prima vond als ik er geen bezwaar tegen had. Dat had ik niet, dus zette hij het ding aan.

Het zou overdreven zijn om te zeggen dat het ding begon te tjoeken, maar ik gebruik het woord toch, want het Keukenwonder trilde zo hard dat hij langzaam de tafel rond ging. Parly greep ernaar en hield hem op één plek vast, waardoor zijn wangen begonnen te lillen. 'Stop er een tomaat in, Mabel, dan zien we wel wat er gebeurt.'

Ik pakte een dikke en liet hem in een trechter van doorzichtig plastic vallen, die er als een schoorsteen bovenuit stak. Een tel later klonk er een zuigend geluid, als een afvoer die zichzelf ontstopt, en een tel daarna plopten er drie heel dikke plakken tomaat in een plasje van pulp en zaadjes op tafel.

'Nou, hij doet het in ieder geval', zei Parly. Ik legde de drie plakken op een blad, veegde de tomatenbrij weg en stelde voor een van de andere standen te proberen. Parly zette hem op dun. Ditmaal begon de machine te janken en probeerde hij over het tafelblad te huppelen in plaats van langzaam voort te sjokken. Parly hield hem met twee handen vast en ik liet er een ui in vallen. In plaats van een gepijnigd zuiggeluid hoorden we iets wat klonk als een bijl die de lucht kliefde, waarna de uienplakken met een boog die alleen als regenboogachtig omschreven kon worden, uit het Keukenwonder spoten.

'Godverdee', zei Parly. 'We kunnen hem beter op een lagere stand houden, Mabel. Straks vallen er nog gewonden door dit ding.'

Ik was het met hem eens dat dit een verstandig idee was en met Parly's hulp sneed ik een bergje groenten, allemaal dik of middeldik, die ik vervolgens in een naar mijn idee leuke accordeonvorm op het blad legde. Rond die tijd ging de beurs open en begonnen er mensen – nou ja, vrouwen en kinderen – binnen te stromen en de tafels te bekijken. Parly keek op zijn horloge en we waren het er allebei over eens dat het tijd werd dat hij opstapte; ik ben nou eenmaal nooit iemand geweest wier hand vaak moest worden vastgehouden.

Daar zo staan glimlachen was traag werk, trager in wezen dan ik voor mogelijk had gehouden. Kennelijk was het Keukenwonder niet de enige snijder en hakker op de Conejo Valley Huishoudbeurs en dus niet de publiekstrekker die iedereen gehoopt had. (Althans, dat was wat Theresa Gains me bij haar volgende bezoekje vertelde.) Maar af en toe kwam er toch iemand naar me toe om een demonstratie te vragen, waarna ik komkommer in dikke plakken sneed of een enkele keer een suikermeloen. Als de vrouw in kwestie een peuter op de arm had, gaf ik het kind een plak en zei: 'Alsjeblieft, lieverd.' Dit werd meestal gevolgd door de vraag of ik echt een circusster geweest was, waarop ik antwoordde: 'Wis en waarachtig, ik zat bij het Ringling Circus in de tijd dat dat nog wat voorstelde.' Als ze dat hoorden, knikten ze en vroegen hoeveel zo'n Keukenwonder kostte, ook al lagen er niet minder dan drie bordjes op tafel waarop stond: Verkrijgbaar voor de ongelooflijk lage introductieprijs van $ 19,99. Inclusief alle snijbladen.

Ik kwam er al snel achter dat vrouwen naar een huishoudbeurs gaan vanwege de gratis kinderopvang achterin en de hapjes waarvoor je niets hoeft te betalen. Met andere woorden, geen van hen was oud genoeg om te weten wie Mabel Stark was en als ze de naam Ringling al kenden, was het als iets vaags, niet iets om bewondering voor te hebben, zoals ik, zeg maar, de namen Copernicus of Ponce de León kende. Er gingen uren voorbij. Uren die des te pijnlijker waren omdat Alan Hale, de schipper uit *Gilligan's Island*, twee gangpaden verderop een soort tapijt stond aan te prijzen dat niet vlekte, zelfs niet als je er verf overheen goot, wat als ik het goed hoorde precies was wat hij deed. Eerst wilde ik erheen om de man te ontmoeten en hem te vertellen hoe leuk ik zijn werk vond. Ik wilde de schipper ook vragen hoe hij het ervaren had om de enige man op het eiland te zijn zonder liefdesbetrekking; Gilligan had tenslotte Mary-Anne, de professor had Ginger en meneer Howell had die bemoeizieke ouwe pruim mevrouw Howell.

Maar uiteindelijk ben ik er niet heen gegaan, want na een poosje hoorde ik dat hij heel wat publiek trok, meer nog dan Eve Plumb, de middelste dochter uit *The Brady Bunch*, die een haarontkruller aan de vrouw probeerde te brengen die je op een autoaansteker kon aansluiten. Er spoelde zo'n grote golf van jaloezie over me heen dat mijn wens om meneer Hales vlezige hand te schudden op een laag pitje kwam te staan.

Plus dat ik het warm had. Ik zat van top tot teen in het leer met een maillot en een trui eronder, weet je nog? Dat was iets te veel van het goede, aangezien ik onder lampen stond die ten doel hadden het Keukenwonder te laten glanzen. Tegen tienen begon het Keukenwonder uiteraard aan te koeken van alle tomaten- en komkommerdarmen en had ik kramp in mijn handen van het vegen.

Ik voelde dat ik boos werd en helaas ben ik altijd iemand geweest die een opkomende rotbui maar moeilijk kan onderdrukken, ook al kondigt die zich nog zo ruim van tevoren aan. Soms denk ik zelfs dat ik moeite doe om zo'n bui aan te trekken. Ik kreeg het warm en werd chagrijnig en naarmate de ochtend vorderde, wilde ik niets liever dan een blikje Hamm's en een vetarme hamburger van snackbar Annie. Tegen lunchtijd werd het drukker en door al die elkaar verdringende lijven werd het op de Conejo Valley Huishoudbeurs nog warmer. Er begonnen sterke luchtjes uit de strak zittende kraag van mijn pak te ontsnappen. Tegen enen knorde mijn maag als een gek en begon ik kwaad te worden op Parly en Theresa Gains en de makers van het ronkende Keukenwonder, die toestonden dat een oude vrouw het zo warm had en zulke zere voeten en zo'n honger had. Het was gewoon onmenselijk zoals ik behandeld werd.

En toen. Het was rond halftwee en ik had het, zoals ik al zei, warm, ik verveelde me, ik had honger en ik begon mijn leven met de tijgers te missen. Toen kwam er een vrouw langs die duidelijk net zo'n rotochtend achter de rug had als ik. Ze had wallen onder haar ogen, ze zag bleek en ze had haar handen vol aan wat ongetwijfeld de oorzaak van haar uitputting was: een kwaadaardig monster van een joch van een jaar of tweeënhalf, dat haar voortdurend om de oren sloeg en constant bleef gillen. Zijn gezicht was besmeurd met iets wat eruitzag als chocoladepudding en doordat zijn neus vrijwel non-stop liep, stroomde er een straal dwars door de pudding over zijn kin en langs zijn hals zijn peuterpakje in. Het smaakte hem kennelijk goed, want tussen het geblèr door stak hij regelmatig zijn tong uit, nam een grote haal snotpudding en trok zijn tong dan weer naar binnen. Met andere woorden, het was een kind dat op de wereld gezet was, zodat omstanders 'nou, nou' konden zeggen en opmerkingen konden maken over wat een lastpakken jongens konden zijn.

Ondertussen bleef hij gillen en zijn moeder om de oren slaan. Blijkbaar was hij al zo lang bezig dat ze haar pogingen hem tot bedaren te brengen had opgegeven, want ze bleef gewoon staan en liet zich om de oren rammen en in haar oor schreeuwen, terwijl ze de hele tijd probeerde haar haar uit haar gezicht te krijgen door haar onderlip naar voren te steken en te blazen. Ik had erger dan erg met haar te doen. Eigenlijk had ik haar het kreng het liefst uit handen genomen en hem wat manieren bijgebracht, zodat zij koffie kon gaan drinken en het probleem met haar haar oplossen. Dat medelijden verdween op slag toen ze haar mond opendeed.

'Ik wil dat rotding wel eens aan het werk zien!' gilde ze boven het geblèr uit.

'Zeker, mevrouw.'

Ik had een techniek ontwikkeld: als ik de machine aanzette, liet ik één hand er losjes op rusten alsof het de meest logische plek was om een hand te laten rusten, om het feit te maskeren dat het Keukenwonder graag aan de wandel ging als je hem aanzette. Met mijn vrije hand pakte ik een raap. Ik dacht dat dit wel indruk op haar zou maken, want rapen zijn taaie klantjes en er niet erg happig op om in stukken gesneden te worden. Ik liet hem erin vallen, hoorde het zuigende geluid en hup, daar plopten de vier raapplakken er al uit, glanzend van het sap. Eén korte seconde was ik zelfs even trots op het Keukenwonder en mijn rol als promotor. Het joch gilde en kronkelde en mepte en de vrouw staarde meewarig naar de raappartjes, alsof ik haar iets naars had aangedaan. Zonder haar blik zelfs maar van het apparaat af te wenden, vroeg ze: 'Hoeveel?'

'Hij kost negentien dollar negenennegentig.'

'Wat een afzetterij, zeg. De Snijmeester daar in de hoek kost maar zeventien negenennegentig én ik vind de kleur mooier.'

'Heeft de Snijmeester een pureerstaaf?'

'Eh, weet ik niet.'

'Kijk, dat bedoel ik. U bent duidelijk een vrouw met kinderen en, geloof me, dan komt een pureerstaaf goed van pas.'

Dit zette de vrouw aan het denken, wat ze nogal moeilijk leek te vinden, óf doordat ze van nature dom was óf doordat ze door een vijftien kilo zware peuter om de oren werd geslagen.

'Plus,' zei ik, 'hoeveel standen heeft de Snijmeester?'

'Eh, weet ik niet. Drie?'

'Drie? Drie standen? Het is uiteraard niet aan mij om u te zeggen welke keukenmachine u moet kopen, mevrouw, maar de meeste huisvrouwen vinden drie standen te minimaal voor zelfs het eenvoudigste snij- en hakwerk. Het Keukenwonder heeft er, zoals u ziet, zeven: dik, middeldik, middel, middeldun, dun, superdun en flinterdun.'

Hierbij maakte ik een wat suf gebaar en glimlachte breed. Halverwege mijn armgebaar besefte ik wat een vergissing ik zojuist begaan had.

'Lamaar zien', zei ze.

'Wat wilt u zien, mevrouw?'

'Ik wil die flinterdun-stand wel eens zien. Graham eet zijn worteltjes alleen als ze zo dun zijn dat je er dwars doorheen kan kijken. Hè, Graham?'

Bij het horen van zijn naam stopte het joch lang genoeg met blèren en zijn moeder slaan om met zijn onderarm langs zijn neus te vegen, waardoor al dat snot en die opgedroogde pudding als een diagonale streep over de onderste helft van zijn gezicht liep. Mijn maag keerde om. Nu hij even een adempauze had gehad, begon hij met hernieuwde kracht te gillen en te slaan.

'Ik vrees dat ik door de worteltjes heen ben, mevrouw.'

'Nou, aardappels dan. Die heb ik graag dun voordat ik ze bak.'

'Natuurlijk, mevrouw, één moment... o, jee, het Keukenwonder werkt het best met geschilde aardappels en nou kan ik... waar heb ik mijn schilmesje nou toch gelaten?'

Haar gezicht verstrakte. Ze greep dat kreng van haar bij beide handen, wat hem zo verraste dat hij zijn kop hield. Toen keek ze me voor het eerst sinds ze aan de tafel was verschenen recht aan.

'Zeg,' zei ze, 'sta je me om een bepaalde reden af te zeiken of ben je altijd zo?'

Ik zette het Keukenwonder op flinterdun, zette hem aan, hield hem vast, stak er een ongeschilde aardappel zo groot als een voetbal in en richtte. Ik raakte het kleine ettertje pal op zijn oog. Ik geloof zelfs dat hij zijn ooglid niet op tijd dicht had, want zijn oog werd roze en vochtig en hij begon zo hard te schreeuwen dat zijn eerdere geblèr daarbij vergeleken in het niet viel. De vrouw ging finaal door het lint en gilde vanachter een gordijn van vettig haar: 'Wat heb je gedaan?'

'Dat kreng van je een lesje geleerd, ellendig stuk vreten', antwoordde ik en vanaf dat punt ging het met onze verkoper-klantverhouding snel bergafwaarts. Er volgde een rel en uiteindelijk stond er een hele menigte rond het geheel nieuwe roestvrij stalen snijdende en hakkende Ronco Keukenwonder, maar om andere redenen dan die waar de mensen van Ronco wellicht op gehoopt hadden. Mijn dag eindigde ermee dat ik een giftige Theresa Gains vertelde wat ze voor mijn part met haar waardeloze keukenmachine mocht doen. Daarna stormde ik naar buiten met een gevoel dat helemaal overeenstemde met wat ik was: een nutteloze oude vrouw, gekleed in een gek kostuum dat vijftig jaar te jong voor haar was.

Het weer was zoals altijd in maart in midden-Californië: warm en prachtig. Ik dwong mezelf me te concentreren op de zon, die mijn gezicht warmde, en op de frisheid van de bries die over de parkeerplaats waaide en die zo kenmerkend is voor de kust. Tegelijkertijd dwong ik mezelf te denken wat een geluk ik had dat ik ergens woonde waar het niet negen maanden per jaar ijskoud was. Daarna dwong ik mezelf in aanmerking te nemen hoe gezond ik was, dat ik een huis had, een grote ouwe auto, mijn herinneringen aan de tijd waarin ik zo vaak kriskras door dit grote prachtige land dat Amerika heet, ben getrokken dat ik het net zo goed ken als anderen hun badkamer kennen.

Ik moest wel.

Het grootste deel van de daaropvolgende week bleef ik op mijn rug liggen. Ik stond alleen op om te plassen, af en toe een Hamm's te drinken en mijn slaaptabletten in te nemen. Als de telefoon ging, liet ik hem rinkelen en als er iemand aan de deur kwam, liet ik ze hun knokkels rauw kloppen. Ik verhuisde zelfs de zwartwit-tv naar de slaapkamer, zodat ik *Gilligan* of het nieuws aan kon zetten als ik daar zin in had. Meestal had ik er geen zin in.

Ten slotte werd ik op een middag wakker en voelde ik me in plaats van lusteloos en duf barsten van energie. Wraakzuchtig, zou je bijna kunnen zeggen. Nu kon ik twee dingen doen. Ten eerste, opstaan en een laatste poging doen, desnoods een wanhoopspoging, om mijn katten terug te krijgen. Ten tweede, me omdraaien en geduldig wachten op de volgende zenuwinzinking. Beide hadden voor- en nadelen, maar nadat ik een paar minuten naar het plafond had liggen staren, vond ik dat ik beter de eerste optie kon nemen, want als ik nog veel langer bleef liggen, zouden mijn spieren het begeven en zou alles wat ook maar een greintje kracht vergde definitief van de baan zijn.

Dus koos ik de aanval. Ik wierp de dekens van me af en sprong op het kleed. Het voelde goed om me weer te bewegen, dus slaakte ik er ook een kreetje bij. Toen trok ik kleren aan die bij een vrouw van mijn leeftijd pasten en sprong in de ouwe Buick. Ik scheurde de Ventura Freeway op, waar ik voor het eerst van mijn leven de middelste in plaats van de rechterstrook nam, en dacht ondertussen de hele tijd: je moet het ijzer smeden als het heet is. Plus dat ik meende dat harder rijden dan anders me zou afleiden van het feit dat ik geen plan had, althans geen vastomlijnd plan.

Wat ik wel had, was de mogelijkheid om verschillende wegen te bewandelen. De eerste was Jeb en Ida's kantoor binnenstormen en eisen dat ze me mijn tijgers teruggaven. Ik kan nauwelijks uitleggen waarom ik dacht dat dat zou werken, maar het heeft in ieder geval te maken met het feit dat ik vroeger zo bewierookt werd. Een andere was Jeb apart te spreken zien te krijgen en ronduit te bedelen, wat waarschijnlijk evenmin zou werken en als bijkomend nadeel had dat het vernederend was. Mijn andere idee lag ergens in het midden. Ik zou Jeb of Ray Labbat gaan zoeken en zeggen: Oké, jullie hebben gewonnen. Neem me nu maar weer aan, dan teken ik een wettig contract en mag je alle verhogingen van de verzekeringspremies rechtstreeks van mijn salaris aftrekken. Dan ben ik tevreden, dan zijn die lui uit Omaha tevreden en kunnen jullie in je advertenties blijven beweren dat jullie de oudste dompteuse ter wereld in dienst hebben; twee voorstellingen per dag.

Toch dwong ik mezelf geen beslissingen te nemen toen ik over de snelweg raasde met de kilometerteller aan de onzinnige kant van negentig.

Als je een piste in stapt vol dieren die door het weer of doordat ze smerig hooi hebben chagrijnig zijn, kun je je soms beter door je intuïtie laten leiden. Als ik al een vastomlijnd plan had, was het om uit te gaan van het hier en nu en te zien hoe ver ik met vastberadenheid en overlevingstalent zou komen.

Dus reed ik de parkeerplaats van Jungleland op en werd al direct kwaad toen ik zag dat er een andere auto op mijn favoriete plek onder de grote eikenboom stond. In plaats van mezelf te kalmeren, liet ik mezelf goed pissig worden, want díé auto op díé plek was onderdeel van het hier en nu, en als het feit dat ik zo nijdig was als een das daar ook deel van uitmaakte, dan was dat maar zo. Dus gaf ik een mep op het stuur, toeterde langdurig en hing vloekend uit het raam. Toen dat niks opleverde, alleen een schorre keel, parkeerde ik op het grasveld dat op drukke dagen gebruikt werd. Ik liep het hele veld over en toen ik bij de ingang kwam, zette Wanda, de kaartjesverkoopster, grote ogen op en informeerde nieuwsgierig naar de details van mijn leven sinds mijn pensionering.

'Mabel!' zei ze. 'Hoe is het?'

Hoewel Wanda een fatsoenlijk mens was met problemen die mededogen verdienden – haar zoon zat in de gevangenis en haar man was het afgelopen jaar kromgetrokken van de jicht – liet ik mijn kin zakken en stak mijn hand op alsof ik wilde zeggen: Sorry, Wanda, nu even niet. Toen liep ik verder, opgelucht dat ze me niet gevraagd had entree te betalen.

Ik bleef even op het centrale plein staan om me te oriënteren en voelde me zoals je je voelt als je terugkomt op een plek waar je ooit thuishoorde, namelijk opgelaten. Wat niet wil zeggen dat er geen mensen waren die naar me toe kwamen en vroegen hoe het was. Die waren er wel, alleen, ík voelde me zo stom dat ik daar was zonder dat ik werk te doen had, daarom gebruikte ik lichaamstaal om duidelijk te maken dat ik het te druk had voor een praatje, maar dat ik later langs zou komen om fatsoenlijk gedag te zeggen.

Ik wilde bovenal goed onder stoom blijven. Hoewel ik er nog steeds geen idee van had wát ik zou doen als ik mijn oude bazen eindelijk opgespoord had, was er een zeer goede kans dat de toon waarop ik dat zou doen zo scherp was als de tand van een hooivork. Ik stormde langs de behendigheidsspelen, de kermisattracties en Annies hamburgerkeet. Duiven koerden en fladderden in mijn gezicht. (Hoe haalden ze het in hun hoofd om

te zeggen dat ik te oud was?) Ik sloeg de hoek om naar de overloop die naar
de menagerie leidde. En bleef abrupt staan. Het was alsof een of andere
woedende god met grote longen me met een enkele diepe inademing de
wind uit de zeilen had genomen.

Henry Tyndall, wankelig als altijd, leidde Daisy de dromedaris naar de
showpiste. Hij liep zo langzaam dat het eerder leek alsof die stomme kameel hém leidde.

Enfin. Mijn hart bonkte, mijn ogen begonnen te tranen, mijn maag begon te fladderen en ik kreeg plotseling last van zwakte in die spieren die
bepalen of je wel of niet naar de wc moet. Dat ik Tyndall zou tegenkomen,
was iets wat ik in geen miljoen jaar verwacht had. In plaats van te reageren
op het hier en nu en mijn intuïtie te volgen en alle dingen te doen die ik
me had voorgesteld, stond ik stil en dacht: waarom? Waarom ik?

Aangezien er geen verbijsterender vraag is dan die, besefte ik dat mijn
eerste prioriteit was te zorgen dat die vraag niet meer in mijn hoofd rond-
stuiterde. Met andere woorden, ik zette mijn benen in beweging voordat
ik wist waarheen ik ze in beweging zette. Ondertussen trad ik uit mijn lichaam en stelde me voor hoe ik eruit moest zien in mijn poging om te rennen: armen gebogen en gespannen, vingers gespreid, hoofd naar voren
als een schildpad, gespalkte benen, bewegend vanuit de heupen, een stijf-
heid die veroorzaakt werd door de angst iets te breken. Een gezichtsuitdrukking die streefde naar waardigheid, maar daar niet helemaal in
slaagde. Ik geloof niet dat ik ooit eerder zo kwaad op mezelf geweest ben
om het feit dat ik zo oud geworden was.

Ik was al een paar stappen op weg toen het tot me doordrong dat ik
richting apenhuis liep. Ik liep verder. De apen waren die dag binnen, dus
toen ik de deur opentrok, sloeg me een ranzige walm tegemoet. Ik vocht
me door een groep schoolkinderen heen, die allemaal naar de oppergorilla
stonden te wijzen, die niets liever deed dan in zijn handen braken en het
braaksel meteen weer opslurpen, wat hij op dat moment ook deed. Er
was een strook daglicht tussen de gorilla's en de orang-oetans, bij welke
laatste zich ook een groep had verzameld, omdat Gerald de orang-oetan-
papa een show gaf door met zijn wijsvinger zijn geslachtsdelen te laten
ronddraaien en er pervers bij te grijnzen.

Tegen de tijd dat ik bij de chimpansees kwam, zweette ik als een lam op
slachtdag. Eén tel bleef ik met neergeslagen ogen staan. Ik durfde niet te

kijken. Durfde zelfs mijn hoofd niet op te tillen; ik liet alleen mijn oogballen een beetje naar boven draaien en voelde hoe mijn keel werd dichtge-
snoerd. Ja hoor, het oude indiaanse opperhoofd was er nog, hij stond diep
voorovergebogen keutels te vegen, zijn gezicht was een lappendeken van
honderden rode hoekjes, gaatjes en kloofjes.

Hij moest op zijn minst negentig zijn.

Ik boog mijn hoofd en liep snel het apenhuis uit en als iemand riep: 'Hé,
Mabel, hoe is het?' negeerde ik hem en liep door. Trillerig van spijt was
ik en dat is een bitter gevoel: zelfs de domste olifantenoppasser van achttien was slim genoeg om aardig te zijn tegen de baas. Om eerlijk te zijn,
had ik een te grote broek aangetrokken. Alles wat ik op mijn bordje had
gekregen, had ik verdiend, en dan heb ik het over meer dan alleen mijn
ontslag bij Jungleland.

Tegen de tijd dat ik bij Snackbar Annie kwam, was ik bleek, trillerig en
bezweet.

'Jezus christus, Mabel', zei Annie. 'Je ziet eruit alsof je een geestverschij-
ning gezien hebt.'

'Hamm's.'

Ze gaf me er een en ik trok het lipje eraf en dronk hem in één teug leeg,
terwijl zij me gadesloeg. Ik zette hem met een klap op het tafelblad, waardoor een paar vliegen, die zich rond de gemorste ketchup verdrongen,
zich rot schrokken.

'Nog een', zei ik en ik herhaalde het proces. Tegen de tijd dat ik Hamm's
nummer twee op had, was ik licht in het hoofd en wankel op de benen,
want twee biertjes zo snel achter elkaar is heel wat voor een oude vrouw
wier gewicht en leeftijd dichter bij elkaar lagen dan ze ooit zou willen toegeven.

'Dankjewel', zei ik. Daarna strompelde ik ervandoor, terug naar de ingang, en toen Wanda de kaartjesverkoopster 'Leuk dat je even langskwam,
Mabel' zei, stak ik een lubberende onderarm op zonder haar aan te kijken.

Ik stapte in mijn grote ouwe Buick. Reed achteruit en zorgde ervoor
dat ik de koplamp raakte van de auto die zo brutaal was geweest om mijn
plekje onder de eikenboom in te pikken. En toen deed ik iets, iets waarover ik een van de kooihulpen ooit had horen opscheppen, om mijn defi-
nitieve vertrek een dramatische draai te geven: ik drukte met mijn linker-

voet het grote brede rempedaal diep in, terwijl ik met mijn rechtervoet flink gas gaf.

Mijn Buick heeft een tamelijk zware motor, snap je, met een cilinderinhoud van zeven liter om precies te zijn, en hoewel dat mij niet zo heel veel zegt, is me verteld dat dat een aanzienlijke dot energie onder de motorkap is. De motor brulde als een leeuw die wil vechten. Ik liet mijn linkervoet zijwaarts van de rem afglijden, waardoor het pedaal met een 'plok' omhoogsprong. De banden draaiden als een gek in de rondte, maar de voorkant van de auto bleef op zijn plek, terwijl de achterkant met een zijwaartse boog wegsprong. Ik knalde vol op een grote ouwe houten stationwagen die naast de auto die op mijn plek stond, geparkeerd was. Ik hoorde het geluid van brekend glas, verkreukelend metaal en piepende banden. De lucht zag zwart van de rook. De stank van rubber was niet om te harden. Langzaam reed ik de parkeerplaats af.

Een minuut later hoorde ik sirenes. Het duurde een volle minuut voordat ik me realiseerde dat ze ondergetekende moesten hebben. Dus nam ik een afrit en stopte in een zijstraat.

Uit de patrouillewagen stapte een lange slanke smeris. Ik wist meteen dat ik me hier niet met een paar centen uit zou kunnen redden, aangezien de mageren, raar maar waar, zelden corrupt zijn. Ik smachtte naar de tijd dat smerissen amper betaald kregen en een extraatje op zijn tijd wisten te waarderen.

Hij stond al naast me toen ik het raampje naar beneden draaide. En net toen ik hem om de oren wilde slaan met het gangbare: 'Is er iets aan de hand, agent?' ging hij al door met: 'Wilt u even uitstappen, mevrouw?'

We waren in een zwarte buurt. Terwijl hij mijn valse rijbewijs bekeek, waar een foto op stond van mij uit 1952, keek ik even om me heen. Achter me was een kleine winkelgalerij met vier of vijf etalages, waarvan er drie met kranten dichtgeplakt waren. De enige winkels die nog open waren, waren een slijterij, met in flikkerend neonblauw het woord Michelob, en een creoolse snackbar nota bene. Wat een creoolse snackbar op drieduizend kilometer afstand van de bayou deed, was natuurlijk de vraag, maar ik kan je vertellen dat ik op het moment dat ik hem zag al zowat een week niet gegeten had en een moord kon doen voor een warm bordje *étoufée*. Godverdomme, wat vrolijkte het circus altijd op als we de grens met Louisiana overstaken en, geloof me, dat kwam niet door de luchtvochtigheid of de krokodillen of de Franse hoeren of die rare trekzakmuziek die ze daar hadden. Nee, dat kwam door het eten.

Net toen ik de agent wilde vragen of hij me een minuutje respijt kon geven, vroeg hij me op één been te gaan staan, mijn ogen dicht te doen en twee vingers naar de punt van mijn neus te brengen.

Ik moest bijna lachen.

'Je kunt me net zo goed vragen met mijn vleugels te klapperen en op te stijgen, jongeman. Je hebt met een oude dame te maken en oude dames hebben al moeite genoeg om op twéé benen te blijven staan.'

Dat moest hij even verstouwen. Ik zag zelfs een vleugje mededogen over zijn gezicht trekken, wat me deed denken dat hij het niet lang zou maken als agent.

'Oké,' zei hij, 'tel achteruit vanaf honderd door steeds zeven af te trekken.'

En weer moest ik lachen, want deze test was zo oud als de weg naar Rome. In de tijd dat de Ringlings privé-detectives inhuurden om te helpen de zwendelpraktijken een beetje in te dammen, waren er een paar maanden waarin John Ringlings vrouw Mabel had besloten dat ze ook de alcohol wilde uitbannen. Daar moesten we toen allemaal erg om grinniken, want Mabel Ringling had een man die de hele dag jenever dronk en nooit naar bed ging voordat hij twaalf flessen Duits bier in zijn mik had. Maar goed, dat was misschien juist de reden dat ze wilde dat het circus zou matigen: dat ze bang was dat haar man zich dood zou drinken, wat hij uiteindelijk ook deed. Ondertussen stond zij op vrije avonden te posten bij de trein van de werklui om degenen die terugkwamen van de blauwe wagon te bespringen en hen te vragen achteruit te tellen vanaf honderd door telkens zeven af te trekken. Wat hartstikke oneerlijk was, aangezien de gemiddelde arbeider de lagere school niet eens had afgemaakt en het zelfs nuchter niet had gekund. Ze begonnen te blozen en in gedachten te rekenen en konden van de zenuwen meestal geen woord meer uitbrengen. Dan legde Mabel hen een boete van vijftig cent op, een bedrag dat de kantoorklerken niet eens inden, omdat zij het tenslotte zelf waren die het bier verkochten.

Hoewel ik zelf de test nooit had hoeven doen, was ik wel zo slim geweest om te oefenen. Het was niet moeilijk als je het eenmaal door had, dus toen die agent erom vroeg, wist ik dat ik hem tuk had, aangezien mijn scherpe geest zo ongeveer nog het enige was waar ik trots op was.

Ik begon.

'Honderd,' zei ik, waarna ik puur op geheugen de volgende stap maakte, 'drieënnegentig,' en de volgende, 'zesentachtig.'

En toen gebeurde er iets verontrustends. Ik kon me niet herinneren wat het volgende getal was, al maakte ik me daar nog niet al te druk om, want het was tenslotte meer dan veertig jaar geleden dat ik Mabel Ringlings nuchterheidstest had geoefend. Geen probleem, zei ik bij mezelf. Ik zou het gewoon uitrekenen. Het probleem was dat ik op dat punt het getal vergeten bleek te zijn dat ik net genoemd had, dus moest ik weer opnieuw beginnen en de telling in gedachten herhalen. Honderd... drieënnegentig... o, ja... zesentachtig. Toen ik eenmaal die zesentachtig weer terug had, moest ik er zeven aftrekken, maar het getal zomaar uit de lucht grijpen, vond ik net zoiets als worteltrekken. In plaats van pal op het getal te landen, zoals ik jaren geleden gedaan zou hebben, moest ik achteruit tellen vanaf zesentachtig, waarbij ik me de hele tijd dat mijn lippen bewogen, dood schaamde.

'Negenenzeventig?' zei ik zwakjes.

Aan de hoopvolle uitdrukking op het gezicht van de jongeman kon je zien dat hij voor me duimde. Ik denk dat hij dacht dat ouderdom zo eng niet was als zo'n oud mens als ik deze test kon doen. Zijn ogen gingen wat verder open en zijn lippen gingen vaneen. Heel even dacht ik zelfs dat hij het volgende getal zou prevelen. Dat deed hij natuurlijk niet en doordat ik op dat moment vergeten was wat ik net gezegd had, moest ik in gedachten weer opnieuw beginnen; weer haperde ik bij zesentachtig, telde af naar negenenzeventig en raakte ergens midden in de zeventig de tel kwijt. En omdat ondertussen mijn maag knorde, mijn hoofd zeer deed en ik de zon in mijn gezicht had, besloot ik er maar een slag naar te slaan.

'Vierenzeventig?' kraste ik. Mijn tong leek me ook al in de steek te laten.

De jonge agent kreeg meteen een schuldbewuste zondaarsblik. Alsof híj degene was die een paar auto's had geramd op de parkeerplaats van Jungleland.

'Mevrouw', zei hij zachtjes, terwijl hij twee vingers op mijn in een trui gestoken elleboog legde.

Zo leidde hij me naar zijn politiewagen. Hij opende het voorportier en ik stapte in. Toen hij me thuis had gebracht, zei hij dat hij geen proces-verbaal zou opmaken, maar dat ik niet meer mocht rijden; om dat te benadrukken nam hij mijn oude vervalste rijbewijs in beslag en liet het in een binnenzak glijden (waar ik me niet erg druk om kon maken, omdat ik er nog vier of vijf ergens in een keukenla had liggen). Nadat ik hem ervan verzekerd had dat er iemand was die voor me zorgde, gaf hij me een knikje en reed weg. Ik ging mijn huis binnen en kreeg ter plekke een hekel aan de kleur groen, de tuin, het keukentje, het eigene ervan. Geloof me, een mens kon er niet beroerder aan toe zijn dan ik op dat moment. Ik wist dat ik niet alleen kon zijn. Ik voelde praktisch hoe mijn herinneringen me vanaf de muren aanstaarden en me bij de strot probeerden te grijpen en realiseerde me verbaasd dat er maar één persoon op de hele wereld was die ik wilde zien. Ik greep de telefoon en belde het roofdierenhuis van Jungleland. Toen ik verbinding had, vroeg ik naar die kleine baaninpikker uit Oklahoma, Roger Haynes.

'Mabel', zei hij. 'Hoe is het in 's hemelsnaam met je?'

Ik liet een pauze vallen.

'Kun je hierheen komen, Roger? Alsjeblieft.'

Hij kwam vlak na etenstijd. Ik deed niet open, aangezien ik hem boven de schetterende tv en twee radio's uit niet kon horen. Gelukkig was hij slim genoeg om gewoon door te lopen, zodat hij me op de bank in de woonkamer aantrof.

'Jezus.'

Het eerste wat hij deed, was prompt alle herrie uitzetten, daarna draafde hij naar de keuken om een glas water voor me te pakken en een stuk kaas. Ik duwde het weg, maar hij drong aan en omdat hij mijn gast was, liet ik me ten slotte overhalen iets naar binnen te werken.

Het eerste wat ik tegen hem zei, was: 'O, Roger, waarom heb je me verdomme niet verteld dat Chief en Tyndall nog steeds in dienst zijn?'

'Dat durfde ik niet, juffrouw Stark.'

'Godverdomme, Roger. Ik voel me zo'n idioot.'

'Plus dat ik dacht dat Parly dat zou doen.'

'Tja, misschien had hij dat moeten doen.'

Daarna werd het lastig communiceren. Rogers blik was vooral op het kleed gericht en hij bleef zijn trouwring ronddraaien, iets wat hij vaak deed als hij nerveus was. En aan mij had hij natuurlijk ook niks, wat raar was, want een paar uur geleden meende ik nog dat hij de enige was die me ervan kon weerhouden iets wanhopigs te doen. Misschien was het mijn laatste greintje waardigheid dat zich liet gelden.

Rogers gezicht lichtte op en zijn mondhoeken kropen omhoog. 'Juffrouw Stark, ik vroeg me af of ik u iets zou mogen laten zien.'

'Ligt eraan wat het is.'

'U zult uw nieuwsgierigheid even moeten beteugelen.'

Ik stelde hem nog een paar vragen over de aard van de verrassing. Roger beantwoordde er niet een; in plaats daarvan kwam hij overeind, bleef zijn hoofd schudden en zeggen: 'Nee, nee, nee, juffrouw Stark. U zult me gewoon moeten vertrouwen. We moeten opschieten, anders missen we het.'

Als ik iemand als Roger niet kon vertrouwen, dacht ik toen, had vertrouwen sowieso weinig zin. Punt uit. Overeind komen was moeilijk vanwege alle Hamm's die ik naar binnen had gegoten, maar toen ik eenmaal stond, liet ik Roger me meevoeren naar buiten, naar zijn auto. Dat deed hij natuurlijk door mijn elleboog met twee vingers te ondersteunen, net als de politieagent.

We stapten in en namen Highway 5 naar het noordoosten. Roger reed harder dan was toegestaan, wat ik normaal gesproken niet zou hebben goedgevonden. Na ongeveer een halfuur kwamen de uitlopers van de Tehachapis in zicht, die ik goed kende, omdat ik er ieder jaar overheen was getrokken toen ik nog bij Circus Barnes zat. We reden nog een stuk verder zonder dat een van ons iets zei. Toen sloeg Roger rechtsaf een kleiner weggetje in, een grinderig weggetje zonder markeringen, het soort dat boeren gebruiken. Al kon je goed zien dat dit niet meer in gebruik was, omdat het deel tussen de wielsporen vol onkruid en planten stond. Het land was waarschijnlijk opgekocht door projectontwikkelaars die bereid waren het braak te laten liggen tot de prijzen omhooggingen.

'Roger, waar gaan we heen?' vroeg ik.

In plaats van antwoord te geven, keek hij op zijn horloge en zei: 'Ah, mooi, juffrouw Stark, we zijn precies op tijd.' Het was schemerig, de schaduwen waren langgerekt.

We reden verder het pad op, dat tegen een ellipsvormige heuvel op liep. Ik deed net of ik de pest in had en zei: 'Jezus christus, Roger, zo meteen loopt er een wiel vast', al deed ik dat vooral om te maskeren dat mijn nieuwsgierigheid geprikkeld was, erg geprikkeld.

Roger stopte op het punt waar het landweggetje overging in een voetpad. We stonden voor een kloof tussen twee heuvels, waardoorheen het pad omhoog leek te lopen. Ik tuurde omhoog, kneep uit effectbejag mijn ogen tot spleetjes en zei: 'Je denkt toch niet dat ik daar als een berggeit tegenop ga klauteren, hè? Ik heb een lange dag achter de rug.'

Gelukkig had hij inmiddels door dat ik enkel uit gewoonte dwars lag. Hij grinnikte en liep om de auto heen om me te helpen met uitstappen. Deze keer schudde ik hem af toen hij mijn elleboog pakte en zei: 'Grote griebels, dat kan ik zelf wel, hoor.'

En zo liepen we achter elkaar het pad op, Roger voorop. Zoals ik al dacht, spleet het pad de heuvel als het ware in tweeën, maar in plaats van aan de andere kant terug omlaag te buigen, hield het boven op. Roger verzocht me plaats te nemen op een paar rotsblokken, vanwaar we uitkeken over een dal.

'Roger...'

'Sssssst, juffrouw Stark, het is bijna zover.'

Roger wees en ik realiseerde me dat hij naar de zon wees, die op het punt stond achter de bergen aan de overkant van het dal weg te zinken. Zodra dat gebeurde, begon hij van kleur te veranderen, waardoor het dal zich vulde met een fel gouden licht.

Toen gebeurde het. Mijn geestesoog en dat dal smolten samen en ik zag dingen, ik zag allerlei dingen zweven en schitteren. Zoals Radja's gezicht. Zoals Al G. Barnes' ondeugende grijns. Zoals een staand publiek onder fel licht.

Zoals... Art.

Na pakweg een minuut, toen het goud afgezwakt was tot roestig koper, draaide Roger zich om en zei: 'Dat was het.'

'Dat was me wat, Roger.'

'Ik ben blij dat u het mooi vond. Zullen we maar gaan dan?'

'Ja, laten we maar gaan.'

We verlieten de richel en omdat het al een beetje donker werd, schudde ik Roger niet af toen hij mijn elleboog pakte. We stapten in de auto en Roger reed terug naar mijn huis in Thousand Oaks in een tempo dat rust moest brengen. Ik bleef uit het raam kijken naar de lichten van de stad in de verte.

'Roger?'

'Ja, juffrouw Stark?'

'Vraag je je wel eens af waarom dingen gebeuren?'

'Hoe bedoelt u?'

'Waarom dingen gebeuren en wie of wat erachter zit? God, denk je? Of is het allemaal maar toeval. Wat denk jij, Roger? Als het God is die aan de touwtjes trekt, kan ik ermee leven, maar stom toeval...? Ik weet niet of ik daar zo blij mee ben.'

Hij keek me aan, zijn mond hing een klein beetje open en de rest was wit als een heilbot. 'Ik weet niet wat u bedoelt, juffrouw Stark.'

Ik liet de zaak rusten, want hij was nog jong en het leek me verkeerd hem lastig te vallen met de zorgen van een oud mens. Toch viel niet te ontkennen dat ik zin had om te kletsen.

'Zeg eens, Roger.'

'Wat?'

'Je hebt toch een baby thuis?'

'Ja, juffrouw Stark.'

'Waarom werk je dan zo hard? Als ik kleintjes had, zou ik ze belangrijker vinden dan tijgers, geloof me.'

Hij zei niets en het gaf me een rotgevoel dat ik hem zo op de huid zat.

Om het goed te maken, zei ik: 'Roger?'

'Ja, juffrouw Stark?'

'Die zonsondergang. Die heeft geholpen. Echt.'

'Kleine moeite.'

'Nou ja, dan weet je het maar.'

'Graag gedaan, juffrouw Stark.'

'Daardoor staat mijn kop weer recht op mijn romp. Ik sta bij je in het krijt, Roger. Misschien brei ik wel een trui voor dat kotertje van je. Ik durf te wedden dat het een schatje is. Waarom heb je haar nooit eens meegebracht?'

'Ik dacht niet dat u geïnteresseerd zou zijn, juffrouw Stark.'

'Zeker wel.'

Er viel een stilte.

'Nou ja, dan weet je het maar, Roger. Ik voel me een stuk beter.'

'Daar ben ik blij om.'

'Nee, echt. Ik voel me als nieuw.'

Dit ging maar door; ik bedankte de jongen zonder hem te vertellen wat ik precies besloten had toen ik naar die zonsondergang keek. Het voelde goed om eindelijk een plan te hebben, een plan waarvan ik absoluut zeker wist dat ik het zou kunnen uitvoeren. Want eerlijk gezegd lijken grote besluiten als je iets verhevens aanschouwt, zo klein dat het bijna geen besluiten meer zijn.

12

De nieuwe menageriebaas

Hij was: gekleed in een tuinbroek, waar werkschoenen met stalen neuzen onder vandaan staken, en een dik katoenen werkoverhemd, waarvan de mouwen waren opgerold tot de ellebogen. Een jaar of vijftig, met een dikke grijsgevlekte snor, neigend naar walrus, maar niet helemaal. Rode wangen, overdekt met gesprongen adertjes, als kaneelkleurig spinrag. Linkerbeen een beetje mank, de binnenkant van zijn linkerschoen afgesleten, zodat hij toen hij naar me toe liep een vegend geluid over de grond maakte (zo duidelijk dat ik me dat vegende geluid zelfs nu, een eeuwigheid later, nog herinner en het zo echt lijkt dat ik moeite moet doen om niet over mijn schouder te kijken voor het onwaarschijnlijke geval dat zijn geest besloten heeft te verschijnen). Kromme rug, misschien van de zorgen, misschien door jaren van zwaar tillen, de armen licht gebogen en meezwaaiend bij iedere stap. Steevast een sigaret in zijn mondhoek, zodat hij op zijn natuurlijke inademing een constante stroom rook inhaleerde. Op zijn onderarm een tatoeage van een anker met een touw, verbleekt tot de kleur van kelp.

Hij was maar een centimeter of tien langer dan ik, maar zag eruit alsof hij niet makkelijk van zijn sokkel te slaan was. Zijn haar was dik en enigszins rossig en viel met een abrupte slag naar links, wat me deed denken dat hij het gladstreek door de vingers van zijn rechterhand als kam te gebruiken. Zijn ogen waren licht blauwgrijs, een net iets lichtere tint dan het ei van een roodborstje, en zijn huid leek ruim de normale portie zon gehad te hebben: diepbruin en rimpelig, maar met zo veel rood erin dat ik me wel moest afvragen of hij niet een beetje indiaans bloed had. Zijn armen leken wel van kraakbeen en waren kriskras bedekt met bindweefsel. Plus dat ze vreemd van vorm waren: smal bij de pols, als een vrouwenarm, maar breed uitlopend naar de elleboog, als een paardenschenkel, wat een praktisch vaasvormig effect gaf. Zijn rug hield hij zo stijf als een plank, wat nogal misplaatst leek bij zijn rare hikkende loop. Zijn benen en achterwerk waren mager, zijn broek slobberde om zijn lijf en zat onder het vuil, dat een dierenbaas voor negen uur 's ochtends nou eenmaal oppikt. Maar wat het meest aan hem opviel, waren zijn vingers: droog en stomp en vol putjes en littekentjes, met nagels die gelakt waren in een tint die onder een zomerse hemel niet misstaan zou hebben.

Hij hield stil voor de kooi van een tweejarige leeuwin uit de menagerie, Betty. Het was de afgelopen paar dagen stormachtig weer geweest met brokkelige donkere luchten. Zoals altijd had de verandering van atmosfeer invloed op sommige dieren en de menagerie vulde zich met het geluid van wijfjes, die met luid hartverscheurend gebrul hun aanwezigheid kenbaar maakten. Zo ook Betty. Een dag of twee daarvoor was ze loops geworden, en niet zo'n beetje ook, wat geen probleem zou hoeven zijn als het geen opschudding veroorzaakte bij de mannetjes: de scherpte van de urine die ze sproeide en de grotendeels roze en gezwollen conditie van haar geslachtsdelen brachten hen op ideeën die botsten met hun bestaan in een kooi. Het gevaar was natuurlijk dat ze zich zouden bezeren als ze zich door de tralies heen probeerden te wringen.

'Goeiedag, Betty', zei hij met een stem die zwaarder was dan ik verwachtte van een man met gelakte nagels. 'Je bent de laatste tijd wat rumoerig, hoor ik. Maak je maar geen zorgen, liefje. Het komt door het weer. Niet door jou. Pssssst psssst pssssst...'

Betty spitste haar oren en keek hem aan. Toen gromde ze zachtjes, een teken dat ze niet van plan was om meteen achter uit haar kooi vandaan te komen, waar ze de afgelopen twee dagen grotendeels had doorgebracht met langs de grond wrijven en agressief kijken. Haar hele onderkant was aangekoekt met stro.

Ondertussen koerde hij: 'Het overkomt de beste, liefje. Niets om je voor te schamen, hoor. Als je nou eens deze kant op wil komen, dan kan ome Art je nood misschien een beetje lenigen...'

Hij stak zijn rechter onderarm door de tralies, met het anker naar boven.

'Hier, schatje,' zei hij, 'kom eens bij ome Art. Kom maar, meisje. Zo is ze braaf. Psssst psssst psssst. Wees maar niet bang...'

Betty bleef naar hem kijken alsof hij een idioot was, terwijl Art de hele tijd met glinsterende ogen pssst-psssst-psssst-geluiden bleef maken. Ten slotte lukte het. Betty tilde de voorste helft van haar lijf van de grond en daarna de achterste helft tot ze helemaal stond. Terwijl ze naar de voorkant van de kooi slenterde, drupte het slijm uit haar achterlijf.

Bij de tralies gekomen, snuffelde ze aan Arts onderarm, iets waar mijn hart van ging brommen: hoewel ze een braaf beest was, was wat Art deed ronduit roekeloos.

Maar toch.

Betty besnuffelde hem met smaak, alsof zijn tatoeage een rustgevende geur verspreidde, wat opmerkelijk was, omdat alle kalmte die ze ooit had bezeten met de weersverandering bijna geheel was verdwenen. Art liet haar begaan en prevelde aanmoedigingen als: 'Goed zo, Betty', en: 'Snuif het maar eens goed diep op, liefje.' Na een minuut snuffelen leek ze tevreden, want ze draaide zich om, tilde haar staart op en liet hem zijn onderarm in de druipende roze gleuf duwen die haar schaamspleet was.

'Zo, ja', zei Art. 'Ga daar nou maar eens lekker lang op zitten.'

Betty's ogen gingen dicht en ze begon zich langzaam en doelgericht langs zijn onderarm te wrijven. Na een minuut of zo stopte ze en wiebelde een beetje heen en weer met haar lijf, een beweging waarmee ze Arts vaasvormige arm nog wat verder in haar schaamspleet opnam, tot zijn arm zo ver in haar verdween dat het leek of hij alleen een elleboog en een vuist had met niets ertussen. Ze gromde zachtjes, likte haar lippen en kreeg een grote leeuwengrijns op haar gezicht. Toen hervatte ze haar langzame zagende beweging over zijn arm. Na een paar tellen verhoogde ze het tempo een beetje en na weer een paar tellen verhoogde ze het tempo zodanig dat het ronduit wulps was. Haar kin wees naar het plafond en haar staart eveneens. Haar ogen waren stijf gesloten en haar voorpoten stonden strak als tentpalen. Ondertussen ragde ze heen en weer – ik heb er geen ander woord voor – en ramde ze haar lijf tegen Arts onderarm, waardoor hij hoogstwaarschijnlijk een pittige schaafwond opliep, want de inwendige plooien van een vrouwelijk roofdier zijn leerachtig en ruw, hoe vochtig ze ook zijn. Ondertussen stond Betty te grommen, te janken, te sissen en te schreeuwen en maakte ze in het algemeen een kabaal alsof ze vermoord werd. Na ongeveer dertig seconden kwam ze klaar, liet een gesis horen dat klonk alsof er een ventiel openging, draaide zich in één soepele beweging om en sloeg een dodelijke klauw uit naar de arm die haar zojuist bevredigd had.

Art moest dat verwacht hebben, want hij rukte zijn arm weg van de tralies en stak hem vervolgens omhoog, zodat ze hem kon zien. Hij glimlachte. Daarop begon Betty te grauwen en sloop weg naar achteren, waar ze voor het eerst in dagen echt sliep.

Terwijl de kat lag te dutten, begon hij te fluiten en zijn mouw omlaag te rollen. Nu, drieënveertig jaar later, kan ik me nog steeds de naam van het liedje herinneren; het was het soort detail dat ter compensatie van het gebrek aan betekenis weigert te vervagen; het was 'Farmer in the Dell'. Hij was klaar met het omlaagrollen van zijn mouw, maar ging daarna niet weer aan het werk. Althans, niet meteen. In plaats daarvan floot hij het hele lied, van begin tot eind, voor de goede orde ruim aangevuld met zwierige uithalen. Pas toen hij klaar was, schraapte hij zijn keel, kwam overeind en liep recht op de plaats af waar ik me, dacht ik, goed had verstopt.

'Hallo', zei hij.

'Hallo.'

'Jij bent toch Mabel Stark? Dé Mabel Stark?'

Ik knikte.

'In dat geval ga ik iets zeggen en ik hoop dat je het niet misplaatst vindt dat ik het zeg. Wat ze je aandoen in dit circus is een misdaad. Een verspilling van godgegeven talent. Ik wil je alleen maar laten weten dat ik dat weet.'

Ik bleef de vreemde kleine man heel lang aankijken. Hij had het soort houding dat mannen die als kind vertroeteld zijn niet hebben: geslagen maar toch hoopvol, bedoel ik. Plus dat hij die kleurige nagels had, die met de kruislingse krassen en littekens zo'n vreemde tegenstelling vormden dat ik mezelf geweld moest aandoen om niet te staren. Ondertussen stond hij te roken en duurde het stilzwijgen zo lang dat hij een beetje gekwetst ging kijken. Op dat moment besefte ik dat het idee dat hij zo meteen zou weglopen me helemaal niet aanstond.

'Even zitten?' vroeg ik.

Hij trok zijn broekspijpen op en liet zich met een grommend geluid op de hooibaal naast de mijne zakken. Nadat hij zijn volgende sigaret met de oude had aangestoken, gooide hij de peuk in de run. Ik zei niets, want hij had me eraan herinnerd hoe van streek ik was door mijn huidige stand van zaken. Nadat de Ringlings hun roofdierennummers hadden geschrapt, hadden ze mij bij de dressuur gegooid, omdat ik heel vroeger, tijdens mijn eerste seizoen bij het circus van Barnes, dunnetjes had leren paardrijden. Iets waar ik een ongelooflijke bloedhekel aan had, omdat dressuur een zaak van paraderen en pietluttigheid was, meer geschikt voor schooljuffrouwen dan voor echte artiesten.

Met andere woorden, ik zat zo te piekeren dat ik bijna vergeten was dat de nieuwe menageriebaas naast me was komen zitten.

Art verbrak ten slotte de stilte. Terwijl hij sprak, sloegen de rookwolken van zijn sigaret en uit zijn mond en neus, zodat zijn gezicht wel een rookfabriekje leek.

'Vorig jaar in Baraboo heb ik je nummer gezien. Fantastisch. Zonder meer fantastisch. Zoals de groep opzat; iedere kop precies even schuin; als je er een strak lijntje voor had kunnen spannen, zou die iedere neus geraakt hebben. En het omrollen. Ik geloof niet dat ik ooit een hele groep zo om zijn as heb zien rollen dat iedere kat op precies hetzelfde moment en in precies hetzelfde tempo op zijn poten terechtkwam. Ik begrijp niet hoe je het voor elkaar krijgt. Echt niet. Je hebt een uniek nummer en geloof me, ik ben niet iemand die overdrijft om zijn mening over te brengen.'

'Dank je', zei ik en ik voelde me oprecht blij: die fijnere punten waar hij het over had, waren het resultaat van oefensessies vroeg in de ochtend en sessies die ik 's nachts deed, als ik zo moe was dat ik – ik zweer het – staande in slaap kon vallen. Ik wist nooit goed waarom ik eigenlijk zo veel moeite deed, het scheen niemand op te vallen en mijn enige verklaring was dat doelen en normen je leven op de een of andere manier meer betekenis geven.

'Grappig', zei ik. 'Jij hebt het over het groepsnummer, terwijl het juist het vechtnummer is dat de mensen zich herinneren.'

Hij grinnikte en waar zijn lippen vaneen gingen, wolkte de rook naar buiten.

'De vechter. Radja heet hij, toch? Zeker. Zeker. Dat is ook een goed nummer.'

Hoewel hij me net een tweede compliment had gemaakt, klonk zijn stem niet zo enthousiast als toen hij het over mijn groepsnummer had gehad, wat tamelijk ongerijmd was, omdat mijn naam door Radja een begrip was geworden.

'Het klinkt alsof je het groepsnummer mooier vindt dan het vechtnummer.'

'Ja, natuurlijk. Jij niet dan?'

Ik keek hem met opgetrokken wenkbrauw aan.

'Begrijp me niet verkeerd. Ik vind een vechtnummer net zo leuk als iedereen. Maar dat gebeurt gewoon. Dat gebeurt. Als je een kat krijgt als hij nog jong is en je bent altijd met hem samen, gaat hij onherroepelijk denken dat hij meer mens is dan dier. En omdat hij zichzelf als mens ziet, gaat hij onherroepelijk denken dat je zijn bruid bent. Dat heet een natuurlijke eigenschap en hoewel het indrukwekkend is dat je die natuurlijke eigenschap in een piste hebt neergezet, wil dat nog niet zeggen dat een natuurlijke eigenschap altijd mooi is. Om eerlijk te zijn kan een natuurlijke eigenschap een beetje bruut zijn als het zo uitkomt en dan heb ik het over de manier waarop hij je als zijn persoonlijke wrijfpaal gebruikt. Al dat gebrul en gekwijl. Het is een godswonder dat hij je daarbij niet gedood heeft, maar je zult moeten toegeven dat het een trucje is. Maar het groepsnummer! Christus. De eerste keer dat ik het zag, kreeg ik er kippenvel van.'

Dat gaf me heel wat te verteren (al zou ik er later achter komen dat dat meestal het geval was met Arts kijk op dingen). Dus zat ik dat te herkauwen – mijn boosheid was al weggetrokken – en te denken: wie is deze kleine man?

'Dus de vraag is,' zei hij na een poosje, 'hoe kom je weer terug in een tijgerkooi, waar je hoort?'

Het was een vraag die me plotseling weer met mijn neus op de feiten drukte. Ik zuchtte en zei: 'Het ís een probleem.'

'Alles is een probleem. Dat is nauwelijks een excuus om niets te doen. Op die manier heb je als het volgende probleem zich aandient twee problemen op te lossen in plaats van een. Zoals ik het zie, willen de Ringling Brothers geen roofdierennummer, maar ze willen ook niet dat een ander circus publiek trekt met jouw naam. Klopt dat?'

'Ja, dat klopt helemaal.'

'Nou, misschien moeten ze een beetje aangespoord worden.'

'Zé', zei ik, 'zijn er nooit. Ze zijn altijd aan de boemel in Europa, kunst of violen aan het kopen of ze zijn in Florida huizen zo groot als Rhode Island aan het bouwen. Het is onmogelijk om ze te spreken te krijgen.'

'Als het makkelijk was om ze te spreken te krijgen, zou er geen probleem zijn, of wel soms? Luister, ik heb een olifant die wat liefdevolle aandacht nodig heeft. Wil je mee?'

Ik dacht er even over na, zei ja en volgde Art de menagerie uit naar het verblijf van de grote mannetjeszoogdieren. Onderweg pikte Art een krant en een thermosfles koffie op. Ondertussen praatte hij honderduit.

'Ik zal je eens wat zeggen. Ze waren geen seconde te vroeg toen ze mij aannamen. De staat van deze menagerie… verschrikkelijk. Verschríkke-lijk! Ik dacht dat het bij Hagenbeck slecht was, maar dit…! Toen ik hier voor het eerst een kijkje ging nemen, heb ik bijna die rare Jack London-lui gebeld om ze te vertellen hoe het er hier aan toeging. Kijk zelf maar.' Hier gebaarde hij met zijn armen. 'Kaketoes die hun veren verliezen, chimpansees met kooikoorts, gestoorde kamelen, hyena's die zo depressief zijn dat ze niet meer lachen, maki's met syfilis, schurftige wombats, ik heb hier een Siciliaans pakezeltje dat, ik zweer het, psoriasis heeft; het arme beest staat praktisch in zijn eigen berg huidschilfers. Plus Zak. Zak is een lama die ze rood geschilderd en hoorns opgezet hadden, zodat hij er lekker hels zou uitzien bij de vorige pantomime, "Mozes' toorn". Heb je hem de afgelopen tijd wel eens bekeken? Door al die verf zijn zijn poriën verstopt, zodat hij niet goed kan zweten. Geen wonder dat hij de laatste tijd zo duf is. Nee, eerlijk waar. Als die Ringlings nog ietsje langer gewacht hadden, zouden ze helemaal geen menagerie meer gehad hebben en er ook geen nieuwe baas voor nodig gehad hebben.'

We kwamen bij de hokken van de mannetjes. Art nam het pad dat de rijen hokken van elkaar scheidde, op zoek naar de betreffende olifant. Hij stopte voor de ruimte waar Tony stond, een grote Afrikaanse bul, die drie jaar geleden tijdens een cavalcade was losgebroken en op een *Brat-wurst*-kraam was gaan zitten, waarbij weliswaar niemand omgekomen was, maar er wel zo veel schade was aangericht dat het bijna op hetzelfde neerkwam. Hij stond al op de nominatie om afgevoerd te worden toen John Ringling in een dronken dwaze bui Tony's actie als een patriottische daad bestempelde, waarvoor hij een plaats in de menagerie verdiende. Sindsdien had de oude olifant zijn tijd verdaan met het bang maken van kinderen en agressief getrompetter. Alle vier zijn poten waren gekluisterd, iets wat de olifantenverzorgers altijd deden met bullen die onhandelbaar geworden waren.

'Je hebt een stuk krant nodig', zei Art op gedempte maar niet fluiste-rende toon. 'Hier, neem de voorpagina maar. Zie je die hooibaal daar? Ga met je zij naar Tony toe zitten en blader door de krant. Kijk hem niet recht aan, anders wordt hij misschien nijdig en stapt hij opzij en drukt me plat. Dit zal niet al te lang duren.'

Terwijl ik deed wat me opgedragen werd, voelde ik het soort nieuwsgierigheid dat je hart sneller doet kloppen. Ik probeerde mijn aandacht bij de krant te houden en gluurde tegelijkertijd vanuit mijn ooghoeken naar Art, geboeid door wat hij ging doen.

En dat was: nadat hij de tijdklok had uitgeschakeld, die de spijlen van het hek onder stroom zetten, stapte hij Tony's hok in. Hij keek het dier niet één keer aan. In plaats daarvan ging hij op een stoeltje zitten dat op de gevaarlijkst denkbare plek stond, namelijk vlak naast de olifant, de beste plek om platgedrukt te worden. Het was het stomste wat ik iemand ooit heb zien doen, maar Art scheen zich er niet druk om te maken. Hij draaide langzaam de dop van zijn thermosfles, sloeg het sportkatern open, leunde naar achteren en deed net of hij koffiepauze had, wat in zekere zin ook zo was, denk ik. (Voor de goede orde: hij sloeg zijn enkels over elkaar, niet zijn knieën, dank u.)

Tony kon zijn ogen niet van die rare vent met de krant afhouden. Hij mepte zo hard met zijn staart naar de vliegen dat het een petsend geluid maakte op zijn billen. Hij trompetterde niet, hij zweette niet bovenmatig en deed geen van de dingen die erop duiden dat een olifant van streek is. Hij probeerde ook niet zich schuins op Art te storten, iets waar onhandelbare olifanten dol op zijn, hoewel er minstens een of twee keer een plan van aanpak bij hem opgekomen moest zijn.

Hij scheen het voldoende te vinden om een oogje te houden op wat Art deed, wat naar mijn idee niet al te veel was. Hij zat daar gewoon, hij las en nam af en toe een slok koffie. Om je de waarheid te zeggen, was het tamelijk saai om Art een olifant te zien temmen; de enige actie was het omslaan van een pagina. Na een tijdje richtte ik me op mijn eigen deel van de krant.

Eindelijk, en dan bedoel ik eindelijk, want ik had zo lang op die baal gezeten dat ik hem in mijn achterwerk voelde prikken, nam Art de laatste slok koffie. Hij maakte het geluid dat mensen maken als ze blij en tevreden zijn – een uitademing met een vleugje rasp erin – en draaide voorzichtig de dop weer op de thermosfles. Toen vouwde hij zijn krant dicht en legde hem naast de thermosfles, die een beetje scheef stond vanwege het ligstro in het hok.

Hij stond op, liep naar de voorkant van de olifant, stak zijn handen uit en God sla me dood als Tony niet kalmpjes de punt van zijn slurf in Arts handen legde. Elk deel van die olifant werd helemaal stil, met uitzondering van de punt van zijn slurf, die wat manier van bewegen betrof zoveel op een rups leek dat de overeenkomst me wel moest verbazen. Na een tijdje tilde Art het puntje van Tony's slurf op en plaatste het tegen zijn lippen en tot op de dag van vandaag weet ik niet of hij iets fluisterde of simpelweg warme lucht uitademde. Waarschijnlijk het laatste, aangezien olifanten niet kunnen horen met hun neus, hoewel je het met Art nooit wist: hij was het soort man dat rustig kon beweren dat olifanten wel met hun neus konden horen en vanwege de indiaan in hem vond je jezelf al gauw kleingeestig en stom als je volhield dat ze dat niet konden.

Dit duurde... hoe lang? Eén minuut? Twee op zijn hoogst. Toen hij klaar was, hield hij Tony's slurf in zijn rechterhand en streelde onderwijl de bovenkant met de linker. En ondertussen zei hij steeds: 'Brave jongen, brave jongen. Zo is het goed. Van jou zullen we geen last meer hebben, hè, of ben ik soms gek geworden?'

Die avond werd Tony weer aan het team olifanten toegevoegd dat gebruikt werd om de grote tent neer te halen; zo'n enorm beest kwam goed van pas bij de middenpalen.

De volgende dag zag ik Art in zijn eentje zitten eten in de veldkeuken. Ik vroeg of ik erbij mocht komen zitten en zijn gezicht fleurde helemaal op. Toen ik mijn eerste hap rosbief wegkauwde, viel me nog iets merkwaardigs op aan Art Rooney: op zijn bord lagen bergen groenten en niet het minste geringste stukje vlees (iets wat je bij hippies tegenwoordig altijd ziet, maar waar destijds de wenkbrauwen meer van omhooggingen dan van het feit dat hij make-up droeg). We kletsten wat over dieren en mijn nummer en wat ik van plan was eraan te doen. Toen we bijna klaar waren – wat zowat een uur duurde, omdat Arts theorie was dat voedsel beter verteert als je iedere hap kauwt tot er niks meer te kauwen valt – vertelde ik hem over Radja.

'Sinds ik gestopt ben hem te trainen, is hij een beetje nukkig geworden. Hij gromt tegenwoordig tegen vreemden, vooral tegen pretentieuze types. En ik heb gemerkt dat zijn tandvlees 's ochtends een beetje bloedt.'

'Hoe oud is hij?'

'Zeven.'

'Geef je hem ingewanden te eten?'

'Inmiddels wel.'

'En zijn vacht ziet er goed uit?'

'Dun op sommige plekken.'

'Tja. Ik moet zeggen, het klinkt niet alsof hij ziek is, wat maar één andere mogelijkheid openlaat.'

Ik dacht al dat hij dat zou gaan zeggen.

'Maar als dat zo is, denk je dan niet dat hij al eerder onhandelbaar zou zijn geworden?'

'Niet altijd. Ik denk dat dieren en mensen eender zijn in die zin dat de meeste dezelfde dingen op dezelfde manier doen, behalve die paar uitzonderingen die niet in de pas lopen. En dát zijn degenen waar ík meestal op val en omgekeerd. Eerlijk gezegd, zou ik jouw Radja graag eens willen ontmoeten. Ik heb het gevoel dat we wel met elkaar kunnen opschieten.'

Ik aarzelde, heel even maar.

'Koffie meenemen?'

Aangezien het circusterrein dicht bij de treinen lag en het een mooie frisse zonnige dag was, wachtten we niet op een dienstwagen. We trokken uiteraard veel zijdelingse blikken tijdens de wandeling langs drie huizenblokken, deels doordat ik mijn paardrijkostuum droeg (lange rok met splitten, Engels jasje, driekantige witte hoed) en deels doordat Art lippenstift op had, waardoor het leek of hij een sinaasappel uitgezogen had. We kwamen bij het emplacement en vonden de artiestentrein.

Toen Art en ik langs de wagons liepen, kon je merken dat hij onder de indruk was van het feit dat mijn rijtuig zich zo vlak bij het voorste deel van de trein bevond. Colleano, Pallenberg, de paardrijfamilie Christensen, Bird Millman en May Wirth hadden hun luxe-rijtuigen allemaal om mij heen. Iets verder naar voren was het rijtuig van Lillian Leitzel en Alfred Codona en daarvoor bevonden zich de weelderig ingerichte privé-rijtuigen van John en Charles Ringling voor het geval die met het circus meereisden.

Ik klopte om Radja te melden dat ik binnenkwam en duwde de deur open. Art keek naar het weinige dat er te bekijken viel: commode, bed, wasbak. Boven het bed hing het enige kunstwerk in het vertrek: de goudkleurige poster die Al G. Barnes had laten drukken toen hij me het hof maakte om te voorkomen dat ik weg zou gaan bij zijn circus. Ik had hem laten inlijsten en er glas voor laten zetten, zodat hij niet zou vergelen.

Radja lag in de hoek suffig zijn lippen te likken en werd langzaam wakker.

Ik was nergens op bedacht toen Art op Radja toe liep om kennis te maken, want Art had de gave en Radja leek volkomen op zijn gemak bij het idee. Zijn kop rustte op een van zijn poten en hij likte een stuk vacht.

Art knielde voor Radja en zei: 'Brave jongen, brave jongen', en krabbelde hem vervolgens achter zijn oor. Radja geeuwde en ging door zichzelf te likken. Art draaide zich een stukje om en net toen hij zei: 'Ik denk dat hij me wel mag', gebeurde het: zonder een kik te geven, haalde Radja zijn klauw over Arts onderarm en trok er een behoorlijke lap vlees af.

Art gaf een brul en sprong overeind. Ik stoof op hen af en gaf Radja een mep op zijn neus. Toen wendde ik me tot Art en bood hakkelend mijn excuus aan.

'Maak je niet druk', zei hij knarsetandend. 'Het is niks. Een kras. Ik had wat minder onbezonnen te werk moeten gaan, denk ik.'

'Laat zien.'

Art wilde zijn hand niet weghalen, maar toen er bloed en kleverig oranje spul tussen zijn vingers door begon te sijpelen, drong ik aan en trok zijn pink weg om mijn idee wat kracht bij te zetten. Er was een flink stuk vlees losgerukt; het hing tot aan de elleboog alleen nog aan een lap huid. Hij zou er een paar lelijke, op aardappelpuree lijkende littekens aan overhouden, maar zijn zenuwen waren op dat moment mijn eerste zorg en ik vroeg hem of hij een vuist kon maken. Dat lukte, al vertrok zijn gezicht erbij en borrelde er oranje vocht op uit de wond. Toen ik dat zag, greep ik een van mijn paardrijblouses en zei dat hij die hard op de rand van de wond moest drukken.

'Het valt mee', zei ik. Toen we naar buiten liepen, wierp ik Radja een blik toe die inhield dat we elkaar nog zouden spreken en misschien meer dan dat als ik terug was.

We gingen de deur uit, Art voorovergebogen en met zijn hand op zijn wond en ik met de brandende vraag of hij de drie blokken terug naar het terrein kon lopen, want zijn ogen traanden en hij liep te snotteren en als hij al niet licht in het hoofd was, zou hij dat spoedig worden. Op dat moment stopte er een wagen met een stel trapezewerkers, die zich allemaal rot schrokken toen ze zagen dat de doek om Arts arm rood doordrenkt was. De chauffeur joeg hen de wagen uit en hielp me Art in de cabine te zetten. Hij reed sneller dan anders terug naar het terrein.

'Maak je maar geen zorgen', zei ik onderweg. 'Ik ben wel erger gebeten, dus ik weet wat ik doen moet. Ik zeg niet dat het geen pijn zal doen, maar het komt goed. Dat wist ik meteen toen ik je met je vingers zag wriemelen. Vertrouw me. Het zal even vervelend zijn, meer niet.'

De chauffeur zette ons voor de ziekenboeg af. De dokter was uiteraard ergens anders, dus legde ik Art op een brancard, plaatste een schaal onder zijn arm en maakte de wond schoon met in verdunde borium gedrenkte doeken. Daarna liet ik hem uitdruppelen. Toen Doc Ketchum na verloop van tijd hoorde dat hij klandizie had, kwam hij snel naar ons toe en hij was het met me eens dat het er redelijk goed uitzag voor een wond waar pus uit droop. Art sliep toen ik wegging om de matinee te doen. Bij het avondeten gaf ik hem wat soep en maakte ik een paar geruststellende opmerkingen en dat was ook het moment waarop Doc Ketchum en ik besloten dat zijn wond genoeg uitgelekt was om te worden verbonden; een duidelijke snee of plek om te hechten was er niet. De avondvoorstelling begon en vlak daarna verschenen er een paar werklieden die de tent wilden afbreken, dus moesten we Art voorzichtig weer in een vrachtwagentje zetten en hem naar de wagon brengen die bestemd was voor mensen die herstellende waren van ziekte of verwondingen. Toen we hem eindelijk geïnstalleerd hadden, zag hij er moe en bleek uit, wat begrijpelijk was als je bedenkt wat voor dag hij achter de rug had. Ik liet hem dommelen en was op tijd op het terrein terug voor mijn paardrijshow.

En geloof me, zodra de voorstelling voorbij was en ik teruggebracht was naar de trein, ging ik een hartig woordje met Radja wisselen. Zodra ik binnen was, beende ik op hem af, gaf hem een harde mep op zijn neus en zei: 'Stout beest.' Aangezien het een slimme kat was, begreep hij heel goed waarom hij een klap had gekregen, en hij begon te janken. Toen draaide hij zich om naar de muur en bleef een beetje liggen trillen.

'Nou moet je eens goed naar me luisteren', zei ik tegen hem. 'Ik heb vier huwelijken en een slippertje met Al G. achter de rug en die zijn allemaal op een ramp uitgedraaid. Dan wil je niets liever dan de andere sekse helemaal afzweren en in het geval van Art is dat misschien ook wel wat ik aan het doen ben. Maar dit is eerlijk gezegd een moeilijke tijd voor me, Radja, en enig menselijk gezelschap zou prettig zijn. Ik weet best dat hij onconventioneel is, maar conventionele mannen en ik gaan nou eenmaal niet samen en vergeet niet, formeel gesproken ben ik een bigamist, een voortvluchtige, een vrouw die in een inrichting heeft gezeten vanwege zenuwproblemen, dus ik kan niet al te kieskeurig zijn. Wat ik wil zeggen, is dit: ik denk dat ik Art een kans ga geven en het maakt me niet uit dat jij een tijger bent en gewend bent je zin te krijgen. Wen maar vast aan het idee, is mijn advies.'

Hij beefde, maar gaf op wat gepiep na geen kik.

'Radja? Heb je me gehoord, Radja?'

Ik vermoedde dat hij de pest in had.

De volgende dag ging ik zo vaak ik kon even bij Art kijken. Zijn wond stonk niet en was niet ontstoken, dus kon hij volgens de dokter gewoon bij het circus blijven. Arts enige klacht was dat door het schudden van de trein zijn wond begon te kloppen, iets waar ik over mee kon praten, zei ik tegen hem.

Op de derde dag gaf de dokter te kennen dat Art goed herstelde en terug kon naar zijn coupé. Ik bekeek Arts wond en aangezien het verband niet groen of rood zag en de wond niet buitensporig veel pijn deed, zei ik dat de dokter waarschijnlijk gelijk had. Het verband zat van halverwege de bovenarm tot aan de pols, zodat de arm moeilijk te buigen was.

'Doet het erg veel pijn?'

'Nee', zei hij, waarmee hij waarschijnlijk een beetje bedoelde.

Dus pakte ik hem bij de goede arm en liep met hem mee terug langs de trein, maar we hielden de pas in toen we bij het rijtuig kwamen dat hij deelde met een keukenbaas, een tuighokbaas en een vent die het elektra gaande hield.

'Waarom stoppen we?' vroeg hij.

'Je woont hier, weet je nog?'

'Nee, nee, eerst moeten we nog iets doen.'

Hij zag mijn verwarring. 'We kunnen die kat niet over me heen laten lopen, Mabel. Dat weet je net zo goed als ik. Hij en ik moeten elkaar nog eens diep in de ogen kijken, anders zal hij nooit respect voor me hebben, en gebrek aan respect is iets wat ik niet tolereer en nooit zal tolereren van een dier.'

Omdat dat maar al te waar was, ging ik akkoord, ook al was ik niet erg ingenomen met het plan, want het laatste wat ik wilde was wel dat Radja zou denken dat hij over Art heen kon lopen.

De ochtend was half om, het spoorwegemplacement verlaten. En Art liep fluitend en rokend en zonder een nerveuze indruk te maken met mij langs de trein. Het was laat in het seizoen en we waren ergens in het oosten, op de terugweg naar Bridgeport. Ik herinner me dat de grond bedekt was met vochtige, afgevallen bladeren. Aan weerskanten van de trein lagen buitenwijken, iets wat we steeds vaker zagen. Ik hoorde grasmaaiers, huilende kinderen en mannen die hekken repareerden, allemaal geluiden waar een circusartiest meestal het angstzweet van uitbreekt.

We kwamen bij mijn rijtuig. Ik haalde diep adem, bad dat het ditmaal beter zou gaan en ging naar binnen. Art stapte ook naar binnen, nog steeds fluitend, maar hij bleef staan toen Radja met een ruk zijn kop ophief, zijn oren plat in zijn nek legde en een grommend geluid achter in zijn keel liet horen. Een tel later sprong hij op Art af. En hij zou hem gegrepen hebben ook als ik mezelf er niet tussen had geworpen, mijn armen om Radja's schouders had geslagen en 'nee!' had geroepen in die smaragd-groene ogen, die scheel keken van jaloezie. Mijn volle gewicht leek hem een beetje af te remmen, maar ik werd toch wel een metertje of zo meegesleurd over de vloer; Radja stopte pas toen hij Art naar buiten zag vluchten.

Toen ik Radja losliet, ging hij op zijn achterwerk zitten, begon zijn lippen af te likken en probeerde zijn kalmte te herwinnen. Ik zat te hijgen en merkte dat de mouw van mijn kostuum gescheurd was.

'Oké, maat', zei ik. 'Nu is het genoeg geweest.'

Ik stond op, pakte zijn riem, klikte die aan zijn halsband vast en blafte: 'Kom op!' Hij moet begrepen hebben wat ik van plan was, want hij begon te janken, hield zijn kop schuin en keek me met grote knipperende ogen aan.

Ik probeerde Radja mee te trekken, maar dat lukte niet, omdat hij zich schrap zette, zijn klauwen in de planken vloer sloeg en weigerde van zijn plaats te komen. De halsband sneed in zijn kaakbeen.

'Godverdomme, Radja!' zei ik en om te laten zien dat ik het meende, liet ik de lijn verslappen en gaf hem een harde dreun op zijn neus. Ik gaf nog een ruk en ditmaal had ik wat meer succes en zette Radja piepkleine stapjes in de richting van de deur. Eenmaal buiten knipperde hij tegen de zon, werd wat inschikkelijker en liet zich per vrachtwagen naar het circusterrein brengen, hoewel hij tijdens de hele rit zwaar zat te janken en te brommen. Toen ik hem de menagerie in sleepte, begon hij zich echt te verzetten, hij sleepte zijn poten door de run en smeekte me bijna om op mijn besluit terug te komen. Omdat ik inderdaad bijna zwichtte, werd ik nog bozer, dus deed ik mijn ogen dicht en maakte de klus af door Radja in de lege kooi naast de tweeling Boston en Beauty te duwen.

Toen ik de kooideur dichtsmeet, voelde ik me opeens hartstikke schuldig.

'Kom hier', zei ik en toen Radja naar me toe kwam, nam ik tussen de tralies door zijn prachtige kop in mijn handen en zei: 'Dit is niet voorgoed, lieverd. Zodra je beseft dat geen enkele man ooit jouw plaats zal innemen, mag je weg uit de menagerie en weer in het rijtuig komen wonen. Dus ik raad je aan een beetje na te denken de komende tijd. Misschien ga ik dat zelf ook wel doen.'

Radja boerde en ik liep weg, terwijl ik die intens groene ogen in mijn rug voelde boren.

's Middags, tussen de matinee en de avondvoorstelling, ging ik op zoek naar Art Rooney. Hij zat naast Radja's kooi een krant te lezen, terwijl Radja zwaar ademend en met een giftige blik naar Art lag te kijken. Ik vroeg wat hij aan het doen was.

'Er is geen enkele reden waarom dit niet opgelost kan worden, Mabel. Radja en ik hebben een valse start gemaakt, maar ik ben altijd van mening geweest dat de beste vriendschappen soms met een flinke botsing kunnen beginnen. Een stevig conflict kan soms de basis leggen voor respect en wederzijdse bewondering en als Radja eenmaal aan me gewend is, zal dat beslist gebeuren, denk ik. Wij worden dikke maatjes, wacht maar eens af.'

Ik keek Art aan. Het was altijd hetzelfde met hem; je wist niet of je moest lachen, hem hardhandig wat verstand moest bijbrengen of moest zeggen: Jeetje, nu ik erover nadenk, zou je best eens gelijk kunnen hebben.

In plaats daarvan schoot er iets anders uit mijn mond: 'Kom vanavond bij me eten, meneer Rooney.'

De avondvoorstelling liep een tikje uit, dus toen ik me terug haastte naar de trein, stond hij al bij mijn deur een sigaret te roken. Binnen maakte ik een groenteschotel voor hem klaar op mijn gaskomfoor. Ik serveerde het eten zelfs met gelakte eetstokjes, die ik in San Francisco had gekocht, en het verbaasde me helemaal niet dat Art wist hoe hij ze gebruiken moest en dat hij er nog goed in was ook. (Hij zei dat ze beter voor de gezondheid waren, omdat je er langzamer door ging eten, wat de spijsvertering ten goede kwam.) We aten bij kaarslicht en dronken rode wijn, die Art had meegebracht, al merkte ik dat hij zelf maar een paar kleine slokjes nam. Na het eten rookte hij een sigaret en toen hij me er een aanbood, nam ik er ook een. Het had zo uit een liefdesroman kunnen komen – met de bloemen op tafel en de vioolmuziek op mijn fonograaf – met dien verstande dat Art lavendelkleurige nagellak op had en rouge, die zijn jukbeenderen benadrukte.

Maar het beste aan een intiem etentje met Art Rooney was het feit dat ik wist dat hij na afloop geen problemen zou geven op het gebied van mannelijk verlangen, waarmee ik bedoel dat ik me niet zo'n zorgen hoefde te maken over wat er daarna zou gebeuren. Ik ontspande me helemaal en voor ik er erg in had, begon ík te smachten, iets wat ik helemaal niet verwacht had en wat me zo verraste dat ik eerst een paar minuten dacht dat ik zo tintelde doordat ik iets met gist gegeten had. Maar ik kon niet ontkennen wat er gebeurde. Ik bloosde tot mijn wangen net zo rozig waren als die van Art; mijn hart begon sneller te kloppen en ik kon mijn lendenen in opstand voelen komen, net als wanneer je een lege maag hebt.

Dus in plaats van het dessert te pakken, stond ik op en zei: 'Nou, meneer Rooney, je kan maar beter meteen weten hoe de vork in de steel zit. Ik val op je en dat is iets wat ik nog nooit voor een man gevoeld heb, wat misschien verklaart waarom ik zo vaak voor het altaar gestaan heb. Ik kan geen baby's krijgen, dan weet je dat maar gelijk; mijn baarmoeder zit kennelijk niet helemaal waar hij zitten moet, maar ik hoop dat op jouw leeftijd de hang naar het vaderschap inmiddels een beetje afgezwakt is. Alsjeblieft, al mijn kaarten op tafel. Ik ben een direct mens en ik word met de dag directer. Dus wat dacht je van een zoen?'

Hij knikte, dus ging ik bij hem op schoot zitten en verdomd als er geen gevoel van veiligheid en geluk in me opkwam toen ik mijn armen om zijn hoofd legde, hem aan mijn hart drukte en ik zijn warmte voelde. We kusten elkaar zachtjes en het was helemaal niet vervelend, zodat ik na nog wat gefoezel zijn hand pakte en hem naar het bed leidde. Omdat hij zo trilde en klam aanvoelde, liet ik hem op de rand van het bed zitten en vroeg ik of hij zeker wist dat hij hiermee door wilde gaan. Hij zei van wel, heel graag zelfs, dus zei ik: Nou, goed dan. En nadat we als een stel tieners aan elkaar hadden zitten frunniken, begonnen we aan het echte werk.

Het duurde een minuut of tien voordat ik besefte dat we niet verder dan halfstok zouden komen, hoe ik ook koosde, trok, aaide of streelde. Dus zei ik bij mezelf: Nou, als het zo moet, dan moet het maar, dan gaan we daar niet over zeuren. Dus ging ik zo'n beetje boven op hem liggen en duwde hem naar binnen zoals je een saucijsje in zijn vel duwt. Art keek nogal zelfingenomen en begon me, om dat wat we aan het doen waren wat echter te laten lijken, te strelen en lieve dingen te zeggen.

Pas op het moment dat ik begon te bewegen, besefte ik dat we een probleem hadden. Telkens als we stevig in draf of in galop gingen, tuimelde Art eruit en moest ik stoppen en hem weer terugduwen, iets waar na de derde of vierde keer de lol wel af was. Plus dat Art er zenuwachtig van werd, zag ik, want zijn gezicht vertrok af en toe, de punten van zijn snor trilden en de rest van zijn gezicht had dezelfde kleur gekregen als zijn jukbeenderen. Daarom stapte ik over op plan B: heen en weer schuiven in plaats van op en neer wippen. Na een poosje leverde dat weer een ander probleem op, namelijk dat het als een zwakke imitatie aanvoelde van het echte werk en dus raar. Het duurde niet lang of Art was zo zacht als een oester. Dus hielden we maar op. Ik ging naast hem liggen en zei dat ik het niet erg vond, dat ik het nooit zo op gemeenschap had gehad, dat wat ik echt nodig had intimiteit was en dat ik het heerlijk vond om naast hem te liggen met het gevoel dat ik op dat moment had. Nadat Art hier een paar tellen over had nagedacht, voegde ik eraan toe dat ik makkelijk zonder seks kon, vooral omdat ik wist dat er toch geen baby van zou komen.

Art glimlachte, keek opzij en stak de arm omhoog die niet in het verband zat. Heel even dacht ik dat hij dat moment koos om me zijn anker-met-touw-tatoeage te laten zien.

'Weet je,' zei hij, 'er zijn meer wegen die naar Rome leiden, hoor.'

Nou.

Ik heb wel eens horen zeggen dat nood vindingrijk maakt. Maar ik zou eerder zeggen dat nood doet improviseren, want geloof me, we improviseerden wat af die avond. Wat die man allemaal kon doen met een stuk arm! Het was alsof de touwen van zijn tatoeage af sprongen, zich om mijn binnenste wikkelden en weigerden los te laten voor er een hele symfonie van onfatsoenlijke geluiden klonk. Het volstaat om te zeggen dat ik die arm bereed tot laat in de avond, toen de trein al onderweg was. We lagen allebei ontspannen naar het geratel van de wielen te luisteren. Lange tijd zeiden we niets; de geluiden van het liefdesspel leveren meestal belangrijkere informatie op dan woorden kunnen overbrengen.

Toen de trein al veertig minuten reed, gooide Art er niettemin iets vertrouwelijks uit.

'Ik heb ooit iemand neergeschoten.'

Ik draaide me naar hem toe om te zien of hij serieus was. 'Meen je dat?'

'Ik meen alles wat ik zeg.'

'En waarom dan wel?'

'Uit jaloezie.'

'O. Juist, ja.'

'In Laramie, Wyoming, wat zo ongeveer de stomst denkbare plaats is om je pistool op iemand te richten. Het was in de tijd dat ik nog dronk.'

'En je schoot hem neer omdat je jaloers was?'

'Ja. Inderdaad.'

'Interessante reden.'

'De enige goede reden, voorzover ik weet.'

'Was hij dood?'

'Nee. Ik ben een vreselijk slechte schutter.'

'Heb je er spijt van dat je dat gedaan hebt?'

'Absoluut. Die klootzak schoot terug. Daardoor loop ik mank. En ik heb ervoor in de gevangenis gezeten.'

'Hoe lang?'

'Lang. En als ik niet heel wat zwaarder gewond was geweest dan mijn slachtoffer zou het nog langer geduurd hebben. Maar toch vind ik dat ik niet mag klagen, want in de gevangenis heb ik mezelf op het rechte pad gezet en ik kan je vertellen dat dat niet vaak gebeurt. Toen ik vrijkwam, heb ik de enige baan aangenomen die ik kon krijgen.'

'Als arbeider?'

'Bij Hagenbeck. Bijna vier jaar. Uiteindelijk werd ik staljongen en toen ze zagen dat ik goed met dieren kon omgaan, werd ik oppasser.'

Ik liet die informatie bezinken en vond het wel grappig dat bleek dat zelfs de zachtaardigste mannen in hun jonge jaren woestelingen geweest kunnen zijn. Eerlijk gezegd moest ik er zelfs een beetje om grinniken, om de dwaasheid van mannen, maar toen borrelde er uit het niets opeens een brokje informatie over mezelf op. Eerst verzette ik me ertegen en dacht: niets zeggen, wat er ook gebeurt, maar toen kwam het vanzelf allemaal bovendrijven: dat ik mijn moeder eigenlijk had moeten tegenhouden toen ze Tom, dat gekke oude bergpaard, voor de ploeg spande. Dat haar afwezigheid en rare gedrag me zo geërgerd hadden dat ik half en half gehoopt had dat er iets mis zou gaan toen ze de deur uitging. Dat ik haar toen ze die dag wegging alleen maar narigheid had toegewenst. Toen ik mijn hart eenmaal helemaal had uitgestort, voelde ik me huilerig en slap.

'Luister, Mabel,' zei hij. 'Dat was niet jouw schuld. Absoluut niet. Als het íemands schuld was, dan was het je moeders eigen schuld, want het klinkt alsof ze het helemaal niet erg vond om een ernstig ongeluk te krijgen, wat op z'n minst onverantwoordelijk is als je bedenkt dat ze een dochter had voor wie ze moest zorgen. Geloof me. Al zou je dat verhaal aan honderd mensen vertellen, ze zullen alle honderd hetzelfde zeggen. Jíj bent tekort gedaan. Niet zíj.'

Ik lag daar maar en genoot van die zeldzame soort zwakheid die je een prettig gevoel geeft.

'Denk je?'

'Ik weet het wel zeker.'

Ik keek hem aan alsof hij gek was. Het was alsof hij gezegd had dat boven beneden was en beneden boven. Art keek opzij, zodat we elkaar recht aanstaarden. Toen schonk hij me een van die sluwe grijnslachjes die in Art-taal 'wacht maar' betekenden.

Wacht maar eens af.

Die winter huurden we hetzelfde huis dat ik het jaar daarvoor gehad had. Art naaide gordijnen, haakte kleedjes voor over de leuning van de bank en schilderde de keuken in een tint geel die erg naar perzik neigde. Zonder paardrijnummer of katten die afgericht moesten worden, had ik alle tijd om met Radja te wandelen, met hem te vechten en hem te laten weten dat hij niet had afgedaan. Dat hielp. Rond maart waren zijn nukkigheid en zijn tandvleesproblemen aardig afgenomen, al kon ik hem absoluut niet in de buurt van Art laten, omdat zijn aversie tegen de man op reuk stoelde en moeilijk te overwinnen was.

In april was de première en stond het circus een week in Madison Square Garden. Dit hield in dat ik moest aanzien hoe Clyde Beatty acht minuten lang bezig was een enkele kruiperige leeuw zover te krijgen dat hij slordig ging opzitten (en hoe hij zich daarna bijna liet doodbijten, voordat hij zwetend, trillend en badend in applaus dat mij eigenlijk toekwam, naar voren trad). Het enige wat het draaglijk maakte, was dat Art naast me stond en de hele tijd 'tsss' zei en vol afkeer zijn hoofd schudde. Na afloop bracht hij me bloemen, masseerde mijn voeten en maakte een omelet voor me.

'Maak je geen zorgen', zei hij meer dan eens. 'De geschiedenis zal uiteindelijk wel uitmaken wat rotzooi is en wat geen rotzooi is en ik heb het idee dat de geschiedenis op een dag heel accuraat zal zijn als het op het onderwerp Mabel Stark, tijgerdompteuse aankomt.'

'Het enige probleem', antwoordde ik dan, 'is dat de geschiedenis nú niks voor me doen kan.'

Dat jaar volgde het circus zijn vaste route, door de onderste helft van de vs in het voorjaar en daarna afbuigen naar het noorden voor het warmere jaargetijde. De zaken gingen goed, het was 1926 en mensen hadden geld te besteden, al zou het nog beter geweest zijn zonder alle circussen die eigendom waren van de voornaamste rivaal van de Ringlings, Jerry Mugivan, waarmee ik bedoel Hagenbeck, Cole Brothers, John Robinson en nog een handvol anderen. Dat jaar besloot John Ringling een albino olifant te kopen, die door een jager in Siam was gevangen. Het was voorzover bekend de enige bestaande albino bul, dus de prijs was hoog: honderdduizend Amerikaanse dollars. Ringling zette hem in de pantomime en in de menagerie, waar hij lange tijd zijn kost meer dan waard was. Kort daarna begon Mugivan ook met albino olifanten op te treden, maar die van hem waren gewone olifanten die witgekalkt waren. Dat ging goed tot het op een dag stortregende. Het bracht Jerry Mugivan in verlegenheid, maar wat het met Ringling deed, was erger: Jan en alleman dacht nu dat zíjn witte olifant ook nep was, waardoor een bul van honderdduizend dollar opeens even weinig waard was als een ouwe circushond.

Toen het gebeuren goed en wel tot John Ringling was doorgedrongen, werd hij, naar verluidt, woedend en begon meubels omver te gooien, met lampen te smijten en beelden kapot te slaan die bijna net zoveel waard waren als zijn witte olifant. Ondertussen keek zijn ernstige, sombere broer Charles toe. Rond deze tijd begon het gerucht rond te zingen dat de Ringlings pogingen deden de circussen van Mugivan over te nemen. Dit klonk te merkwaardig om waar te zijn, het zou betekenen dat de Ringlings eigenaar zouden worden van alle redelijk grote circussen in Amerika en het was onmogelijk voor te stellen dat twee mannen zo veel macht konden hebben. De geruchten werden goeddeels afgedaan als onzin. Ik weet nog dat ik er niet veel aandacht aan besteedde, vooral omdat ik behoorlijk in beslag genomen werd door mijn eigen zorgen, zoals de vraag of ik nou wel of niet mijn roofdierennummer zou terugkrijgen.

Na een maand of twee gedraaid te hebben, was het circus ergens in het zuiden, Mississippi of Alabama, geloof ik. Het was warm, herinner ik me. Ik was aan het eind van de dag waterbakken aan het vullen in de menagerie en voelde me somber, omdat mijn tijgers er begonnen uit te zien als doorsnee menageriebeesten, waarmee ik bedoel slap en futloos. Ik hoorde iemand fluiten en toen ik me omdraaide, zag ik een rookwolk opstijgen boven de kooien in het volgende gangpad. Art kwam de hoek om en hinkte snel naar me toe. Hij gilde bijna toen hij zijn mond opendeed.

'Mabel! Charles Ringling is hier.'

'Nou, leuk voor hem.'

'Nee, nee, je luistert niet... Hij wil me spreken. Hij heeft net iemand langs gestuurd. Hij wil horen hoe de menagerie ervoor staat.'

'Nou, leuk voor jóú.'

Hierop greep hij me bij de schouders en draaide me om, zodat ik zag dat hij stond te stralen.

'Mabel,' zei hij, 'jij gaat mee.'

'Ik? Mee?'

Art knikte en dat deed het 'm. Ik was al onderweg; Art moest zijn best doen om me bij te houden. Ik stopte bij de flap van de directietent, haalde diep adem en fluisterde tegen Art: 'O, mijn god, ik ben zo zenuwachtig, ik weet niet of ik dit wel kan.'

'Jawel, jawel. Laat mij maar eerst gaan.' En toen gebeurden er twee dingen. Eerst stapte Art de tent binnen en zei: 'Hallo, meneer Ringling.' En daarna stak hij zijn hand weer naar buiten, greep mijn arm en trok me mee naar binnen.

Charles Ringlings gezicht was even kwabbig en rond als dat van meneer John, maar hij keek meestal minder vergenoegd. Toen ik de tentflap wegduwde en naar binnen ging, kwam hij net overeind uit een stoel die achter een bureau aan de andere kant van de tent stond. De inspanning leek al zijn aandacht op te eisen, zodat hij me aanvankelijk niet eens zag. Eindelijk stond hij, zij het hijgend, gebogen en steunend op zijn handen. Toen hij opkeek, zag hij mij een pas achter Art staan.

Men zegt dat John Ringling mensen altijd een beetje overrompelde door niet te gaan zitten tijdens zakelijke bijeenkomsten. Bij Charles was het die kop van hem: wrang, alsof hij net zuur geworden borsjt had gegeten. Hij zuchtte en liet zich puffend weer in zijn stoel zakken om aan te geven dat hij Art niet meer de hand wilde schudden nu deze zo'n bron van overlast had meegebracht. In plaats daarvan tilde hij zijn rechterhand op en waggelde een beetje met de ring- en middelvinger ten teken dat we naderbij moesten komen. Het was het soort gebaar dat een Romeinse keizer niet misstaan zou hebben en ik geef toe, mijn eerste reactie was me om te draaien en de tent uit te lopen als kritisch commentaar op zijn onbeleefdheid. Gelukkig hield Art nog steeds mijn arm vast en leidde hij me half en half tegen mijn wil naar de twee stoelen voor Charles Ringlings bureau. Ik nam de ene, Art de andere.

Meneer Charles was weer aan het werk gegaan en tekende het ene papier na het andere. Zelfs daar raakte hij van buiten adem. Ik zag dat zijn handen licht opgezet waren en dat hij dezelfde teint had als de buik van een gekko.

Hij sprak zonder op te kijken.

'Ik kan me niet herinneren dat ik een uitnodiging voor twee gestuurd heb.'

Hij stopte met schrijven. De stilte die volgde, gaf me maagtrillingen. Hij leunde naar achteren, zodat zijn stoel kraakte. Toen grijnsde hij even, maar het was een grijns die alleen ten doel had te intimideren.

'Ik had al gehoord dat jullie twee het goed met elkaar konden vinden', zei hij, terwijl hij me recht aankeek. 'Waaraan dank ik het genoegen van uw gezelschap, juffrouw Stark?'

'Het gaat om, nou ja, waar het op neerkomt, meneer, is, nou ja, het gaat om mijn bijdrage aan het paardrijnummer. Het is namelijk zo dat ik niet bepaald een goede ruiter ben, maar wel een goede dompteuse.'

Hij trok de meest borstelige van zijn wenkbrauwen op. 'Waarmee u wilt zeggen, juffrouw Stark…?'

Ik begon te stotteren, daarom nam Art het van me over.

'Snapt u, meneer Ringling, nu roofdierennummers tot het verleden behoren, rijdt Mabel mee in het paardrijnummer, wat me een verspilling van talent lijkt en een buitengewoon grote frustratie voor een toegewijde dompteuse als zij.'

'Rooney', snauwde hij. 'Natuurlijk ben ik me bewust van die situatie. Het was een beslissing van mijn broer. Of wou je zeggen dat mijn broer en ik niet met elkaar praten?'

Op dat moment zag ik iets wat ik niet voor mogelijk had gehouden. Art sloeg helemaal dicht, het enige geluid dat nog uit zijn mond kwam, was een armzalig 'o', wat eerder klonk alsof er een dop van een fles priklimonade schoot dan alsof iemand iets zei. Ook hij verstrakte, de enige beweging was het trillen van zijn snor. De moed zonk me diep in de schoenen. Alledrie zwegen we, Art en ik zaten erbij als een stel idioten, terwijl Charles Ringling een steeds diepere frons in zijn voorhoofd kreeg. Er gingen minstens tien seconden voorbij en geloof me, dat is lang onder dit soort omstandigheden. Uiteindelijk klaarde het gezicht van meneer Charles op, zijn voorhoofd werd wat gladder en zijn lippen benaderden een stand die je bijna, niet helemaal, een grijns zou kunnen noemen.

'Je hebt gelijk', zei hij. 'Het was een stom idee. Die broer van mij kan soms zo'n rund zijn. Ik zal morgen een paar telefoontjes plegen om deze dwaasheid recht te zetten. Gaat het goed met de menagerie?'

Nadat ik naar Radja toe gerend was om hem het heuglijke nieuws te vertellen, vierden Art en ik het voorzichtig met een vismaaltijd in de stad. Als we met meneer John gesproken zouden hebben, hadden we het waarschijnlijk helemaal niet gevierd, want die stond erom bekend dat hij beloftes vergat zodra hij ze gedaan had. Hoewel hij werd beschouwd als een halsstarrige klootzak, was meneer Charles meer geneigd te doen wat hij zei, tenzij hij dat wat hij gezegd had alleen maar gezegd had om zich uit een penibele situatie te redden, wat bij ons niet het geval was. Ik denk dat 'op onze hoede' ons gevoel het best omschrijft.

De volgende dag ging Charles Ringling dood, opgezwollen en bleek, ten prooi gevallen aan hetzelfde waaraan alle Ringlings ten prooi vielen: hart-aanvallen als gevolg van een overdadige levensstijl. Het regende die dag, al merkte je er niets van, zo goed was de grote tent geparaffineerd. Vlaggen hingen halfstok en Fred Bradna, de ceremoniemeester, droeg de voorstel-ling van die avond op aan meneer Charles. John Ringling, die per trein vanuit Florida of zo was gekomen, zat de hele voorstelling in de directie-loge te snotteren. Tijdens het eten speelde het orkest langzame treurmu-ziek, zoals je vaak bij de eerste helft van een dixieland-begrafenis hoorde. De volgende dag ging het gerucht dat de laatst overgebleven Ringling stomlazarus naar zijn privé-trein was gedragen en naar Cape Cod gebracht voor een dosis zeelucht.

Niemand was uiteraard verdrietiger dan ik. Toen ik het nieuws hoorde, ging ik naar de menagerie, deed Radja aan de lijn en maakte een lange wandeling met hem. Hij leek mijn treurnis aan te voelen en was zo vrien-delijk om naar niemand te grommen, te klauwen of te urineren. Toen we ver genoeg van het terrein waren, liet ik hem los; we rolden over de grond en ik wreef over zijn pretplekje tot hij begon te snorren. Daarna ging hij boven op me liggen. Ik voelde me veilig en warm onder zijn volle gewicht, waar de wereld totaal uitgebannen was. Echt, als ik moest kiezen tussen een paar Hamm's of een tijger die met zijn volle gewicht boven op me ligt, zou ik altijd voor de tijger kiezen. We waren die dag een heel uur buiten met zijn tweeën en vermaakten ons zoals je je vermaakt als je de wanhoop probeert af te houden. Aan het eind wou ik dat ik hem niet in zijn kooi hoefde terug te zetten.

Ik had vooral het gevoel dat ik alleen maar een nek had, opdat de wereld ergens op kon rusten. Art besefte dat en was liever dan ooit. Hij bracht ro-zen mee en gaf me een doos chocolade-amandelkoekjes. Die avond zette hij mijn voeten in een bak water en badolie met perzikgeur en verzekerde me, terwijl hij ze masseerde, dat alles goed zou komen en dat ik op een dag weg zou zijn bij het Ringling Circus en me nergens zorgen meer over hoefde te maken. Daarna las hij me voor, want Art was het soort man dat gedichtenbundels had. Toen ik hem vertelde dat al die bloemrijke taal me in een romantische stemming bracht, smeerde hij zijn onderarm in met dezelfde olie met perzikgeur als waar ik met mijn voeten in had geze-ten. En was vervolgens zo beminnelijk als een mens maar zijn kan. Daarna viel hij met die gespierde vaasvormige armen om me heen geslagen in slaap. Aangezien ik nooit eerder een zachtaardige man had gehad, moest ik me nu wel afvragen waarom ik er altijd zo mordicus tegen was geweest.

Ik had een onrustige nacht, werd steeds wakker van geluiden waar ik normaal gesproken lekker op sliep, zoals oponthoud op kleine stationnetjes en het geratel van de wielen. Ik werd pas laat wakker. Toen ik mijn ogen opendeed, zag ik tot mijn verbazing dat Art er nog steeds was, want meestal was hij al vroeg de deur uit om toezicht te houden op het uitladen van de dieren. Maar nu zat hij voorovergebogen als een lilliputter aan mijn bureau iets te lezen. Ik stond op om te zien wat hij daar had. Dat was niet eenvoudig, want zo te zien was hij er al een hele tijd mee bezig; hij zat zo diep voorovergebogen dat hij wat hij las helemaal bedekte. Dus vroeg ik hem ten slotte maar wat hij daar had.

Hij kwam overeind, rekte zich uit en tuurde me met wazige ogen aan.

'Dit is je contract', antwoordde hij.

De week daarop was ik de meeste tijd bezig oude demonen af te weren. Ik vond het een bezoeking om in complete zinnen te spreken en als ik niet zo haarscherp wist wat er kan gebeuren met een vrouw die zwak wordt en de gevolgen van haar verdriet toont, zou ik helemaal gestopt zijn met praten, denk ik. Ik dwong mezelf door te gaan, maakte hier en daar fouten. Tijdens de paardrijshow vergat ik een keer waar ik was en ging mijn lichaam in een bocht de ene kant op en mijn paard de andere kant. Ik wist alleen in het zadel te blijven door Alvins manen te grijpen, waardoor hij luid begon te hinniken en uit de pas raakte. Het was een onbevallige verstoring van het nummer, die me op een onomwonden uitbrander van de baas van het paardenspul kwam te staan. Ik was vooral bang dat ik mijn oude vriend neurasthenie weer op bezoek had, wat een spanning veroorzaakte die me allerminst goed deed.

Art daarentegen had in reactie op Charles Ringlings dood zijn schouders opgehaald en gezegd: 'Ja, dat is een tegenvaller. Dat is vrijwel alles in deze wereld. We verzinnen wel wat anders, Mabel, je moet niet zo piekeren. Dat is ongezond, geloof me.'

Hij was vooral bezig met het zoeken naar een uitweg uit mijn contract. Iedere keer als ik hem zag, leek hij mijn contract, een woordenboek en een vergrootglas voor de kleine lettertjes bij zich te hebben. Het document telde zevenentwintig bladzijden, vol subartikelen, subclausules en juridische prietpraat, dus als je dat allemaal wilde bestuderen, was je wel even bezig. Soms zag ik hem in de gebakkraam zitten broeden op de betekenis van al die artikelen, met een kop koffie naast zich waar allang geen stoom meer af kwam, zijn voorhoofd steunend op een gekromde, dikke hand met gelakte nagels. Op een dag zag ik hem in de menagerie naast de humeurige yak zitten. Hij zat diep gebogen naast de kooi te lezen met het contract in de ene hand, het juridisch woordenboek in de andere en het vergrootglas aan zijn voeten.

Eerst las hij het een keer helemaal door om het te begrijpen en dan begon hij opnieuw, ditmaal om te zoeken naar wat hij noemde multi-interpretabele zinsdelen. Al gauw zaten er dierlijke vlekken op het document en begon het er verfomfaaid uit te zien. Toen de nietjes het begaven, rolde hij het op als een oude perkamentrol en hield het bijeen door er een dik elastiek omheen te doen.

Na zes dagen van lezen kwam hij me zoeken in de kleedtent voor de dames. Hij liep linea recta naar binnen, ondanks het feit dat er half ontklede dames aanwezig waren. Niemand gilde echter, want het was Art maar.

Hij kwam naar me toe met het contract opengeslagen op bladzij zestien. Hij wees een regel aan die hij omcirkeld had. Mijn mond viel open toen hij zei: 'Na de matinee moesten we meneer Curley maar eens een bezoekje brengen, denk ik.'

Ik wilde zo graag dat mijn nummer ten einde was dat ik Alvin voortdurend aanspoorde wat sneller zijn figuren te lopen in de hoop dat de anderen dat signaal zouden oppikken en we sneller klaar zouden zijn. Dat werkte natuurlijk niet, want Alvin was degene die leidde, dat wisten we allebei. Toen ik eindelijk door het blauwe gordijn de piste uit was gereden, stapte ik snel af en rénde zowat naar de kleedtent, waar ik Art trof. We liepen meteen naar de tent van de manager, Charles Curley.

Nou had ik al eerder gesprekken gehad met Curley en het leek hem oprecht te spijten dat ik, een dompteuse, met paarden moest werken. Daarnaast had hij me echter ook altijd voorgehouden dat een contract een contract is en dat hij me, ook al had hij met me te doen, absoluut niet kon uitbesteden aan een ander circus zonder met John Ringling te praten, die eerlijk gezegd wel wat belangrijkers aan zijn hoofd had.

We vielen plompverloren bij hem binnen. En troffen hem achter het bureau waaraan we een week eerder met Charles Ringling hadden gesproken. Art legde met een klap het contract op Curleys bureau en wees naar de omcirkelde zin.

Er stond: Onder geen enkele omstandigheid zal de comparante sub 1, voor de duur van de overeenkomst met comparant sub 2, de keuze, het recht of de vrijheid hebben op te treden in, te werken voor of anderzijds te verschijnen, in welke capaciteit ook, bij een ander Amerikaans circus, vaudeville, kermis of theatergroep dan het bedrijf dat eigendom is van en/of geëxploiteerd wordt door en/of onder leiding staat van comparant sub 2.

Curley las het. Twee keer, zo te zien.

'Wat bedoel je nou eigenlijk, Rooney?'

Art wees naar het deel van de zin dat voor ons bezoekje het meest relevant was.

'Amerikaans circus? Nou en? Dat is gewoon iets wat mensen zeggen.'

In zekere zin had hij gelijk: destijds rolde de uitdrukking 'Amerikaans circus' net zo makkelijk van iemands lippen als het enkele woord 'circus'. Maar Art liet zich niet uit het veld slaan.

'U weet net zo goed als ik dat "gewoon iets wat mensen zeggen" voor een advocaat niet opgaat.'

Curley pakte het contract op en las de betreffende zin nog eens, maar nu wat nauwkeuriger. Zijn gezicht was een paar seconden onzichtbaar. Ik hoorde een zucht en daarna legde hij het contract terug op zijn bureau. Toen grinnikte hij.

'Daar zou je wel eens een punt kunnen hebben, Rooney.'

Een week later namen Art en ik op een perron afscheid van elkaar, naast een stilstaande trein, die me helemaal naar New York City zou brengen, waar ik aan boord zou gaan van een oceaanstomer naar Engeland. Daar zou ik mijn vechtnummer gaan doen voor een Engels circus, het Mills Circus uit Londen. Radja bevond zich in een kist in het vrachtruim en sliep de slaap der koningen, dankzij een kalmeringspil die hij 's ochtends bij zijn paardenvlees had gekregen.

Art kuste me; het was zo'n moment dat voor de ene helft uit vreugde en voor de andere helft uit verdriet bestond, waardoor alles goed voelde.

Hij had zijn armen om me heen geslagen en mijn tranen maakten de voorkant van zijn flanellen overhemd nat. Zo bleven we heel lang staan, terwijl Arts tranen op mijn hoofd druppelden en ik snotterde. Ten slotte gaven we elkaar een klein duwtje, waarna ik me omdraaide en in de trein stapte. Hij volgde op het perron toen ik mijn plaats ging zoeken. Toen de trein het station uit reed, zwaaide ik en wierp kushandjes en maakte een zakdoek drijfnat. Ik stopte even om met de rug van mijn hand mijn tranen weg te vegen en toen ik klaar was, was de trein het station al uit. Ik leunde achterover, haalde diep adem en verwonderde me erover hoe weggaan tot diep nadenken stemt over de dingen die het leven de moeite waard maken. Een paar minuten dáárna hing ik met een warm en slaperig gevoel onderuit op de bank en vond ik het helemaal niet erg om mij te zijn.

13

Art

Wat me het meest beangstigt? Wat me zenuwachtig maakt, me naar een van dokter Brisbanes pillen doet grijpen en me op onbezonnen ideeën brengt? Wat als noch God noch het toeval er iets mee te maken heeft? Wat als we ons eigen geluk of pech creëren, als alles wat ons overkomt, gebeurt omdat we het willen?

Ik wil dat je dit heel goed begrijpt, dus ga voor deze ene keer eens een stukje terug in de tijd met me en probeer je die dokter in Hopkinsville te herinneren, degene die drie lichtgebogen vingers gebruikte om een nat krulletje weg te duwen terwijl hij het heel goed met één rechte af had gekund. Eerder heb ik hem beschreven als een van de aardigste mannen die ik ooit ontmoet had, dat is waar, maar naarmate ik dieper graaf in wat ik mijn bekentenis noem, begint het me te dagen dat hij dat misschien helemaal niet was. Hoe meer ik erover nadenk, hoe meer ik ga denken dat hij eigenlijk de wreedste van het hele stel was, want ik herinner me een kuipbeurt waarbij ik me bitter beklaagde over alle slechte kaarten die het lot me had toebedeeld en ik me afvroeg wat ik gedaan had om die te verdienen, terwijl ik en passant ook nog eens barstte van het zelfmedelijden.

'Ik zweer het, dokter,' had ik gezegd, 'met zo veel pech ga je aan jezelf twijfelen.'

Op dat punt dacht ik dat hij zoals gewoonlijk iets bemoedigends zou gaan zeggen, zoiets als: 'Maak je geen zorgen, Mary, je bent een intelligente jonge vrouw en als je dit eenmaal achter je hebt gelaten, krijg je een leuk leven.' In plaats daarvan hoorde ik dat hij zwaar door zijn neus begon te ademen, een teken dat hij me iets ging vertellen wat ik misschien niet per se wilde horen. Wat hij zei, was: 'Er bestaat inderdaad wel zoiets als pech hébben en er bestaat inderdaad wel zoiets als geluk hébben, maar er bestaat ook nog een ander soort pech of geluk, Mary. Het soort dat je zelf creëert. Je hebt ook nog het soort geluk dat je dénkt te verdienen.'

Ik besteedde destijds niet veel aandacht aan wat hij zei en antwoordde zoals gebruikelijk met: 'Ja, ja, dokter, ik begrijp wat u bedoelt.' Toch is wat hij zei me altijd bijgebleven en het begint me zo langzamerhand steeds duidelijker te worden. En naarmate het me duidelijker wordt, komt één bepaalde gedachte met betrekking tot die brave dokter Levine steeds vaker naar de oppervlakte borrelen.

Waar haalde hij het lef vandaan?

Waar haalde hij het lef vandaan om me dat duidelijk te maken?

Het antwoord is natuurlijk dat hij van me hield en nergens word je zo vals van als van de liefde. Nergens word je zo gek van als van de liefde en door die gekte verlies je alle controle over jezelf en als mensen de controle over zichzelf verliezen...?

Nou. Dan zijn ze tot zowat alles in staat, is mijn ervaring.

Na zes maanden warm bier te hebben gedronken, Cockney-accenten te hebben ontcijferd, kroonjuwelen en beroemde bruggen te hebben bezocht, iedere dag hoe dan ook brieven te hebben geschreven, de door heimwee ontstane leegte te hebben doorstaan, te hebben moeten wennen aan eten dat óf gefrituurd óf in de vorm van een taart gebakken was, puur uit nieuwigheid steeds op het bovendek van de bus te hebben gezeten en bijna iedere keer dat ik van de stoep stapte te zijn overreden omdat al het verkeer de verkeerde kant op reed, maakte ik rechtsomkeert en kwam als een gelukkig mens thuis. Bij thuiskomst werd ik begroet met bloemen, tranen, omhelzingen, een lekkere maaltijd en een dosis liefde die naar het extreme neigde en misschien zelfs verder. Daarna kondigde Art aan dat hij even een frisse neus ging halen en liet mij in bed liggen. Omdat ik een halfuur later een hoop herrie naast onze wagon hoorde, trok ik de gordijnen open en keek naar buiten. Ik kon mijn ogen niet geloven. Een van de goudkleurige Romeinse strijdwagens die in de openingspantomime gebruikt werden, stond voor, getrokken door een stel Friese paarden. In het wagentje zat Art met een zweep in de hand, een hoge hoed op en livreilaarzen en een witte rijbroek aan. Overal renden of slenterden mensen rond, sommigen stonden met open mond te kijken of te kwebbelen. Poodles Hannaford stond op zijn handen. Bird Millmans papegaai gaf te kennen dat hij een cracker wilde. Zelfs Leitzel zag ik ergens aan de zijlijn een sigaret staan roken en haar best doen niet onder de indruk te lijken, wat nog niet meeviel, aangezien Art zijn wangen had bepoederd met iets wat alleen maar als glitterspul omschreven kon worden.

'Uw strijdwagen staat voor', zei hij met een brede zwaai van zijn rechterhand.

Giechelend stapte ik in, waarna hij met zijn tong klikte en de paarden ons in draf wegvoerden over een landweggetje dat vanaf het spoorwegemplacement liep. Art stopte bij een beekje, een lieflijk, maanverlicht en kabbelend beekje, dat hij al eerder op de dag gevonden moest hebben. Hij sprong uit de strijdwagen, liep naar de andere kant, pakte mijn hand en hielp me uitstappen. Hij leidde me naar een boomstronk en gebaarde dat ik moest gaan zitten. Hij liet zich op één knie zakken, maar niet zoals je waarschijnlijk denkt, want in plaats van recht voor me te gaan zitten, knielde hij zijdelings, zodat ik tegen de zijkant van zijn gezicht aan keek.

'Mabel,' zei hij, 'het wordt hoog tijd dat ik je mijn theorie uitleg over het leven, de liefde, het africhten van dieren, het streven naar geluk, de reden waarom we kiezen voor het leven en, niet in de laatste plaats, wat we bedoelen als we over God zitten te zaniken. Je zou het Arts Theorie over Absoluut Alles kunnen noemen, je mag het ook de opvatting van een mafkees noemen, dat is aan jou. Hoe dan ook, hij luidt als volgt: ik geloof dat als je iets ziet wat je meteen het mooiste vindt wat je ooit hebt gezien, het dat waarschijnlijk niet is. Wat je ziet, is nep, bluf en bedrog of beter nog: wat je ziet, is wat iedereen om je heen mooi vindt. En hoewel daar niks mis mee is, betekent het niet dat wat je ziet schoonheid van de puurste soort is. Schoonheid, en dan bedoel ik wáre schoonheid, overvalt je. Het lokt je in een hinderlaag. Het is iets wat je niet direct ziet, tot het op een dag in je ooghoek verschijnt en je je omdraait om het te bekijken en zegt: Drommels, waarom heb ik dat niet meteen gezien? Begrijp je, Mabel? Snap je waar ik heen wil? Mabel Stark, ik geloof echt dat je de mooiste mens bent die ik in mijn hele leven ooit gezien heb en dan heb ik het niet over je blonde krullen, je mooie figuur of je lef. Dan heb ik het over wat je ín je hebt, waardoor je de dingen kunt doen die je doet met tijgers.'

Hier moest ik even slikken, wat nog niet meeviel, omdat mijn strot pijnlijk gezwollen was.

'Wil je met me trouwen, Mabel Stark? Wil je voor altijd mijn vrouw zijn? En voor je antwoord geeft, wil ik erop aandringen dat je bedenkt dat voor altijd een heel lange tijd is.'

Ten slotte draaide hij zijn gezicht naar me toe en keek me aan als een kind dat hoopt op een tweede portie van het toetje.

Mijn antwoord bestond vooral uit blozen. Blozen en mijn handen tussen mijn knieën vouwen. Art kwam overeind, liep naar de wagen en zei met zijn rug naar me toe gekeerd: 'Mabel, doe je ogen dicht, ik heb een verrassing.' Ik deed wat hij vroeg en hoorde hem wat rommelen. Toen hij dichterbij kwam, zei hij: 'Oké, hou je handen op', en toen ik dat deed, verwachtte ik denk ik dat hij er een ring of zo in zou laten vallen.

In plaats daarvan voelde ik dat er iets vierkants van karton, ongeveer zo groot als een doos chocolaatjes maar dan zwaarder, in mijn handen gelegd werd.

'Oké', zei Art. 'Nu mag je het openslaan.'

Wat ik in mijn handen had, was een soort album met een kaft van mooi bedrukt karton, bijeengehouden met geel lint. Mijn artiestennaam stond op de voorkant.

Ik keek Art met open mond aan.

'Sla het dan open', zei hij. 'Kom op. Bekijk het.'

Ik sloeg de kaft om. Op de eerste bladzijde stond een oud *Billboard*-artikel. Het was klein, iets van vier paragrafen in een enkele kolom, met witte randen erlangs, en het beschreef dat eerste gemengde nummer dat ik heel lang geleden deed bij Barnes. Ik sloeg de bladzijden een voor een om. Er stonden artikelen, recensies en verslagen in uit *Billboard, White Tops* en plaatselijke kranten, waarin iedere stap uit mijn carrière werd beschreven. Alle hoogtepunten stonden erin, mijn ballonnennummer met Samson, het feit dat ik de eerste was die Sumatranen africhtte, mijn debuut met Radja, mijn strijd met Nikker, en nog tientallen minder belangrijke momenten.

Ik sloeg het album dicht, drukte het tegen mijn borst en voelde me slap worden.

'Dank je, Art', zei ik.

Hij bleek nog meer verrassingen in petto te hebben. In plaats van dat hij 'graag gedaan' zei, pakte hij me het album af en liep terug naar de wagen.

'Dit is niet voor jou', zei hij. 'Althans, nog niet.'

Het was allemaal zo verwarrend dat ik hem niet eens vroeg wat hij bedoelde. Ik keek alleen maar hoe hij naar de strijdwagen liep en het album, dat hij de hele tijd als een kostbaar kleinood behandelde, terugstopte in een canvas zak. Toen hij terugkwam, knielde hij en plukte een paardenbloem uit het gras. Hij trok de bloem eraf en draaide de stengel tot een ringetje. Ik stak hem de juiste vinger toe en hij schoof hem eromheen.

'Mabel Stark,' zei hij plechtig als een rechter, 'met deze ring…'

Verder kwam hij niet, want mijn armen lagen al om hem heen en ik
drukte mijn lippen stevig op de zijne.

We besloten te wachten tot we in het winterkwartier in Bridgeport waren. Art stelde als datum half november voor, zijn verjaardag om precies
te zijn, en aangezien die dag me even geschikt leek als elke andere, ging
ik akkoord.

Toen Art dat hoorde, was hij zo opgetogen dat hij op en neer begon te
springen en met die grote handen van hem in de lucht begon te wapperen.
Daarna besteedde hij al zijn vrije tijd aan voorbereidingen, ook al konden
we maar verdomd weinig doen voordat we het winterkwartier betrokken. Niettemin ging hij overal de stad in om in kledingzaken, bloemenwinkels en bij kleermakers te kijken. Ideeën opdoen, zo rechtvaardigde
hij die uitjes. 'Ik ben alleen maar ideeën aan het opdoen, Mabel, ik probeer
de creatieve sapstroom op gang te brengen. Tussen twee haakjes, wat vind
je van lelietjes-van-dalen?'

Hij ging ook rondneuzen bij kerkgenootschappen. Aangezien we geen
van tweeën bijzonder religieus waren, vond Art dat we maar moesten
trouwen volgens een geloof dat, zoals hij het noemde, prijs stelde op grandeur. Rooms-katholieken, anglicanen, presbyterianen, lutheranen, hernhutters, zevendedagsadventisten, methodisten, Jehova's getuigen, evangelisten, boeddhisten, confucianisten… hij ging zelfs een keer naar een
doopsgezinde dienst in een achterbuurt, waar hij als enige blanke man tussen een congregatie van zwaar beboezemde zwarte vrouwen zat, die in
vreemde tongen spraken. Uiteindelijk gaf hij de voorkeur aan de katholieken, zei hij, vanwege al het gebrandschilderde glas en het kostbare hout.
Ik zei dat geen enkele zichzelf respecterende priester bereid zou zijn een
niet-vrome circusartieste, die op het punt stond een vijfde echtgenoot te
nemen, in de echt te verbinden. Art pruilde er de rest van de dag om, al
ging hij de volgende ochtend, in Athens, Georgia, vol nieuwe energie op
kerkenjacht. Die dag begon hij erop te zinspelen dat de unitariërs misschien wel wat waren.

En er was nog iets waar hij aan begon te werken. Hoewel hij wist van

ART 325

mijn twee eerste huwelijken, beschouwde hij die als vergissingen, die lang geleden onder een andere naam waren begaan, en bovendien had ik met James Williams nooit geneukt, dus die telde niet. Albert Ewing was een ander verhaal. Ewing was bekend bij het circus en het was bekend dat ik met hem getrouwd was geweest. Met Art trouwen zonder van Albert te scheiden, zou ronduit bigamie zijn, al was het maar omdat iedereen ervan wist.

Het probleem was dat Albert van de aardbodem verdwenen was. Met hoeveel mensen Art ook praatte, altijd kreeg hij hetzelfde te horen: het laatste wat ze van de man hadden gezien, was dat hij aan een postplatform bungelde met zijn geslachtsdelen wijzend naar zijn kin. Art stuurde brieven naar alle grote circussen en ook naar enkele tientallen kleinere. De antwoorden vielen uiteen in twee categorieën. De eerste was: We hebben gehoord wat hij bij de Ringlings heeft uitgespookt; die komt er hier niet in. En de tweede was: Wie?

Na twee of drie weken vruchteloos zoeken, besloot Art een kleine advertentie in de Billboard te zetten. Die luidde:

$ 100 beloning!
Honderd dollar voor wie in staat is inlichtingen te verstrekken over de verblijfplaats van ene Albert Ewing, voormalig accountant van het Ringling Circus. Contante betaling ter plekke; alle inlichtingen vertrouwelijk; geen vragen.

Dit bleek ook al niet te werken, niet omdat we geen reacties kregen, maar omdat we er duizenden kregen, zonder uitzondering van hysterici, zodat de postbode van het Ringling op een ochtend naar ons rijtuig kwam en zinspeelde op een extraatje voor het doorgeven van al die post. Omdat het onmogelijk was alle aanwijzingen te bekijken, bekeken we er geen een. Art besloot dat we het beste met een privé-detective konden gaan praten. Charles Curley hielp ons door Pinkerton's te bellen, het bureau dat Mabel Ringling in de arm had genomen toen ze een aantal jaren daarvoor de zwendelpraktijken in het circus had willen terugdringen. Ze stuurden iemand naar ons toe, met wie we een gesprek hadden en met wie we twee weken later een tweede gesprek hadden.

Mijn man bleek in een hotel boven een gokhal te wonen in Cincinnati,

Ohio. Hij had helemaal niks meer met circussen te maken en noemde zich tegenwoordig Al Driven.

(Ik: 'En, hoe gaat het met die kleine rotzak?'

De Pinkerton-agent, een flink uit de kluiten gewassen man met kleine oogjes, een scheef- en platgeslagen neus, oren als flinke slabladeren en een kin zo groot als een lunchtrommel: 'Nou... niet geweldig.')

Er was nog één ander belangrijk brokje informatie. Albert zou toestemmen in een scheiding als ik hem een cheque voor duizend dollar gaf. Mijn eerste gedachte toen ik dit hoorde, was: in geen duizend jaar. Want Albert Ewing was een smerige valse zwendelaar en als er iemand recht had op duizend dollar was ik het wel, gezien alle verdriet en schande die zijn streken me hadden berokkend. Eerlijk gezegd begon ik me alweer danig op te winden, maar toen ik naar Art keek, wierp hij me een milde vragende blik toe, die maar één ding kon betekenen.

Bekijk het eens van een andere kant, schat.

Toen dat eenmaal geregeld was, ging Art zitten, pakte een pen en inkt en tekende een uitnodiging, versierd met krullen en hartjes en cupidootjes die pijlen op elkaar afvuurden.

'Art,' zei ik, 'aan wie gaan we die uitnodigingen eigenlijk sturen? We zitten geen van beiden ruim in de familieleden en we barsten ook niet bepaald van de vrienden hier bij het circus.'

Dit zette hem aan het denken. Maar je kon zien dat hij oplossingen probeerde te bedenken in plaats van redenen voor een borrel of een potje kaarten. En als je een reden wilt waarom ik van Art Rooney hield, dan was dat het misschien wel. Na een paar tellen klaarde zijn gezicht op.

'De werklui', zei hij; het was het soort gedachte waarvan je eerst schrikt en waarvan dan pas de redelijkheid doordringt.

'Tja,' zei ik, 'het zijn ongewassen dieven, van wie de meesten ergens voor op de vlucht zijn, maar het zijn de enigen met wie ik het tegenwoordig nog een beetje kan vinden, dat is waar. Plus dat jij een ex-werkman bent, dus dat lijkt me wel passen. We bieden ze een buffet met ham en aardappelsalade aan. Dat vinden ze vast wel lekker.'

Dat was dus afgesproken. Op vrijdag 20 november zou ik in Bridgeport, Connecticut, mevrouw Rooney worden, een gebeuren waarbij de gasten, in gehuurde kleding en te kleine schoenen, ongetwijfeld zouden trillen van de zenuwen. Niemand had ooit zo'n trouwerij meegemaakt, wat waarschijnlijk de reden was waarom het idee bij Art opgekomen was. Er zouden lelietjes-van-dalen zijn en slingers en guirlandes van sparrentakken. Klonk perfect. Ik kon niet wachten. Ik ging naar de menagerie en vertelde het aan Radja, die het nieuws redelijk goed opvatte, zo redelijk als te verwachten viel van een kat die prikkelbaar geworden was van ouderdom en jaloezie.

Dat najaar reisde het circus via de zuidelijke staten terug naar de laatste voorstellingen in Virginia. Tegen de tijd dat we in de Carolina's aankwamen, begon het 's avonds al wat frisser te worden en warmden de trapezewerkers hun handen boven bunsenbranders, zodat ze niet mis zouden grijpen als gevolg van gevoelloosheid. Ik begon weer met mijn tijgers te werken en liet ze in de piste hun oude trucs oefenen, wat in zijn algemeenheid wel iets over mijn gemoedstoestand zei. Het leven schijnt opwaartse en neerwaartse bewegingen te kennen en dit was een opwaartse, want helemaal in het zuiden van Florida, in de kelder van een villa die het Huis van John heette, maakte een van de rijkste mannen van Amerika een pakje open.

Ik was er weliswaar niet bij. Ik kende de man weliswaar niet goed, maar ik wist wel dat mijn leven altijd óf honderd keer beter óf honderd keer slechter werd als hij met ondergetekende in contact kwam. Maar met rijkdom kwam beroemdheid en met beroemdheid een soort algemene bekendheid met hoe hij leefde. Dus ik kan het me wel voorstellen. Ik kan me wel een beeld vormen van hoe het gegaan is.

Zijn dag begint om tien uur 's avonds. Hij eet een ontbijt van cornedbeefburgers en eieren, dat hij wegspoelt met grote glazen Old Curio. Dan ontvangt hij de mensen met wie hij een afspraak heeft, wat maar weer eens bewijst dat je als je een van de tien rijkste mannen van Amerika bent afspraken kunt plannen voor middernacht in een stadje dat tien jaar geleden nog niet bestond en dan toch mag verwachten dat mensen komen opdagen. Terwijl zijn vrouw slaapt, zijn zijn bedienden wakker, want er moet toch iemand zijn die hem de sherryglazen vol Duitse jenever brengt, die hij door illegale stokers in de baai bij zijn huis laat droppen.

De hele nacht werkt en piekert hij en wou hij – vaag en zonder echte overtuiging – dat hij eens een tijdje geen John Ringling hoefde te zijn.

Al die beslissingen, daar komt het door. Beslissingen, beslissingen, beslissingen; konden ze maar eens één gezegende minuut wegblijven. Spoorwegen, olievelden, aandelen en obligaties, vastgoed, een kunstcollectie die miljoenen waard is, het circus... alles heeft zijn aandacht nodig. Het is waar, ooit had hij het gevoel gehad dat hij bruiste van energie telkens als hij zijn handtekening zette, maar dat was toen ze nog met zijn vijven waren en hun imperium een fractie was van wat het nu was.

Dus dwaalt hij rond. Denkt na. Piekert. Bewondert zijn kunst. Kijkt hoe de zon opkomt vanachter de kliffen bij zijn villa. Als hij een bediende tegen het lijf loopt, verandert zijn manier van doen en is hij weer John Ringling, dan glimlacht hij, zegt goedenavond en voert misschien een gesprekje over niets. De avond verstrijkt. Voortdurend heeft hij de neiging om de volgende ochtend de boot te nemen naar Europa, waar eisen en beslissingen hem moeilijker kunnen vinden, maar uiteindelijk doet hij het niet, want hij is slim genoeg om te weten dat hij achtervolgd wordt door wat alle succesvolle mannen achtervolgt: de angst dat hij in de kern van de zaak tekortschiet. Dus drinkt hij. Zucht hij. En wou hij dat de wereld niet steeds zo verdomde mooi was. Op vrije momenten doet hij zijn zaken af zoals een geweer een schot hagel afvuurt, zonder orde, zonder reden, zonder zich om het resultaat te bekommeren. Als er iets in hem opkomt, krabbelt hij zijn wensen op een schrijfblokje, dat hij in de borstzak van zijn kamerjas heeft zitten. Om negen uur 's ochtends overhandigt hij de blaadjes van die dag aan een bediende, wiens taak het is wijs te worden uit het gekrabbel en de al te idiote ideeën weg te gooien.

Daarna, naar zijn privé-vertrek in de kelder, waar John Ringling de eerste van de twaalf pinten Duits lagerbier inschenkt die hij iedere ochtend drinkt. Zijn post wordt daar op een stapel naast zijn bureau gelegd, duizenden brieven, rekeningen, vragen en besluiten. Vele negeert hij, sommige beantwoordt hij, het merendeel stuurt hij linea recta door naar advocaten of accountants. Deze ochtend ligt er boven op de stapel een in bruin papier en touw gewikkeld pakje dat zijn nieuwsgierigheid wekt. De grote man probeert het pakje met zijn dikke gewrichtsloze vingers open te maken, maar krijgt in zijn dronkenschap het strak aangesnoerde touwtje maar moeilijk los. Een steek van ergernis. Hij grijpt een briefopener, de opener met het van Keniaans ebbenhout gemaakte handvat en het fijn geslepen staal uit Pennsylvania, en snijdt het pakje met kleine rukjes open.

Het is: een soort album. Mabel Stark. Hmmmmm, de naam komt hem bekend voor, maar hij kan zich niet herinneren waarvan. Hij slaat het open. Een tijgervrouw of zoiets en geen onaantrekkelijke; moet je die schoolmeisjeslokken zien en die strakke leren pakken. Ik moet de papa's geïnteresseerd houden, maar wat zou ik niet overhebben voor een lekkere ouderwetse, onverbloemde striptease. Hmmmmmmmmm? Stark? Stark, Stark, Stark? Natuurlijk! Mabel Stark... een klein blond onderdeurtje met een plattelandsaccent, had een goed vechtnummer en als ik me niet vergis ook iets met een jaguar. Hmmmmmmmm. Waar heb ik die toch gezien? Welke show was dat nou? Had de katten zelf afgericht, als ik me niet vergis. Jezus, Mabel Stark. Dat is nog eens een naam uit het verleden.

Wat zou daarvan geworden zijn?

John Ringling schijnt de telefoon gepakt te hebben en een gesprek te hebben gehad met zijn circusmanager, Charles Curley. Ook schijnt John Ringling woedend te zijn uitgevaren toen hem verteld werd dat ik al bij zijn circus werkte en dat ik gedegradeerd was naar een paardrijnummer, ook al was het een beslissing die hij zelf had genomen. Tegen de tijd dat Charles Curley me naar het ticketbureau liet komen, zag hij er moe en chagrijnig uit, zoals de meeste mensen die met John Ringling te maken hadden gehad.

'Mabel,' zei hij, 'ga zitten.'

Curley wreef over zijn slapen. 'Ik heb de hele ochtend aan de telefoon gehangen om wat dingen te regelen.'

Hier stopte hij even, in het midden latend of die dingen in mijn voordeel of in mijn nadeel waren. Het kon allebei. Zijn vingertoppen gleden naar zijn ogen, die eveneens flink gemasseerd werden. Hij sprak tussen zijn handen door.

'Volgend seizoen stap je over naar de show van Robinson. Hij heeft acht tijgers die volgend jaar juli een nieuwe dompteur nodig hebben. Is Radja al onhandelbaar geworden?'

'Uhhh... nee. Nee, meneer. Helemaal niet.'

'Dan gaat die met je mee. En de Ringling-katten ook.'

Ik tintelde toen ik wegging. Ik vond Art in de menagerie, waar hij een slaapliedje zong voor een chimpansee die de gewoonte had om door de tralies heen mensen aan hun mouw te trekken. Art zag me en knikte naar me midden in het lied.

330 DE LAATSTE BEKENTENIS VAN MABEL STARK

Ik ging achter hem staan, sloeg mijn armen om hem heen en duwde de zijkant van mijn gezicht in het flanel. Ik haalde diep adem en sloot mijn ogen, ik kreeg een beeld voor ogen en wat ik zag, was…

Tja.

Aangenaam.

Eén week voor het einde van het seizoen, op een vrije dag, terwijl de treinen op een spoorwegemplacement buiten Columbia stonden, kwam Art fluitend terug bij onze coupé. Hij had een kartonnen doos bij zich, die hij op onze klaptafel liet neerploffen. Toen gaf hij me een schaar en zei: 'Kijk maar eens, Mabel.'

Ik knipte het touwtje door dat de deksel op de doos hield en trok er een van de uitnodigingen uit. Arts mooie woorden waren in zilverreliëf op linnenpapier met de kleur van crème fraîche gedrukt. De envelop sloot door de punt van de omslag in een zilverkleurig gleufje in de onderste helft van de envelop te laten glijden.

'Art,' zei ik, 'hoeveel van die dingen heb je laten maken?'

'Hoeveel werklui hebben we?'

'Ongeveer zeshonderd.'

Hij grinnikte en ik wist het antwoord. De rest van de middag waren we bezig de uitnodigingen in enveloppen te stoppen, wat in eerste instantie giechelig werk was, maar na een tijdje ging vervelen en nog weer later ronduit zwaar werd. Ik weet nog dat de spieren van mijn handen pijn deden en de vingergewrichten aanvoelden alsof iemand erop gestampt had. Art vermaakte me de hele tijd door liedjes uit die tijd te zingen, zoals 'Bye, Bye, Blackbird' en 'I Found a Million-Dollar Baby in the Five-and-Ten-Cent Store', met een stem die heel goed wijs kon houden. Toen we eindelijk klaar waren, vroeg ik wanneer hij van plan was ze te overhandigen.

'Geen beter moment dan nu. Je moet het ijzer smeden als het heet is. Stel niet uit tot morgen wat je vandaag kunt doen. *Carpe diem*, zoals de Romeinen zeggen.'

Met andere woorden, we gingen op weg naar dat deel van de trein waar de coupés van de werklui waren. Die bevonden zich achter in de vierde wagon, dus het was een aardige tippel en ik kon er niets aan doen, maar ik moest de hele tijd lachen om de idiotie van het hele plan. 'Ik weet dat je een buffet van ham en aardappelsalade hebt voorgesteld,' zei Art, 'maar ik denk dat we er misschien beter ook nog wat kip bij kunnen doen. Niet iedereen houdt van ham, vanwege het zout. En macaronisalade. God beware me, maar ik kan soms zo'n trek hebben in een lekker bordje macaronisalade. En als we macaronisalade nemen, kunnen we natuurlijk ook niet zonder een vat augurken...'

En zo ging hij maar door mij te vergasten op de fijnere kneepjes van het buffet en ik wilde net mijn mening over gevulde eieren onthullen toen we bij de coupés van de werklui aankwamen. De meesten zaten zoals altijd buiten op omgekeerde hutkoffers te kaarten, waarbij de samenstelling van de viertallen de scheidslijn aangaf die in hun treinstellen bestond. Je had de negers, van wie de meesten staken dreven of anderzijds hielpen met de grote tent. Dat waren degenen met wie ik het meest te doen had, omdat hun enige probleem was dat ze arm waren, uit het zuiden kwamen en opgezadeld waren met de in die tijd in Amerika als verkeerd geldende huidkleur. De rest bestond uit blanke werklui: oppassers, rangeurs, onderhoudsmonteurs, keukenassistenten. Anders dan de negers, die vooral onderdrukt werden, schenen de blanke werklui last te hebben van een heel scala van aandoeningen, waarvan de meest gebruikelijke alcoholisme, gekte, syfilitische ziektes en misdadige neigingen waren, terwijl een flink aantal last had van alle vier.

Als er vechtpartijen uitbraken, gingen die meestal tussen deze twee groepen, want als de ellende omhoogkomt en men een excuus zoekt om te vechten, is een verschil in huidkleur even geschikt als wat ook. Wat ze allemaal gemeen hadden, was het feit dat ze uitgebuit werden. Omdat circusarbeiders meestal niet toegelaten werden in plaatselijke cafés en bovendien, als ze al toegelaten werden, niet de tijd hadden om te drinken, verkocht de directie bier in de blauwe wagon tegen toekomstig loon. De theorie daarachter was dat al hun geld dan op betaaldag al op was en dat een arbeider die platzak was veel minder geneigd was ervandoor te gaan dan een arbeider in wiens zakken twee weken financiële ruimte rinkelde. Bovendien werd er op hen neergekeken; de heersende opvatting was dat ze hun lot verdienden, omdat ze geen enkele verbeelding hadden. Maar dat was iets wat ik ze nou juist nooit nadroeg, want ik heb altijd gevonden dat als je in je verbeelding geen uitweg kunt vinden, je die rotverbeelding waarschijnlijk maar beter kunt uitschakelen.

Enfin.

Art haalde vier enveloppen uit onze doos met uitnodigingen en liep op het dichtstbijzijnde groepje kaarters af. Al het schudden, delen en inzetten stopte onmiddellijk, want als een baas of artiest een arbeider benaderde, kon dat over het algemeen maar twee dingen betekenen: óf de arbeider in kwestie moest een of andere zware en vervelende klus doen – de latrine-wagon schoonspuiten bijvoorbeeld – óf hij was betrapt op iets wat niet mocht, en geloof me als ik zeg dat volgens de regels van die verdomde Mabel Ringling elk arbeiderspleziertje verboden was, variërend van vechten tot het stelen van overhemden van dorpswaslijnen. Zelfs gokken was formeel gesproken tegen de regels, maar aangezien de ploegbazen er zelf ook aan meededen, werd die regel over het algemeen niet gehandhaafd. Toch kwam meneer Johns vrouw af en toe langs om er een zondebok uit te pikken, wat verklaart waarom alle vier de kaarters van schrik verstijfden toen de menageriebaas aan kwam lopen. Hun lichaamstaal zou grappig geweest zijn als die niet zo duidelijk aangaf hoe verslagen ze waren door het leven; hoe dichterbij hij kwam, hoe meer ze wegdraaiden van zijn looprichting, waardoor minstens twee van hen helemaal omgedraaid leken te zitten tegen de tijd dat hij bij hun omgekeerde krat kwam.

'Goeiemorgen, mannen', zei Art stralend.

'Morgen', bromden er een paar, het ergste vrezend en min of meer bevestigd in die vrees toen Art voor ieder van hen zo'n raar uitziende envelop neerlegde. Een tijd lang bleven de kaarten onaangeroerd liggen en bevonden de mannen zich duidelijk in een staat van onrust vermengd met nieuwsgierigheid. Ik zag hoe ze verschillende mogelijkheden de revue lieten passeren. Ondertussen maakte Art hen in de war door alleen maar te glimlachen en geen enkele hint te geven. Eindelijk, en dan bedoel ik eindelijk, stak een van de werklieden zijn hand uit. Ik herinner me dat zijn nagels vies waren en dat er een litteken schuin over de pezen en aderen op de rug van zijn hand liep. Hij pakte de envelop, opende hem en haalde eruit wat erin zat. Hij draaide de kaart eerst een paar keer om voordat hij hem met half toegeknepen ogen begon te spellen. Afgaand op de bewegingen van zijn ogen en lippen las hij hem voor de zekerheid een tweede en een derde keer. Pas toen gleed er een blik van opluchting over zijn gezicht, al zag je dat hij zich nog niet helemaal gewonnen wilde geven voor het geval hij het door al die herlezingen op een of andere manier verkeerd begrepen had.

'Wat is het?' vroeg een van de anderen.

De arbeider keek omhoog naar Art en toen terug naar de kaart en toen weer naar Art voordat hij zijn mondhoeken naar zijn oren liet kruipen. Toen keek hij de anderen aan.

'Ik geloof verdomd dat we naar een trouwerij gaan!' zei hij.

Op 17 november 1926 vertrok het Ringling Brothers Circus van zijn laatste standplaats: Richmond, Virginia. Art en ik lieten het afscheidsfeest aan ons voorbijgaan, we bleven liever thuis een boek lezen en wat praten. De volgende dag arriveerden de treinen in het winterkwartier. En terwijl de werklieden normaal gesproken naar alle vier de uithoeken van het land zouden zijn uitgewaaierd, bleven ze nu in de buurt rondhangen; ze kampeerden langs de rails, sliepen onder spoorbruggen, speelden pokerspelletjes die drie dagen duurden, scharrelden rond in delen van de stad waarvan het bestaan bij de gerespecteerde burgers van Bridgeport waarschijnlijk niet eens bekend was.

Drie dagen later, op 20 november, werd ik wakker in mijn rijtuig, waar ik de nacht niet met mijn verloofde had doorgebracht, maar met mijn knorrige ouwe kat, Radja. Eenmaal wakker wreef ik hem over zijn snuit en kietelde zijn onderbuik, iets waardoor hij normaal gesproken levensblij aan de dag begon. In plaats daarvan boerde hij een naar vlees ruikende ademwolk in mijn gezicht, gromde en schoof dichter naar de rand van het bed, waaruit ik opmaakte dat hij absoluut niet gecharmeerd was van wat ik die dag ging doen.

De huwelijksplechtigheid was om elf uur. Ik bracht de ochtend in alle rust door met koffiedrinken en mijn trouwjurk aantrekken, hoewel ik nooit echt een fan geweest ben van japonnen; ze zitten niet lekker, ze zijn duur en je kunt er eigenlijk ook niet makkelijk in zitten. Toch waren het een paar heerlijke uren, want het was het eerste huwelijk van de vijf waarbij ik geen twijfels vooraf had, iets wat ik altijd, ten onrechte, aan zenuwen had toegeschreven. Rond halfelf klopte Bailey, mijn kooihulp, op de deur. Hij droeg een bruin pak, dat trok bij de knopen, en zijn haar had hij met wat olie glad naar achteren gekamd.

'Morgen, Bailey', zei ik, waarop hij glimlachte, achteruit stapte en trots naar een auto gebaarde, die hij ergens vandaan had gehaald. Ik stapte in en we reden naar een verenigingsgebouw in het centrum, dat Art had gehuurd nadat zijn droom om in een kerk te trouwen was gesneuveld toen we ontdekt hadden hoeveel het kostte om een kerk te huren die groot genoeg was om zitplaatsen te bieden aan alle werklui van het Ringling Brothers Barnum & Bailey Circus. In plaats daarvan zouden we trouwen in een raamloze houten blokkendoos met een plat dak en de woorden Vereniging van Poolse Lassers breeduit op de voorgevel geschilderd.

Net toen ik het portier wilde openen, blafte Bailey: 'Dat doe ik!'

Ik leunde achterover en zei glimlachend: 'Oké, Bailey. Ga je gang.' Hij zette de motor af, wachtte even tot de auto uitgeschommeld was en holde toen zo snel als hij kon naar mijn kant. Glimmend van trots nam hij mijn arm en begeleidde me naar de voordeur van het gebouw, waar we bleven wachten tot we orgelmuziek hoorden, al was het in dit geval geen kerkorgel maar het kreunende gehijg van een calliope.

'Bent u er klaar voor?' vroeg hij.

'Jazeker', antwoordde ik en we liepen naar binnen, waar zeshonderd hoofden zich omdraaiden. 'Jezus', mompelde ik binnensmonds en als ik me niet vergis, hoorde ik Bailey iets soortgelijks mompelen, want al die arme werklui waren er tot de laatste man in geslaagd zich in jas en das te steken. Toen ik het vertrek rondkeek, zag ik jasjes met rafelige revers, uitgescheurde naden, vlekken zo groot als eekhoorns en jasjes waaraan knopen misten of waar de zakken helemaal van afgescheurd waren. Ik zag jasjes om schouders spannen die daar duidelijk te groot voor waren en ik zag jasjes afhangen van schouders die veel te stakerig waren. Ik zag zelfs mooie jasjes, want er was een tafel met werklui die gekleed waren in chique kamgaren pakken, wat waarschijnlijk betekende dat er de vorige avond ingebroken was in een herenkledingzaak.

De andere verrassing was dat de gasten zich tot de laatste man opgekalefaterd hadden; het waren geboende voorhoofden die me knikjes van herkenning gaven en schone handen die beschroomd naar me werden opgestoken, met geknipte nagels en verbonden wonden. Velen hadden hun haar laten knippen en degenen die dat niet gedaan hadden, hadden het gekamd en in de meeste gevallen naar één kant gepommadeerd. Voorzover ik kon zien, waren alle baarden getrimd, wat wel iets wil zeggen als je bedenkt dat alle werklui een baard hadden. Het was echt een geweldig gezicht toen ik door dat gangpad liep, al die lachende monden met tanden die weliswaar niet helemaal wit maar met bakpoeder toch redelijk schoongepoetst waren.

Met andere woorden: ik was een ontroerde juffrouw Mary Haynie uit het boerse deel van Kentucky en kon er dus fijn om huilen. Art wachtte me voor in het vertrek op en hij zou natuurlijk Art niet zijn als hij geen verrassing voor me in petto had: zijn getuige was een piepklein olifantje, dat we allemaal Baby noemden. Toen ik dat zag, moest ik door mijn hikkende gehuil heen lachen, waardoor de werklui die het dichtst bij het gangpad zaten ook moesten lachen. Toen ik bij Art kwam, pakte hij met de hand die niet Baby's lijn vasthield mijn hand.

Daarmee begon de ceremonie. De dominee was unitariër en droeg dus geen gewaad, maar een gewoon alledaags kerkgangersjasje. Toen hij met de dienst begon, verflauwde mijn aandacht, want ik had die woorden – beginnend met 'Dames en heren, wij zijn hier bijeen' – zo vaak gehoord dat ik ze praktisch uit mijn hoofd kende. Om de tijd te doden, begon ik te mijmeren en bedacht hoe absurd het leven was; ik was de enige vrouw op mijn eigen huwelijk en ik trouwde met een man die door de meeste mensen als niet erg mannelijk omschreven zou worden, maar met wie ik niettemin bijzonder in mijn nopjes was. Ik kwam terug in het hier en nu toen de dominee tegen Art zei dat het ringtijd was. Art fluisterde iets tegen Baby en Baby tilde de punt van zijn slurf op. Er zat een klein kobaltblauw doosje in, dat Art aanpakte en openmaakte. Mijn mond viel open. Het was een ring met een smaragd en ik wist waarom dat was: ik had namelijk ooit tegen Art gezegd dat de mooiste kleur ter wereld de kleur van Radja's ogen was. Inmiddels huilde ik voluit – probeer maar eens je hele volwassen leven iets te willen en het dan eindelijk te krijgen – zodat ik tegen een achtergrond van gesnik en gesnuif hoorde dat Art de bruid mocht kussen. Een tel later lagen Arts handen om mijn middel en zijn lippen op mijn lippen en kietelde zijn snor de onderkant van mijn neus en was ik officieel mevrouw Mabel Rooney uit Bridgeport, Connecticut.

Op welk punt de lunch geserveerd werd.

Om het eten op te dienen had Art een stel plaatselijke tieners ingehuurd, die nu met schalen aardappelsalade, macaronisalade, plakken ham, kipkluiven, kalkoenbouten, kaasblokjes – noem maar op, alles was er – kwamen aanlopen, die ze op een rij buffettafels langs de wand neerzetten. Art en ik bedienden onszelf als eersten, waarna we gingen zitten eten en kijken hoe de werklui zonder het minste geduw, ellebogenwerk of gescheld in de rij gingen staan; er werd alleen maar gelachen en gezellig gekletst. Met zo veel ordelijkheid duurde het niet lang voor ze allemaal weer op hun plaats zaten met een bord vol eten voor zich en een plastic roos bij iedere derde man en o, wat was het komisch om te zien hoe ze kalkoenbout probeerden te eten met mes en vork in plaats van met hun blote handen. Al die tijd werd er niet gevloekt, werden er geen schuine moppen getapt en werd er geen ruziegemaakt over wie wel of niet het zout had doorgegeven. Voorafgaand aan de grote dag hadden Art en ik een lang en ernstig gesprek gehad over de vraag of we ze bier zouden geven en we hadden besloten om twee biertjes de man in grote ijsemmers langs de muren te zetten. Maar dat had niet gehoeven, bleek nu. Niet één van de werklui nam bier. De meesten kéken niet eens in de richting van de emmers; ze hielden zich bij de kannen water en ijsthee op tafel. Het was net alsof ze de koppen bij elkaar hadden gestoken en afgesproken hadden dat ze zich verre zouden houden van alles wat maar enigszins alcohol bevatte en later hoorde ik dat het ook precies zo gegaan was.

Het was bovenal wat ik een leuk sociaal gebeuren noem, een heleboel gezellig geklets zonder alle opschudding, oproer en hoerenloperij die meestal samengaan met circusfeestjes. Aangezien Art en ik als eersten begonnen waren met eten, waren we ook als eersten klaar, dus gingen we de tafels langs om iedereen te bedanken voor zijn komst en ik kan je vertellen dat ieder van hen honderd keer dankbaarder was dan wie ook van de artiesten geweest zou zijn. We hadden er goed aan gedaan die arme mannen uit te nodigen. Absoluut goed aan gedaan. Toen we klaar waren met onze kleine tournee stonden Art en ik opeens bij de deur van de zaal van de Vereniging van Poolse Lassers. Art keek me aan met die Art-grijns van hem.

'En, mevrouw Rooney?'

'En, meneer Rooney?'

'We moesten maar eens gaan, denk ik.'

'Ja, dat denk ik ook.'

Hij duwde de deur open en we stonden buiten. Er zat kou in de lucht, maar niet al te veel, want de zon stond aan de hemel en het was een heldere dag. De auto waarin Bailey me geëscorteerd had, stond buiten geparkeerd met de sleutels in het contact en onze gepakte tassen in de kattenbak. Art hielp me instappen en tegen de tijd dat hij zelf instapte, kwamen er een paar werklui naar buiten, die voor het eerste tumult van de dag zorgden, maar dat tumult bestond uit juichen en roepen dat ze ons een fantastische huwelijksreis toewensten. Zwaaiend en met een gevoel alsof we vorsten waren, reden we weg. Toen we door de stad reden, werd er door andere chauffeurs getoeterd als ze het bordje 'net getrouwd' zagen, dat met een touw aan het achterspatbord gebonden was. Voetgangers zwaaiden en een vriendelijke agent leidde ons om een geknapte waterleiding heen toen hij de op de koplampen vastgelijmde anjers zag.

Tien minuten later tilde Art ons beider bagage in een trein die, geloof het of niet, voor de verandering eens geen eigendom was van John Ringling. Toen we in afwachting van het vertrek van de trein onze plaatsen opzochten, kwamen er een paar werklui op fietsen opdagen, die begonnen te zwaaien en een hoop herrie te maken voor het raam van onze coupé. Een paar deden radslagen en eentje maakte om mij totaal onbekende reden zwembewegingen in de lucht. We lachten evengoed, we zwaaiden en voelden ons over het algemeen zo licht als veertjes en we hadden zin om op reis te gaan. Enkele minuten later klonk de fluit, tot twee keer toe, en zette de trein zich in beweging. Ik vroeg Art niet eens waar we heen gingen, want ik wist dat hij me dat onder geen beding zou vertellen.

Vier dagen zaten we in die trein. Normaal gesproken had ik honderd dingen aan mijn hoofd als ik op reis was: welke tijger iets aan zijn teennagel had, welke tijger last had van een opstandige maag, welke tijger zich verzette bij het omrollen en welke tijger kuren vertoonde als hij de tunnel in moest. Met zo veel dingen aan mijn hoofd miste ik vaak wat er aan het raam van mijn rijtuig voorbijgleed, terwijl het feit dat het circus meestal 's nachts reisde ook niet echt hielp. Deze keer, zonder tijgers om me druk over te maken en tot rust gekomen door mijn nieuwe achternaam, had ik de kans om het landschap eens goed te bekijken. Met andere woorden, ik had het gevoel alsof ik het zowel voor de duizendste als voor de eerste keer zag.

Vlak nadat we de grens tussen Connecticut en New York gepasseerd waren, reed de trein langs Manhattan Island, zo dicht erlangs dat ik de kantoorgebouwen en de Brooklyn Bridge kon zien en het Vrijheidsbeeld dat er als een waakzame moeder bovenuit torende. (Ik ben altijd van mening geweest dat New York City zo vol met hoge gebouwen stond om de mensen die er aankwamen ontzag in te boezemen en het idee te geven: jezus, wat gebeurt er allemaal in dit land?) Nadat we door New Jersey getjoekt waren, reden we door de staalsteden van Pennsylvania, waar de industrie vooral indruk maakte op dat deel van mij dat waarde hechtte aan hard werken. Het volgende station was Washington, de hoofdstad van het land en daarom luisterrijk, waar Art en ik net genoeg tijd hadden om het perron op te lopen om een hotdog te eten en te wensen dat we de regeringsgebouwen konden bezoeken. Toen we weer ingestapt waren, volgde er een lange tijd waarin de trein geen vijf minuten rechtuit reed; het was de ene bocht, opwaartse helling en neerwaartse helling na de andere, waarbij de trein een potpourri aan geluiden maakte, van de locomotief die langs een berghelling omhoog zwoegde en de remmen die stoom afbliezen om te voorkomen dat de trein aan de andere kant met een rotgang omlaag zou ratelen tot aan het snerpende gekrijs van treinwielen op versleten rails. Af en toe was er als ik uit het raam keek een onderbreking in het bos en zag ik een bergtop en dan zag iemand anders hem ook en zei: 'Kijk, daar heb je Mount Mitchell', of: 'Hé, kijk nou eens, daar heb je Sassafras Mountain; met al die mist is het geen wonder dat ze de Smokies heten.'

Het kostte ons anderhalve dag om door Virginia, Noord-Carolina en Tennessee heen te komen. We moeten wel honderd kleine houthakkersdorpjes gezien hebben, waar de huizen allemaal van brede houten planken gemaakt waren en uit alle stenen schoorstenen rook opsteeg. Op de perrons probeerden kleine blanke kinderen met kort haar ons pakjes vruchtenkauwgum of zelfgemaakte speelgoedballen-aan-een-koordje te verkopen, waarna ze de trein nawuifden als die vertrok naar het volgende bergdorpje. Tegen de tijd dat we in moerassig gebied kwamen, waar slierten mos aan de bomen hingen en het land gehuld was in het soort mysterie dat door armoe wordt veroorzaakt, wist ik dat we langs de noordkant van Alabama en Mississippi reden. Plotseling waren de kinderen die ons op de stationnetjes begroeten zwart en zo ondervoed dat het mijn keel bijna dichtsnoerde; ze hadden vodden aan hun lijf en woonden in huizen gemaakt van teerpapier. In een van die dorpen – ik weet niet meer welk; Holly Springs misschien – kocht Art bij een stationskraam een zak appels, die hij begon uit te delen, maar toen de oudere kinderen de jongere begonnen te verdringen om meer dan hun deel binnen te halen, hield hij ermee op.

De trein maakte snelheid toen we de wijdopen vlakten van Arkansas en

Oklahoma bereikten. En hoewel ik niet wil beweren dat die staten even mooi zijn om te zien als andere delen van het land, kan ik wel zeggen dat hun vermogen om steeds hetzelfde te blijven iets indrukwekkends heeft. Als je uit het raam van de coupé keek en al dat struikgewas voorbij zag glijden, werd je blik naar simpele dingen getrokken, die je in de bergachtige staten niet opgemerkt zou hebben. Een eenzaam boerenhutje, nog steeds in gebruik. Een koe die gebrandmerkt werd. Een gier die lui op een hekpaal zat met niets om zich heen zover het oog reikte. Grappig hoe een klein heuveltje, dat in de staten waar de Appalachen doorheen lopen niet groter dan een puist zou lijken, een bron van fascinatie en betekenis kan zijn als het helemaal alleen op een vlakte ligt.

Gedurende de pakweg twee dagen waarin er aan de andere kant van het raam niet veel soeps te zien was, praatten Art en ik vooral; er werden veel handjes vastgehouden, babystemmetjes opgezet en er werd gebabbeld over de toekomst, tot ik uiteindelijk een van de vele vragen stelde die ik over de herkomst van Arthur J. Rooney had.

'Art, ik wil dat je me iets vertelt. Heb je nou indiaans bloed door die aderen van je stromen of niet? Zo ja, vertel het me dan gewoon, want het is, vind ík in ieder geval, niets om je voor te schamen en ik wil het gewoon graag weten.'

Hij knipperde een paar keer met zijn ogen en dacht na voordat hij met zijn antwoord kwam.

'Een beetje', zei hij.

De volgende pakweg dertig seconden zei hij niets, wat heel lang is voor een pauze midden in een gesprek.

'Mijn moeder was een indiaanse.'

'En je vader?'

Hier haalde Art diep adem.

'Smokkelde whisky naar de reservaten. Althans, dat is wat ze me verteld hebben. Ik heb hem nooit gekend. Mijn moeder was zijn beste klant. Je kunt dus wel raden hoe ze hem betaalde, gezien het feit dat ik hier met jou zit te praten. Omdat ze absoluut niet in staat was om een kleintje groot te brengen, zorgden de andere squaws gezamenlijk voor mij. Ze zeggen dat ieder mens een product van zijn omgeving is en mijn omgeving bevatte tien moeders, geen vaders en meer rottigheid dan over het algemeen heilzaam gevonden wordt voor het welzijn van kinderen.'

'Wanneer ben je weggegaan uit het reservaat?'

'Toen die stomme internaatswet erdoor kwam. Ik was tien toen ze me naar een blanke school stuurden. Daar hoorde ik niet bij de blanke kinderen en niet bij de indiaanse kinderen, dus bracht ik mijn tijd grotendeels door bij de werkpaarden en een paar zwerfhonden die van de schoolmeester etensrestjes kregen. Zonder het gezelschap van die dieren was ik denk ik gek geworden. En waarschijnlijk ben ik ook wel een beetje gek geworden als je ziet wat een rotzooi ik uitgehaald heb nadat ik was weggelopen. Ik was twaalf toen ik wegliep en in de vijf jaar daarna heb ik alles gedaan wat een indiaanse jongen moest doen om als zwerver in leven te blijven, maar daar praat ik liever niet over, want wat daar in die pioniersdorpen aan onbetamelijks bij mekaar werd gefantaseerd is ongeschikt voor de oren van een nette vrouw als jij. Op een dag liftte ik naar Laramie. Ik dacht dat ik er een paar dagen, misschien een week zou blijven. Uiteindelijk bleef ik er vijftien jaar.'

Art stak een nieuwe sigaret op en nam er een diepe haal van, die hij zo lang binnenhield dat de rook bijna verdween.

'Iedereen heeft zorgen en problemen, Mabel. Iedereen. Ik ga al drieënvijftig jaar mee en in die tijd heb ik maar één ding geleerd. Niet één probleem op deze groene aarde is met zelfmedelijden te verhelpen. Niet één.'

Art keek uit het raam, zijn tanden bewogen en zijn snor ging op en neer, zoals altijd als hij diep in gedachten was. Opeens klaarde zijn gezicht op. Hij klemde zijn ellebogen tegen zijn zij en huiverde even.

'Het is fris hier. Weet je wat wij moeten doen? Naar de restauratiewagen, een ijsje halen. Als je rillerig wordt, moet je altijd iets kouds eten, op een ijsblokje zuigen bijvoorbeeld, of naar een poolcafé gaan. In vergelijking daarmee voelt de temperatuur buiten je mond warm aan en als je er goed over nadenkt, is "warm in vergelijking met" het enige soort warmte dat er is.'

Waarna ik hem liefdevol aankeek en dacht: o, Art. Alsjeblieft.

Vlak daarna maakte de trein een bocht naar het zuiden en staken we de grens met Texas over. In Dallas bleven we een uur staan, zodat we uitstapten om even de benen te strekken en ieder een gegrilde kalkoenpoot namen. We gingen weer aan boord en net buiten Houston stond Art op en begon kleren in zijn koffer te stoppen. Ik keek hem vragend aan, een blik waar hij om moest grinniken, zodat hij even ophield met inpakken en zei: 'We moeten er zo uit, mevrouw Rooney. Ik zou maar eens aanstalten maken als ik u was.'

Gauw pakte ik al mijn spullen bij elkaar. Toen de trein weer stopte, kwam er een zwarte kruier naar ons toe, die onze spullen het perron op droeg, waarna Art hem vroeg ze in te checken bij het bagagedepot. Toen dat allemaal gedaan was, gaf Art hem een fooi, waarna de kruier hem bedankte en fluitend wegkuierde. Art haalde diep adem en keek bewonderend rond in het hoge stationsgebouw met het glazen plafond.

'Nou, Art,' zei ik, 'ik weet dat je me graag in onzekerheid laat, maar aangezien je onze bagage in het depot hebt laten zetten, neem ik aan dat je eerst nog wat rond wilt kijken voordat we verder reizen. Zit ik in de goede richting?'

'Ja. Ik moet hier in Houston iets afhandelen voor Ringling, maar los daarvan sla je de spijker op zijn kop, Mabel.'

We liepen het station uit, stapten in een taxi en reden door het centrum en al die tijd zei Art niets, maar hij glimlachte alsof hij iets in zijn schild voerde. Wat mezelf betreft, ik was al heel vaak in Houston geweest en het had me altijd verbaasd dat het zo'n lelijke stad was, een reactie die ik nu min of meer weer had. Ik denk dat het probleem was dat het eigenlijk een haven was, waarmee ik wil zeggen dat de meeste gebouwen óf pakhuizen waren, waar alles werd opgeslagen wat per stoomschip via de Galveston Bay werd aangevoerd, óf treurige hotels, bevolkt door zeelui op verlof. Wat Houston niet had, was de normale leuke kant van het grotestadsleven, zoals restaurants, winkels, theaters en overal mensen. Hoe dat kwam, wist ik eigenlijk niet; het enige wat ik kon bedenken, was dat Houstonieten zo gewend waren om binnen te blijven in de verzengende zomerhitte dat ze die gewoonte vergaten af te leggen als het aangenamer weer werd.

Na een minuut of tien stopten we voor een log gebouw, dat in niets verschilde van de andere lage gebouwen in die straat, behalve dat er een bordje op de deur zat, waarop stond: 'Peterson & Co, Dierenhandelaren'. Art drukte op de bel. Na enige tijd deed een man open, die breed begon te glimlachen toen hij Art zag.

Terwijl we naar binnen liepen, stelde Art mij voor als zijn nieuwe vrouw en Peterson als een van de meest gerespecteerde mannen in de dierengroothandel. We bevonden ons in een enorm vertrek vol dieren van allerlei pluimage en moesten hard praten om boven het rumoer uit te komen. De lucht was niet om te harden en ik vond het niet prettig om te ademen daar, maar Art leek er helemaal geen last van te hebben.

Art vertelde Peterson dat hij drie dieren moest vervangen: een kameel die kortgeleden aan griep was bezweken, een olifant die van ouderdom was gestorven en een lama die doof was geworden en geen aanwijzingen meer kon opvolgen in de chaos van de openingspantomime. Peterson knikte en zei dat hij maar op zijn gemak moest rondkijken en het hem moest laten weten als hij nog ergens anders in geïnteresseerd was, want de meeste dieren waren net aangeleverd en hadden nog geen bestemming. Peterson liep weg en liet Art en mij in ons eentje ronddwalen in de gangpaden, die afgeladen waren met kratten en kooien en grote houten kisten met dieren die lagen te slapen of tussen de spijlen door de lucht opsnoven. Eerlijk gezegd vond ik het allemaal een beetje triest, want de dieren kregen duidelijk niet genoeg daglicht (en liefde) en ik voelde me schuldig omdat ik een markt creëerde voor dit soort handel in levende wezens.

Art keek ook een beetje misnoegd.

'Het moet een vrachtje uit Zuid-Amerika geweest zijn', zei hij, in het rond wijzend alsof hij er geen olifant of kameel tussen zou vinden. Hij koos wel een lama uit en zei dat het een mooi, gezond exemplaar was met vrij grote hoeven en een temperament waarmee te werken viel. Art nodigde me vervolgens uit om rond te kijken, wat ik al aan het doen was. Na een paar minuten vond ik een krat met twee ocelotten, die me fascineerden omdat het niet de plaatselijke soort was, maar een soort die helemaal uit Patagonië kwam, wat betekende dat ze kleiner waren en dat hun vacht meer gemarmerd was. Hoewel ik er niet mee kon werken, omdat ocelotten bij lange na niet groot genoeg zijn om een publiek in vervoering te brengen, leken ze me wel een interessante aanwinst voor de menagerie, en toen ik dat tegen Art zei, kocht hij die twee dieren ook. Na wat papieren te hebben ingevuld in Petersons kantoor liepen we naar buiten. Er stond een grijze coupé langs de stoep geparkeerd en onze bagage lag opgestapeld in de kattenbak.

'Nou,' zei Peterson, 'daar staat-ie. Ik heb hem net laten nakijken, dus zolang je nergens tegenaan rijdt, zul je er geen problemen mee hebben. Ik wens jullie een heel goeie tijd en…'

Hij zei nog iets, maar dat hoorde ik niet meer, omdat Art inmiddels de slinger had gepakt en de motor had gestart en gas gaf om te zorgen dat de benzine goed stroomde. Ik stapte in, we zwaaiden, we lachten allemaal breed en toen waren we onderweg. Art legde boven het geluid van de op toeren komende motor heen uit dat we de auto te leen gekregen hadden, omdat Peterson geen slechte vent was en het circus evenveel dieren kocht als al Petersons andere klanten bij elkaar. Toen keek hij me aan, knipperde met zijn ogen en zei dat het vooral om de tweede reden was.

Ik glimlachte, niet om Arts kwinkslag, maar omdat ik een echt vakantiegevoel begon te krijgen; de kap was neergeslagen en de wind woei door onze haren en toen we het lelijks van de stad eenmaal achter ons hadden, reden we langs cipressen en sparren en eiken en was alles even mooi, werkelijk alles. De weg langs de baai was grotendeels een zandweg, wat tot gevolg had dat we al snel een droge mond hadden, zodat we na een poosje stopten in een piepklein dorpje, waar iedereen een overall droeg en op tandenstokers kauwde. Er was een winkel-annex-cafetaria, waar we twee glazen citroenkwast bestelden en wat repen gedroogd vlees kochten voor als we honger zouden krijgen. Art had de tegenwoordigheid van geest om een praatje te maken met iemand uit het dorp, die achter het buffet zat en ons, toen hij hoorde wat we deden, een emmer water aanbood om over de radiator te gieten.

Pakweg een uur later kwamen we bij een houten hangbrug, die we overstaken om op Galveston te komen. De weg liep dwars door de stad. Hoewel het laagseizoen was, liep er hier en daar nog wel iemand buiten en was er nog wel een enkel café open, dus zei ik tegen Art dat ik wilde stoppen om rond te kijken.

'Alles op z'n tijd', zei hij. 'Alles op z'n tijd, Mabel. Eerst moeten we een afspraak nakomen.'

Al gauw maakte de weg een bocht naar rechts en voor ik er erg in had, reden we langs een zeewering, waarachter een ruwe en blauwe Golf van Mexico zich naar de einder uitstrekte. Ik staarde over het water en voelde de spanning uit mijn lijf glijden, iets wat altijd gebeurde als ik opeens getuige was van een verdwijnpunt. Ik vroeg Art waardoor hij dacht dat dat kwam en natuurlijk had hij zijn antwoord klaar. 'Angst voor de dood', zei hij zonder met zijn ogen te knipperen. 'Die verdwijnt. Als je over het water uitkijkt en je hebt het gevoel dat je oneindig ver kunt kijken, begin je onwillekeurig te denken dat sommige dingen eeuwig kunnen duren. Dat sommige dingen misschien wel voor eeuwig zíjn. Als je hersenen dat eenmaal hebben uitgedokterd, beginnen ze als vanzelfsprekend te vermoeden dat dat wat ons óns maakt misschien iets is wat in potentie het eeuwige leven heeft. En als de hersenen dát eenmaal hebben uitgedokterd, tja... dan duurt het niet lang meer voordat ze erachter komen dat ze zich een heleboel zorgen om niks hebben gemaakt.'

Ik keek hem verwachtingsvol aan.

'De truc is natuurlijk', voegde hij eraan toe, 'dat gevoel vast te houden als je níét onbelemmerd over een oceaan of een lege vlakte uitkijkt. Echt, dat is de truc die mannen van jongens onderscheidt, als je begrijpt wat ik bedoel.'

Er gingen een paar tellen voorbij.

'Zeg,' zei ik ten slotte, 'verzin je dit nou ter plekke of denk je daar echt over na?'

'Mabel. Ik heb veertien jaar in de cel gezeten. Ik had genoeg tijd om over van alles en nog wat na te denken.'

Na een poosje hield de zeewering op en sloegen de golven niet langer tegen een berg stenen, maar braken ze kabbelend op glad lichtbruin zand. Hoewel het heerlijk zonnig was, tegen warm aan, was er geen kip te bekennen. Nu kwamen we langs nette groepjes huizen aan de kant van de weg waar het strand was, sommige niet groter dan een hut en allemaal lichtblauw of warmgeel geschilderd. We passeerden ook borden met de namen van vakantieparken erop: Seaside Cottages en Ocean View Suites en Sandy Shore Rentals. Ik begon te vermoeden dat we onze huwelijksreis in een zomerhuisje aan de kust gingen doorbrengen, een plan dat me prima beviel, want zoals ik al zei, heb ik zon en golven altijd geassocieerd met vrije tijd en de kans om bij te komen. Mijn vermoedens werden bevestigd toen Art het allerlaatste terrein met vakantiewoningen op de landtong op reed, een leuk groepje huizen met de naam Sunny Side Cabins.

'Nou,' zei Art, 'wat vind je ervan, Mabel? We hebben hier zon, de oceaan en alle vis en schaaldieren die we maar willen eten. En het allerbelangrijkste: we hebben de tijd om naar onze navel te staren en volgens sommige religies is er op de hele wereld niets belangrijkers dan dát om naar te staren.'

Zonder op een antwoord te wachten, stopte hij voor de eerste hut in de rij, die er beter ingericht uitzag dan de andere: er hing vitrage voor de ramen, de tuin was onderhouden en in de vensterbanken stonden bakken met herfstplanten, die hun best deden te bloeien. Er hing een bordje boven de deur: Kantoor.

Art klopte op de deur. Binnen hoorden we een radio aan staan. Art klopte wat harder tot we hoorden dat de radio zachter werd gezet en er iemand naar de deur schuifelde. De vitrage werd opzijgetrokken en hoewel we door de schittering niets zagen, wisten we dat we bekeken werden, dus glimlachten we en probeerden eerlijk te kijken. De deur zwaaide open en we werden met een hallo begroet door een gezellig dikkerdje met een gebreide roze trui aan. Ze had kroezend grijs haar en haar wangen waren zo rood en rond dat als ze lachte, zoals nu, haar ogen zulke smalle spleetjes werden dat het me verbaasde dat ze nog iets kon zien. Ze was zo klein dat ze haar hoofd in haar nek moest leggen om míj aan te kijken, wat weer eens wat anders was, omdat ík in een groep volwassenen bijna altijd de kleinste ben.

'Hallo!' zei ze met krakende stem. 'Jullie moeten de Rooneys zijn. Ik ben Bertha Wain, de eigenaresse. Goeie hemel, wat zullen jullie moe zijn. Ik heb net thee gezet. Willen jullie een kopje?'

Art en ik wisselden een ach-waarom-niet?-blik en volgden haar schuifelende tred naar haar kleine gele keukentje. We gingen aan een houten keukentafel zitten en keken hoe zij door het vertrek trippelde om lepeltjes, melk en een suikerpot te pakken, waarna ze heet vocht in kopjes schonk, waarop 'Galveston Eiland Vakantieparadijs' stond.

Toen we allemaal zaten, wendde ze zich tot mij en zei: 'Toen je man contact met me opnam, was ik echt verbaasd, want zoals je ziet, is het seizoen voorbij. Normaal gesproken komen er geen mensen in deze tijd van het jaar; ze klagen over de wind en het zoute stuifwater, maar je man zei dat jullie een plekje zochten waar jullie alleen konden zijn, aangezien dit jullie huwelijksreis was en zo. Nou, ik denk niet dat je teleurgesteld zult zijn. De komende week zijn alleen jullie en ik en de meeuwen hier, want mijn Harold is zeven jaar terug overleden; dat heb ik eerder al aan je man hier uitgelegd en die scheen het uitstekend te vinden.'

We praatten nog wat, vooral over onze lange treinreis en het weer in Galveston in die tijd van het jaar, maar toen we vertelden dat we bij het circus van Ringling werkten, begon ze te stralen en zei ze dat ze een fan was en natuurlijk had ze duizend vragen, vooral over het geheime leven van de grote sterren en hoe we er in godsnaam in slaagden het hele bedrijf iedere dag weer af te breken en te verplaatsen. Na een tijdje begon ik onrustig te worden. Toen Art dat zag, wachtte hij op de volgende natuurlijke pauze in het gesprek, dronk zijn kopje leeg en zei: 'Ik popel om ons huisje te zien.'

'Och, hemeltje, natuurlijk', was Bertha's reactie. 'En ik zit jullie twee tortelduifjes maar op te houden. Waar zijn mijn manieren? Die zijn het raam uit gevlogen toen jullie vertelden dat jullie voor het circus werkten, denk ik. Hemeltjelief, waar heb ik die sleutel nou toch gelaten?'

Ze stond op, een beweging waarbij met stoelpoten werd geschraapt en haar onderarmen werden gebruikt, en rommelde vervolgens in een stuk of zes keukenladen, waarin ze spatels, aardappelstampers en hakmessen opzij schoof, tot ze eindelijk een sleutel aan een koordje vond. We volgden haar over het strand, wat niet al te snel ging en waarbij Bertha de kans greep om ons te informeren dat ze spit had en dat lopen over een zandstrand een van de ergste dingen is die je jezelf kunt aandoen als je spit hebt. En inderdaad, haar bewegingen kwamen vooral uit de schouders, terwijl ze haar rug stokstijf hield bij het lopen.

We kwamen bij het laatste huisje in de rij. Vlak daarna hield de baai op en ging het strand over in licht struikgewas met daarachter een klip, waarop wat dennenbomen stonden. 'Als jullie een kampvuur willen maken,' zei Bertha wijzend naar het bos, 'vind je daar al het dode hout dat je nodig hebt. Plus dat de landtong wat beschutting biedt tegen de wind die we hier in november soms hebben. Los daarvan denk ik dat jullie alles hebben wat je nodig hebt. Ik heb handdoeken en beddengoed neergelegd en achter het huisje staat een pomp, dus jullie hebben geen gebrek aan water. Hij staat vlak naast de plee, dus je kunt twee vliegen in één klap slaan als je begrijpt wat ik bedoel.'

Ze rinkelde met de sleutel en we volgden haar naar binnen.

'Dit is het', zei ze. 'Jullie huis voor een week. Vinden jullie het leuk?'

Ze hijgde, en terwijl zij uitrustte keek ik even rond. De keuken was klein, met alleen een fornuis, een ijskast, een paar kastjes en een tweepersoonstafel. Op tafel stonden een vaas met bloemen en een schaal sinaasappelen. De keuken en de woonkamer werden van elkaar gescheiden door een bar, waar onze gastvrouw op dit moment op leunde. Ze pufte, drukte haar hand in haar onderrug en zei dat ze echt eens over haar wantrouwen heen moest zien te komen en naar de dokter gaan. De woonkamer was gelambriseerd en er lag een ovaal vloerkleed met aan weerszijden banken die duidelijk betere tijden gekend hadden, maar er niettemin zacht en comfortabel uitzagen. Achter een ervan was een deur, die, nam ik aan, naar de slaapkamer leidde. Achter de andere was een muur, waaraan een oud olieverfschilderij hing van twee kinderen die door een bos liepen.

Maar het beste aan het huisje was het enorme raam, dat het grootste deel van de muur aan de strandzijde besloeg. Ons uitzicht bestond uit zand en op het water schitterend zonlicht en daarachter een heerlijk niets. Terwijl ik het uitzicht dat ik de hele volgende week zou hebben in me opnam, bedacht ik dat als dit geen plek was waar ik tot rust kon komen, die plek niet bestond, wat wel zal verklaren waarom ik voor mijn doen zo ongewoon reageerde, want ik liep naar de arme hijgende mevrouw Wain toe, omarmde haar en zei: 'O, Bertha, het is fantastisch!'

Bertha vertrok, wij pakten onze koffers uit en toen we klaar waren, gingen we bij het raam staan om het uitzicht te bewonderen, waarna Art zei dat hij er half en half over dacht een duik in de golven te nemen. Voor ik er erg in had, liepen we allebei rond te spetteren als gekken; het water was wel koud, maar een stuk minder koud dan ik verwacht had. Toen we eruit kwamen, bleek de wind, die al dat zoute water op onze huid deed opdrogen, wel degelijk koud en we renden gillend naar het huisje, waar we ons afdroogden en weer aankleedden. Daarna gingen we de stad in. Hoewel de meeste zaken langs de strandpromenade dicht waren, waren er een paar winkels open waar de plaatselijke bevolking zijn inkopen deed, waaronder een kruidenierswinkel. We sloegen boodschappen in en gooiden alles waar we zin in hadden in het winkelwagentje, plus petroleum voor het fornuis en een grote zak ijs om de levensmiddelen goed te houden.

Inmiddels was het donker aan het worden en toen we Galveston uit reden, stond de zon laag boven de baai. Art reed en ik keek, want het was prachtig om te zien, een vette brandende bol, die oranje stroken over het water waaierde. Terug bij het huisje begon Art in het afnemende licht wrakhout te verzamelen en iedere keer als hij iets vond wat groot en droog genoeg was om te branden, slaakte hij een kreetje. Hij kwam met een dikke bundel hout binnen en stookte een vuurtje, terwijl ik een maaltijd maakte van maïs, aardappelen, salade en mosselen in boter. Tegen de tijd dat ik klaar was, was het gezellig warm in het huisje. Aangezien het huisje geen elektriciteit had, aten we bij het licht van een olielamp en Art liet na iedere hap een tevreden geknor horen en zei af en toe: 'Goeie hemel, mevrouw Rooney, als ik geweten had dat u zo'n culinaire expert was, had ik u eerder ten huwelijk gevraagd.' Dan giechelde ik en nam een grote hap mosselen en geloof me, het leek wel of ik voor het eerst iets lekkers proefde, wat een rare ervaring is voor een vrouw van bijna veertig die al vijf echtgenoten versleten heeft. Ik nam een slok bier – Art dronk ijsthee – en werd bijna sentimenteel bij de gedachte dat iemand ooit de moeite had genomen en slim genoeg was geweest om zoiets koels en verrukkelijks uit te vinden.

We waren bijna klaar met een groot stuk chocoladetaart uit de winkel toen Art aankondigde dat er iets was wat we absoluut doen moesten. Voor ik de kans kreeg om te vragen wat dat was, was hij de deur al uit en rende voor de tweede keer die avond opgewonden roepend in het rond. Ik draaide de lamp wat lager en probeerde door het raam te zien wat die door banen maanlicht rennende gestalte aan het doen was. Op dat moment zag ik de vonk en voor ik het wist, had Art een kampvuur gemaakt op het strand. Hij kwam weer binnen en pakte een paar dekens.

'Nou, kom op, mevrouw Rooney', zei hij. Een minuut later lagen we allebei buiten op het strand op een deken naast het warme vuur naar de lucht te staren. Ik denk dat er die avond wel een miljoen sterren aan de hemel stonden, de fonkelende, schitterende én vallende soorten. Art wees Orion, de Poolster en de beide Beren aan. En ook nog een paar met lange Latijnse namen en hoewel ik ze niet kon zien, zei ik van wel om hem een plezier te doen. Daarna zwegen we en hielden elkaars hand vast en waren gewoon blij dat we leefden, wat een fantastische en zeldzame ervaring is, die je niet met gebabbel moet verstoren. Het enige probleem was dat ik niet zoals Art mijn geest leeg kon maken. Wat ik wil zeggen, is dat er een bepaalde gedachte bij me opkwam, die weigerde weg te gaan of zich te laten afleiden, en het duurde niet lang voor ik het een marteling begon te vinden om hem voor me te houden.

Ik haalde diep adem, keek naar Arts wang en vroeg hem iets wat ik me zolang als ik hem kende, had afgevraagd.

'Art,' vroeg ik zachtjes, 'waarom maak je je op als een vrouw?'

Ik keek of ik iets zag wat erop wees dat ik hem beledigd had, aangezien het een onderwerp was dat hij zelf nooit te berde had gebracht, wat ik vreemd vond, omdat hij een man was die naast het verzorgen van dieren niets liever deed dan praten. Hij keek uit over het water. Ik had de indruk dat hij de tijd nam om een antwoord te formuleren.

'Tja, mevrouw Rooney,' zei hij ten slotte, 'dat is de grote vraag, en om die te beantwoorden, moet ik u verzoeken niet te vergeten dat ik vroeger een andere man was dan de man die u nu kent. Jawel. Bijna veertig jaar lang werd ik door duivels voortgedreven, erger kan een mens bijna niet zijn, maar helaas zie je ze zo maar al te vaak. Na een tijdje is het zo dat je niet eens meer merkt hoe moe je eigenlijk bent, doordat je voortdurend tegen jezelf vecht, en door dat soort moeheid kan een mens fouten maken die hij de rest van zijn leven moet bezuren. In mijn geval belandde ik in de gevangenis en ik kan je wel vertellen dat het verschrikkelijk was. Drie gevangenen per cel, bewakers zo vals als zwerfhonden, eten zo slecht dat je het bijna niet naar binnen kreeg. Op een dag besloot ik dat de maat vol was, ik liep naar de bewaker die ik het meest haatte van allemaal en vloekte hem helemaal stijf. Hij móést wel reageren en toen hij zich om-draaide, stompte ik hem zo hard als ik kon in zijn gezicht, enkel om hem in te peperen wie er gek en tot alles in staat was. Hij en de andere bewakers ramden me zo hard in elkaar dat ik wekenlang bloed piste. Toen smeten ze me in de isoleercel, waar je eten en drinken hoort te krijgen, maar om-dat ik een bewaker had aangevallen, gaven ze me niks. Al gauw kreeg ik zo'n dorst dat ik mijn eigen oranjewater probeerde te drinken. Uiteinde-lijk kwam ik tot de conclusie dat ik rot geboren was en dat niets daarin ooit verandering zou brengen, zodat ik net zo goed op de grond kon gaan liggen en doodgaan.

Dat is het soort besluit dat een man bevrijdt en hem in staat stelt eens heel goed naar zichzelf te kijken. Of misschien kwam het doordat ik ver-zwakt en niet bij zinnen was en nog steeds inwendig bloedde. Tot op he-den is me dat niet duidelijk. Ik weet alleen dat ik me op de vloer van de cel liet zakken om tot de Schepper te bidden en dat ik hem vroeg meelij met me te hebben als ik straks voor hem zou staan. Er ging een dag voor-bij. En nog een. Ik ging niet dood, althans, ik was er vrijwel zeker van dat ik niet doodgegaan was. Op de vierde dag gebeurde het.'

'Wat gebeurde er?'

'Ik had een visioen.'

'Van wie?'

Art haalde zijn schouders op.

'Moeilijk te zeggen. Hij was deels man, deels dier en deels geen van tweeën, maar ik wil hem absoluut geen schepsel noemen, want dat woord duidt op iets laags en er was niets laags aan hem. Wát hij was, is niet belangrijk. Wat wel belangrijk was, is dat hij me iets wilde vertellen.'

'En dat was?'

Er gleed een glimlach over Arts gezicht.

'Hij zei dat ik was wie ik was en dat alles een reden had en hoe eerder ik dat begreep hoe beter. Toen verdween hij. Ik lag daar te piekeren, conclusies te trekken, het leven in me op te nemen en te overwegen of ik het misschien nog één keer zou proberen als ik ooit uit die isoleercel zou komen. Ik bleef er nog drie weken. Het eerste wat ik deed toen ik er uitkwam, was mijn teennagels lakken zoals de squaws altijd deden. Daarna namen de vechtpartijen en drinkgelagen af, totdat ik merkte dat ik geen man meer was die vocht en dronk, begrijp je?'

Ik zei van wel, maar ik moest er eerlijk gezegd wel moeite voor doen. Zoals bij veel dingen die Art zei, werd het pas logisch als je het niet langer met woorden voor jezelf begrijpelijk probeerde te maken. Dat is uiteraard makkelijker gezegd dan gedaan, dus na een poosje vroeg ik: 'Je bedoelt dat je make-up gebruikt om mensen niet te slaan?'

'Dat is een tamelijk simpele manier om het te zeggen, maar aangezien de simpele manier vaak de beste manier is, kan ik wel zeggen dat je gelijk hebt.'

Ik dacht er nog even over na, maar na verloop van tijd gaf ik het op en vroeg ik Art of hij zin had om de huwelijksreis voort te zetten. Hij zei dat hij daar zeker zin in had, dus stonden we op en liepen hand in hand bij het vonkende vuur vandaan. Binnen bliezen we de petroleumlampen uit, kleedden ons uit en kropen onder een donzen dekbed. Een tijdje lagen we te luisteren naar het gekabbel van de golven op het strand, maar het duurde niet lang voor we ons allebei gelukkig, warm en verliefd voelden. We kusten en omarmden elkaar en fluisterden verliefde woordjes. Ik wilde net Arts onderarm pakken toen hij mijn hand naar dat deel van het mannenlichaam leidde dat normaliter op de eerste nacht van een huwelijksreis in stelling gebracht wordt. Ik fluisterde zijn naam zodat hij klonk als een vraag, want hij was er meer dan klaar voor en ik dacht dat ik het me misschien verbeeldde. Hij antwoordde door in me te glijden, zo makkelijk alsof we het al duizend keer eerder gedaan hadden, en voor het eerst leerde ik een bevrediging kennen die niets van doen had met vurigheid maar alles met het verlangen van een mens om dicht tegen een ander lichaam aan gedrukt te worden.

Na afloop gingen we lekker dicht tegen elkaar aan liggen en praatten over de verkenningstochten die we de volgende dag zouden maken. Art viel in slaap met een glimlach op zijn gezicht. Ik probeerde ook te slapen, maar het lukte me niet, omdat ik steeds moest denken aan wat Art me verteld had. De reden dat ik steeds aan dat verhaal bleef denken, was natuurlijk dat ik mezelf erin herkend had; het was zinloos om te ontkennen dat ook ik mijn hele leven met anderen overhoop had gelegen en hoewel ik voor iedere aanvaring een reden kon bedenken, kon ik niet goed bedenken waarom ik zo véél aanvaringen gehad had, dus zat het er dik in dat ik al die tijd niet tegen ánderen had gevochten.

Deze gedachte was nog niet bij me opgekomen of er ging een sluis open in mijn hoofd, waardoor alle redenen waarom ik het verdiende behandeld te worden zoals ik mezelf had behandeld naar binnen stroomden: van de gevoelens die ik voor mijn moeder had gehad en het feit dat ik in een stripteasetent gewerkt had en sommige dingen die ik gedaan had om mijn carrière te bevorderen tot aan de dingen die ik met Radja gedaan had, waarbij ik mijn mond in zijn vacht gedrukt had, zodat niemand me boven het geratel van de trein uit zou horen. Plotseling wou ik dat ik kleren aan had. Ik sloeg mijn handen voor mijn ogen als een kind dat zichzelf probeert te laten verdwijnen. Ik trok mijn benen op, al was het maar omdat ik dan kleiner leek. Er was waarschijnlijk geen vrouw ter wereld die zwaarder of vaker gezondigd had dan ik, al was dat niet de reden waarom ik zo hartstochtelijk – en zachtjes om Art niet wakker te maken – moest snikken. Als ik sentimenteel was, was dat omdat ik naast een man lag die me kende, die alles wist wat ik gedaan had, maar bij wie het toch nooit, nóóit was opgekomen me dat kwalijk te nemen.

De rest van de week brachten we spelend als kinderen door en omdat ik dat als kind nooit gekend had, was het allemaal nieuw en exotisch en heerlijk. We maakten lange wandelingen, we kookten buiten, we brachten avonden onder de blote hemel door, naast een kampvuur, kijkend naar sterrenbeelden en ons gelukkig prijzend dat we zo'n goed verborgen plekje gevonden hadden. Het leek wel of het hele universum er alleen voor ons was. Bertha gaf ons een paar fietsen in bruikleen die eigendom waren van Sunny Side Cabins en in plaats van de auto te nemen, gingen we op de fiets naar het dorp om melk of brood te kopen. Op dinsdagochtend vonden we een drugstore weggestopt in een zijstraatje van de strandpromenade, waar we allebei een sorbet namen en een paar paperbacks kochten. 's Middags wakkerde de wind aan, waardoor het zand zo hard in het rond stoof dat het niet prettig was om buiten te zijn, daarom bleven Art en ik lekker op de twee banken onze moordmysteries liggen lezen en naar het geklepper van loszittende plankjes van het huisje luisteren. Dat bracht Art op een idee en de volgende dag fietsten we terug naar het dorp, waar hij onderdelen kocht voor een vlieger, die hij 's middags in elkaar zette. Hij vloog als een vogel, maar toen het mijn beurt was, liet ik hem in een onbewaakt ogenblik uit mijn handen glippen. Misschien vliegt hij nog steeds rond en volgt hij de golfstroom naar god weet waar. We aten meestal vis of schaaldieren, maar één keer heb ik 's avonds kip gebraden. Eén keer was Art bij het krieken van de dag opgestaan en had hij tegen de tijd dat ik wakker werd een paar harders gevangen, die hij gefileerd had en samen met eieren en aardappels in boter stond te bakken. 's Nachts vreeën we onder het donzen dekbed, iets waar Art steeds beter in werd; zijn theorie was dat de zilte lucht hem oppepte op een manier die hij niet in de hand had. Ik sliep goed en als ik al nare dromen had, waren ze 's ochtends verdwenen.

Dat waren dus mijn herinneringen aan mijn huwelijksreis en het allerlaatste wat ik me herinnerde, was de verrukkelijke droefheid die ik voelde op de dag dat we onze kleren inpakten, afscheid namen van Bertha Wain, een laatste blik wierpen op de Golf van Mexico en in de Ford terugreden naar Houston. Daar overnachtten we in een hotel voordat we aan de terugreis begonnen, een treinreis die om de een of andere reden twee keer zo lang leek als de heenreis. Gelukkig hadden we flink wat stuiverromannetjes ingeslagen, zodat we ons niet hoefden te vervelen; het enige probleem was dat ik soms zo opgewonden was door het vooruitzicht van ons leven samen dat ik me niet op de woorden kon concentreren. Buiten adem was ik ervan, een tikje van de wereld.

Het eerste wat ik deed toen ik uit de trein stapte, was Radja opzoeken, die de hele week in zijn kooi had gezeten, aangezien geen enkele kooihulp bereid was geweest hem eruit te halen en met hem te gaan lopen. Doordat ik hem een week niet gezien had, bekeek ik hem met andere ogen. Er was vijf jaar lang niet serieus met hem getraind, dus los van het feit dat hij humeurig was geworden, was hij ook nog eens aangekomen tot bijna tweehonderdvijfenzeventig kilo, bijna onmogelijk groot voor een Bengaal. Hij was enorm en zag er vooral oud en verwaarloosd uit. Ik ging naar binnen en probeerde hem te borstelen, maar zijn vacht was klitterig en ik had de staalborstel niet bij de hand. Om het nog moeilijker te maken, rolde hij steeds van me vandaan, wat zijn manier was om te laten zien dat hij definitief en zonder voorbehoud de pest in had. Om hem te sussen, probeerde ik het zachte plekje tussen zijn voorpoten te strelen, maar hij moest er niets van hebben; hij gromde en sloeg me zachtjes weg met zijn poot. 'Radja!' zei ik. 'Wat bezielt je?' En toen begon hij te snorren, liet zich op zijn zij rollen, schoof naar me toe en begon tegen me aan te schurken. Ik zuchtte en liep bij hem vandaan, wat hem nog meer leek te kwetsen dan het feit dat ik hem een hele week in zijn kooi had laten zitten. Hij protesteerde met een luidkeels gebrul en sloeg vervolgens een klauw naar me uit en net toen ik begon te denken dat het misschien slimmer was om de kooi uit te gaan, ging er een knop om in Radja en veranderde hij in een pruilende ouwe poes. Hij liep naar me toe, liet zijn kop in mijn schoot zakken en likte mijn handpalmen. Ik bleef die dag heel lang bij hem en beloofde hem bij het weggaan dat alles weer normaal zou worden en dat hij heel vaak zijn kooi uit zou mogen en dat hij zich geen zorgen hoefde te maken, omdat ik vooralsnog niet van plan was mijn ouwe trouwe vechter in een chagrijnige ouwe menageriekat te laten veranderen.

Art en ik waren de overige vrije dagen vooral bezig met het openmaken van de cadeautjes die de werklui ons voor ons huwelijk hadden gegeven. Het waren veelal dingen die je kon verwachten: halveliters whisky, pakken speelkaarten en stapels pokerfiches. Maar er zaten ook cadeautjes tussen die zwaar op je gemoed werkten. Een van de staakdrijvers had zijn moeder gevraagd een receptenboek te maken met zuidelijke recepten, zoals varkenskluifjes met ogenbonen en enkele tientallen combinaties van rijst met okra, allemaal dingen die ik lekker vind. Van iemand anders hadden we een uit zeep gesneden beeldje gekregen van een tijger die een olifant bereed, dat er van een afstand zo echt uitzag dat het wel gepolijst ivoor leek. (Als ik het niet op een dag per ongeluk bij het open raam had laten staan, zodat het nat regende, zou ik het nog hebben.) Van een potige ouwe blanke werkman, die al jaren bij het circus was en daarom burgemeester werd genoemd, hadden we een grote roestige sleutel gekregen, die hij kennelijk ergens op een veld gevonden had. Hij had hem op een plaat gelijmd, met daaronder de woorden 'Art en Mabels sleutel tot de stad'.

In het nieuwe jaar was ik veel tijd kwijt aan het trainen van de acht Ringling-tijgers om ze weer te laten wennen aan het idee om door dubbele hoepels te springen en te koorddansen, zodat ze halverwege het seizoen klaar zouden zijn om over te stappen naar Circus Robinson. Ik vond ook dat ik Radja eigenlijk weer zover moest krijgen zijn vechtnummer te doen, dus haalde ik hem op een ijskoude ochtend in februari op en bracht hem, in plaats van het gebruikelijke rondje over het terrein met hem te lopen, naar een van de trainingspistes. Het was koud die dag, zijn adem rolde als dikke mist uit zijn bek. Hij volgde het bevel 'zitten' zonder tegenstribbelen op. Ik draaide hem mijn rug toe en deed net of ik dom en doof voor een gillend publiek stond. Ik floot en begreep meteen daarna dat ik een probleem had, want in plaats van met een speelse boog van zijn ton te springen, gromde hij, stapte eraf en slenterde lomp op me af, waarna hij op zijn achterpoten ging staan en met zijn voorpoten hard op mijn schouders sloeg. Ik sloeg tegen de bevroren grond. Radja liet zich op me vallen en kweet zich van zijn taak. Er zat geen enkele speelsheid of warmte in, geen enkel element van komisch acteren, het was enkel een kat die aan zijn gerief kwam op wat er voorhanden was, en op het moment dat hij tegen me opreed, wist ik dat dit alleen maar vulgair zou overkomen op Jan Publiek.

Die avond bekeek Art de blauwe plekken zo groot als etensborden op mijn schouderbladen. Hij hielp me ook mijn polsen te verbinden, die allebei pijn deden.

'Mabel,' zei hij toen hij klaar was, 'ik neem aan dat je weet dat Radja er niet beter op wordt.'

Ik zuchtte. Art had gelijk, tijgers worden vroeg of laat altijd onhandelbaar en in Radja's geval was het veel later dan normaal gebeurd en daar moest ik dankbaar voor zijn. Toch was ik er teleurgesteld en verdrietig om, hoewel ik er tegelijkertijd ook mee kon leven, omdat er zo veel goeds in mijn leven was. En als ik goeds zeg, dan bedoel ik beter dan goed, fantastisch zelfs, want kijk, een nacht of twee later lagen Art en ik weer naakt en warm te knuffelen in bed, een plek waar de meest waarachtige gesprekken plaatsvinden.

'Mabel', zegt hij.

'Ja, Art.'

'Ik heb een idee.'

'Dat heb je wel vaker.'

'Het enige wat nog ontbreekt aan je leven is het gehuil van een koter, wat een probleem is dat niet zomaar vanzelf verdwijnt en waar ik maar één oplossing voor zie.'

'En wat mag dat dan wel zijn? Onbevlekte ontvangenis misschien?'

'Nee. We adopteren er een.'

Ik begon hard te lachen.

'Doe me een lol, Art. Wie zou er in godshemelsnaam een baby meege-ven aan een stel circusartiesten waarvan er een nota bene in de gevangenis en een in een gekkenhuis heeft gezeten?'

'Nou ja, het zal geen baby zijn met een huid die op de jouwe lijkt. Maar als je genoegen neemt met een baby die een zelfde rossige tint als ik maal twee heeft, kan ik je vertellen dat er een hoop indiaanse kleuters zijn die ie-dere ouder nodig hebben die ze kunnen krijgen.'

Ik draaide mijn hoofd om en keek hem aan en ik zag dat hij niet lachte, geen grapje maakte en me niet in de maling nam. We praatten er nog wat over door, waarbij de toon van onze stemmen aan volume inboette en aan warmte won, en voordat we er erg in hadden, was er een plan ont-staan: nadat Art en ik het jaar respectievelijk bij Ringling en bij Robinson hadden uitgediend, zouden we in Peru samenkomen en richting Zuid-Dakota gaan. Daar zouden we een Oglala-baby in de wacht slepen; Art was zelf namelijk deels Oglala, zodat dat idee hem wel aanstond. Bij het horen van Arts laatste woorden over het onderwerp – 'Volgend jaar rond deze tijd ben je iemands moeder, Mabel' – maakte mijn hart een spronge-tje. Met mijn armen om mezelf heen geslagen, lag ik daar, in het besef dat ik de slaap zeker die nacht niet makkelijk zou vatten, omdat ik net zo ademloos was als tijdens de treinreis naar huis, en om de zaak nog erger te maken, bleef ik maar denken hoe verbazingwekkend het is dat zodra je denkt dat iets onmogelijk is, het op datzelfde moment meestal gebeurt.

Twee weken later begon het circusseizoen met de jaarlijkse buitenvoorstelling in Madison Square Garden in New York. Dat betekende dat ik het voorrecht had om twee keer per dag het nummer van Clyde Beatty te zien, die aan zijn nummer een Nubiër had toegevoegd, die nog sjofeler, onverzorgder en pissiger was dan de andere vier katten samen. Nou. Werd ik toen ik zijn nummer in het voorjaar van 1927 zag, kwaad om het feit dat hij zijn dieren sloeg? Om de stupiditeit van het publiek dat hem toejuichte? Om het feit dat híj degene was die gretig het applaus in ontvangst nam, die beroemd werd, die belaagd werd door verslaggevers van *White Tops* en die zich koesterde in de publiciteit die je kreeg als je in de middenpiste van Ringling optrad? Een beetje. Dat geef ik toe. Maar niet meer dan een beetje, want ik had vooral het idee dat Beatty een immense grap was, bedoeld om de wereld te laten zien dat iemand daarboven eerder gevoel voor humor had dan kwaadwillend was. Zó goed voelde ik me. (Art daarentegen kookte van woede bij alle voorstellingen van Beatty en bij een van de matinees draaide hij zich zelfs om naar mij en zei op half schertsende half ernstige toon: 'Ik wou dat een van die Nubiërs een pistool op hém leegschoot.')

Na New York trok het circus verder naar Boston, waar we de andere buitenvoorstelling van het jaar gaven. Daarna begonnen we te reizen als een echt circus, iedere nacht een eind verder, meestal dicht bij de oostkust, met zo nu en dan een snel uitstapje wat verder het binnenland in. Als een circus van die grootte in beweging komt, krijgt iedereen het druk, drukker dan je waarschijnlijk voor mogelijk houdt, maar dat jaar was mijn drukte tweeledig. Ik deed ook nog het paardrijnummer voor Ringling, terwijl ik probeerde de acht katten klaar te stomen voor de show van Robinson en op een manier zon om mijn ouwe trouwe Radja bij een nummer te betrekken zonder dat er een andere tijger gewond zou raken. Er was geen moment waarop er niks gedaan hoefde te worden, waarop er eens niet een tijgertand was afgebroken of het hooi in de voederwagon schimmelig was geworden of mijn paard in een stuk glas was getrapt dat uit zijn hoef getrokken moest worden. Met zo veel dingen aan mijn hoofd sliep ik misschien vijf uur per nacht, iets waar ik geen last van had, omdat ik zo opgewonden was over de wendingen die mijn leven nam dat ik sowieso niet genoeg kon ontspannen om te slapen. Op een nacht, ergens begin maart, om pakweg twee uur 's ochtends, toen ik mijn uiterste best deed om te slapen, keek ik naar Art, die zo zwaar en stil naast me lag dat het voor eeuwig leek. Er kwam een gedachte bij me op, een gedachte waarvan mijn ogen wijd opengingen, ook al was het donker in het rijtuig en was er weinig meer te zien dan Arts snor, die trilde als hij ademhaalde. O, god, was die gedachte. O, god, o, god, o, god. Hij zal er altijd voor me zijn.

De ochtend brak mistig aan, waarmee ik bedoel koel de avond ervoor, maar met de intentie om warmer te worden, en er hing een wolkige nevel waarin alles vanaf de schenen tot de grond nat werd. De trein was ergens in de nacht aangekomen, dus tegen de tijd dat ik opstond, gonsde het op het hele terrein van het soort bijenkorfdrukte dat altijd voorafging aan het opzetten van de tent. Ik ging naar het veldrestaurant en nam koffie en eieren samen met Art, die er daarna snel vandoor ging om toezicht te houden op het opzetten van de menagerietent. Ik had nog een paar minuten de tijd voordat ze de tijgerkooien zouden uitladen en aangezien ik toch niet stil kon zitten, besloot ik mijn tweede kop buiten op te drinken en wat rond te slenteren op de overloop om de opbouw van het circus gade te slaan. De middenpalen stonden inmiddels, de grote tent wapperde in de lucht en de olifanten maakten zich op om de rest van de tentpalen over- eind te trekken. Een groep staakdrijvers hamerde de staken in de grond waaraan de zijscheerlijnen bevestigd zouden worden. Ik bleef staan kijken, want het was altijd een prachtig gezicht om de staakdrijvers aan het werk te zien; gewapend met een acht kilo zware moker sloegen ze met de volle kracht van hun rug en schouders op de staak, waarna ze de hamerkop met een enkele soepele beweging van hun sterke armen wegtrokken. Nog geen tel later werd de kop van de staak door de volgende neger ge- raakt. Zou er iemand een fout maken, bijvoorbeeld van de staak glijden of de moker te langzaam wegtrekken, dan zouden de hamers elkaar raken, zou het ritme verstoord zijn en zouden er misschien gewonden vallen. Dat gebeurde nooit. Met vijf man rond een staak klonk het als een pis- toolmitrailleur, de staak ging niet schoksgewijs de grond in, maar in een praktisch vloeiende beweging, waarbij iedere man drie slagen uitdeelde tot alleen de kop van de staak en de knoop van de zijscheerlijn nog boven de aarde uitstaken. Dan liepen ze allemaal in de pas naar de volgende staak. Tijdens het werk zongen ze, waardoor hun slagen ritme kregen. Op deze manier konden ze drie of vier staken per minuut de grond in drijven, zodat de hele tent binnen een uur of zo was opgezet.

Ik stond zo blij als een kind te kijken toen het gebeurde: uit de lucht kwamen een paar onzichtbare handen die zich om mijn ribbenkast klemden. Ik haalde diep adem, enkel om te ontdekken dat ik niet genoeg adem kon krijgen om de drang te bevredigen die ons diep adem dóét halen. Tegelijkertijd kreeg ik een duizelig en claustrofobisch gevoel, wat heel raar is als je buiten staat. Omdat ik dacht dat ik misschien iets had opgelopen, liep ik naar een bank die naast een van de bijtenten was neergezet, ging liggen en sloot mijn ogen. Na een paar minuten was het gevoel voldoende gezakt om net te kunnen doen of het er niet was.

Toen ik twee dagen later tijdens de voorstelling achter het blauwe gordijn stond, omringd door andere artiesten die wachtten tot ze op moesten, voelde ik die handen me opnieuw grijpen, drukken en niet loslaten. Als een stille zucht ontsnapte er wat lucht aan mijn lippen en ik keek om me heen om te kijken of iemand iets gemerkt had. Ik haalde diep adem, kwam er wederom achter dat ik niet genoeg lucht kon krijgen en besloot dat ik er maar beter iets aan kon doen. Met lichtgebogen hoofd liep ik de overloop af naar de tent waar dokter Ketchum ziekten en letsels behandelde. Toen ik hem vertelde wat er aan de hand was, raadde hij me met een verbaasde uitdrukking op zijn gezicht aan om te proberen in een bruin papieren zakje te ademen, dat hij vervolgens aan me gaf. Ik ging liggen en ademde in de zak, waardoor deze bij iedere ademhaling verschrompelde en opzwol als een ballon en mijn mond en luchtwegen zich vulden met de droge smaak van pakpapier. Om me nog verder te helpen, doofde dokter Ketchum zijn lamp, zodat de tent donker en rustgevend was.

'Ga nog maar even door, Mabel; ik ben zo terug.'

Er ging een minuut of tien voorbij voordat hij terugkwam en zijn lamp weer aanstak. Hij vroeg of ik me al iets beter voelde en toen ik zei van wel, opperde hij dat ik een papieren zak bij me zou dragen voor het geval het weer zou gebeuren. 'Dat,' zei hij, 'en misschien moet je even wat rust nemen.'

Ter plekke nam ik het besluit het absolute minimum te doen met mijn tijgers, want, dacht ik, wat maakt het uit of ze een beetje uit vorm zijn als ik ze naar John Robinson overbreng. Ik nam me ook voor beter te eten en meer rust te nemen en het 's avonds rustiger aan te doen door bijvoorbeeld met Art cribbage te spelen, een boek te lezen, wat te babbelen of het licht uit te doen en een beetje huwelijksplezier te maken. Maar weet je wat het gekke was? Waardoor ik had moeten weten dat er problemen op til waren? Ik vertelde Art niks over mijn kortademigheid, wat niet minder dan bizar was, omdat ik hem altijd alles over alles vertelde. Art merkte niet dat ik me vreemd gedroeg en als hij het al merkte, zei hij er niets over.

Zeer waarschijnlijk het eerste, want hij was de stad in gegaan en had een babynamenboek gekocht, waar hij alle avonden in zat te turen; hij sprak iedere naam hardop uit op alle mogelijke manieren waarop de naam uitgesproken kon worden, alsof hij het raadsel achter de klank probeerde te ontsluieren. ('Abigail. Hmmm. *Abi*gail. Abi*gail.* Klinkt wel aardig, vind je niet, Mabel?')

De hele volgende week had ik nergens last van, niet van duizeligheid, niet van druk op de borst, niet van het gevoel dat de wereld op de een of andere manier onwerkelijk was en ik er geen deel van uitmaakte. Maar daarna, toen ik een keer laat in de middag over de overloop liep, kreeg ik zo'n zware aanval dat ik hem amper kan beschrijven. Het was alsof die grote handen erin geslaagd waren mijn borst binnen te dringen en zich nu direct om mijn longen sloten. De tranen schoten in mijn ogen en mijn blik vertroebelde. Ik stikte zowat.

Ik liep toevallig net langs de menagerie en hoewel mijn eerste opwelling was naar dokter Ketchum te gaan, deed ik dat niet; in plaats daarvan strompelde ik de tent binnen, waar ik worstelde om mijn longen vol te zuigen met huidschilfers en de geur van olifanten. Ik slaagde erin Radja's kooi te bereiken. En terwijl ik er alles aan deed om lucht te krijgen, opende ik de deur en ging naast hem zitten. De resten van een bot – dat op drie plaatsen gebroken was en waar het merg uitgepeuzeld was – lagen naast hem, wat waarschijnlijk verklaarde waarom mijn grote tijger sliep, waarom hij zijn lippen likte en ongetwijfeld van vroeger droomde. Ik streelde hem en voelde me triest om het lot van oude circustijgers.

'O, Radja', zei ik zachtjes. 'De problemen die deze wereld bedenkt.'

Radja sloeg zijn staart in een wijde boog over de vloer, tot hij tegen mijn dijbeen rustte. Ik pakte hem vast en dacht aan alle keren dat ik hem midden in de nacht flessen warme geitenmelk had gegeven toen hij nog een jonkie was en Louis Roth mijn man, en aangezien dat een herinnering was waarvan ik erg sentimenteel werd, was ik blij dat ik op dat moment daar bij mijn babytijger zat. Dromerig voelde ik me, afgesneden van alles, alsof ik niet goed begreep waarom angst in zo'n grote mate deel moest uitmaken van het leven. Zonder echt te begrijpen waarom pakte ik een van Radja's grote poten, streelde hem en zei: 'Het komt goed, Radja. Het komt goed. Ik weet niet hoe ik het ga doen, maar ik zweer je dat je je pensioen niet in deze vreselijke, oude kooi hoeft door te brengen.' Ik draaide zijn poot om en liet mijn vingers over de ruwe kussentjes aan de onderkant glijden. Het gaf me een warm en tintelend gevoel. En ik zocht, opnieuw zonder er echt bij na te denken, het plekje tussen de kussentjes dat een tijger zijn klauwen doet uitslaan, en drukte er met beide duimen op. Ze werden al zichtbaar; het was niet zozeer dat ze te voorschijn schoten als wel dat ze langzaam omhoogkwamen, alsof ze opgeblazen werden. Ze waren puntig en scherp geworden en ik zwoer dat ik zodra ik kon een paar uur aan Radja zou wijden om zijn vacht te verzorgen, zijn nagels te vijlen en zijn tanden schoon te maken. Het was misdadig zoals ik Radja behandeld had, echt waar, vooral als je bedenkt wat we allemaal hadden doorstaan. Ik merkte dat ik ietsje beter ademde enkel door bij Radja te zijn en ik zette de binnenkant van mijn onderarm tegen zijn nagels, zodat de scherpe gebogen punten kuiltjes in de huid maakten. Ik trok, waardoor de opperhuid scheurde en er drie rechte, ondiepe, rood borrelende voren achterbleven. Ik slaakte een zucht. Het voelde heerlijk, alle druk op mijn borst viel weg, een lichte mist wolkte uit de openingen in mijn arm en ontsnapte door de stalen tralies.

Er ging een minuut voorbij, waarin ik alleen keek hoe het bloed opwelde uit mijn arm, en toen schrok ik op uit mijn trance. Mijn hoofd schoot van links naar rechts om te zien of iemand iets gezien had en daarna overviel me een diep onbehagen. Ik rolde mijn mouw naar beneden en drukte de stof tegen de drie rode strepen op mijn arm. Steeds als ik de mouw optrok, leek het of de wonden waren gestopt met bloeden, maar na een paar tellen begon het bloed weer op te borrelen en moest ik de stof van mijn blouse weer tegen de huid drukken. Er kwamen allemaal kleverige oranje vlekken op, maar na een poosje was het bloeden min of meer gestelpt. Ik snelwandelde naar onze coupé en deed wat carbol op de wond en toen die schoon was en niet meer bloedde, trok ik een schone blouse aan en gooide de andere weg, zodat er geen sporen zouden achterblijven.

De rest van de dag ging ik mijn normale gang: zorgen voor mijn katten, een beetje – een heel klein beetje maar – trainen voor het paardrijnummer in beide voorstellingen, helpen de tijgers op de lorries te laden en aan het eind van de dag naast Art liggen in onze verduisterde coupé. Ik zorgde ervoor me in het donker uit te kleden en aangezien dat sowieso mijn gewoonte was, viel het Art niet op. Toen ik tegen hem aan kroop, begon hij meteen te kletsen. 'Ik heb eens goed en diep nagedacht over jongensnamen, Mabel, en naar mijn idee blijven deze over: Michael, Thomas, Wesley, Jake, Leonard, Parker, James, Cornelius, Beauregard, Pete, Julius, Richard, Lewis, Kenneth, Conrad en Frank. Is er een bij waar je echt warm voor loopt? Hmmmm, Mabel?'

Ik gaf geen antwoord, was er met mijn gedachten totaal niet bij, zodat Art me een por in mijn zij gaf en zei: 'Luister je wel, Mabel?' Hoewel ik zei van wel en dat al die namen prachtig waren, dacht ik in werkelijkheid aan wat ik die dag met Radja gedaan had en hoe verschrikkelijk het is als het leven je dwingt je teweer te stellen tegen de dingen die je prettig vindt.

De volgende dag, in het stadje Harrisburg in Pennsylvania, bleef ik uit Radja's buurt, en hoewel ik me er schuldig om voelde, vond ik ook dat ik mezelf evenveel strafte als ik hem strafte. De twee dagen daarna, op 8 en 9 mei, waren we in Pittsburgh en die dagen voelde ik me prima en uitgerust en had ik het idee dat ik weer vat kreeg op de dingen, wat een gevaarlijke manier van denken bleek te zijn, want meteen de dag erop, in het plaatsje Morgantown in West-Virginia, stond ik mezelf toe weer bij Radja langs te gaan, enkel om te zien hoe het met hem ging en hem een knuffel te geven, zonder erbij stil te staan waarom ik eigenlijk een schone handdoek had meegebracht. Ik bleef behoorlijk lang bij hem, zo lang dat ik na een tijdje begon te denken: goed, er is niks mis met me; ik kom amper in de verleiding. Dus stond ik op en liep weg, nadat ik Radja een knuffel en een zoen gegeven had, meer niet.

(Wat heel iets anders was dan wat er de volgende dag, op 11 mei, gebeurde in het stadje Clarksburg in West-Virginia, waar een op haar retour zijnde Mabel Stark naast een slapende ouwe tijger gaat zitten en, omdat ze de dag ervoor bewezen had dat ze niet aan een of andere dwangneurose of obsessie leed, haar gang gaat en zich met dezelfde drie tijgerklauwen in haar onderarm snijdt, waarna ze kijkt hoe het bloed opborrelt en een

lichte mist opstijgt, terwijl ze voortdurend tegen zichzelf zegt: Zie je wel,
dat stelde niks voor, ik vond het helemaal niet prettig, nee hoor, ik zie niet
in waarom iemand dat prettig zou vinden.) Op 12 en 13 mei waren we in
Charleston, waar we zo plotseling overvallen werden door een storm
dat we de grote circustent niet op tijd konden neerhalen, zodat alles over
de duivel zijn akker waaide en een ziedende Charles Curley een ploeg
werklui achterliet om de troep op te ruimen, wat inhield dat hij een
privé-locomotief moest huren om het treinstel te trekken dat hij bij de
opruimploeg had moeten achterlaten. Op 14 mei waren we in Beckley
en op 15 mei in Roanoke, twee kleine stadjes waar niks te doen was en
als er iets is waardoor mensen aan hun slechte neigingen toegeven, is het
verveling. Op 16 mei reden we Waynesboro binnen, waar een van de
paardrijdsters van haar paard viel en zo ongelukkig haar sleutelbeen brak
dat ze het uit gilde en huilde en zo krom trok als een krakeling toen ze
haar de piste uit droegen. Op 17 en 18 mei Richmond, waar Lillian Leitzel
haar aantal tourbillons op honderdvierentachtig bracht en John Ringling
haar later via de telegraaf een bericht stuurde waar ze heel blij mee geweest moest zijn, want de volgende dag liep ze met haar neus nog hoger
in de wind dan normaal en omdat dat me helemaal niet dwarszat, wist
ik dat ik meer dan gelukkig was, met als gevolg dat Gods onzichtbare
handen er gewoon op wachtten om me te grijpen en het leven uit me te
persen, en uit dat besef bleef ik me verzetten tegen de neiging om Radja
op te zoeken. Op 19 mei Norfolk en daarna door naar Virginia Beach,
een reis van minder dan een uur. Doordat het circus voor middernacht
aankwam, beleefden de plaatselijke clandestiene kroegen, de bordelen en
goktenten een korte maar voorspoedige nacht. Op 21 mei, in Durham,
NoordCarolina, wist een boerenmeisje uit de tabaksstreek van Kentucky
dat ze een probleem had, maar omdat ze een dochter van haar moeder
was, weigerde ze het zichzelf te bekennen, dat wil zeggen, ze hield zich
gedeisd, werkte door en deed net of alles net zo was als vóór Arts aankondiging dat ze volgend jaar rond deze tijd moeder zou zijn. Laat op de
dag, op 22 mei in Raleigh, greep Art me vlak voor het vertrek beet in
onze coupé en trok ruw mijn mouwen omhoog, die ik tot aan de polsen
dichtgeknoopt had gehouden, ook al was het inmiddels lekker weer geworden. We keken allebei naar de grond. Een paar akelige seconden gingen in stilzwijgen voorbij. Arts ogen leken wel van gelei. Toen ik weer

omlaagkeek, zag ik mijn onderarmen zoals hij ze zag in plaats van hoe ik ze normaal gesproken zag. Het viel niet te ontkennen. De huid was een netwerk van krassen, als de lijnen die insecten kriskras op het wateroppervlak van een vijver maken.

Art staarde me aan en ik geloof dat het de allereerste keer was dat ik meemaakte dat hij van de wijs en van slag was, gewoonweg niet in staat om met de situatie om te gaan. Het duurde heel lang voor hij iets zei, maar toen hij uiteindelijk zijn mond opendeed, klonk het als gekraak. En al betekenen zijn woorden waarschijnlijk niet veel voor je, je moet goed begrijpen dat het een van de laatste dingen was die hij tegen me zei en dat het nog steeds pijn doet iedere keer als ik eraan denk.

'Godverdomme, Mabel', zei hij. 'Kun je niet gewoon gelukkig zijn?'

Wat me op een ander onderwerp brengt waar we het over moeten hebben. Woorden. Vroeger zag ik woorden in zinnen, in alinea's, opeenvolgend. Vroeger zag ik woorden in de juiste volgorde. Nu zie ik woorden zoals ik de tijd zie, maar dan een stuk wraakgieriger. Nu zie ik woorden door elkaar gehusseld, vlammend, enkel met de bedoeling verwarring te scheppen, fijntjes als een hagelbui. Ik zie ze schreeuwen en als dat gebeurt, is het slechts een kwestie van tijd voordat alleen die zes vreselijke woorden over zijn – Kun je niet gewoon gelukkig zijn? – die zich telkens weer herhalen, tot ik mijn hoofd in mijn handen wil leggen en het van schaamte wil uitschreeuwen, want als ik die vraag van zes woorden beantwoord had toen Art hem stelde, was hij vandaag de dag misschien een oude man geweest. Misschien komt het door mijn leeftijd, misschien komt het door mijn medicijnen of misschien komt het doordat ik zo van slag ben door de manier waarop de dingen uiteindelijk liepen. Het enige wat ik weet, is dat mijn gedachten een maalstroom zijn, dat ik er doodmoe van word om ze op koers te houden en dat er midden in die maalstroom een heimelijk plan ligt, ontstaan op die bergkam boven het dal met Roger Haynes. Zeg eens. Hoeveel woorden heb ik in deze kleine bekentenis gebruikt, denk je? Zijn het er tienduizend geweest? Honderd? Het enige wat ik weet is dat ik er al weken mee bezig ben, en het enige wat logisch lijkt of me enige troost schenkt is de gedachte aan wat ik met mezelf van plan ben. Misschien is het probleem dat ik nog niet klaar ben met praten; als ik dit laatste stukje uiteindelijk heb opgebiecht, zullen al mijn woorden misschien iets betekenen en me geven wat ik om te beginnen van deze verdomde bekentenis verwachtte, zoals kalmte, vrede, rust.

Zoals... vergiffenis.

Op 23 mei 1927 reed het circus het plaatsje Laurinburg in Noord-Carolina binnen, dat we alleen maar aandeden omdat het de reis van Raleigh naar Charleston brak. Aangezien het hele dorp in de grote tent paste, lastte Curley de avondvoorstelling af, ook al omdat het een tijd geleden was dat iedereen een vrije dag had gehad die geen zondag was. De matinee liep prima en nadat ik mijn bijdrage aan het paardrijnummer had geleverd, ging ik naar de menagerie om Radja op te zoeken en met mijn andere tijgers te trainen. Daarna ging ik terug naar de trein om wat te lezen en even te liggen. Toen ik opstond, was het al bijna vijf uur, dus besloot ik terug te gaan naar het circusterrein om Art te zoeken en te kijken of hij in het dorp wilde eten, onze normale gang van zaken op zondag en vrije dagen. Terwijl ik mijn overall stond aan te trekken, werd er geklopt. Ik deed open.

Het was de moeder van May Wirth, die handenwringend en met een fronsend, tamelijk verontrust gezicht voor de deur stond. Toen ze haar mond opendeed, bleek ze een Australisch accent te hebben, dat geen jota afgezwakt was door haar verblijf in Amerika.

'Ik hoorde dat u vroeger verpleegster bent geweest?'

'Heel, heel lang geleden.'

'Kom dan alstublieft mee. Helpen.'

Ik volgde haar langs de rij wagons. Er was een harde wind opgestoken; mijn haar wapperde en overal stoof papier in het rond en toen ik opkeek, zag ik dat de lucht aan het betrekken was. Zodra we de coupé van haar dochter binnenkwamen, rook ik dat hier iemand ernstig ziek was. En die iemand was May Wirth, de paardrijsensatie uit Perth.

Het was een mooie meid, May, veel mooier dan Leitzel en stukken aardiger. Eerlijk gezegd bewonderde ik haar en ik wilde haar graag helpen, vooral toen ik zag hoe ziek ze was. Haar gezicht, dat in het beste geval al bleek was, was nu krijtwit. Haar handen, waarmee ze de sprei tot aan haar keel opgetrokken hield, waren uitgedroogd, de huid was rimpelig en de gewrichten waren opgezet. Naast haar bed stond een pan vol groenig braaksel.

Ik ging op het bed naast haar zitten en voelde dat de lakens nat van het zweet waren. Haar voorhoofd was zo heet als een grill. Ondertussen lag May volkomen stil, haar halfgesloten ogen staarden in het niets. Ze had een raspende ademhaling en om haar mondhoeken zaten restjes braaksel, waarop zich bij iedere trage inademing belletjes vormden, die vervolgens knapten.

'May,' zei ik, 'ik ben het, Mabel Stark. Kun je me verstaan?'

Ze knikte zwakjes en net toen ik een plan van aanpak begon te bedenken, kwam ze overeind; met opgezette nek- en gezichtsspieren boog de arme kleine May zich over de rand van het bed en spuugde een dikke straal lichtgroen vocht in de al bijna volle pan. Toen ze klaar was, viel ze weer terug in het kussen en liet een lange gepijnigde kreun horen. Toen ze de deken weer optrok tot haar kin besloot ik haar even helemaal te bekijken, dus pakte ik de sprei uit haar verzwakte handen en trok die samen met het laken omlaag. Zoals ik al dacht, had ze zich van onderen ook bevuild.

'Hoe lang is ze al zo?' vroeg ik Mays moeder.

'Twee uur, misschien drie. Het begon met pijn in haar maag.'

Ik legde een koud kompres op Mays voorhoofd. Haar lippen trilden even en ze sloot haar ogen. Als ze zich al iets beter voelde, zag je dat in ieder geval niet aan haar.

'Ik denk dat het een soort griep is', zei ik. 'Het beste is dat we haar verschonen.'

Weer schoof ik haar lakens omlaag, maar ditmaal trok ik May aan haar armen in een zittende positie, wat een nieuwe ronde aan stuipen en braken opleverde. Met haar moeders hulp deed ik haar nachtpon uit en kleedde haar in iets waar flanel in zat. Terwijl haar moeder haar vasthield, verschoonde ik de onderste helft van haar bed zo goed als ik kon, daarna bedekte ik de natte plek met handdoeken en legden we haar weer neer. May haalde diep adem, sloot haar ogen en leek in slaap te vallen, al zag ik aan de druppeltjes op haar bovenlip en voorhoofd dat ze niet zozeer in slaap raakte als wel in een koortsstuip. Om de pakweg twintig seconden liet ze het zachte, bevende gekreun horen dat erop duidde dat iemands ingewanden pijn deden, hevig pijn deden. Ik had oprecht met haar te doen, al was ik niet overmatig bezorgd, want ik had in het Sint-Mariaziekenhuis zo veel mensen met ernstige griep gezien dat ik wist dat het maar zelden gebeurde dat een gezond jong mens er niet van herstelde.

'Nou,' zei ik tegen Mays moeder, 'ze is goed ziek, maar als ze genoeg vocht binnenkrijgt, zullen we over twaalf uur verbetering zien. Ik zeg niet dat het leuk wordt, maar blijf haar water geven, dan redt ze het wel.'

Ik liep naar buiten en wilde eigenlijk mijn plan om Art te gaan zoeken en te gaan eten weer oppakken toen een van de oudere Concello's, die zijn trapezetijd al lang en breed achter zich had, haastig en met een bezorgde trek op zijn oude gezicht aan kwam lopen langs de trein. Toen hij me zag, pakte hij mijn hand en trok me de trein langs, terwijl hij zei: 'Alsjeblieft. Snel. Isse Antoinette.'

De Concello's waren een grote familie, die een hele rij coupés bezetten, die met elkaar verbonden één lange privé-wagon vormden. De oude Concello trok me naar binnen en wederom sloeg me een braaklucht tegemoet. Een hele groep mensen, stuk voor stuk Concello's en stuk voor stuk trapezewerkers, stonden op een kluitje rondom een bed waarin ongetwijfeld de zieke Antoinette lag. Niemand draaide zich om, zo druk hadden ze het met hun getob en gekakel in het Italiaans, dus stond ik daar zonder te weten wat ik doen moest.

De oude Concello nam me bij de pols. 'Komme', zei hij. 'Deze kante oppe, alstublieft.' Toen hij sprak, draaiden de andere Concello's zich om en deden toen ze mij zagen een paar stappen naar achteren, zodat ik naar de arme Antoinette kon kijken. Zelfs van de andere kant van het vertrek zag ik bij haar dezelfde lijkbleke kleur, stuipen en afgrijselijke vlekken. Ik kwam dichterbij. Antoinette was zo mogelijk nog zieker, want de stank was erger en haar ogen rolden zowat uit de kassen en wezen naar haar neus. Plus dat ze niet de kracht had om overeind te komen als ze moest overgeven, zodat het smerige groene spul gewoon uit haar mond borrelde en langs haar nek liep. Iemand gaf me een natte doek, waarmee ik Antoinettes gezicht afveegde. Toen zag ik dat haar lippen zo gebarsten en droog waren dat de loshangende velletjes wapperden en trilden bij iedere kreun. Dat maakte me zo pissig dat ik me omdraaide en blafte: 'In godsnaam, zien jullie dan niet dat die meid ligt uit te drogen? Ze heeft griep!'

Dit leidde tot tumult, waarin de Concello's die wel Engels spraken aan de Concello's die geen Engels spraken, uitlegden wat ik gezegd had. Toen iedereen het begrepen had, werd mijn diagnose beantwoord met grimmige blikken en gemompel. De mannen draaiden zich om toen ik de vrouwen opdroeg Antoinette te verschonen, die slap tussen hen in hing terwijl ze schone kleren aan kreeg en gewassen werd. Daarna liet ik de vrouwen de lakens verwisselen, handdoeken neerleggen en Antoinette in bed terugleggen. Ze rilde, had haar armen om haar bovenlijf geslagen en zei in het Engels hoe zeer het deed en hoe koud ze het had. Ik bleef haar voorhoofd en mond bevochtigen, zodat er wat water tussen de droge, gebarsten kloven in haar lippen door sijpelde. Het was een dijk van een griep dit en hoewel ik tegen de Concello's zei dat ik vroeger in mijn verpleegsterstijd veel van dit soort gevallen had meegemaakt, begon ik eerlijk gezegd te betwijfelen of dat echt zo was.

'Goed onthouden', zei ik. 'Water. Veel water. Als ze nog verder uitdroogt, beginnen de problemen pas goed.'

Hierop volgde een nieuwe uitbarsting van handenwringend gejammer en werd iedereen opeens zo emotioneel dat ik het heel simpel maakte door naar mijn open mond te wijzen en te zeggen: 'Water. *Acqua*. Veel *acqua*.'

Ik verliet het rijtuig van de Concello's en liep terug naar mijn coupé. De wind was inmiddels aangewakkerd tot stormkracht en ik moest me vooroverbuigen om niet omver te waaien. Daar trok ik kleren aan waar niet overheen gekotst en gezweet was. Ik was net klaar toen er alweer op mijn deur geklopt werd; ik deed bijna niet open, want ik dacht dat het weer iemand was die niet het benul had om een griep met vocht en schone lakens te behandelen.

Maar het was dokter Ketchum. De lange haarlok die normaal gesproken boven op zijn hoofd vastgeplakt zat, was losgeraakt en prikte in zijn oog.

'Mabel', zei hij ernstig. 'Ik zou je hulp goed kunnen gebruiken.'

Ik liet hem binnenkomen. Hij fatsoeneerde zijn haar en wreef zich toen hard in de ogen met de muis van zijn handen.

'Druk gehad?' vroeg ik.

'Ik ben al drie uur in touw.'

'Stevige griep', zei ik.

'Dat dacht ik ook.'

Ik knikte veelbetekenend, maar stopte toen. Als mijn oren me niet bedrogen, had hij de verleden tijd gebruikt.

'Dat dácht je?'

Hij knikte grimmig. 'Totdat ik Con Colleano hielp met pissen.'

'En?'

'Er zat bloed in, Mabel. Ik heb een goede verpleegster nodig.'

Ik rende mijn kamer uit. Ik rende helemaal naar May Wirth en stormde zonder te kloppen naar binnen. May lag te draaien en te kreunen, terwijl haar moeder een glas water naar haar lippen bracht.

'Nee!' schreeuwde ik.

Mevrouw Wirth keek geschrokken op.

'Het is het water. De vaten zijn bedorven. Geïnfecteerd.' Toen keek ik de kamer rond en zag dat May, zoals de meeste artiesten, een klein petroleumkacheltje had staan; ik zei tegen haar moeder dat ze dat moest gebruiken om het water te koken en dat ze May dat water moest geven, alleen dat water.

Mevrouw Wirth kreeg meteen die zwakke knipperende blik in de ogen die mensen krijgen als omstandigheden in een oogwenk veranderen en zo keek ze nog toen ik haar rijtuig uit rende en op weg ging naar dat van de Concello's. Ik kreeg een hoop geschreeuw, geheven handen en beschuldigingen naar mijn hoofd geslingerd in het Italiaans, maar daar bleef ik allemaal niet naar luisteren: een hoop mensen zouden die nacht amoebendysenterie oplopen. Als we geluk hadden. Als we geen geluk hadden, was het tyfus of cholera en zouden we tegen de ochtend met een stapel lijken opgescheept zitten.

Dokter Ketchum was het wachten in mijn kamer blijkbaar zat geworden, want ik liep hem tegen het lijf net toen hij op de rails stapte. Inmiddels werd de lucht steeds donkerder, zowel vanwege het tijdstip als de zich samenpakkende regenwolken. Ik moest schreeuwen om me verstaanbaar te maken boven de wind uit, die van gieren naar regelrecht loeien geëscaleerd was.

'WAT GAAN WE DOEN?'

'MEER HULP HALEN.'

Ik ging op zoek naar verpleegsters, Ketchum naar verpleeghulpen. Verbazingwekkend hoe mensen er plotseling van overtuigd zijn dat je een speciaal diploma nodig hebt om kots van een beddenlaken af te vegen, maar nadat ik twee of drie artiestenwagons door had gelopen, was ik erachter wie de echte doorzetters waren. Dan heb ik het over de vrouw van de ceremoniemeester, Ella Bradna; Anders Christensens dochter Petra; een van de Loyal-Haganski's, Olga; en geloof het of niet, Lillian Leitzel, die volgens mij haar diensten alleen maar aanbood om de eventuele mening die ik over haar had te weerleggen.

('O ja? Half het cirkoes ziek? Nou, dan zal Lillian wel helpen. Lillian zal graag helpen.')

We gingen van wagon tot wagon. De eerste ziekenwagon die we bereikten, was die van Poodles Hannaford, iets wat ik me om twee redenen herinner. Ten eerste: hij had zijn clownssproeten en clownslach nog op zijn gezicht, wat er niet minder dan macaber uitzag bij een man die naakt en voorovergebogen stond te kokhalzen. Ten tweede: zodra het meisje Loyal-Haganski een vleugje van de smerige stank opving, kotste ze haar hele shirt en rok onder. Toen ze klaar was met het legen van haar maag, werd ze bleek en trillend door Ella Bradna teruggebracht naar haar wagon.

Dat betekende dat we nog maar met zijn vieren waren, wat prima was, omdat je in zo'n kleine wagon toch niet met meer dan vier mensen kon werken. Samen wasten we, kleedden we uit, maakten we schoon, gooiden we lakens waar het slijm uit droop op een hoop en verzekerden we familieleden die ziek van bezorgdheid waren dat ze zich nergens zorgen over hoefden te maken, dat het enkel een beestje in de drinkwatervaten was, dat morgen alles weer normaal zou zijn, wacht maar af. Ella Bradna werkte als een muilezel, gestaag en zonder klagen, en vertelde me op zeker moment dat ze hetzelfde eens had zien gebeuren bij een Duits circus, waar ze jaren geleden voor gewerkt had. Petra Christensen was wat onzeker, wat kwam doordat ze nog maar zestien was, maar toen ze zich over haar gêne om mensen naakt en besmeurd met zeegroene troep te zien, had heen gezet, liet ze zich niet meer afleiden en werkte ze even rustig en efficiënt door als Ella Bradna.

Daarmee bleef Leitzel over. Uiteraard ging alles bij haar gepaard met overdrijving, zwierige armbewegingen en gezucht om aandacht te trekken. En hoewel ze niet bepaald behulpzaam was op het vlak van schoonmaken – ze hield alles op armslengte afstand, zodat ze niet veel pit in haar geschrob kon leggen – moet ik toegeven dat ze uitblonk op het vlak van angst wegnemen. Toen we bij de kamer van Merle Evans, de orkestmeester, kwamen, troffen we hem rillend en besmeurd met diarree aan, bang dat zijn leeftijd tegen hem zou werken.

'Vat?' riep Leitzel uit. 'Noem jai dit siek? Geloof mai. Alfred ies er erger

aan toe na een nacht tequila drienken. Nou. Laat mai jouw petroleumkacheltje maar aansteken en dit vater aan de kook brengen. Vat jai nodig
hebt, ies een beetje vater, dan komt alles goed.'

Langzaam maar zeker trokken we van de sterrenwagons naar het deel
van de trein waar de revuemedewerkers en onderhoudsmensen sliepen.
Daar was het voller, meestal vier kooien per vertrek, wat het werk een
stuk moeilijker maakte. We vroegen de zieken steeds uit welke vaten ze
gedronken hadden, maar meestal schuimde het braaksel hen zo over de
lippen dat ze geen antwoord konden geven. Daardoor viel er slot noch
zin vast te stellen voor de uitbraak. In de ene wagon was iedereen gezond,
in de volgende lagen er vier hevig te braken en in de wagon daarna begonnen er net een of twee last van te krijgen. Toch werden we niet zozeer
moe van de stank en de beelden als wel van de enorme hoeveelheid werk.
Onze vingers deden pijn en onze ellebogen werden stijf en we kregen allemaal dat hopeloze gevoel over ons dat je krijgt van werk waar maar
geen eind aan lijkt te komen. Plus dat Ella Bradna's rug stevig begon
op te spelen, wat duidelijk was, omdat ze af en toe stopte en een hand
in haar lendenen legde, waarbij haar gezicht vertrok. Gelukkig pikten
we nog drie revuemeisjes op die wel wilden helpen, zodat we twee wagons tegelijk konden doen, terwijl ik heen en weer rende om instructies
te geven.

Na zo'n anderhalf uur kwamen we bij het arbeidersdeel van de trein.
Daar rustten we even uit, voordat de echte pret begon. Inmiddels was
het volkomen donker buiten en was het in de gierende wind flink koud;
toch waren de gezonde werklui allemaal buiten, ze stonden dicht opeen,
gaven elkaar de fles door en verdroegen het slechte weer zo goed als ze
konden. Ketchum was er ook, hij hielp een groep mannen kampvuren te
maken om water te kunnen koken, aangezien de werklui niet het geluk
hadden dat ze kachels in hun slaapwagons hadden. Toen hij ons zag, kwam
hij naar ons toe gerend. Ik weet niet of rimpels binnen een paar uur dieper
kunnen worden, maar bij hem leek dat zeker het geval.

'IK HEB GOED NIEUWS EN SLECHT NIEUWS!' brulde hij boven de wind
uit.

'HET GOEIE EERST!' schreeuwde ik terug.

'MET MAY WIRTH GAAT HET WAT BETER, HEB IK GEHOORD. Niet
veel, maar een beetje, en ik denk dat het een stuk slechter zou gaan als

het tyfus of cholera zou zijn. HET IS DYSENTERIE, MABEL, ZWARE DY-
SENTERIE EN ABSOLUUT AMOEBOÏDE, MAAR TOCH ENKEL DYSENTE-
RIE.'

Door dit nieuws deden mijn stijve, zere vingers al een stuk minder pijn.
Ik liet mijn stem even bijkomen, voordat ik weer tegen de wind in begon
te schreeuwen.

'HET SLECHTE NIEUWS?'

Hierop gebaarde Ketchum naar de arbeiderswagons, terwijl hij zijn
ogen half dichtkneep tegen een wapperende haarlok. 'HET IS VRESELIJK
DAARBINNEN, MABEL. VRESELIJK.'

De rest van mijn verpleegsters hoorde dit ook, dus haalden we allemaal
diep adem en vermeden elkaars blik. Toen gingen we naar binnen.

In de arbeiderswagon sliepen ze met zijn drieën in een kooi en er waren
drie kooien boven elkaar. Gemiddeld genomen, was er minstens één zieke
per bed, in sommige gevallen twee en af en toe zelfs drie. In die wagon
lag iedereen zonder uitzondering te kreunen en te klauwen en liepen ze allemaal zowel van boven als van onderen leeg. Kots, diarree en urine, rozig
van het bloed, stroomden door de gangpaden. Hoewel alle ramen openstonden, legde de striemende wind het af tegen de verstikkende stank in
de wagon; toen een van de revuemeisjes begon te snotteren, stapten we allemaal vol afschuw naar buiten.

Het moet minstens vier uur werk geweest zijn. Zonder schoon beddengoed viel er natuurlijk weinig te beginnen en gezien het feit dat het arbeiders waren, zouden de meesten waarschijnlijk geen extra stel lakens hebben.
Toen we dat hoorden, besloten we dat Ella Bradna met de revuemeisjes de
wagons langs zou gaan om mensen om extra lakens en drinkwater te vragen
en tegelijkertijd meer verpleegsters te rekruteren. Daarmee bleven Leitzel,
Petra Christensen en ik over. Aangezien er ondertussen niks anders te doen
viel dan onze mouwen op te stropen en te doen wat we konden, liep ik naar
de deur van de arbeiderswagon, die open was blijven staan en voortdurend
tegen de deurpost sloeg.

Omdat ik na een paar stappen merkte dat ik niet gevolgd werd, draaide
ik me om. Petra Christensen stond te huilen, van vermoeidheid en shock,
denk ik, al deed het er niet echt toe, want het was duidelijk dat ze op was.

'Iek sal haar teroegbrengen,' zei Leitzel, 'en so schnel mogelijk teroegko-
men.' Ze liepen weg, de een gebogen en de ander met haar kin in de lucht,

beiden met in de wind wapperende kleren. Ik wist dat ik Leitzel niet terug zou zien, want het verzorgen van collega-artiesten is één ding, maar het verzorgen van nederige werklieden is iets heel anders.

Dus ging ik in mijn eentje de arbeiderswagons in. Toen ik eenmaal binnen was, riepen ze me, grepen me vast en zeiden mijn naam, wat best eng was, omdat velen van hen door de koorts waanideeën hadden en hun vrouw of vriendin aanriepen, terwijl anderen kreunden: 'Help me, ma.' Weer anderen waren in paniek en fluisterden dat ze niet wilden sterven als een arme circussloeber die bij de blauwe wagon in de schuld stond vanwege de drank. Ik bevochtigde een paar lippen en voorhoofden en trok een paar dekens op, die onmiddellijk weer werden afgeworpen, omdat de patiënt hoge koorts had. Na een paar minuten realiseerde ik me dat ik in mijn eentje heel weinig kon uitrichten, dus nam ik een besluit: ik zou naar de menagerie gaan om te kijken of Radja in orde was en tegen de tijd dat ik terugkwam, zou er hulp, gekookt water en hopelijk schoon linnengoed zijn.

Dus ging ik weg. Waarbij ik uitgestrekte handen en door uitdroging lodderig geworden blikken moest ontwijken. Ik stapte de bittere kou in en haastte me, voorovergebogen tegen de wind, naar het andere eind van de trein, die in die tijd ruim anderhalve kilometer lang was en zich in vier delen verplaatste, ieder deel met een eigen locomotief. Half lopend half rennend kwam ik bij de menageriewagons, buiten adem maar verbaasd over mijn eigen energie. Daar zag ik Art in een kooi zitten en een olifant verzorgen uit wiens kontgat, verwijd tot de grootte van een waskom, een rivier van groene troep kwam; het stroomde uit de kooi over de afvoergoot naar de grond en vormde een plas viezigheid waar ik zowat in stapte.

'Art!' brulde ik.

Hij zwaaide en schreeuwde iets terug wat ik door de wind niet goed kon verstaan, maar ik geloof dat hij zei dat sommige mannetjesolifanten ziek waren, maar dat hij me later wel zou zien. Ik nam wat water, dat Art naast de olifantenhokken aan de kook had gebracht, en liep haastig verder. Ik negeerde de geluiden van zieke dieren; jaks die loeiden, kamelen die spogen, gorilla's die op hun borst trommelden, nijlpaarden die huilden, leeuwen die brulden en een heleboel gezonde dieren die kabaal maakten uit angst voor wat er gaande was. Rondom de schitterende okapi had zich een hele menigte verzameld, want het was de enige okapi in Amerika, die bijna net zoveel had gekost als de albino olifant, en als die doodging, zou iemand de woede van John Ringling over zich heen krijgen. Ik kwam bij de roofdierensectie van de trein en begon luiken omhoog te schuiven. Ik controleerde al mijn poezen. Ze waren allemaal min of meer gezond, alleen Pasja en Boston zagen er een beetje ziek en snotterig uit, maar niet al te erg, gezien de omstandigheden. Ik gaf ze allemaal een beetje vers water en beloofde dat ze later meer zouden krijgen. Toen rolde ik Radja's luik omhoog.

Ik wierp een blik naar binnen en moest mezelf dwingen om niet in tranen uit te barsten.

'Och, schatje,' zei ik zachtjes, 'och, arme schat van me.'

Radja tilde zijn kop op en gromde en terwijl hij gromde, liep er een stroom braaksel tussen zijn kiezen door op de grond. Ik wist dat ik voorzichtig moest zijn, want een zieke kat is een bange kat en een bange kat is altijd gevaarlijk, hoe goed hij je ook kent. 'Och, lieve poes', zei ik steeds, terwijl ik langzaam de grote ijzeren klink optilde en het luik naar boven liet zwaaien. 'Mama is bij je, lieve kleine poes.' Ik deed een stap naar binnen en bood hem vers water aan en op dat moment verzamelde Radja al zijn krachten en sprong. Hij liet zijn poten op mijn schouders neerkomen en duwde me terug tegen de tralies en heel even blonk er een moordzucht in zijn ogen die me deed denken dat ik er geweest was. Toen werd zijn blik weer scherp en leek hij te beseffen wie hij in zijn klauwen had. Er keerde een zachtheid terug in zijn blik en de spanning vloeide uit zijn spieren. Hij bromde zachtjes, legde zijn kop op mijn schouder en trok me naar zich toe.

Dus sloeg ik mijn armen om Radja heen, waardoor ze onder het braaksel kwamen te zitten. Zijn adem rook als een riool en zijn vacht was aangekoekt met viezigheid. Ik hield hem stevig vast en zei dat ik hem absoluut niet zou laten doodgaan en dat was het moment waarop ik bedacht dat ik geen schijn van kans maakte als ik een Bengaal van tienduizend dollar wilde verzorgen in een smerige koude kooi. Dus veegde ik hem zo goed mogelijk af, gaf hem wat schoon water en wreef over zijn pretplekje. Toen haalde ik hem uit zijn kooi; Radja was trillerig en grommerig door de pijn, maar niet half zo ver heen als veel van de mensen die ik die dag had gezien. Toch was het duidelijk dat hij het niet zou halen naar de artiestentrein en net toen ik me afvroeg hoe ik dat moest aanpakken, zag ik een

van de werklui bij de gebakkraam wegrijden met een vrachtwagen, geladen met vaten vers gekookt water. Ik hield hem aan en hij zette Radja en
mij voor mijn coupé af.

Ik nam Radja mee naar binnen en maakte een kermisbed van bankkus-
sens. Ik legde er een laken overheen en liet hem daarop liggen. Het volgende kwartier gaf ik hem steeds wat slokjes water en waste ik hem met
een warme spons en zei ik steeds maar weer dat hij mijn schatje was en
dat hij beter zou worden, dat hij heel snel weer beter zou worden. Toen
hij eenmaal regelmatig ademhaalde en sliep, liet ik hem alleen, blij dat
hij in de warmte en rust van mijn coupé lag. Hij zag er al een beetje beter
uit; in zijn slaap likte hij steeds zijn lippen, wat naar mijn ervaring betekent dat een kat van iets prettigs droomt, nijlpaardbiefstuk misschien of
het aan stukken scheuren van een impala.

Vlak voordat ik wegging, zocht ik nog even naar een papiertje. Natuurlijk kon ik niks vinden, dus pakte ik een stuk keukenrol, waar ik
met stomp potlood op schreef: Art, Radja binnen, pas op! Nadat ik dat
op de deur had geprikt, sloot ik af en ging terug naar de arbeiderswagons.

Er stond nog steeds een gierende wind en de inktzwarte wolken stoot-
ten grote dikke regendruppels uit waar je kop zo koud van werd dat je
wou dat je een hoed op had. Ik kwam buiten adem bij de arbeiderswagons
aan en zag dat de zaken er zowel beter als slechter voor stonden. Beter
was dat we meer water hadden, meer vrijwilligers en lakens, die ondanks
het feit dat ze betere tijden gekend hadden goed van pas kwamen. Slechter
was dat de stank verergerd was en de verpleegploeg in totale verwarring
verkeerde, zodat iedereen behalve Ella Bradna stond te bekvechten, lakens
probeerde te bemachtigen en in zijn algemeenheid de gevolgen van vermoeidheid en wanorde vertoonde. Toen ze mij zagen, hielden ze op, en iets
wat niet eerder bij me was opgekomen, werd me nu duidelijk: zonder
mij erbij zouden ze niets, helemaal niets voor elkaar krijgen.

Wat hier vooral nodig was, was triage, de simpele soort eerstehulpverle-
ning die je na veldslagen en bombardementen ziet. Het enige probleem
was dat ik geen ervaring in oorlogstijd had, zodat ik er ongeveer net zoveel
idee van had hoe we verder moesten als de anderen. Hoe dan ook, het
was zonneklaar dat ons maar één ding te doen stond; de anderen moesten
het alleen horen van iemand die naar hun idee wist wat ze deed.

'DAMES,' schreeuwde ik, 'WE STAAN OP HET PUNT ONZE HANDEN VUIL TE MAKEN!'

Wadend door de drek gingen we die kreunende, stinkende hel in en deden wat we konden. Eerst dacht ik dat er paniek zou uitbreken, want iedere zieke arbeider wilde als eerste geholpen worden; de meesten waren godzijdank te zwak om op hun benen te staan. Onze eerste taak was het uitdelen van schoon water, hadden we bedacht, omdat de meeste mannen nu ernstig last van uitdroging begonnen te krijgen. We waarschuwden hen niet al te gulzig te drinken, maar de meesten negeerden ons uiteraard, omdat ze razende dorst hadden, zodat het vocht, slijmerig doordat het in de maag was geweest, weer naar boven kwam. Daardoor droogden ze nog erger uit, dus gaven we ze weer water met opnieuw de vermaning niet te gulzig te zijn, waaraan ze dit keer sneller gehoor gaven.

Het was langzaam en geduldig werk, te zorgen dat ze water binnen kregen. Sommige mannen waren zo versuft dat ze amper hun hoofd konden optillen en degenen die nog enige strijdlust in zich hadden, smeekten ons om de kots en stront van hen af te spoelen voordat we verder gingen. Zo gingen we langzaam maar zeker alle wagons af om zoveel mogelijk mensen water te geven en toen we bij de laatste kwamen, gingen we weer terug om een nieuwe serie slokken uit te delen, omdat Ketchums grootste zorg was dat de ouderen en degenen met beschadigde levers aan uitdroging zouden bezwijken. Toen dat allemaal klaar was, probeerden we de vloer schoon te maken: die was in een enkeldiep en borrelend moeras van stront veranderd en als er niets aan gedaan werd, zou er alsnog cholera uitbreken. Deze taak hield in dat er veel gedweild moest worden en dat de mannen naar buiten geholpen moesten worden om te kotsen of om bloed te pissen. Helaas waren er nog steeds mannen die veel te zwak waren om op te staan, met of zonder hulp, en die gaven we plastic schalen, metalen schalen, porseleinen schalen en vrijwel alle soorten schalen die maar naar de wagon gebracht werden. Dat hielp, al waren er ook nog steeds mannen die niet op tijd bij hun schaal konden komen of die hun schaal binnen enkele tellen vol hadden, zodat het braaksel over de rand klotste en op lakens en dekens terechtkwam. Met andere woorden, we waren beperkt in wat we konden doen, maar na een uur begonnen we stukken vloer te zien tussen de ondiepe plassen braaksel. Rond die tijd viel het me op dat Ella Bradna nauwelijks nog haar dweil kon vasthouden en dat haar mond openhing van uitputting. 'Ga naar huis,' zei ik, en toen ze niet reageerde, legde ik mijn handen op haar schouders, bracht mijn gezicht dicht bij het hare en zei: 'Alsjeblieft.'

Eindelijk waren we zover dat we ons konden richten op het wassen van de mannen zelf. Dat was moeilijk, want veel van het braaksel was opgedroogd, zodat hun beddengoed aan hun lijf kleefde met een pasta van eigen maaksel. Plus dat het lastig was om bij de mannen te komen die in de middelste kooien lagen te kronkelen en bijna onmogelijk om bij de mannen in de bovenste kooien te komen. Met andere woorden, de meesten konden we niet in bed verschonen, zoals we in de artiesten- en onderhoudswagons hadden gedaan; we moesten ze omrollen en zover zien te krijgen dat ze omlaagsprongen, een beweging waarvan ze vaak weer begonnen te kokhalzen. Als ze eenmaal in het gangpad stonden, kleedden we ze uit en gooiden de bevuilde kleren naar buiten, waar de gezonde werklui een handje hielpen door water te koken en te wassen. Als de man naakt en trillend en in sommige gevallen door iemand ondersteund op zijn benen stond, sponsden we hem af en trokken hem de eventuele schone kleren aan die hij had, wat in sommige gevallen niet veel was. Dan gooiden we een schoon laken op bed, zonder de moeite te nemen het in te stoppen, legden hem terug in bed en gaven hem nog wat water. Voordat we naar de volgende gingen, zeiden we dat het heel belangrijk was dat hij naar buiten ging om te kotsen en poepen en dat hij om hulp moest roepen als hij dacht dat hij het niet zou redden.

En dat gebeurde natuurlijk. Hadden we een man half aangekleed, dan riep een ander, waar we net geweest waren, ons terug, waarna een van de rekruten hem half en half naar buiten moest dragen, waar het regende. Gelukkig begonnen de gezonde werklui ons op dit vlak te helpen, zodat ik met voldoening zag dat het ook werkelijk gebeurde. Maar het betekende wel dat beide mannen daarna nat binnenkwamen. De stoom begon van het beddengoed te slaan en voegde een nevel toe aan de verwarring. Binnen korte tijd waren we allemaal klam of drijfnat en moesten we hard praten, omdat moeilijk te zien was waar iemand was.

Ik begon pijn te krijgen. Ik was de moeheid voorbij en mijn hoofd was zo zwaar dat ik zou zweren dat het me elk moment een kunstje kon flikken, hoewel ik me tegelijkertijd niet zo nuttig had gevoeld sinds John Ringling in 1925 de tijgernummers had geschrapt, dus er zat ook een zekere blijdschap bij. We waren ongeveer op tweederde van de tweede arbeiderswagon toen ik besloot even naar buiten te lopen om een kop koffie te drinken, die het personeel van de veldkeuken aan het ronddelen was.

Ik geloof niet dat ik het ooit zo heb zien regenen. De dikke spetterende druppels waren veranderd in zulke zware watergordijnen dat het moeilijk was om de afzonderlijke druppels waar te nemen. Ik stond in het portaal van de arbeiderswagon en stak heel even mijn arm uit in de hoosbui, maar ik trok hem bijna meteen weer terug; het prikte. Het ergste was dat het nog steeds verschrikkelijk hard waaide, waardoor de regen niet eens leek te vállen. Hij was overal, hij kletterde op de grond en kaatste als omgekeerde regen, zijwaartse regen en diagonaal striemende regen weer terug. Golven regenwater beukten tegen de zijkanten van de treinwagons, er was geen peil op te trekken welke richting het uit ging, behalve als de wind af en toe aantrok en een paar tellen een bepaalde kant op blies, dan ging de regen mee. En was de windvlaag eenmaal voorbij, dan was de regen niet langer regen, maar water dat overal vandaan kwam.

Een doorweekte arbeider zag me staan en bracht me koffie. Toen ik een slokje nam, zag ik hoe de bliksem het spoorwegemplacement verlichtte; mensen renden langs de trein heen en weer met water, handdoeken, po's en mannen die hun maag moesten legen. Daarna werd alles weer donker. Een meter of zeven verderop probeerde Ketchum alles wat buiten gebeurde te coördineren; hij had ergens een oliejas en een zuidwester opgeduikeld, zodat het water van hem afdroop en in dikke stralen op de grond kletterde. Hij riep om meer water en koffie en handdoeken en – het allermooiste van die dag – om warme bouillon voor degenen die zich wat beter voelden.

Toen ik dat hoorde, liet mijn uitputting zich voelen. Het was niet eens zozeer dat al mijn spieren pijn deden, ook al was dat wel zo, maar meer dat alles pijn deed. Alles aan me deed pijn en totdat dat gebeurt, ben je je niet eens bewust van dat ding dat lichaam heet. Mijn ogen hingen halfstok. Mijn hersens werkten op halve snelheid. Misschien was dat het probleem. Ik stond gewoon van mijn koffie te nippen en naar de storm te kijken en me trots en blij en doodmoe te voelen toen het gebeurde.

Ik stond daar gewoon en genoot van de warmte van de kop koffie die door mijn handen naar mijn armen en kletsnatte lijf trok, toen ik opeens

een raar gevoel kreeg. Er maakte zich een ongemakkelijk, gespannen gevoel van me meester, maar ik had absoluut geen idee waar het vandaan
kwam, al had het misschien te maken met al die regen, die iets moest betekenen. Alsof die regen een aanwijzing voor iets zou moeten zijn. Het
was een wonderlijke gedachte en hoewel ik ervan uitging dat het door
de uitputting kwam, zette ik hem niet zonder meer van me af. Ik bleef
maar naar de regen kijken, die de grond deed opspatten en de arbeiders
in het gezicht sloeg en op het dak en de zijkanten van de wagon voor me
beukte. De hele tijd had ik een nerveus tintelend gevoel in mijn benen, alsof al die regen me echt iets wilde vertellen.

De wind gierde aan één stuk door en in dat gegier meende ik een stem
te horen, die iets tegen me schreeuwde, maar hoe goed ik ook luisterde,
ik kon er geen wijs uit worden. Mabel, zei ik bij mezelf, er raakt weer
een schroefje bij je los, jezelf zo afmatten is geen goed idee, je moet voortaan wat beter uitkijken. Ik glimlachte zelfs bij het vooruitzicht om wat aardiger voor mezelf te zijn als dit allemaal achter de rug was. En toen drong
het opeens tot me door. Ik liet mijn koffie vallen en voelde de bovenkant
van mijn schoenen warm worden.

O, god, schreeuwde ik inwendig.

Regen.

En ik begon te rennen. Het leek wel zo'n droom waarin je probeert ergens
heen te rennen, wat niet lukt omdat je voeten opeens zo zwaar geworden
zijn als blokken cement, of aan de grond vastkleven, of omdat je vergeten
bent hoe je moet rennen. In dit geval bleven mijn schoenen steeds in de
modder steken en doordat ik ze van Art geleend had en ze me te groot waren, gleden ze steeds van mijn voeten. Uiteindelijk schopte ik ze uit en
rende op kousenvoeten verder, maar geloof me, als je zo bang bent, is het
de diepte van je angst die je nederig maakt, en niet het feit dat je geen
schoenen aan je bemodderde voeten hebt.

Ik kwam bij onze coupé. Door de wind en de regen was het briefje van
de deur gewaaid. Toch blijf je hopen. Je doet of er niets aan de hand is. Je
komt die heuvel op en je ziet dat lichaam naast dat paard liggen en je denkt:
uh-uh, nee, dat kan haar niet zijn. Ik stak mijn hand uit en dacht: als de
deur nog op slot zit, is alles in orde, dan is Art nog in de menagerie de olifanten aan het verzorgen (waar hij meer van hield dan alle andere dieren

samen, al zou hij dat als menageriebaas nooit toegeven). Ik stak mijn hand uit en dacht: als hij nog op slot zit, dan is Art niet teruggekomen om zich te verkleden of een sigaret te roken of een gebroken nagel te vijlen.

Drijfnat stak ik mijn hand uit.

Deel drie

John Robinson/Barnes

14

Geluksvogel Barnes

Art Rooney werd de volgende ochtend op een heuveltje buiten het dorp begraven. Wat een beeld was dat, al die werklieden die huilden en het hoofd bogen, maar los daarvan is mijn herinnering eraan wazig. Wat Radja betrof, was het circus wettelijk verplicht hem af te maken en alle krantenjongens schreven dat dat gebeurd was. Maar zoals gewoonlijk vertoonde dat wat de krantenjongens schreven geen enkele overeenkomst met de werkelijkheid. Zoals alle onhandelbaar geworden grote dieren zou Radja verkocht zijn aan een Mexicaans circus, waar hij het voor een speciale entreeprijs tegen leeuwen, beren of kleine olifanten moest opnemen. Een tijd lang ging het gerucht dat hij ergens in Nuevo León doodgegaan was, verscheurd door een roedel ondervoede prairiewolven. Als dat waar is, is hij in ieder geval onder het geluid van toejuichingen doodgegaan.

Ongeveer een week na Arts dood bezocht Charles Curley me in mijn coupé.

'Kunnen we even praten, Mabel?'

Ik deed een stap achteruit zonder dat het me echt kon schelen of hij binnenkwam of niet. Maar hij kwam binnen en hoewel ik niet met zekerheid kan zeggen of ik hem thee of koffie aanbood, meen ik me oprecht te herinneren van niet. We namen plaats in mijn woonkamer. Het was er een vreselijke troep, overal papieren en vuile borden op de salontafel en omdat ik bekendstond als een net persoon, viel het Charles Curley op dat het een troep was. Hij keek ongemakkelijk om zich heen. Toen schraapte hij zijn keel.

'Mabel, ik heb vanochtend met John Robinson gesproken. Hij had van je inzet tijdens de dysenterie-uitbraak gehoord en zei dat je een fantastische medewerker moest zijn.'

Er viel me opeens een vlek op het behang boven Curleys linkerschouder op, niet omdat ik de behoefte had hem weg te halen, maar omdat hij zo'n wonderlijke vorm had.

'Mabel, hij zei dat hij je op zijn affiche had gezet. Hij zei dat we je talent verkwanseld hebben hier, wat ook zo is, en dat het hoog tijd werd dat iemand weer een ster van je zou maken en dat hij die iemand zou zijn. Hij zegt dat hij je komst promoot alsof je de verlosser zelf bent. Hij gaat er persoonlijk op toezien dat je een comeback maakt.'

Ik staarde hem uitdrukkingsloos aan.

'Je wordt weer een ster, Mabel. Hoor je?'

'Ja', antwoordde ik. 'Is dat het?'

Ongeveer een maand later voegde ik me bij het John Robinson Circus ergens in het zuiden, in Georgia als ik het me goed herinner, of misschien net over de grens, in Alabama. Ik was achtendertig en alles wat ik bezat, paste in een enkele hutkoffer. Al gauw begon ik vertrouwd te raken met de katten van Robinson, die zoals alle circusdieren liever werkten dan luierden. Het duurde niet lang voor een van de Bengalen, een pezig exemplaar dat Khan heette, door de dubbele brandende hoepel sprong. Samen met Boston en Beauty, mijn Ringling-tweeling, had ik nu drie katten die de truc konden; met nog één erbij kon ik ze in een ononderbroken kring door de hoepels laten springen, een complete ring van zwart en oranje door een tunnel van vuur. Niet lang daarna zette Pasja haar eerste angstige stapjes op een enkel strakgespannen dik touw en wist ik dat ik heel binnenkort een koorddanser had. Het enige probleem was ikzelf. Ik was de eerste in de wereldgeschiedenis die tijgers deze trucs leerde en het liet me koud. Een tijd lang dacht ik dat het door de zenuwzwakte kwam en dat de mist op een dag zou optrekken en ik zwaar onder de indruk zou zijn van mezelf. Maar dat gebeurde niet.

Wat wel gebeurde, was dat ik Arts stem in mijn achterhoofd begon te horen – nep, zei de stem, nep, bluf en bedrog – en door die stem werd ik aan het denken gezet. Eind februari liet ik op een dag mijn katten in de oefenpiste en gaf ik Boston het sein om door twee hoepels te springen en terwijl hij erdoorheen zweefde, dacht ik: waarom niet? Ik keek toe vanuit mijn ooghoek. Wat ik zag, was zo'n verrassing dat mijn adem in mijn keel stokte. Als ik uit de zijkant van mijn oogballen keek, zag ik schoonheid, maar niet in Boston. Wat ik daar zag, was uren en nog eens uren van be-

loond gedrag. Wat ik daar zag, was kennis. Maar ik zag wel schoonheid in
de manier waarop de andere tijgers op hun ton zaten, allemaal in dezelfde
houding, met dezelfde trotse tijgerblik, dezelfde kant op kijkend, zonder
dat het ze kon schelen of ze een stuk vlees kregen of dat ik 'brave poes!'
schreeuwde, maar gewoon zoals ze daar zaten en ware edele 'tijgerheid'
uitstraalden. Dat deden ze niet om mij, een publiek of wie dan ook te behagen. Dat deden ze uit zichzelf.

Die dag liet ik de hoepeltrucs en de koorddanstruc vallen en begon ik
de Ringling-katten en de Robinson-katten bij elkaar te zetten. In de week
daarop waren er een paar kleine aanvaringen, maar niks ernstigs. Wat ik
vooral wilde, was dat Art het had kunnen zien: het waren net stromen
oranje en zwart met groene ogen waarin het licht weerspiegelde. Ik begon
mijn show meer als een balletnummer te zien dan als een tijgernummer
en in plaats van ze idiote stunts als balrollen te laten doen, liet ik ze in allerlei wervelende patronen door de stalen piste bewegen. Terwijl ik in het
midden van de piste stond, stroomden de katten om me heen. Ik leerde
ze slakkenpatronen, achtjes, golvende bewegingen, alles als een pure ode
aan Art, wat, vond ik, het minste was wat ik kon doen. Ik liet ze in pirami-
devormen zitten die zo ongewoon waren dat het eigenlijk helemaal geen
piramides waren, eerder door tijgers gecreëerde vormen. Ik bracht een
grammofoon mee en werd de eerste dompteuse die muziek in een voorstelling gebruikte. En ja hoor, de katten leerden de melodie en richtten
zich ernaar, zodat ik na verloop van tijd nog nauwelijks mijn stem of mijn
zweep hoefde te gebruiken om de volgende figuur in gang te zetten.
Met mijn blonde jongenskopje, waar het publiek naar kon kijken als het
niet wist waarop het zijn blik moest laten rusten, fungeerde ik vooral als
versiering, en geloof me als ik zeg dat dat een opzienbarende manier was
om een tijgernummer te presenteren. Het kwam zover dat ik begon te
denken dat het ultieme nummer zonder dompteur in de piste kon (en
hoewel er honderden redenen waren waarom dat vrijwel onmogelijk
was, was dat toch waar ik naartoe werkte). Natuurlijk ging het praatje
rond dat ik een nieuw soort tijgernummer in elkaar had geflanst. Op een
dag kwam John Robinson in eigen persoon naar de oefenschuur en vroeg
het nummer te zien dat hij op tournee nam. Ik wond de grammofoon
op. Na afloop stond hij met zijn dikke lijf recht voor zich uit te staren, paf-
fend aan zijn sigaar. Zonder een woord te zeggen. Later op de dag schoot

ik een van de managers aan en vroeg hem of de baas iets gezegd had over mijn nummer.

'Jazeker. Hij zei dat het wonderbaarlijk was. En dat hij wou dat hij het in iemand anders zijn circus had gezien.'

Ik debuteerde met het nummer op 26 juli 1927 in Toledo, Ohio. Na de pindaverkoop begon de matinee met de pantomime 'Koning Salomon en de koningin van Sheba', dat als 'Een grootse en exotische pantomime uit oude tijden' aangekondigd stond. Show nummer twee was een ijsberennummer, geflankeerd door onberijdbare muilezels die bereden werden. Show nummer drie was een hondennummer. Nummer vier waren pony's. Nummer vijf waren acrobaten met een gooi- en smijtnummer.

Daarna: de grootste groep Siberische, vorstelijke Bengaalse en Sumatraanse tijgers ooit in een circuspiste bijeengebracht, gepresenteerd door de weergaloze Mabel Stark. Ik liep zoals altijd in mijn eentje de piste in, met glinsterende blonde haren, één hand op mijn heup en in de andere een zweep. Dat bracht het publiek in verwarring, want er was geen tijger te bekennen. Ik bleef net zolang in de schijnwerpers staan tot ze onrustig werden en zich gingen vervelen. Het orkest zette in. En terwijl dat speelde, deed Old Dad, de kooihulp, het tunnelluik omhoog en kwamen de katten een voor een binnen en met zestien tijgers was het niet moeilijk om het er te laten uitzien als een rivier van geelbruin bont die de piste in stroomde. Ze vormden een enorm slakkenpatroon met mij in het midden. Bij een verandering in de muziek begonnen de tijgers in een kring de piste rond te lopen, de kleinste kring en de grootste met de klok mee en de tijgers in de middelste kring tegen de klok in. Nadat het publiek zijn ogen hierop had kunnen uitkijken, namen de tijgers hun plaats in, maar in plaats van dat ze allemaal direct naar hun eigen ton gingen, kwamen ze in een rij van twee kanten aanlopen, sprongen van ton naar ton en vulden zo langzaam de piramide op, als een vaas die volliep met oranje en zwart vocht. Ik liet zelfs twee tijgers de bovenste ton delen, iets wat tot nu toe voor onmogelijk werd gehouden, omdat tijgers zo territoriaal ingesteld zijn. Onder aanzwellende muziek hield ik de piramide vast en toen liet ik door slechts even mijn kin op te tillen de tijgers die de zijkanten van de piramides vormden, neerkomen en gelijktijdig omrollen, eerst de ene kant op en toen de andere kant op, waarbij alle katten zo dicht naast elkaar lagen dat ze het risico liepen elkaars vacht te raken. Toen ze klaar waren, vormden ze opnieuw de piramide, op tijd voor mijn finale: als alle zestien tijgers op hun ton zaten, draaide ik ze mijn rug toe en bracht mijn armen omhoog en terwíjl ik mijn armen omhoogbracht, gingen al die tijgers zonder uitzondering gelijktijdig op hun achterpoten zitten, enkel omdat ze allemaal bekeken wilden worden. Geloof me. Het was schoonheid in zijn puurste vorm, of je het nou van opzij, van voren of door spleetjes in je achterhoofd bekeek.

Het orkest zwol aan en ik wachtte op het applaus en dat was: respectvol. Op zijn hoogst hartelijk. Ik kreeg er een droge strot van. De katten liepen al via de tunnel de piste uit. Toen ik uit de stalen kooi stapte, had ik een troostrijke gedachte: misschien dat het aan de lage bezetting lag, want als er iets is wat spanning oproept, is het wel een grote menigte, en het kwam bij me op dat Jan Publiek door al die lege stoelen misschien gemist had wat er in de piste gebeurde.

Show nummer zeven waren de trapezewerkers, met in de hoofdrol het merendeel van de meisjes wier borsten bij de openingspantomime met schelpen bedekt waren. Daarna kwam show nummer acht: kamelen die kunstjes deden in de eerste en derde piste, terwijl in de middelste piste het geheel nieuwe John Robinson-vechtnummer plaatsvond.

Toen trad hij nog op onder de naam commandant Terrell Jacques, maar later sloeg hij zichzelf met zijn zweep een oog uit en veranderde hij zijn naam, waarna hij de vermaarde eenogige Terrell Jacobs werd. Zijn nummer was ronduit gejat van Beatty, met dit verschil dat hij vier Nubiërs met zwarte manen gebruikte in plaats van een mix van leeuwen en tijgers. Er klonk tromgeroffel en Jacques paradeerde de piste in met zijn dieren, die er allemaal uitzagen alsof ze bij de lunch hun tanden in iets smerigs gezet hadden. Wat volgde, was een overdaad aan grauwen en uitvallen en opgeheven poten en pistoolschoten. De leeuwen waren onderling zo aan het vechten dat ik wel begreep waarom ze allemaal littekens op hun snuit en kop hadden. Het kostte Jacques de volle acht minuten om zijn katten op hun plaats te krijgen, maar na anderhalve seconde schoten ze alweer van hun tonnen af en vielen aan, waarop hij de kooideur opensmeet en zich in het zaagsel liet vallen alsof hij granaatscherven ontweek op de stranden van Normandië. Toen stond hij op, niet zo doorweekt als Beatty destijds, maar tamelijk nat. Een paar seconden deed hij net of de bijnadood die hij net in de ogen had gekeken hem deemoedig had gemaakt. Toen maakte hij een buiging en gingen de lichten aan boven de toeschouwers op de tribunes.

Alleen záten ze niet. Ze stónden. Ze juichten en gaven hem een staande ovatie.

We deden nog een paar voorstellingen voordat we via Detroit naar Canada gingen en in noordoostelijke richting langs de St. Lawrence trokken. Het was voortdurend koud en nat en iedereen werd moe van het blauwbekken in de modder. Je kunt je voorstellen hoe ik me voelde. In één woord afwezig. Mijn nummer was van het soort dat voortdurend opgepoetst moest worden en ik geef toe, er waren dagen dat ik me gewoon te duf voelde om extra oefentijd in te passen. Na een paar weken liepen de tijgers niet meer in dat prachtige slakkenpatroon een voor een de piste in; in plaats daarvan begonnen ze eruit te zien als forensen die zich in een trein persten. Mijn concentrische cirkels bewogen niet meer concentrisch en als de tijgers tegen elkaar op botsten, waren er kleine schermutselingen, waar ik slechts met grote moeite een einde aan kon maken. Op een dag in een dorp dat Cornwall heette, in Ontario, voelde ik me behoorlijk duf. Halverwege mijn show vergat ik waar ik was. Om mijn aandacht te trekken, kwam een van de tijgers, Sheik, die door een vorige dompteur geslagen was en een zekere valsheid in zijn botten had, op me af en haalde zijn klauw langs de rechterkant van mijn kostuum. Het was geen ernstige wond, mijn kostuum ving het grotendeels op, maar het zag er lelijk uit en ik hoorde hoe de toeschouwers hun adem inhielden. Sheik brulde en het was duidelijk dat hij van plan was de klus af te maken, maar toen merkte hij dat ik geen angst of bezorgdheid toonde. Geen greintje. Ik stond daar gewoon naar de wond te kijken alsof die van iemand anders was. Daar schrok hij zo van dat hij terugstapte in de kring van wanordelijk om me heen lopende tijgers, maar hij keek me daarbij over zijn schouder woest aan, wat zijn manier was om te zeggen: De volgende keer.

Die middag kreeg ik bericht van John Robinson dat hij erg blij was met de manier waarop ik mijn nummer ontwikkelde.

Het weer. Niet van die striemende regen die me hielp Art Rooney te vermoorden, maar de koude miezerige, mistige soort die in je botten gaat zitten en weigert weg te gaan. Die achtervolgde ons door heel het oosten van Canada, naar Quebec en de bocht om naar New Brunswick, waar de mist overging in echte regen, die op de grond viel en een natte nevel werd die als kou weer opsteeg. Er viel een stilte over het terrein, mensen bleven in hun kooi liggen en als ze naar buiten gingen, liepen ze er ineengedoken en ellendig bij. De leiding bestelde een nieuwe lading rubberlaarzen, die net zo lek bleken als de laarzen die ze moesten vervangen. De paraffine waarmee het canvas waterdicht gemaakt was, begon los te laten, waardoor de grote tent ging lekken. Veel mensen waren verkouden of gedeprimeerd. Een van de meisjes uit de pantomime, een schichtig ogend ding dat aan echte gekte leed, niet de gewone circusgekte, begon te klagen dat ze in de mist kabouters zag spelen, engerds met scherpe tanden. Die kreeg de dag daarop gelijk een treinkaartje naar huis.

Ergens eind mei kwamen we de Verenigde Staten weer binnen, bij het plaatsje Houlton in Maine. Zoals gewoonlijk werden we urenlang opgehouden door douanebeambten die de trein uitkamden op zoek naar zigeuners, opiumschuivers, voortvluchtigen en zieke dieren. Nadat ze een keukenhulp gearresteerd hadden, die ergens in Mississippi zijn vrouw om zeep gebracht bleek te hebben, lieten ze ons eindelijk gaan. We hoopten allemaal dat er met verandering van land een eind zou komen aan de regen, alsof regenwolken ook bij grenzen stoppen.

Eindelijk werd het mooi weer, zonnig en warm en plakkerig als een koffiebroodje, maar met alle regen van de afgelopen weken was het circusterrein één grote modderpoel. De olifanten die de borglijnen vastzetten, bleven voortdurend in de modder steken en de werklui verloren steeds hun schoenen. De stoom sloeg van de grote tent. Tegen de tijd dat de tent stond en de veldkeuken de koffie klaar had, was het al na zessen en was de leiding woedend omdat de matinee afgelast was. Iedereen was moe en had honger, de dieren incluis.

Mijn kooien kwamen pas vlak voor het begin van de voorstelling aan en in plaats van ze naar de menagerie te sturen, waar de katten te eten en te drinken gekregen zouden hebben, werden ze direct achter de tunnel naar de piste gezet. Zelfs een blinde had kunnen zien dat de katten absoluut niet in de stemming waren, wat niet hoefde te verbazen als je bedacht dat ze een hele dag op nat stro hadden gelegen. Ze gromden en lieten hun tanden zien en probeerden door de tralies heen naar elkaar uit te halen. Ik ging niettemin op. Eerlijk gezegd wilde ik dat ook graag.

Eenmaal in de stalen kooi, gaf ik Old Dad het teken de katten binnen te laten. Ze kwamen achter elkaar binnen, met een steelse gemene blik, gebogen kop, hijgend en grommend, omdat er modder tussen hun nagels kwam. Omdat ik wel voelde dat er ruzie zou uitbreken, gaf ik het orkest niet het gebruikelijke teken; in plaats daarvan riep ik: 'Zit', en toen dat niet werkte, herhaalde ik het, maar dit keer harder. Een van de wat dommere katten, een vrouwtje dat Belle heette, ging op de verkeerde ton zitten, uitgerekend de ton van Sheik, mijn gemene kat. Sheik zag het en gaf mij er de schuld van, hij kwam op me af en haalde op een dusdanige manier uit naar mijn linkerbeen dat je het absoluut geen waarschuwing meer kon noemen: zijn klauw ging door het bot heen en rukte bijna het hele been boven de knie af. Ik zakte als een voddenbaal in elkaar. Toen ik weer opstond, voelde mijn hele linkerkant wiebelig, alsof die niet te vertrouwen was.

Old Dad begon met het luik te rammelen en Sheik liep op de tunnel af. We gebruikten het oude zwaailuik en in zijn paniek klapte Old Dad het luik tegen een andere tijger aan en die tijger was niemand minder dan mijn buitensporig grote Bengaal Zoo, die een grief koesterde sinds ik hem geslagen had omdat hij weigerde op een bal te lopen. Hij sprong recht omhoog en kwam vol wrok neer. Hij besprong me terwijl ik moeizaam overeind krabbelde en nam een grote hap spier uit mijn rechterbeen. Ik schreeuwde, waarna hij me losliet, en ik wist op de een of andere manier overeind te komen, maar kon intussen wel het bloed horen soppen in mijn laarzen. Ik pakte mijn zweep en gaf Zoo een harde mep, waarop hij naar de andere kant van de piste verhuisde. Op dat punt was ik zo licht in mijn hoofd dat ik begon te denken dat ik mijn nummer best kon afmaken als ik die duivelse Sheik maar op zijn ton wist te krijgen. Dus ik riep: 'Zit', terwijl ik Sheik recht in zijn ogen keek. Toen hij zich niet verroerde, mepte ik hem met de zweep op zijn neus. Hij liep naar zijn ton, stond stil, dacht aan zijn trots en viel aan. Met mijn gebroken been stapte ik opzij, maar door de abrupte beweging zakte mijn linkerlaars weg in de modder en kon ik mijn voet niet meer bewegen. Plotseling stond ik letterlijk aan de grond genageld.

Old Dad had de hele tijd als een gek staan schreeuwen en zwaaien en met het luik staan klapperen en om de een of andere reden koos Sheik dat moment uit om te reageren. Het probleem was dat hij tegelijk met Mary reageerde, een van mijn rustiger tijgers, die het waarschijnlijk welletjes vond. De twee botsten bij de ingang van de tunnel tegen elkaar op. Mary gaf een brul en Sheik raakte door het dolle heen. Hij kwam recht op me af, zonder geluid te maken, met zijn bek moordzuchtig wijdopen. Ik ramde mijn trainingsstok hard in zijn keel, maar Sheik was zo kwaad dat hij een brul gaf en uithaalde naar de stok, terwijl ik het uiteinde steeds opnieuw achter in zijn keel ramde, wat me wellicht had kunnen redden als Zoo op dat moment niet had besloten aan te vallen. Ik zag hem pas toen zijn kaken mijn rechterbeen grepen, waardoor ik in de modder smakte, een beweging waarbij de enkel brak die had vastgezeten. Terwijl ik viel, gaf Sheik me met een brede zwaai van zijn poot een klap tegen het hoofd en hoewel hij erlangs schampte, had hij zijn volle klauw gebruikt, zodat hij een groot stuk hoofdhuid en een bos van mijn mooie blonde haar meenam. Hierdoor werd Zoo kwaad en die reet Sheiks rechterschouder open, waardoor Sheik terugdeinsde uit angst dat zijn andere schouder hetzelfde lot zou ondergaan. Nu Sheik verdreven was, ik half in de modder begraven lag en de andere katten zich ofwel hadden teruggetrokken ofwel op hun ton zaten, kwam Zoo tot rust. Hij nam zelfs de tijd. Hij keek naar me, likte zijn lippen af en scheurde met de nagels van zijn voorpoot mijn buik van navel tot ribbenkast open, alsof hij een blikje haring openmaakte.

Toen boog hij zich voorover en tastte toe.

Het is moeilijk te zeggen waarom ik die dag niet ben doodgegaan. Het enige wat ik weet, is dat ik eigenlijk wel dood had moeten gaan, met Art twee meter onder de grond en Radja ergens in Mexico aan het vechten. Vaak heb ik het idee dat ik door twee engelen gevolgd word, een slechte en een goeie, maar geen van tweeën erg aardig, en dat ze die dag met elkaar op de vuist gingen. De vraag is, was het de goeie engel, die besloot dat ik moest blijven leven, of de slechte?

In ieder geval waren er twee mensen die ook hielpen die dag. De eerste was ikzelf. Hoewel mijn geheugen voorbij een bepaald punt wazig is, is me verteld dat Zoo, nadat hij een paar happen buikspier had genomen, zo met zichzelf ingenomen was dat hij me bij de heup pakte, me als een lappenpop heen en weer schudde en daarbij hard brulde. Hierdoor kwam mijn rechterarm vrij, waardoor ik op de een of andere manier mijn pistool uit de holster wist te krijgen en recht in het gezicht van de grote kat vuurde. Het kruit schroeide hem behoorlijk en hij deinsde snel achteruit. De tweede was niemand minder dan commandant Terrell Jacques, de toekomstige eenogige Terrell Jacobs, die de kooi in rende toen niemand anders dat deed en me eruit begon te slepen. Aangezien er stukken vlees loslieten in de modder, tilde hij me snel op en droeg me als een bruid de kooi uit; het was tenslotte een grote sterke kerel.

Ik heb het grootste deel van de twee daaropvolgende jaren in het ziekenhuis doorgebracht. Hoewel ik me er niet veel van herinner, weet ik nog wel dat de medicijnen die ik kreeg vol zaten met dezelfde pijnstillers die ik ooit kreeg voor huwelijkse belemmeringen en omdat ik daar slechte associaties mee had, waren de hallucinaties doodeng. Toch had ik ze liever dan de pijn, die met geen enkele pen te beschrijven was.

Soms dachten ze dat het beter met me ging en lieten ze me gaan. Dan keerde ik terug naar het circus, waar ze me kaartjes lieten tellen of facturen uitschrijven voor kostuums, maar na een paar dagen of een paar weken ging er altijd weer iets mis. Dan lag ik krom van de pijn en moesten de dokters me weer openmaken en met naald en draad in de weer op zoek naar een scheur die ze over het hoofd gezien hadden of iets nieuws dat sinds de laatste keer was opengegaan. Na een maand of zo werd ik dan weer ontslagen en raakte er iets anders onklaar. Voortdurend staken er infecties de kop op, met gruwelijke koortsen. Er was een tijd dat ik niet behoorlijk naar de wc kon, waardoor ik opzwol en oranje werd en het gevoel had dat ik een hele watermeloen had ingeslikt. Terug naar het ziekenhuis maar weer, voor nog meer operaties, nog meer herstel, nog meer dokters die zich, wrijvend over hun kin, rond mijn bed verdrongen. Tegen de tijd dat ik weer normaal kon poepen, kwamen mijn oogproblemen weer om de hoek kijken. Doordat Sheik me gedeeltelijk gescalpeerd had – ik droeg inmiddels hoeden – was mijn gezichtsvermogen vernaggeld; er waren dagen dat ik niet veel meer zag dan rondjes licht ter grootte van een kwartje, omgeven door pikzwart. Dus ging ik het ziekenhuis in voor de operatie waar ik het bangst voor was. Godzijdank zag ik wat ik moest zien toen het verband eraf gehaald werd, al wou ik vanwege de hoofdpijn die ik van al dat licht kreeg dat het niet zo was.

Je kon geen probleem bedenken of ik had het. Artritische pijn doordat mijn benen gebroken waren geweest? Ja. Migraine als gevolg van bloed-klonters? Hm-hm. Nachtmerries? Paniekaanvallen? Ongelukjes met de spijsvertering? Reken maar. 's Ochtends wakker worden met geronnen bloed op mijn lippen en wangen? Opgedroogde bloedkorsten in de plooien van mijn nek?

Terug naar het ziekenhuis.

Zorgen waren een ander probleem. Destijds was het bij het circus beleid dat artiesten hun eigen doktersrekeningen betaalden. Telkens als ik het ziekenhuis verliet, groeide de som geld die ik de dokters verschuldigd was; de bedragen werden zo groot dat ze na een tijdje praktisch alle betekenis verloren. Altijd als ik naar een van die astronomische rekeningen staarde, zei ik hetzelfde tegen ze: 'Ik kan het alleen maar proberen, denk ik.'

Toen ik in 1930 het ziekenhuis voor de laatste keer verliet, was ik ze volgens mij bijna vierduizend dollar schuldig. Een ziekenverzorgster reed mij en mijn koffer in een rolstoel naar de balie. Ik ging staan, mijn hart klopte wild, wat pijn deed aan mijn ingewanden. (Lachen, zwaar ademen en hoesten hadden hetzelfde effect. Voor de hik had ik zowat morfine nodig.) Ondertussen maakte de vrouw bij de receptie mijn papieren in orde. Ik zette mijn handtekening op stippellijnen zonder te lezen wat ik tekende, want wat het ook was, het kon alleen maar narigheid zijn, dacht ik. Toen zette de vrouw haar ellebogen op de balie, lachte en wenste me veel geluk.

'Vergeet u niet iets?'

'Ik dacht het niet, mejuffrouw Stark.'

'De rekening. Het eindsaldo. Hoeveel?'

Dit bracht een blik van verwarring op haar gezicht en ze begon de papieren in mijn dossier door te bladeren.

'Nee...' zei ze. 'Hier staat duidelijk dat alles betaald is.'

Ik keek haar doordringend aan, maar waarom ik dat deed bij iemand die me zojuist zulk goed nieuws had gegeven, is me een raadsel.

'Hm, dan wil ik graag een vraag stellen. Wie heeft dat in godsnaam betaald?'

Er trok een frons over haar gezicht en ze bladerde nogmaals door mijn dossier. Toen schudde ze haar hoofd en klakte met haar tong.

'Dat staat er niet bij. Wilt u het echt weten?'

'Ik wil het echt weten.'

Ze stond op en verdween in een achterkamertje. Ik hoorde haar met iemand praten. Na een minuut of twee kwam ze weer te voorschijn met een stuk papier dat aan de kreukels te zien een kwitantie was. Ze kwam terug naar de balie.

'Zo te zien', zei ze, 'was het het Ringling Brothers Barnum & Bailey Circus.'

Inmiddels had John Ringling Mugivan's American Circus Corporation uitgekocht; het verhaal ging dat Ringling en Mugivan met elkaar hadden afgesproken in een hotel in Peru, omdat beide partijen wisten dat ze als concurrenten niet konden overleven. Ze tosten erom, de winnaar kreeg de keus de verliezer uit te kopen. Dit zegt op zijn minst iets over de grilligheid van roem: had Jerry Mugivan de toss gewonnen, dan zou híj als beroemdheid de geschiedenis in zijn gegaan in plaats van John Ringling.

Ringling was nu eigenaar van alle redelijk grote circussen in Amerika (met uitzondering van een paar rebelse bedrijven die vanuit Hugo in Oklahoma opereerden) en ik denk dat hij vond dat hij me een plezier deed door me bij het circus van Robinson weg te halen en me terug te sturen naar dat van Al G. Barnes, dat hij nu eveneens geheel in eigendom had. Maar het was vooral treurigheid troef daar. Al G. had er al niets meer mee te maken sinds hij het circus in 1929 aan de ploeg van Mugivan had verkocht. Kennelijk waren de meeste artiesten toen ook vertrokken, omdat ze meenden dat het Al G. Barnes Circus gewoonweg niet hetzelfde zou zijn zonder Al G. zelf aan het roer. Anderen, die het niets kon schelen, werklui en groentjes, waren allang vertrokken. Kortom, ik kende er geen kip en had weinig fut om gezellig te doen. Zelfs het winterkwartier was veranderd; het circus bivakkeerde nu in het stadje Lodi, een paar uur ten zuiden van Venice. Hoewel de nieuwe onderkomens schoner, groter en efficiënter waren, hadden ze ook iets wat me naar mijn oude makkers deed verlangen.

Ik begon een nummer op te bouwen met acht van Barnes' tijgers, wat me dwong allerlei dingen onder ogen te zien die ik liever niet onder ogen wilde zien, omdat ik er de kracht niet voor had. Ambitie, ten eerste. Herinneringen aan Art, ten tweede. Of dit: peinzen over de vraag waarom het najagen van verfijning zo verdomde riskant moet zijn. Geloof me, dit waren gewichtige vragen, het soort waarvan hechtingen opengaan als je er te lang bij stilstaat. Hoe hard ik ook mijn best deed om ze van me af te zetten, ze bleven komen: in dromen, op stille momenten in de ochtend, tijdens een pauze na een in je eentje genoten maaltijd.

Ditmaal zag ik de feiten onder ogen. Voor het eerst van mijn leven deed ik concessies. Ik vond het niet leuk, maar ik had te veel pijn vanbinnen om iets anders te doen. Ik leerde de katten omrollen, opzitten, door een hoepel springen, alles wat het publiek leuk vond aan een show. Ik leerde er zelfs één een bal voort te rollen, een truc die me niet minder dan twee middagen kostte. Hierdoor werd er wel weer over me geschreven in *Bandwagon* en *White Tops* en in de plaatselijke krant, maar de meeste inkt ging toch naar het vechtnummer van een jonge, knappe vent, ene Bert Nelson. Mijn nummer was derde, maar het zijne was een van de laatste, zo dicht mogelijk op het eind zonder de trapezewerkers te hinderen. Als er verslaggevers kwamen, was het zíjn tent waarom ze zich verdrongen. Als er wilde dieren op de affiches van Barnes stonden, waren het zíjn gele leeuwen en niet mijn goed getrainde Bengalen. Ik had niet langer een sterrenstatus en ik, met mijn half afgerukte hoofd, kon niet bepaald zeggen dat dat me speet.

Ik begon veel tijd door te brengen in mijn huurbungalow, een keurig huisje met een achtertuin in een buurt waar veel artiesten van Barnes woonden. Het was een leuke stek, met struiken en een zonnige keuken en meer warm water dan een mens in zijn eentje ooit kon gebruiken. In de achtertuin zette ik een ligstoel neer, waarin ik 's ochtends naar de opkomende zon ging zitten kijken, met een wollen muts op en een trui aan om me warm te houden. Ik breide veel en ik volgde Jack Benny op tv. 's Avonds at ik vroeg en ik ging naar bed rond de tijd waarop de meeste mensen zich beginnen af te vragen wat ze met hun avond gaan doen.

En toen werd er op een avond – de smaak van het avondeten lag nog op mijn tong – op de deur geklopt. Ik deed open en zag een persoon van wie ik nooit had beseft hoeveel hij voor me betekende.

Ik trok hem naar me toe.

'Jezus, wat leuk om jou te zien!' Hoewel hij zijn serieuze gezicht op had, kwam daar na een tweede stevige omhelzing een aarzelende glimlach op. 'Nou, blijf daar niet staan, kom verder.'

Dan knikte, nam zijn hoed af en liep naar binnen. In de elf jaar dat ik hem niet gezien had, had hij de overgang gemaakt van middelbare neger naar oudere neger, een overgang die zo te zien best iets soepeler had mogen verlopen. Er zat grijs in zijn haar, vooral bij de slapen, maar als je goed keek, was zijn hele hoofd bespikkeld met grijze haren, een beetje zoals de verspreide blauwe draden in een deken van rode mohair. Hij was maar een klein beetje magerder geworden, maar aangezien hij om te beginnen al nooit vet was, maakte hij nu een gammele indruk. Plus dat hij door alle zorgen waaronder hij altijd gebukt ging nu voorgoed krom was gaan staan, waardoor zijn spichtige lijf de vorm van een vraagteken had aangenomen. De positieve kant van het verhaal was dat hij geen duidelijke misvormingen had; Dan was altijd iemand geweest die zich bij ruzies afzijdig hield.

Ik kon niet ophouden met hem te omhelzen; hij leek wel een soort totem uit betere tijden, speciaal gestuurd om mij op te beuren. Na een tijdje vond hij het gênant worden. Hij begon te blozen en me zachtjes weg te duwen, dus liet ik hem plaatsnemen en haalde ik voor ons allebei een blikje bier en begon met: 'Zo, hoe ís het?'

Hierop liet hij zo'n met dansende schouders gepaard gaand gegrinnik horen dat je vaak hoort van oude zwarte mensen als ze aan hun tegenspoed denken.

'Mag niet echt klagen. Ben met pensioen uiteraard.'

'Woon je in Venice?'

'Jazeker. Ben op de trein gestapt toen ik hoorde dat u terug was bij Barnes. De circusdagen zijn voor mij voorbij. Ik leid een geregeld leven. Op een vaste plaats.'

'Dat is wel even wennen, hè?'

'Zeker wel, mevrouw. Zeker wel. Heb een halfjaar last gehad van zondagavond-slapeloosheid.'

'Ik heb het zelf ook eens geprobeerd. Herinner je je nog dat ik met die miljonair trouwde en in het Cajun-deel van Texas ging wonen? Een van de belangrijkste redenen dat ik mijn biezen pakte, was dat ik het een crime vond om op een vaste plek te zitten.'

'Ja, ik weet wat u bedoelt, juffrouw Stark. Ik weet helemaal wat u bedoelt.'

'Huur je een bungalow?'

'Nee. Ik woon in het Saint Charles.'

'Het Saint Charles? Dát ouwe ding? Hoe is het er nu?'

'Anders. Vol volk dat nog onfatsoenlijker is dan circusvolk.'

'Jezus, ik wist niet dat dat mogelijk was.'

'Jawel, hoor, juffrouw Stark. Zeker wel!'

Hier moesten we allebei hartelijk om lachen, maar toen we uitgelachen waren, vielen er lange stiltes.

'Heb je genoeg geld om van te leven, Dan?'

'Niet helemaal genoeg, zou ik zeggen. Maar wel wat.'

'Het is toch vreselijk wat er met circuslui gebeurt, vind je niet?'

'Zeker wel, juffrouw Stark. Zeker wel.'

Weer die stilte.

'Dan, was geld de reden dat Al G. zijn circus verkocht?'

'Tuurlijk. Anders had hij het nooit verkocht. Niks voor hem. Juffrouw Speeks heeft hem helemaal uitgekleed. Ik denk dat ze betere advocaten had dan meneer Barnes' eerste vrouw. Het was een verschrikking om te zien wat het met meneer Barnes deed. Op een dag liep ik zijn kantoor binnen en hij zat met zijn hoofd in zijn handen en zei: "Dan, financieel gesproken bevind ik me in een abominabele situatie." Kunt u het hem horen zeggen? Met die manier van praten van hem? Het was de manier waaróp hij het zei waar ik bang van werd, alsof hij al zijn vechtlust verloren had en ik had nooit gedacht dat ik dat zou meemaken met meneer Barnes. Een week later kwam Jerry Mugivan met een bod.'

'Was het een goed bod?'

'Misschien wel. Misschien niet. Hij heeft het me nooit verteld. Het doet er volgens mij ook niet toe, want het meeste ging naar juffrouw Speeks. Juffrouw Speeks en andere stukken venijn. Ik denk trouwens niet dat het geld meneer Barnes ene moer – oeps, sorry, juffrouw Stark, ik ga helemaal over de rooie als ik eraan denk. Ik denk niet dat het geld meneer Barnes nou zoveel kon schelen. Hij had die half afgebouwde ranch in Nevada verkocht en daar leek hij ook niet wakker van te liggen. Het verlies van het circus was wat zijn hart brak. Dat is in ieder geval wat ík geloof. Het brak zijn hart finaal in tweeën.'

Hierop sloeg hij zijn ogen neer en begon hij de rand van zijn hoed in zijn handen rond te laten draaien.

'Dan', zei ik. 'Hoe is het met hem?'

'Ben bang dat ik helemaal hierheen gekomen ben om dat te vertellen, juffrouw. Om eerlijk te zijn, slecht.'

'Hoe slecht?'

Dan keek één moment op. Zijn ogen waren troebel geworden van ouderdom, het bruin van zijn irissen had zowat dezelfde kleur gekregen als het ei van een roodborstje.

'Slecht.'

Dat ik samen met Dan de trein terug naar het noorden nam, was geen probleem; ik koos een kooihulp uit om de katten te eten en te drinken te geven en ik wist dat ze zich wel zouden redden. Maar in de trein hadden we met een paar tamelijk vuile blikken te kampen, omdat ik, een blanke vrouw, met een zwarte man reisde; gelukkig waren we niet in Alabama of Mississippi, anders waren we misschien in de lik beland. Toen Dan in Venice uitstapte, omhelsde ik hem ten overstaan van de mensen die ons de vuilste blikken hadden toegeworpen, enkel om hen nog wat verder op stang te jagen.

Het duurde nog anderhalve dag langer om in Portland te komen. Omdat ik geen geld wilde spenderen aan een slaapplaats, sliep ik zittend, en tegen de tijd dat ik in het regenachtige deel van het land kwam, wou ik dat ik dat niet had gedaan; door al dat heen en weer schudden waren mijn aan elkaar gestikte ingewanden hevig pijn gaan doen. Nadat ik was uitgestapt, rustte ik even uit en nam een hotdog met zuurkool in de stationsrestauratie. Die bezorgde me vooral oprispingen en smaakte vreselijk, waardoor ik wou dat ik me tot kwark en een banaan beperkt had. Daarna nam ik een taxi naar het adres dat Dan me gegeven had. Hoewel het niet in dat deel van de stad was waar Al G. vroeger naar de hoeren ging, was het er dichtbij.

De taxi stopte voor een oud gebouw van vijf verdiepingen met een brandtrap langs de voorgevel. De hal was donker. Hoewel ik de lift niet helemaal vertrouwde, nam ik hem toch, want drie trappen was me een beetje te veel na die lange treinreis. Ik klopte op de deur van Al G.'s flat en was niet verbaasd toen er een vrouw opendeed. Wat me wel verbaasde, was hoe de vrouw eruitzag, want ze was saaier dan saai. Haar jurk was lang en grijs en niet getailleerd en haar schoenen hadden een modderbruine kleur. Haar rode haar stak springerig alle kanten op. Haar gezicht was te rond en te sproetig en haar neusvleugels liepen scherp naar opzij, waardoor haar trekken me deden denken aan een varken met een clownspruik op. Ze was grofweg zo'n vrouw die bij andere vrouwen gevoelens van superioriteit opwekte, maar zodra dat gevoel bij me opkwam, herinnerde ik me dat ik geen recht van spreken had met mijn lodderoog en die grote lap hoofdhuid waarop nooit meer haren zouden groeien. Ik besloot zo aardig tegen haar te zijn als ik maar kon, wie ze ook was.

'Hallo?' zei ze. Haar stem was zo vriendelijk dat ik meteen begreep waarom Al G. haar uitgekozen had voor zijn laatste dagen. Ik stak mijn hand uit. Ze nam hem aan en haar grip was zo warm als een gestoomd broodje en even aangenaam.

'Mijn naam is Mabel. Mabel Stark. Al G. en ik hebben jarenlang samen in het circus gewerkt.'

'Echt waar? Wat leuk. Mijn naam is Margaret Welsh. Ik ben Al G.'s vrouw. Aangenaam.'

'Aangenaam.'

'Leuk dat je er bent. Al G. zal heel blij zijn met bezoek.'

Ik ging naar binnen en ze nam mijn jas aan. Toen ze mijn hoed wilde pakken, deinsde ik terug, dus liet ze die voor wat hij was en deed gelijk alsof het normaal was dat mensen binnen hun hoed op hielden.

'Hoe lang zijn jij en Al G. getrouwd?'

'Nou ja, dat is het punt. Nog niet zo lang. Nog helemaal niet zo lang.' Terwijl ze dat zei, hing ze mijn jas in de kast. 'Vier weken nog maar. Ons één-maands jubileum is morgen. Ik was zijn verpleegster na de derde aanval.'

'Ben je verpleegster?'

Door mijn abrupte vraag aarzelde ze even. Het leek of ze bang was dat ze per ongeluk iets grofs had gezegd.

'Ja.'

'Was ik ook. Lang geleden.'

'O, ja? Waar?'

'Sint-Mariaziekenhuis. Louisville, Kentucky.'

'En toen?'

'Je zou kunnen zeggen dat het circus langskwam, denk ik.'

'Echt? Wat geweldig. Wat geweldig. Ga zitten, Mabel. Ik moet je iets uitleggen. Ik weet niet of je het gehoord hebt, maar het gaat niet zo goed met Al G. Hij is eerlijk gezegd heel erg ziek. Volgens de dokters maakt hij het niet lang meer, maar God weet dat die het wel vaker bij het verkeerde eind hebben. Het is zijn hart, snap je. Het pompt zijn bloed niet goed rond, daardoor is hij zwak. Door stress en te vet voedsel als je het mij vraagt. Maar ik geloof vast dat hij weer opknapt. Dat weet ik zeker.'

'Al G. kennende, zal hij zich er wel doorheen slaan. Voor het jaar om is, heeft hij waarschijnlijk een nieuw circus.'

'Nou, dat weet ik zo net nog niet, maar je vertrouwen is bemoedigend. Wil je nu naar hem toe?'

Ik volgde haar naar een deur in de achterwand van de woonkamer. Gedurende die vijf of zes stappen bedacht ik dat Al G. zo'n gladjanus was dat dit waarschijnlijk een of andere list was, een verzinsel, bedoeld om zichzelf buiten beeld te houden en schuldeisers te ontlopen, terwijl hij zijn volgende onderneming plande. Als zijn nieuwste vrouw zich had omgedraaid, zou ze me met een kleine grijns op mijn gezicht betrapt hebben.

Margaret duwde de deur open en we gingen naar binnen.

'Al G.?' zei ze zachtjes. 'Al G.?'

Hoewel het donker was in de kamer, gluurde er genoeg licht tussen de gordijnen door om hem op bed te kunnen zien liggen met zijn mond open als een krater en de dekens opgetrokken tot aan zijn kin. Ik wist meteen dat dit geen list was en dat, áls hij al beter zou worden, dat niet gauw zou zijn.

We liepen naar het bed. Al G.'s gezicht was ingevallen, zijn jukbeenderen staken uit als eieren en zijn oogkassen waren iets te groot geworden voor zijn ogen. Het enige wat verder van hem te zien was, waren zijn handen, die gevouwen op de zoom van de deken lagen. Blauwig en mager waren ze, met diepe kuilen tussen de knokkels.

'Al G.?' zei Margaret nogmaals, maar ditmaal duwde ze lichtjes tegen zijn schouder. 'Al G.? Je hebt bezoek...'

Omdat ze dacht dat ik naar Al G. keek, maakte haar opgewektheid plaats voor verdrietige bezorgdheid. Meteen daarna haalde ze diep adem en sprong haar glimlach terug als een schietschijf op de schietbaan.

'Hij heeft net zijn medicijnen ingenomen. Hij heeft zijn slaap hard nodig. Misschien wil je hem gezelschap houden?'

Ze gebaarde naar een stoel naast Al G.'s bed en ik ging zitten. Margaret ging weg en kwam een halve minuut later terug met wat exemplaren van *The Saturday Evening Post*.

'Hier', zei ze. 'Dan heb je wat te lezen als je je gaat vervelen.'

Ik pakte de tijdschriften aan en ze ging weg en heel lang wist ik niet wat ik precies geacht werd te doen. Wat ik vooral deed, was kijken hoe Al G. ademde, wat op zich al eng was: soms bleef het tussen de ademhalingen in zo lang stil dat ik zou zweren dat hij zijn allerlaatste adem had uitgeblazen en moest ik me inhouden om niet op zijn borst te gaan rammen en om Margaret te schreeuwen en dan kwam het eindelijk: een diep, raspend, borstverheffend inzuigen van lucht, die hij vervolgens eindeloos vasthield. Als hij werkelijk ieder spoortje zuurstof eruit had gehaald, ademde hij met een geluid als een zucht langzaam uit.

De enige andere beweging was een onregelmatig trillen van de ogen achter oogleden die zo dun als vloeipapier waren geworden. Er stond een schaal water met een washandje op Al G.'s nachtkastje en omdat het door de radiatoren erg droog in de kamer was, bevochtigde ik om de pakweg vijf minuten zijn lippen. Los daarvan kon ik op het vlak van verpleging weinig voor hem betekenen; mijn enige hoop was dat hij mijn aanwezigheid zou voelen en dat die aanwezigheid hem zou opbeuren. Na wat zinloos getuttel verplaatste ik mijn stoel naar de andere kant van het bed, waar ik het kleine beetje licht ving, dat de kamer binnen sloop. Ik pakte een tijdschrift. Omdat na een uur mijn ingewanden pijn begonnen te doen, stond ik op en ging naar de woonkamer.

Margaret was aan het werk in het kleine keukentje aan de andere kant van de kamer. Te oordelen naar de geuren die daar vandaan kwamen, vermoedde ik dat ze soep aan het maken was. Ze hoorde mijn geritsel en kwam de woonkamer in, terwijl ze haar handen afveegde aan een schort met afbeeldingen van jonge poesjes erop.

'O, hallo. Ging je bezoek goed?'

'Hij heeft de hele tijd geslapen.'

'Tja, hij heeft zijn rust nodig. Hoe lang blijf je in Portland?'

'Ik weet het nog niet. Vier of vijf dagen, denk ik.'

'Mooi!' Ze rommelde wat in de zak van haar schort en viste er een papiertje uit. 'Dan kun je misschien wat dingen voor Al G. en mij halen en die morgenochtend als je komt meebrengen. Zou je dat willen doen?'

Zonder op antwoord te wachten, gaf ze me het lijstje en ging haar portemonnee zoeken. Voordat ze er geld uit kon halen, hield ik haar tegen door mijn hand op de hare te leggen en te zeggen: 'Nee. Ik betaal. Dat is het minste wat ik doen kan. God weet dat iedere cent telt in deze rotcrisis.'

Ze keek me met halfopen mond aan.

'Dank je, Mabel.'

'Graag gedaan, Margaret.'

De volgende ochtend bracht ik Margaret haar boodschappen en haar zeep en legde nog een bezoekje af bij Al G. Hij zag er net zo uit als toen ik gisteren was weggegaan, hij had alleen een schone pyjama aan en zijn beddengoed rook vaag naar citroensap. Ik bevochtigde zijn lippen en ging zitten om een beetje te lezen. Na een minuut of vijf hoorde ik gesputter en toen ik opkeek, zag ik dat er wat spuug op Al G.'s lippen bubbelde. Toen klonk er een zacht gekreun. Zijn ogen schoten open alsof ze met dynamiet opengeblazen waren en het was een opluchting om te zien dat één ding in ieder geval niet door Al G.'s ziekte aangetast was: de koningsblauwe kleur van zijn ogen.

Toen hij zag dat hij bezoek had, ging hij snel rechtop zitten met zijn rug tegen het hoofdeinde. Hoewel hij nog steeds zo mager als een lat was en zijn huid doodsbleek, viel niet te ontkennen dat er iets van vitaliteit in hem geschoten was toen hij wakker werd, en het enige wat ik kon bedenken, was dat het dezelfde kracht was als die waardoor Al G. altijd al de wervelwind was geweest die hij was. Ik had het gevoel of ik een radslag maakte.

'Kentucky!' zei hij met krachtige stem. 'Wat brengt jou in 's hemelsnaam hier?'

'Dan vertelde dat je ziek was.'

'Dan? Wat een schobbejak. Ik had hem nog zo gezegd dat ik niet wilde dat iemand me zo zag.'

'Hoe bedoel je, zo, Al G.? Ik kan je verzekeren dat je niet de eerste circusbaas bent die een hartaanval of drie achter de rug heeft.'

'Als je bedoelt dat het een beroepsrisico is, ben ik bang dat ik je gelijk moet geven.'

We moesten allebei lachen.

Al G. zei: 'Ik las in de *Billboard* dat je zelf ook nogal ernstige gezondheidsproblemen hebt gehad.'

'Dat kun je wel zeggen.'

'Wat is er gebeurd?'

'Het was noodweer en we waren laat en de katten hadden niet te eten gekregen. En ik ging toch op.'

'Mabel, waarom deed je dat in 's hemelsnaam? Waarom liet die verdomde John Robinson dat toe?'

'Waar het op neerkomt, denk ik, is dat hij het niet wist.'

'Nou, ík zou het wel geweten hebben, dat verzeker ik je, en ik zou je absoluut verboden hebben om op te treden. Ik zou je door twee stevige werklieden hebben laten wegdragen. Zonodig door drie. Ik ken je, Kentucky.' Hierop leek hij me te bestuderen met die schitterende blauwe ogen van hem.

'Tjonge, wat leuk om je te zien, Kentucky. Ik ben blij dat Dan zijn belofte gebroken heeft. Ik zou je een calvados aanbieden als ik dat van Margaret mocht hebben. Je ziet er goed uit. Heel goed.'

'Dat komt doordat de gordijnen dicht zijn en ik een hoed en make-up op heb.'

'We hebben allemaal onze oorlogslittekens, Kentucky. Degenen die ze aan de buitenkant hebben, zijn er alleen wat eerlijker over, dat is het enige. Geloof me. Je bent nog even mooi als die dag waarop we elkaar voor het eerst ontmoetten bij dat ouwe Circus Parker. Weet je nog? Naast die sjofele ouwe Siberische tijger? Alsof het gisteren was, vind je niet?'

'Zeker', zei ik op sentimentele toon. 'Maar tegelijkertijd lijkt het of er heel wat levens voorbij zijn gegaan.'

'Zie je? Daar ga je weer, Kentucky. Overal zwaar aan tillen. Altijd het negatieve zien. Zo was je altijd al, hè? Luister, Kentucky. Wie maalt er nou om een beetje tegenslag in vergelijking met wat we allemaal beleefd hebben? Herinner je je die keer in Oregon, toen er een leeuw losbrak tijdens de cavalcade? Of die keer in Montana dat de tent omwaaide terwijl het publiek nog binnen was? Of de keer dat ik me probeerde te verstoppen voor John Ringling bij die idiote Doechoboren? Of die keer dat we...'

Hier stierf zijn stem weg en ik was blij dat hij niet afmaakte wat hij wilde gaan zeggen: Of die keer dat we uit eten gingen in San Francisco.

'Kan ik je ergens mee helpen, Al G.?'

'Nou, om eerlijk te zijn wel, Kentucky. Om eerlijk te zijn wel. Je hebt zeker toevallig geen tienduizend dollar die je wilt investeren, hè? Ik heb eens nagedacht, Kentucky. Het publiek is die enorme spektakels met vijf pistes, die John Ringling presenteert, zat aan het worden. Ik denk dat het publiek toe is aan kleinere, intiemere circussen. Eén piste met alleen maar mensennummers. Cascadeurs, slangenmensen, acrobaten, jongleurs, antipode- en parterrekunstenaars. Enkel de besten van het vak. Dat zou toch moeten lukken, denk je niet? Met tienduizend dollar zou ik een tent kunnen kopen en een paar Europeanen inhuren. Misschien zelfs een paar Chinese stoelenstapelaars. Wat denk je, Kentucky? Heb je geld?'

'Ik ben bang van niet, Al G.'

Hierop keek hij me aan en grinnikte. 'Ach, geeft niks. Dat hebben de meesten niet tegenwoordig.'

Ik grinnikte ook. Er viel een korte stilte.

'Mag ik je wat vragen, Al G.? Iets wat ik me al die jaren heb afgevraagd?'

'Natuurlijk, Kentucky.'

'Waarom veranderde je destijds van mening en liet je Radja gaan? Waarom deed je dat?'

'Kentucky! Ik veranderde níét van mening.'

Ik keek hem verbaasd aan.

'Wat bedoel je?'

'Wat ik zeg. Ik ben nooit van mening veranderd. Ik heb die tijger altijd willen laten gaan. Tenzij jij natuurlijk van gedachten veranderd was en gevraagd had of je kon blijven. Dat zou een ander verhaal geweest zijn. Zeg eens eerlijk, heb ik ooit met zo veel woorden gezegd dat je Radja niet mee mocht nemen? Zeg eens eerlijk, Kentucky, heb je me ooit nee horen zeggen tegen iemand? Met name tegen een vrouw met krullen en een mooi snoetje?'

Ik dacht er goed over na en besefte dat ik hem dat inderdaad nooit had horen zeggen.

'Dus Radja is altijd van mij geweest?'

'Natuurlijk', zei hij. 'Godallemachtig, hij zou ieder ander die geprobeerd had met hem te vechten, gedood hebben. Gezond verstand, Kentucky.'

We praatten nog een tijdje door, vooral over vroeger. En toen was hij moe, even plotseling als hij was wakker geworden. Het leek of hij het ene moment nog lag te gebaren en het volgende moment wegzakte in zijn kussen, de deken tot aan zijn kin optrok en met hese stem zei: 'Misschien moet je maar gaan, Kentucky. Ik voel me een beetje slapjes...'

Een tel later sliep hij. Mijn wangen werden vochtig, want hij was zo levendig en zo de oude Al G. geweest dat ik vergeten was waarom ik hem had opgezocht: het feit dat hij op zijn sterfbed lag.

Ik bleef veel langer in Portland dan ik in eerste instantie van plan was geweest. 's Ochtends ging ik op bezoek en 's middags deed ik boodschappen voor Margaret. Vaak nodigde ze me uit om te blijven eten, maar dat sloeg ik altijd af met de smoes dat ik plannen had met andere vrienden in de stad. Als ik honger had, ging ik ergens eten, maar wat ik vooral deed 's avonds was wandelen. Na twee jaar grotendeels in een lawaaiig ziekenhuis te hebben doorgebracht, vond ik het eerlijk gezegd wel prettig om in mijn eentje, dus vrijer dan de meesten, rond te lopen als de stad langzaam tot rust kwam.

Wat mijn bezoeken aan Al G. betreft, die verschilden nogal. Sommige ochtenden deed ik niets anders dan tijdschriften inkijken, terwijl Al G. de hele tijd sliep. Andere keren werd hij suf wakker, mompelde en gromde wat, maakte rare opmerkingen en verviel dan weer in roerloosheid. Weer andere keren schoot hij wakker, even alert als jij en ik. Dan gaf ik hem een beetje appelbrandewijn, die ik mee naar binnen had gesmokkeld, en praatten we over allerlei onzin, zoals de mode of het nieuws. Op een ochtend leerde hij me Chinees dammen, wat ik heel wat interessanter vond dan gewoon dammen. Weer andere keren las ik hem goedkope romannetjes voor; hij hield van cowboy- en boevenverhalen.

Nadat ik al bijna tien dagen lang op bezoek was gekomen, stapte ik op een ochtend de woning binnen en realiseerde me iets: in al die tijd had ik Margaret niet één keer naar buiten zien gaan, wat de oorzaak kan zijn geweest voor haar bleekheid.

Ik stevende recht op haar af.

'Margaret, jij neemt vanochtend vrij.'

'Pardon?'

'Je zit al tien volle dagen binnen en wie weet hoeveel langer al. Neem de ochtend vrij. Ga je nagels laten doen. Ga bij je moeder langs. Maak een lange wandeling. Dit is geen vraag. Dit is een bevel.'

Verschillende gedachten streden met elkaar om voorrang in haar hoofd. Langzaam bracht ze een hand naar haar voorhoofd. 'Hm,' zei ze aarzelend, 'ik zou best mijn haar weer eens kunnen laten doen.'

'Zo mag ik het horen.'

'En ik héb hem al verschoond.'

'Nou dan, niets houdt je tegen. Maak je geen zorgen. Ik ben gediplo-meerd verpleegster, dus in betere handen kan hij niet zijn. Schiet op. Op-krassen. Maak dat je wegkomt. En kom niet terug voordat mensen op straat je goeiemíddag wensen.'

Langzaam draaide ze zich om en trok haar jas aan. Voor ze wegging, keek ze me aan en zei: 'Dank je, Mabel.'

Nadat ik een beetje had opgeruimd, liep ik Al G.'s slaapkamer binnen en ging naast hem zitten, terwijl hij sliep. Om een uur of tien begon hij te sputteren en werd helemaal wakker, waarbij hij tegelijkertijd kreunde, met zijn armen zwaaide en rechtop ging zitten.

'Jezus, Al G. Ik schrik me elke keer dood als je dat doet.'

'Neem me niet kwalijk.'

'Kun je het de volgende keer dat je uit je coma komt wat rustiger aan doen?'

Hij gaapte, rekte zich uit en keek vol hoop uit zijn ogen. 'Ah, ik ben aan de beterende hand, Kentucky. Ik voel het gewoon.'

'Blij dat te horen.' Hij had inderdaad wat meer kleur op zijn gezicht die ochtend. 'Al G., zeg eens. Waar ben je vanochtend voor in de stemming? Misdaadverhalen? Dat Chinese damspel? Wat dacht je van een zachtge-kookt eitje? Margaret is de deur uit, dus je bent helemaal van mij.'

Hij reageerde niet, tenzij je de grijns telde die op het punt stond over zijn gezicht te trekken.

'Wat, Al G.? Wat speelt er door dat hoofd van je?'

Hij keek opeens een beetje beschaamd.

'Waar het om gaat, is... nou ja... het zit zo...' Hij haalde diep adem en vermande zich, een beweging die zichtbaar pijn deed. 'Ga zitten, Kentuc-ky. Ik moet je iets uitleggen. Het heeft met Margaret te maken, snap je? Het heeft met... nou ja, wat ik probeer te zeggen, is dat ze een fantastische vrouw is, die op velerlei vlakken uitblinkt. Schoonmaken en soep maken bijvoorbeeld. En met haar handen van mijn geld afblijven, niet dat ik ook maar een cent heb waar iemand van af moet blijven, maar als ik die wel had, zou ik me er geen zorgen om hoeven te maken. Maar er is één ge-bied waarop ze een beetje, laten we zeggen, terughoudend is gebleken.'

Ik keek hem verbaasd aan, al was ik minder verbaasd dan ik me voordeed.

'Kijk, Kentucky, als ik goed uitgerust en vol leven en energie wakker word, zoals nu bijvoorbeeld, heb ik altijd een tikje last van een zekere, eh... laten we zeggen, dartelheid.'

Hier had ik me misschien beledigd door moeten voelen, maar eerlijk gezegd vond ik het ondeugende jongetje, dat nog steeds in Al G. stak, wel leuk; alle hartaanvallen ter wereld konden die kwajongen niet intomen. Om me ervan te vergewissen dat Al G. en ik het over hetzelfde hadden, stak ik mijn hand onder de dekens en liet hem naar beneden glijden en ja hoor, hij was zo stijf als een man in het gips.

'Goeie god.'

'Jezus, Kentucky, ik vind het vreselijk om te vragen, maar je bent het enige aantrekkelijke dat in de afgelopen weken maar enigszins in de buurt van deze flat is geweest. Als je iets kunt doen om mijn ellende een beetje te verzachten, zou ik je zeer dankbaar zijn.'

Ik dacht hier een minuut over na, waarbij ik besefte hoe aardig en eerzaam het zou zijn om Al G. te helpen. Het enige probleem was dat ik plechtig had gezworen mij nooit meer tot een man te bekennen na wat ik Art had aangedaan. Ik zat alle voors en tegens tegen elkaar af te wegen. Wat de weegschaal uiteindelijk deed doorslaan, was het besef dat ik verdomd weinig kon doen om hem te schaden, aangezien hij toch al niet lang meer te leven had. En zelfs als hij wel in leven zou blijven, zou het geen leven zijn waar een man als Al G. vrede mee kon hebben. Ik besloot voor deze ene keer met mijn beleid te breken: Al G. zou de laatste man zijn met wie ik ooit nog in bed zou liggen, aangekleed of hoe dan ook.

'Denk je dat je hart het aan kan?'

'Eerlijk gezegd kan dat me niet veel schelen, Kentucky.'

'Krijg je het niet koud als ik de dekens terugsla?'

'Waarschijnlijk wel.'

Ik grinnikte, trok de dekens omlaag en probeerde niet naar zijn stakige lichaam te kijken. Hij stak omhoog door de gulp van zijn pyjama en het was goed om te zien dat de omvang van zijn penis niet aangetast was door zijn hartziekte. Hij zou eerlijk gezegd zo van een jongeman geweest kunnen zijn. Ik moest onwillekeurig denken aan de eerste keer dat ik een gezwollen lid had gezien; het was moeilijk te geloven dat ik ooit zo geschrokken en bang van en nieuwsgierig was geweest naar zoiets door en door gewoons.

Op dat moment besloot ik dat als ik Al G. Barnes toch ging vermoorden, ik het maar op grootse wijze moest doen. Ik boog me voorover en maakte me op om iets te doen wat ik nooit eerder gedaan had, maar wel twee keer had zíén doen: de eerste keer op de sepiakleurige foto die Dimitri Aganosticus me had laten zien en de tweede keer in een gevangeniscel in Bowling Green, Kentucky. Maar behalve een vaag beeld van wat het inhield, zweer ik dat ik er geen idee van had hoe ik moest beginnen. Vandaar dat mijn eerste likjes en kusjes wat aan de slappe kant waren. Uiteindelijk besloot ik ermee om te gaan als met een hoorntje met mijn favoriete ijssoort: bij iedere haal verbeeldde ik me dat er een laag aardbeienijs op mijn tong lag. Het moest meer dan aangenaam geweest zijn, want na een poosje liet de patiënt een zacht gekreun horen. Een tel later spoot hij omhoog. Hét smaakte uiteraard niet naar aardbeien. Het leek meer op eierpunch met ansjovis.

Nadat ik zijn kwakje in een papieren zakdoekje had gespuugd, ging ik weer zitten; ik was blij om te zien dat hij nog steeds onder de levenden was. Sterker nog, hij glimlachte.

'Kun je nog ademhalen?' vroeg ik.

'Kennelijk wel.'

'Geen hevige pijn op de borst?'

'Helemaal niet.'

'En je voelt je goed? Geen tintelingen in je arm? Geen felle lichten? Geen hemelse visioenen?'

'Ik voel me prima, Kentucky. Meer dan prima zelfs.'

'Mooi. Dat doet me goed.'

Daarna zeiden we lange tijd niets; we genoten van een moment waar we, als we tieners geweest waren, om gegiecheld zouden hebben. 'Dank je, Kentucky', zei hij en een minuut later sliep hij; zijn ademhaling was diep en langzaam. Terwijl ik zo naar mijn oude vriend zat te kijken, besefte ik dat ik die dag nóg iets nieuws wilde doen, iets wat ik nog nooit gedaan had met een man (althans, niet met een man die zijn ogen niet opmaakte met oogschaduw).

Ik stak mijn hand uit en bleef heel lang zo zitten met Al G.'s hand in de mijne.

15

Jungleland

Zelfmoordbriefje, gevonden boven op een opgevouwen kindertrui op het bureau van Mabel Stark:

Nou, hier is hij dan, Roger. Zoals ik beloofd heb. Ik heb hem vrij groot gemaakt, zodat ze erin kan groeien. Met knopen in de vorm van teddybeertjes.
Vriendelijke groet,
Mabel Stark

P.S.: Op de hand wassen in koud water.

Verantwoording

Het in kaart brengen van de grote lijnen van Mabel Starks loopbaan was niet moeilijk. Het Robert L. Parkinson Library and Research Centre, dat onder de paraplu werkt van het Circus World Museum in Baraboo, Wisconsin (de geboorteplaats van de gebroeders Ringling), heeft alle afleveringen van *Bandwagon*, *White Tops* en een paar minder bekende circusbladen in archief; ik hoefde de naam Mabel Stark maar op een papiertje te schrijven en aan de hoofdbibliothecaris – Fred Dahlinger, een ongelooflijk hulpvaardig iemand – te geven en een uur later kreeg ik een lijst met verwijzingen. Die verwijzingen bestonden veelal uit niet meer dan een of twee zinnen in de gewone nieuwskaternen. Het was mijn taak ze te rangschikken.

Dit is wat we met zekerheid over Mabel Starks beroepsleven kunnen zeggen: Ze kwam in 1909 bij het Parker Carnival als revuedanseres en gebruikte destijds een Griekse achternaam. (Ik heb verschillende versies van die naam gezien, maar gaf de voorkeur aan Aganosticus.) Ze vertrok daar om met een rijke man uit Texas te trouwen, maar keerde een paar maanden later alweer terug om te stripdansen bij de Cosmopolitan Amusement Company. Aan het begin van het daaropvolgende seizoen deed ze de gratis publiekstrekker voor het geheel nieuwe circus van Al G. Barnes, de man die hoofdoppasser was geweest bij het circus van Parker. Later dat jaar trad ze op met een gemengd nummer met twee tijgers en een stel leeuwen, welke laatste ze van Barnes' dompteur Louis Roth had geleend. Starks ster rees zo snel dat ze al gauw een eigen tijgernummer had en aan het begin van de jaren twintig was haar stoeipartij met Radja het bekendste roofdierennummer in het Amerikaanse circus. Haar roem verbleekte toen het Ringling Circus in 1925 stopte met roofdierennummers; in 1928 werkte ze voor het circus van John Robinson, waar ze de zwaarste tijgeraanval van haar leven te verduren kreeg. Ze beëindigde haar circusloopbaan bij het Al G. Barnes Circus van de jaren dertig, waarna ze verhuisde naar Jungleland.

Wat Mabel Starks privé-leven betreft, verwijs ik naar een serie door Stark zelf geschreven brieven, die eveneens in de bibliotheek van het Circus World Museum te vinden zijn. Het schijnt dat Mabel Stark in de jaren dertig het ware verhaal van haar leven in en buiten het circus wilde doen uitgeven. Ze nam daartoe contact op met een ghostwriter, ene Earl Chapin May, met wie ze een briefwisseling begon. Deze brieven bevatten een schat aan informatie; ze beschreef Louis Roth erin als een drinker en haar volgende man, Albert Ewing, als iemand die vervalste cheques uitschreef en met een schuld van tienduizend dollar bij het Ringling Circus vertrok. De man met wie ze daarna trouwde, Art Rooney, beschreef ze als 'de enige van wie ik zoveel hield dat ik er de tijgers voor had willen opgeven', en ze schreef ook: 'Ik had gehoord dat hij nooit met meisjes ging en eigenlijk een vrouw was.'

In een andere brief, die geheel aan Radja was gewijd, onthulde Stark de hoogst intieme aard van haar beroemde nummer. 'Als ik me omdraaide en hem riep, ging hij op zijn achterpoten staan en legde beide voorpoten om mijn nek. Dan trok hij me omlaag en greep mijn hoofd vast; een mannetjestijger grijpt het vrouwtje bij haar nek, weet je, en houdt haar vast en gromt tot het kritieke moment voorbij is. Zo greep Radja mij dus ook vast. We bleven rollebollen tot hij klaar was en hoewel het publiek niet kon zien wat Radja deed, was zijn gegrom een hit.'

Hoewel het boek van Earl Chapin May nooit werkelijkheid is geworden, verscheen er in 1938 wel een autobiografie van Mabel Stark, getiteld *Hold That Tiger*, bij een circusuitgeverij. Zoals de meeste circusautobiografieën van die tijd was deze bedoeld om het circus te promoten en zou hij heel goed door Ringlings eigen publiciteitsbureau geschreven kunnen zijn. Het volstaat te zeggen dat hij stevig gekuist en hoogst onnauwkeurig is; ik vond alleen de beschrijvingen van de manieren waarop Mabel werd aangevallen en haar dieren verzorgde nuttig.

Ten slotte heb ik iedereen geïnterviewd die Mabel Stark in de laatste dagen van Jungleland gekend had (en met me wilde praten). Stark was duidelijk van mening dat onverenigbaarheid van karakter met de nieuwe eigenaren de reden was van haar ontslag. Of dit nu wel of niet waar is, dit boek is geschreven om háár standpunt weer te geven; dat is voor mij voldoende reden om deze weergave van de gebeurtenissen te gebruiken.

De rest is fictie. De karakteriseringen van de iets beroemdere mensen – Al G. Barnes, John en Charles Ringling, Lillian Leitzel, Louis Roth – zijn het resultaat van onderzoek.

Een paar aanvullende opmerkingen.

In mijn boek heeft Mabel Stark een vroege aanvaring met de geestelijke gezondheidszorg, zoals die destijds bestond. Hoewel dit speculatie is, is het geen lichtvaardige speculatie. Het staat vast dat iets tamelijk diepgaands de reden was dat ze haar respectabele baan als verpleegster opzegde om stripteasedanseres te worden. Degenen die haar kenden bij Jungleland zeiden dat ze altijd loog over haar leeftijd, waardoor ze vermoedden dat haar op jonge leeftijd iets moest zijn overkomen dat ze uit alle macht probeerde te verdoezelen. In het boek *Wild Animal Trainers of America* beweert een circusschrijfster, Joanne Joy, dat Mabel Starks afscheid van het beroep van verpleegster het gevolg was van een zenuwinzinking. Gezien de manier waarop Starks leven ten einde kwam, leek me dit een goede verklaring voor het grote aantal raadsels betreffende haar jonge jaren.

Enkele minder belangrijke feiten heb ik ten dienste van het verhaal enigszins aangepast, iets wat ik hier noem omdat er veel circusfans zijn en ik hen geenszins in de gordijnen wil jagen. Er was niet één, maar er waren twee Radja's (genaamd Radja I en Radja II). Omdat de eerste veruit de belangrijkste was voor haar carrière, heb ik de tweede weggelaten. Bovendien is Mabel Stark aan het begin van de jaren zestig nog een keer getrouwd, weer met een menageriebaas, genaamd Eddie Trees. Al G. Barnes ten slotte stierf in de staat Californië, niet in Oregon.

Het Al G. Barnes Circus gaf zijn laatste voorstelling op 27 november 1938 in Sarasota, Florida, samen met Sells-Floto, John Robinson en het Ringling Brothers Barnum & Bailey Circus.

Op 6 juli 1944 vatte de paraffinelaag van de grote tent van Ringling vlam tijdens een voorstelling in Hartford, Connecticut, waardoor honderdachtenzestig mensen de dood vonden. Jarenlang balanceerde het circus op de rand van een bankroet als gevolg van de schadevergoedingen die het moest betalen. Vandaag de dag is het Ringling Circus het grootste circus ter wereld, dat met twee karavanen door de Verenigde Staten en Canada trekt.

Mabel Stark pleegde op 21 april 1968 zelfmoord door een combinatie van zelfverstikking en een overdosis slaaptabletten. Haar precieze leeftijd was onbekend.

Dankwoord

Hoewel veel mensen geholpen hebben bij het onderzoek voor deze roman, zijn er vijf individuen zonder wier hulp dit boek niet mogelijk geweest zou zijn. Roger Smith uit Houston, op wie het personage Roger Haynes gebaseerd is, heeft me enorm geholpen met de beschrijving van Mabel Stark op latere leeftijd. Fred Dahlinger, hoofdbibliothecaris van het Circus World Museum, stuurde me zonder aarzelen talloze oude circusboeken toe, waarvan vele al vijftig jaar niet meer leverbaar zijn, met als enige onderpand mijn belofte ze onbeschadigd terug te bezorgen. Michael Hackenberger, dierentrainer en eigenaar van de Bowmanville Dierentuin in Bowmanville, Ontario, leerde me veel over de vroegere trainingstechnieken die in het boek voorkomen. Al Stencell, voormalig circusdirecteur en kenner van dansshows, vertelde me alles wat ik ooit zou willen weten over stripdansen. Barbara Byrd, ten slotte, van het Carson & Barnes Circus, nodigde me uit een week mee te reizen met haar circus op het Texaanse platteland, ook al had ik haar duidelijk laten weten dat ik haar bedrijf op geen enkele manier kon promoten met mijn boek. Dit, zo moet ik toegeven, is wat circusartiesten bedoelen als ze zeggen dat iemand er helemaal voor gaat.

Ook wil ik graag de mensen bedanken die het boek lazen en gaandeweg suggesties deden: Susan Greer, Jackie Kaiser, Jocelyn Lawrence, Jan Whitford en Robert Young. Mijn dank gaat ook uit naar hen die mij in het verleden hebben gesteund bij het schrijven, óf door mij opdrachten voor tijdschriften te geven óf door kritiek te leveren op eerdere, niet voor publicatie geschikte fictie: Lynn Cunningham, Angie Gardos, Wayne Gooding, Angel Guerra, Marni Kramarich, John Macfarlane, Dianne Symonds, Linda Williams. En ten slotte mijn diepe en onvoorwaardelijke dank aan mijn redactrice, Anne Collins, die bij ontvangst van zeer schetsmatige, nog uit te werken kladversies nooit verzuimde te zeggen wat een schrijver vooral wil horen: 'Het begint erop te lijken. Nu wil ik meer.'

Aantekeningen bij de vertaling

1 Sourmash – graanpap met hoog melkzuurgehalte, als grondstof voor sommige whisky's.

2 Shriner – lid van de Ancient Arabic Order of Nobles of the Mystic Shrine, een onderafdeling van de Orde der Vrijmetselarij.

3 Montezuma's revenge – uit de tijd van Cortès stammende benaming voor (in Midden-Amerika opgelopen) diarree.

4 Oddfellows – de Broederschap der Oddfellows is een soort vrijmetselaarsloge.

5 Vitascope – een van de eerste projectoren voor speelfilms, ontworpen door Thomas Edison.